LE PETIT NAVET

Gérard Gervais

Le Petit Navet

Roman autobiographique

Editions Persée

Pour tout contact :
Editions Persée — 67 cours Mirabeau — 13100 Aix-en-Provence
www.editions-persee.fr

À ma mère Simone
Dont le fils n'a pas toujours été facile à élever

À ma fille Heidi
Dont le père n'a pas toujours été facile à trouver

INTRODUCTION

L'entrée des studios de cinéma de Boulogne-Billancourt est gardée. Un planton en uniforme et une massive porte électrique interdisent l'accès à « Toutes personnes étrangères à la production ».

En général le tournage d'un film ne débute guère avant midi, mais depuis les petites heures du jour, sur le trottoir, le dos aux berges humides de la Seine, ce matin comme d'habitude, des dizaines de visages tirés, au regard usé, d'autres moins ridés mais déjà déçus, et d'autres encore, brillant d'espoirs naïfs, sont agglutinés autour de cette entrée.

Les yeux rivés sur la porte close, jouant des coudes pour rester dans les premiers, ils attendent qu'un régisseur en quête de figurants fasse son apparition pour choisir *dans le tas.*

Le maigre cachet que les élus toucheront ce soir-là, leur permettra de tenir le coup un jour ou deux.

Anciennes vedettes déchues du cinéma muet, éternels professionnels de la figuration au jour le jour qu'on appelle dans le métier « les frimants », jeunes visages espérant être découverts, chacun a son histoire, sa misère, sa dérive, son anxiété, sa jeunesse et ses espoirs, sa vieillesse et sa détresse.

De temps à autre, la petite foule se lézarde à contrecœur pour laisser passer un technicien, un journaliste ou un acteur de complément portant sur son visage empreint de modestie affectée, l'expression néanmoins privilégiée d'un contrat de quelques jours de tournage, puis se referme plus étroitement à mesure que l'heure avance.

Vers onze heures, enfin, le régisseur fait son apparition et trône dans le chambranle de la porte électrique. C'est l'instant éphémère où tous les regards s'animent alors que tous les espoirs renaissent.

La foule se resserre, muette, tendue. Le régisseur, le col de son manteau de loden relevé, une liasse de papiers que le vent agité tente d'arracher de ses mains, sonde l'assistance et désigne avec autorité :

– *Vous ! Et vous là-bas ! Au maquillage ! C'est tout pour aujourd'hui !*

Certains insistent, s'accrochent, tentent inutilement de se faire reconnaître pendant que la porte d'acier claque d'un coup sec, invincible, muette pour la journée.

La masse des visages déçus hésite, puis commence à se diluer lentement le long des berges du fleuve.

À ce moment précis, une limousine noire au blason des productions « Union Générale Cinématographique : UGC » franchit le bateau du trottoir et colle son capot au grand portail du studio. Trois coups de klaxon et les battants s'ouvrent, juste ce qu'il faut pour ne pas que l'auto s'accroche en entrant. Cette précaution est prise pour empêcher quiconque de se faufiler dans le lieu sacré par la même occasion.

Sur le siège arrière de la limousine, celui que les journaux parisiens titrent comme « La plus jeune vedette du cinéma français » est un adolescent touchant au sommet d'une carrière que les critiques disent *déjà chargée.*

Long, gracile, visage ovale, expression candide sous d'épaisses boucles brunes, il tient le rôle principal dans le dernier film d'Henri Decoin « Trois télégrammes ».

L'histoire parfois choquante de l'adolescence trouble et tourmentée de ce jeune garçon… est la mienne.

PREMIÈRE PARTIE

AVANT L'ENSEMENCEMENT

CHAPITRE I

1940, c'est l'exode. Ma mère a fermé hâtivement les persiennes de nos fenêtres. Elle est en train de traverser Paris à pied vers la gare du Nord en poussant un landau dans lequel elle a entassé des boîtes, des sacs de provisions, des valises. Elle a juché mes deux ans au sommet de ce monticule où je trône de façon instable.

Alors qu'elle arrive à un passage clouté pour traverser, un convoi de camions militaires allemands déferle sur la rue, à ras du trottoir.

Je tombe de mon perchoir et roule dans le caniveau devant la roue du véhicule qui va passer. Ma mère mêle son hurlement à celui des freins du camion qui vient de stopper net devant moi, immobilisant du même coup toute la colonne.

Le chauffeur descend, me prend dans ses bras. D'autres militaires se joignent à nous, et je passe de l'un à l'autre, chacun m'examinant, me palpant, riant et rassurant ma mère qui ne comprend pas un mot d'allemand, mais qui est morte de trouille de voir tous ces diables verts qui vont peut-être lui dévorer son gosse tout cru devant son nez comme elle a entendu dire.

Finalement ma mère me récupère, ainsi qu'une plaque de chocolat offerte par un soldat à mon intention, et le convoi repart.

Ma mère est perplexe. Finalement, elle ne traverse pas le boulevard et s'assied sur un banc pour se remettre de ses émotions. Elle n'a aucune intention de me donner du chocolat, car il est probablement empoisonné… Cependant, pour s'en assurer et répondre à l'esprit de sacrifice qui habite une mère, mais aussi peut-être parce qu'elle aime le chocolat, elle décide d'en grignoter un petit carré avec cette curiosité inconsciente du : « Après tout, on verra bien ! ».

Comme le camion ne m'avait pas écrasé et que le chocolat n'était pas empoisonné, elle a rebroussé chemin, poussant son attelage à contresens de la marée humaine en fuite, et machinalement, elle a terminé la plaque de chocolat en retraversant le bois de Vincennes.

C'est ce qu'elle m'a raconté.

CHAPITRE II

Aussi loin que je remonte le temps avec précision dans ma mémoire d'enfant pendant l'occupation allemande, je suis d'abord un bout de môme de quatre ans.

L'événement le plus marquant que j'ai eu à vivre à cette époque précède de peu mes cinq ans. Ma mère, qui m'élevait seule depuis ma naissance et était soucieuse de ma santé, m'avait envoyé par les bons soins de la Croix-Rouge, dans une famille quelque part en Normandie, chez les Pouchat.

Déjà, mon aventure débutait mal. Le voyage dura deux jours et une nuit. Nous étions une douzaine de gamins entassés sur de la paille à l'arrière d'un camion découvert, pendant toute la durée du déplacement Les chauffeurs se relayaient, mais il ne nous fut pas permis de descendre une seule fois, ni pour manger ni pour uriner ni pour le reste. Nous faisions tous nos besoins dans nos culottes courtes. L'odeur était dissipée par le vent, mais je ressentais les excréments séchés comme des grains de sable qui me brûlaient les fesses.

La plupart d'entre nous frigorifiés, affamés et désespérés souffraient et pleuraient. Plusieurs réclamaient leur mère à haute voix.

Enfin on me remit aux Pouchat. Leur maison était située non loin d'une large rivière qui était retenue par une écluse profonde aux murs noirs et suintants d'humidité lorsqu'elle était vide. C'était un endroit que je trouvais sinistre et qui me faisait peur.

Je déplaisais passablement à la fille des Pouchat laquelle avait mon âge. Dès que je me retrouvais seul en sa présence, elle me donnait des gifles et des coups de pieds que je n'osais lui rendre. Elle allait se réfugier ensuite contre son père qui la dorlotait tandis qu'elle me fixait d'un air franchement hostile. Cela dura des semaines.

La rancune s'accumulait en moi et un soir que nous étions tous allés nous promener le long de la rivière, comme il arrivait souvent, nous fîmes halte tout au bord de l'eau pour admirer l'onde et son paysage, non loin de l'écluse qui était vide.

Je me tenais légèrement en arrière de la petite fille. Elle était collée à ses parents et tenait la main de sa mère.

Un désir soudain de vengeance me submergea qui me donna envie de la pousser dans l'eau. Tandis que j'hésitais, je me souviens du combat qui se livrait en moi et qui se traduisait par des montées de désir que je réprimais et qui revenaient pour s'enfuir encore. Cela dura quelques longues secondes.

Et puis cédant à la satisfaction tout en me retenant, je la poussai mollement. Elle fit un petit pas en avant sans plus, qui ne la rapprocha guère du bord de l'eau, mais l'honneur était sauf.

Mon geste déclencha alors la fureur certainement légitime mais à peine contrôlable du père. Il se mit à hurler, puis me saisit par les cheveux que j'avais longs et me traîna jusqu'au bord extrême, en haut du mur de l'écluse. Il me saisit alors par les deux oreilles et me fit danser dans le vide pendant assez longtemps pour que je m'évanouisse de douleur et de frayeur. Il fallut me porter sur le dos et ce n'est que le lendemain que j'ai retrouvé l'usage de mes jambes.

Monsieur Pouchat écrivit une lettre à ma mère affirmant que j'avais voulu assassiner sa fille et qu'il fallait qu'elle vienne me rechercher sans tarder, ce qu'elle fit.

Ma mère ne vit que mes oreilles qui avaient durement souffert. Elle me questionna d'abord et demanda ensuite des explications au père sur un ton tout à la fois glacial et enragé.

Monsieur Pouchat réclama une indemnité pour mon hébergement, ce qui n'était pas prévu, et les mots s'enchaînèrent à bout portant, jusqu'à ce que les propos que ma mère servit à Monsieur Pouchat, y compris ce qu'elle pensait de sa fille, lui vaillent un solide coup de poing sur la figure qui fit un bruit sourd contre son œil.

Je me jetai sur Pouchat et le mordis au poignet avec une telle rage qu'il lui fallut me frapper aussi pour que je lâche prise.

Dans le train qui nous ramenait à Paris, ma mère souffrait de son coquart et moi d'un mal de tête. Pourtant elle était de bonne humeur. Elle m'affirma qu'on s'était bien défendus et qu'on était des héros.

Elle me raconta qu'elle m'avait préparé une chambre pour moi tout seul avec une petite lampe de chevet que je pouvais allumer ou éteindre avec un bouton. C'était le bonheur.

Effectivement, la chambre était méconnaissable, toute décorée avec des roseaux séchés s'échappant d'un lourd pot de cuivre posé à même le sol, des armes africaines sur les murs, des peintures, une petite tapisserie sur laquelle étaient brodés des musiciens et mon lit pour moi tout seul, avec la fameuse petite lampe de chevet.

Je fus tellement désorienté pendant la nuit lorsqu'une envie me prit, que je fus incapable de retrouver les W-C et que j'ai pissé tout debout sur la carpette au milieu de la pièce.

Un soir des jours qui suivirent, à la nuit tombée, deux Français se présentent à la porte et font irruption dans notre appartement. Ils portent chacun un brassard où figure une inscription incompréhensible pour moi. Sans un mot et sans ménagement, l'un d'eux plaque ma mère contre le mur de l'entrée, près de la porte de cuisine et lui appuie un petit pistolet contre le front, tandis que l'autre fait rapidement le tour de l'appartement une arme également au poing. Après être passé dans toutes les pièces, avoir vidé les placards, démonté les panneaux verticaux de la table d'harmonie du piano, renversé la bibliothèque et tout ce qui porte un tiroir, sur le sol, il revient, rempoche son revolver, dit qu'il n'y a personne d'autre et qu'il n'a trouvé aucun matériel. Finalement, celui qui tient ma mère en respect baisse son arme et ouvre la bouche pour la première fois :

– *Nous sommes de la défense passive : Nous avons des questions à vous poser.*

– *Pourquoi des questions ? Mais quelles questions ?* demande ma mère d'une voix blanche.

– *Vous êtes soupçonnée de faire de la résistance.*

– *De la résistance ? Mais je n'ai rien à voir avec la résistance moi !*

– *Pourquoi faites-vous des signaux lumineux de votre cuisine pendant le couvre-feu ?*

– *Des signaux lumineux... ? Mais vous êtes tombés sur la tête, je n'ai jamais fait de signaux lumineux à qui que ce soit !*

– *On vous a surprise à faire des signaux lumineux encore tout à l'heure, juste avant notre arrivée, vous éteignez et vous rallumez la lumière périodiquement dans votre cuisine, Pourquoi ? Pour qui ?*

Et ma mère se met à rire :

Vous pourrez me questionner toute la vie si vous voulez, mais je ne fais de signaux lumineux à personne, c'est complètement ridicule...

– *Je regrette, nous, on a des ordres, vous allez devoir nous suivre, je vous arrête.*

Bien qu'elle ne soit pas résistante, ma mère résiste. Elle proteste véhémentement :

– *Les persiennes sont fermées et les fenêtres sont camouflées dans tout l'appartement, vous pouvez le constater ! Vous vous trompez d'étage ! Ça ne va pas non ?*

– *Sauf dans la cuisine, vous n'avez pas de rideaux dans votre cuisine, et la lumière filtre parfaitement des persiennes.*

– *Je le sais et Je n'allume jamais la cuisine pendant le couvre-feu, je m'éclaire à partir du couloir et ne me dites pas que je m'amuse à allumer et à éteindre pour faire à manger !*

C'est à ce moment précis que la lumière s'éteint et se rallume alternativement dans la cuisine...

Je ne sais si la conversation m'a incité à me livrer à mon amusement habituel lorsque ma mère est occupée dans sa chambre, mais, c'est moi qui viens d'aller chercher le petit banc pour atteindre le gros bouton électrique en cuivre qui me fascine, et me suis remis à jouer avec l'interrupteur de la cuisine. L'homme qui avait tenu ma mère en respect pousse un soupir :

– *Bon, ça va, on a compris.*

– *J'aurais dû y penser,* dit ma mère, *il fait tout le temps ça.*

– *Vous avez de la chance de vous en tirer comme ça. Ce sont les Allemands qui nous ont signalé votre... enfin le manège du gosse. Un conseil, masquez complètement votre fenêtre de cuisine et qu'on ne vous y reprenne pas, vous pourriez avoir de gros ennuis.*

– Pouvez-vous m'aider au moins à remettre tout en place ?

– On n'a pas que ça à faire, Bonsoir !

Ma mère m'a souvent raconté avec précision cet incident dont je n'avais gardé qu'un vague souvenir, celui de l'irruption des deux hommes, de leurs armes, du mot qui m'intriguait sur leur brassard (Luftschutz), et le gros bouton électrique de cuivre jaune avec lequel je jouais.

CHAPITRE III

L'époque tourne au difficile et les gens ne mangent pas tous à leur faim. J'ai grandi, et je perche mes six ans et demi aux cheveux trop longs pour les mentalités du quartier, sur de longues jambes frêles aux genoux saillants. Par chez nous, on m'appelle « la fille ».

Je donne du fil à détordre à ma mère. Elle me dit que c'est parce que j'ai deux pères : un qui m'a reconnu et qui est parti à la guerre, et l'autre qui m'a méconnu. Ce qui me fait un père de trop, mais aucun pour m'élever.

On existe désormais comme on peut, ma mère et moi, au troisième étage de notre immeuble rectangulaire en briques, qui possède un vide-ordures sur chaque palier, protégé par une porte, laquelle inonde le couloir d'une puanteur de pourri lorsqu'on l'ouvre.

Mais l'édifice a sa façade sur la rue, genre ouvrier qui se tient bien. Mieux d'après ma mère, que les ouvriers logés dans l'immeuble de derrière, séparé par une petite cour, lequel a sa façade obscurcie par le dos du nôtre, de sorte que lorsque les locataires de ce bâtiment s'engueulent, la réverbération du son nous renseigne distinctement sur la virulence de leurs injures. Avec ma mère, on parie sur le temps que ça va prendre avant qu'ils ne commencent à se taper dessus.

Dans notre bâtiment, c'est un peu plus bourgeois. D'ailleurs, la vieille dame du deuxième, Madame Belin, ne sort jamais sans son chapeau mauve, et elle a deux fenêtres qui donnent sur la rue pour elle toute seule avec un grand balcon, ce qui fait râler le gros des locataires parce que plusieurs familles s'entassent jusqu'à cinq dans une seule pièce.

De temps en temps, son petit-fils vient la chercher dans une grosse voiture étrangère aux formes arrondies, une Mathis-Ford, et Madame Belin disparaît pendant quelques jours à la campagne.

Ce qui fait jaser le voisinage, c'est que la vieille Madame Belin, lorsqu'elle s'absente, descend allégrement elle-même sa valise pour rejoindre son petit-fils qui l'attend en bas dans la voiture. Cependant, lorsqu'elle revient, c'est le petit-fils qui monte cette même valise, laquelle semble très lourde, puisqu'il avance lentement en penchant la tête du côté du bras tendu qu'il balance d'avant en arrière, afin de faire contrepoids au côté qui force à porter la valise.

Que peut-il bien y avoir dans cette valise au retour qu'il n'y avait pas au départ ? Ma mère a son idée :

– *C'est de la bouffe, elle a des réserves !*

Ma mère a des généralisations impitoyables : elle dit que toutes les bonnes femmes qui ont des gros nichons sont connes ! J'en ai déduit que ma mère ne doit pas être très mamelue car si c'était le cas, elle ne serait donc pas assez intelligente pour dire d'elle-même qu'elle est con. D'ailleurs je l'ai déjà observée par le trou de la serrure de la porte de cuisine quand elle se lave par morceaux au robinet de l'évier, elle a une grande touffe et beaucoup d'intelligence.

Pour ma mère, Madame Belin c'est « la mère Belin ». Ça résume ce qu'elle pense d'elle, parce que voilà une autre des généralisations de ma mère : les gens qu'elle méprise n'ont pas de simples noms propres : ils sont *le père ou la mère quelque chose*. C'est ainsi qu'elle désigne la majorité des personnes que nous connaissons exception faite pour deux ou trois femmes qui nous prêtent de l'argent et qui ont droit à être appelées par leur prénom.

Madame Belin est notre voisine du dessous. Ma mère la dénomme également *la vieille conne* parce que la vieille dame *cogne* au plafond avec le manche de son balai lorsque je cours dans notre appartement qui est aussi grand que le sien.

Toutefois, notre appartement à nous est sans balcon. Nous sommes quand même détestés par les locataires, car ils se plaignent que nous habitons trop grand pour deux personnes, c'est-à-dire dans notre deux pièces, cuisine, W-C, desservi par un couloir étroit.

Les familles nombreuses nous en veulent en silence, avec la rancune du regard en dessous fixé obstinément aux marches lorsque nous les croisons dans l'escalier.

Sur notre palier, il y a les Millanvoix. Lui, ne dit jamais un mot, mais sa femme crie tout le temps. Ils ont une fille d'une douzaine d'années, Annie, passablement boulotte, dont les yeux sont enfouis dans la graisse peut-être parce que le père est pâtissier. Ils ajoutent à l'expression renfrognée que lui confèrent ses lèvres minces et cousues de silence.

Annie s'habille tout en rouge. Elle a la manie de promener deux fois par jour, au bout d'une laisse également rouge, un chien minuscule à grandes oreilles juste devant la porte d'entrée de l'immeuble. Autant Annie ne m'a jamais adressé la parole, autant son chien me hurle après les mollets chaque fois qu'il me voit. Il est tellement hargneux à mon égard que lorsqu'il m'affronte, les crocs lui poussent du museau, et lorsqu'il m'engueule, la force de ses aboiements le soulève du sol et le projette vers l'arrière comme le recul d'un pistolet, mais il revient à la charge et me flanque une telle trouille que j'en ai des frissons qui me parcourent l'échine.

Un jour que j'ai fait l'erreur de lui tourner le dos en sortant, il m'a mordu. Ma mère s'est plainte au propriétaire, mais comme on lui devait du loyer, elle n'a pas eu gain de cause. Alors elle est allée frapper vigoureusement à la porte des Millanvoix et a sorti d'un seul souffle, que si cet affreux petit roquet touchait encore à son fils, elle l'empoisonnerait.

18

Depuis, la grosse Annie, plus renfrognée que jamais, serre son petit bâtard dans ses bras lorsqu'elle nous croise dans les escaliers, et dehors, elle le fait gigoter au bout de sa laisse comme un pendu, le temps que je passe.

Au deuxième, à part Madame Belin, il y a Simone. Elle porte le même prénom que ma mère. C'est une jolie jeune femme qui reçoit chez elle un officier de l'armée allemande dont elle fait refroidir le champagne qu'il lui apporte, sur le rebord de sa fenêtre de cuisine, ce qui fait que tout le quartier est au courant qu'une certaine Simone de notre immeuble couche avec les Allemands.

Sur le même palier du deuxième, il y a la famille Klein. Renée Klein a épousé Julien Klein à dix-sept ans parce qu'elle admirait son uniforme de pompier. Par la suite, Julien est devenu irrésistible en entrant dans la police, l'uniforme de gardien de la paix ayant gagné en prestance, ce qui lui assura la fidélité de sa femme, du moins en était-il convaincu, avec un doute raisonnable, comme on le verra plus tard.

Les voisins du quatrième sont toujours saouls. Leur fils ne semble pas avoir toute sa tête. Il n'écoute personne quand on lui adresse la parole et il se met à caracoler de-ci de-là dans tous les sens en perdant l'équilibre lorsque sa mère lui lâche la main.

Comme c'est un enfant d'alcoolique, ma mère dit qu'il est givré de naissance.

Au 98 de la rue Pasteur, où nous demeurons, notre immeuble n'est pas mal tenu. Il y a marqué « Essuyez vos pieds » en bleu sur une plaque d'émail blanc vissée à la troisième contremarche de l'escalier. Parfois c'est ciré.

Les jours d'entretien des six étages de notre bloc, après son labeur, la concierge, *la mère Schröer*, courte femme, se tient alors sur le pas de sa loge, les bras reposant croisés sur son opulente poitrine, l'air autoritaire, un tortillon effiloché lui ceignant le front en guise de turban, et elle contrôle les allées et venues dans *Son escalier*.

Ces jours-là, les locataires s'attardent plus que de coutume sur le tapis hérisson et décrottent hypocritement leurs semelles avant de faire craquer, sur la pointe des pieds seulement, les degrés du vétuste escalier de bois.

Le lendemain, si la porte de la loge est fermée et que le rideau un peu écarté ne révèle pas l'œil vigilant de la concierge en train de guigner, tout le monde gravit les marches quatre à quatre en ignorant le paillasson, moi le premier.

Il faut dire que la concierge est alsacienne. On le sait, d'abord parce qu'elle nous l'a dit, et ensuite parce qu'on l'entend à cœur de jour se tourner vers les quatre horizons et appeler : « Chanine ! Chanine ! », sa courailleuse de fille, avec un accent typique, reconnu par les personnes averties comme étant alsacien.

Je n'ai jamais vu Madame Shröer autrement que coiffée de son turban qu'elle tient en place avec un gros nœud sur le devant. Ma mère dit sur un ton dédaigneux que cet horrible ficelage est peut-être l'emblème de la profession de ménagère puisque toutes les voisines en portent aussi lorsqu'elles sont armées de leur balai et qu'elles administrent leur foyer. Ma mère n'en porte pas bien sûr.

Alsacienne la concierge, donc propre comme le veulent les idées reçues. Ce n'est pas comme le 94, la cité des baraquements voisins, un peu plus loin sur la rue Pasteur, de l'autre côté de la petite rue de la poste qui forme comme une frontière.

Les moins gradés de la hiérarchie ouvrière nomment ces logements « les taudis à chienlit », c'est tout dire. Il y a des crottes de chien plein les escaliers et les gosses pissent contre les murs des couloirs.

Moi, j'ai bien essayé une fois comme ça chez nous, dans nos escaliers, pour rigoler, mais je n'ai pas continué parce que ce n'est pas l'habitude de la maison.

CHAPITRE IV

On a beau demeurer à Fontenay sous Bois en banlieue de Paris, le sous-bois, il est de l'autre côté des usines du métro qui bordent notre rue sur toute sa longueur. Le sous-bois est pour les riches, avenue de la Dame Blanche.

Ma mère dit toujours que les pauvres travaillent pour que les riches deviennent encore plus riches et que les riches œuvrent pour que les pauvres deviennent encore plus pauvres.

Cependant ma mère qui pense comme une riche et vit comme une pauvre, souffre le martyr existentiel de ses propres opinions. C'est pour cela qu'elle me répète inlassablement qu'il nous faudra devenir riches quand je serai plus grand et que seules les études que je ferai nous sortiront de la misère.

Je commence vaguement à percevoir cette responsabilité comme un devoir incontournable. Il s'incruste dans ma pensée et fait souvent surface dans mes rêves.

Derrière notre rue il y a une petite place, une sorte de carrefour nommé « Les Rigolos » avec un ciné et des bistrots et une usine qui fabrique des cataplasmes de farine de moutarde noire : des rigolos, d'où le nom de la place.

C'est des *sinapisses*... disent les connaisseurs du quartier.

Mais les rigolos ne sont pas marrants du tout : ils piquent et font une tache rouge dans le dos et la poitrine, et la piqûre ne disparaît pas aussitôt qu'on les enlève. Elle donne envie de se gratter jusqu'au sang pendant plusieurs minutes.

Néanmoins, ma mère ne les trouve pas assez efficaces. Alors quand je tousse, elle me ligote le torse avec des serviettes éponges fumantes enduites de farine de moutarde. Elle appelle ça des enveloppements. La brûlure est insupportable, je ne me retiens pas de pleurer.

– *Faut que tu tiennes encore cinq minutes, dit ma mère, agacée.*

Elle me donne aussi des lavements toutes les semaines. Pour le peu qu'on mange, je me demande vraiment à quoi ça sert, mais elle a des principes.

Plié en deux sur le couvercle du tabouret carré de la cuisine qui me défonce les côtes, le derrière en l'air, la canule entre les fesses, je me prends un demi-litre du contenu brûlant du vieux broc en émail blanc et bleu ébréché, qu'elle tient à bout de bras pour que ça descende plus vite.

Ensuite, je vais m'asseoir sur le siège de bois fendu des toilettes qui me pince douloureusement la cuisse droite, et je me retiens sur les bords pour ne pas sombrer dans la cuvette. C'est égal, il faut encore, là aussi, que je tienne cinq minutes.

Ma mère, Simone Lambrechts de son nom de jeune fille, est une artiste, une vraie de vrai.

Son père, Auguste, fils de Popov dont on n'a jamais su le prénom, était le fruit naturel avec son jumeau, de l'adultère commise par l'épouse « *Lambrechts* » qui avait cocufié son flamand de mari avec un émigré russe ne possédant ni argent ni noblesse, mais un grand talent de violoniste dont il usa pour la séduire.

L'un des jumeaux mourut de diphtérie dans son berceau. Alors la mère, coucha le frère à côté du petit cadavre pendant plusieurs jours, espérant effacer son crime par cette tentative d'assassinat qui échoua. Auguste survécut et porta le nom de Lambrechts qu'il légua à ma mère.

Auguste, du temps où sa petite entreprise de peintre en bâtiment était florissante et que, *Titine*, sa bonne, se grattait frénétiquement l'oreille avec son auriculaire, comme le raconte ma mère, Auguste donc, a fait donner à Simone, lorsqu'elle eut quatre ans, des leçons de musique par une vieille demoiselle russe qui lui enseignait également à se limer les ongles en amande, de manière à ce que ma future mère n'ait pas les phalangettes en spatule comme les gens grossiers.

Ma mère est une virtuose du violon, elle peint, elle est douée pour les échecs, elle lit beaucoup, elle écrit des nouvelles, elle compose des poèmes… et elle crève la faim.

Lorsqu'il lui arrivait d'avoir trois ou quatre sous avant la déclaration de guerre, elle allait les jouer à la roulette pour essayer de les faire fructifier. Il paraît qu'elle tient tout ça du grand père russe.

À l'âge de quinze ans, lorsque son père est tombé malade et que l'entreprise a périclité, elle a eu sa première embauche comme violoniste sous l'écran des cinémas muets.

Comme elle avait déjà du caractère, Simone a dit au pianiste qu'elle n'était pas d'accord pour jouer à côté d'un piano désaccordé. Le pianiste vexé lui a demandé si elle essayait d'être drôle et, en guise d'humour, il lui a dit qu'elle devrait moins songer à jouer sur les mots que sur son violon si elle ne voulait pas perdre son emploi avant même que de l'avoir obtenu.

Simone ne l'entendait pas de cette oreille. Elle est allée trouver le patron du cinéma et l'affaire s'est réglée comme ceci : le pianiste jouerait seul dans les scènes d'action et ma future mère jouerait seule dans les moments romantiques.

Ainsi, les deux s'accordèrent.

Avec ses immenses yeux verts hypnotiques et sa volumineuse crinière auburn, ma mère fascine autant les femmes que les hommes, mais elle ne pense pas grand-chose des hommes, les adultes. Toutefois, elle a fait de moi, qui ne suis heureusement encore qu'un enfant, son idole. Je suis « son œuvre » comme elle dit.

Lorsqu'elle était enceinte, ma mère dévisageait les gens qu'elle trouvait beaux, se détournait de ceux qu'elle jugeait laids, n'écoutait que de la musique romantique, ne regardait que des tableaux de maîtres, ne lisait que des grands classiques et n'écoutait que des chanteurs d'opéra, parce qu'il fallait que je naisse beau et doué.

Alors que je tardais à pousser mon premier cri de souffrance, la sage-femme qui venait d'accoucher ma mère, me secoua à bout de bras par les pieds, la tête pendante, en me tapant vigoureusement sur les fesses, et commença à m'entraîner aux trempes que j'allais prendre de ma mère quelques années plus tard. D'ailleurs c'était la première trempe méritée au dire de ma mère, car, ainsi qu'elle me l'a reproché année après année, j'avais pris trop de poids et dix jours de retard pour faire mon entrée dans la société. Les conséquences désastreuses de ce farniente utérin ont amené ma mère au bord de la crise d'éclampsie et lui ont provoqué une importante déchirure spontanée du périnée, que l'accoucheur malhabile a si mal recousue, qu'elle n'éprouva désormais dans ses rapports intimes avec les hommes, que souffrance et déception plutôt que de souffrir de bonheur, comme on le constate sur les visages qui connaissent l'extase.

Elle affirma néanmoins que j'étais un beau grand bébé bien fait, même si j'avais les oreilles fortement déployées. Elle s'évertua patiemment à les recoller pendant des mois avec du ruban adhésif. Ça a marché.

Elle me répète souvent que là où elle a échoué, il faudra que je triomphe, et que lorsque je deviendrai quelqu'un d'important, de riche avec du prestige, ce sera uniquement à elle que je le devrai, enfin, que je lui devrai tout.

Toute ma vie je me le suis tenu pour dit et même dans les moments où je ne fus rien ni personne, je n'ai jamais oublié que je lui devais tout.

Patiente, par moments, elle essaye de me faire comprendre avec douceur ce qu'elle attend de moi, et brusquement, ça lui prend, elle passe sans transition du chaud au froid, elle devient agressive.

Elle me visse sur une chaise, face à elle, exigeant que je me tienne droit, le menton levé, exigeant que je demeure immobile, exigeant que je ne détache pas mon regard du sien, exigeant que je comprenne.

Alors, raidie dans son fauteuil, elle m'explique le stoïcisme de Marc Aurèle et l'abstinence sexuelle.

– *Une fois par an, en communion avec la nature, comme les lions…* qu'elle me dit !

Depuis, j'ai appris que les lions, à ce qu'il paraît, s'envoient en l'air à la saison des amours entre vingt et cinquante fois par jour pendant quarante jours sans manger. Je ne sais pas si c'est cela le régime d'austérité dont voulait parler ma mère.

Elle m'entretient aussi sur le mariage. Il ne sera jamais question que je me marie, sauf peut-être un jour… si elle le décide, à une Chinoise. Là-dessus elle est catégorique :

— *Il ne manquerait plus que tu ailles foutre à vingt ans tous les sacrifices de ta mère dans le cul d'une mijaurée de pouffiasse qui n'aura jamais rien fait pour toi ! Ça, jamais tu m'entends ?*

J'ai déjà vu des images de Chinoises qui ressemblent à des poupées dans ses livres. Alors j'imagine qu'un jour j'aurai une poupée chinoise placée en évidence sur une étagère plutôt qu'une de ces poupées blondes à frisettes avec des jambes de laine qu'on voit partout.

Et puis malheur à moi si je n'ai pas l'air de saisir grand-chose du dieu grec qu'elle anticipe en ma personne ni de ses propos sur l'homosexualité masculine et la masturbation. Elle hausse franchement le ton, ses yeux flamboient tandis que les miens se mettent à fixer le sol où je voudrais m'enfoncer quand, se contredisant sur mon destin, elle m'assène paradoxalement, avec mépris, que je ne suis qu'un imbécile qui n'arrivera jamais à rien.

Un jour, dans sa colère elle m'a dit :

— *T'es tellement con que j'aurais dû te foutre dans le trou des chiottes !*

Quelques années plus tard, lorsqu'adolescent j'ai essayé de me rapprocher de mon père biologique, il m'a dit à son tour :

— *Tu sais, tu n'as jamais été pour moi qu'un coup de queue !*

Il est parfois difficile de se faire une identité.

Même si je ne comprends pas toujours ce que tente de m'expliquer ma mère, j'écoute et je retiens autant qu'il m'est possible, moins pour lui faire plaisir que parce que je la crains. En vérité, elle me terrorise.

Dans le quartier, on la déteste parce qu'elle voile à peine son mépris pour la mentalité ouvrière. On dit d'elle, que lorsqu'elle déambule sur la rue, c'est comme si la terre était indigne de la porter.

Elle a des expressions bien à elle qui révèlent ce qu'elle pense des femmes d'ouvrier que l'on croise, aussi bien enceintes qu'obèses :

— *Regarde-moi cette guenon qui s'est encore fait enfler d'un nouveau chiard !*

Elle n'adresse pratiquement la parole à personne.

Lorsqu'elle croise les locataires, c'est un « bonjour » de la gorge, à peine audible, accompagné d'un hochement du menton qui demeure résolument levé.

Dans l'escalier, elle rechigne à s'effacer pour laisser le passage à la voisine du sixième : la mère quelque chose…, d'origine allemande. En fait c'est Madame Hidoux, à qui elle reproche de faire trop de bruit en descendant les marches, d'avoir un fils à qui elle trouve une tête de brute et de posséder un *franc-parler* avec un lourd accent étranger, ce qui, d'après elle, est un paradoxe inacceptable.

— *Elle m'a encore bousculée dans l'escalier…* se plaint ma mère.

Les attitudes de ma mère envers les voisins me mettent mal à l'aise parce que lorsque je suis seul et qu'à mon tour je croise ces locataires, j'essuie les regards de haine et les quolibets du voisinage.

Malgré ses aspirations aristocratiques héritées de son grand-père mort dans la misère comme il était convenu à cette époque pour un émigré russe, ma mère s'est pourtant mariée à un ébéniste, un ouvrier !

C'est vrai que chez elle, ils étaient six, tous de pères différents, et quand elle a eu dix-sept ans, Auguste, son propre père, lui a dit avant de s'éteindre d'un cancer des intestins :

– *Ma fille, épouse Émile Gervais, c'est un bon ouvrier, tu ne seras pas malheureuse.*

Ma mère n'a jamais été heureuse, parce que ce n'était pas sa vocation, et encore moins son intention.

Et puis son mariage avec Émile n'a rien arrangé. Elle détestait ses beaux-parents qui le lui rendaient bien à cause de sa taille mannequin et de sa fière allure. Ils la traitaient de « sac d'os et de snobinarde ».

Avec son Émile de bonhomme, le truc, comme elle en parle encore avec irritation, ça ne marchait pas.

Tous les matins vers six heures, avant de partir à l'usine située à Saint-Ouen, pour l'Émile, c'était toujours *midi sonné*. Il la secouait avec une certaine perception de la tendresse que ma mère n'appréciait pas :

– *Tourne ton cul que je t'arrache une dent…* grommelait-il encore somnolent, et il entreprenait systématiquement de la besogner à sec.

Souvent, ma mère y repense tout haut :

– *Quand je voyais sa grosse veine du front se gonfler, je savais que j'allais bientôt être débarrassée…*

Simone, ma mère, faisait à l'âge de quatre ans l'admiration de son auditoire en interprétant sans fausses notes « *Le Tambourin chinois* » au violon, ce qui prouvait son talent car cette pièce est réputée difficile.

Elle n'a que onze ans lorsque son père tombe en faillite. Elle est alors placée comme arpète dans une maison de couture où pour tout apprentissage elle traîne des caisses qu'elle n'a pas la force de lever et balaye l'atelier en soulevant la poussière qu'elle ramasse plus avec ses poumons qu'avec sa pelle.

À seize ans, elle joue sous les écrans des cinémas muets afin d'apporter du soutien aux frères qui doivent être instruits, donc au mieux, posséder leur certificat d'études primaires.

Une fois mariée, Simone se découvre du talent pour la peinture et s'intéresse à la littérature, elle accumule les livres. Émile construit une bibliothèque en bois des îles pour en accueillir au moins quelques-uns.

Puis ma mère se met en tête d'apprendre le piano, alors Émile qui travaille chez Labrousse, un facteur de pianos bien connu, construit un piano droit, un Pleyel dans le même bois que celui de la bibliothèque, et enfin, une sorte de bureau ministre très encombrant à doubles coffres, qu'il n'a jamais terminé à cause de son départ pour le front, et qui semble servir de table à tout faire dans la chambre de ma mère.

Néanmoins, s'il est un ébéniste d'art de grand talent et qu'il sait construire de beaux meubles en bois précieux, Émile n'a pas vraiment d'aptitudes pour jouer aux échecs et il ne comprend pas non plus grand-chose à la *métempsychose*, ce qui irrite singulièrement ma mère. Elle reproche souvent à Émile de ne l'avoir épousée que pour se meubler, ce qui signifie dans le style d'humour de ma mère qu'il ne l'a épousée que pour lui servir de meuble.

Ce qui caractérise vraiment notre appartement ce sont les piles de livres qui partent du plancher, grimpent le long des murs et rejoignent les toiles peintes par ma mère qui pendent un peu partout.

Lorsqu'elle affectionne un bouquin, particulièrement sur les civilisations de l'Orient, ma mère tient à m'en faire profiter depuis mes cinq ans, âge où elle a réussi à m'apprendre à lire couramment.

J'y découvre des personnages redoutables aux visages blancs comme du lait et qui font des grimaces terrifiantes. Ma mère m'explique que c'est du théâtre folklorique japonais et que les rôles des femmes sont tenus par des hommes. J'en prends bonne note, mais parfois ces visages hideux et enfarinés me font faire des cauchemars.

Pendant les années qui ont précédé sa mobilisation sur le front de 39-45, Émile a consenti à ce que ma mère aille trois étés de suite sur la Côte d'Azur refaire ses poumons qui avaient souffert du trop de poussière. Émile l'encourageait tous les printemps, car il avait sa théorie :

– *Va te remplumer Simone, quand t'auras pris du fessier, t'en auras envie comme les autres !*

Il n'était peut-être pas non plus complètement désintéressé à l'idée que ma mère s'absente trois mois d'affilée, puisque selon les termes de ma mère, pendant ce temps-là, il culbutait la grosse marchande de poissons du boulevard de la République… Et elle ajoutait :

– *l'odeur du poisson pourri, ça doit les exciter…*

Le climat de la Côte d'Azur profita pleinement à ma mère. À son retour, la dernière année, elle commença à grossir, mais pas tellement dans le sens où l'espérait Émile : neuf livres que je pesais à ma naissance ! Émile, bon gars, m'a tout de même reconnu.

Lorsqu'elle est en rogne après moi, il arrive à ma mère de désavouer ma légitimité en me traitant de :

« Sale petit bâtard ! »

Ma mère fait la différence entre les personnes communes, les personnes vulgaires et les personnes grossières.

Elle ne pardonne pas le *commun* des communards et le *vulgaire* du vulgum pecus. En revanche elle est plus indulgente pour la grossièreté, lorsqu'il ne s'agit pas, bien sûr, d'un grossier personnage.

Elle excuse ainsi le fait qu'entre nos quatre murs, elle use d'un langage aussi coloré que sa palette de couleurs dont les bleus, les jaunes et les rouges agressifs décorent tout notre appartement sous formes de visages écorchés vifs, ceux des modèles qu'elle convainc de poser pour elle, au hasard de ses rencontres, et dont elle fait le portrait.

Ma mère dit *« qu'elle arrache leur âme et qu'elle la leur colle sur la gueule. Comme ça, on voit ce qu'ils pensent ! ».*

C'est de cette façon qu'à Cannes en 1938, elle a fait, en se servant exceptionnellement de fusain cette fois-là, le portrait de l'actrice de cinéma Corinne Luchaire dont le père a été fusillé en 1946 comme collaborateur. Ma mère a refusé de céder son dessin à l'actrice, et le portrait, fait chez nous, une tache sombre sur le mur, au milieu des martyrs.

Un jour elle a ramené un clochard à la maison, décoré de sa musette, de son litre et de son nez rouge. Elle l'a assis sur le tabouret du piano et elle l'a peint pendant des heures. Il buvait à même le litre. Ma mère lui fournissait le rouge. Mais, comme il levait de plus en plus souvent le coude et gardait de moins en moins la pose, ma mère a fini par le jeter dehors en l'injuriant. Elle a lavé le tableau à la térébenthine puis elle a refait le clodo de mémoire.

Elle ne peint pas de paysages, seulement des petites toiles sur lesquelles pendent des visages douloureux sans cadres.

Quand l'artiste est inspirée, la vaisselle s'amoncelle dans la petite cuisine pendant plusieurs jours.

En repoussant contre le mur l'empilage des assiettes et les vestiges des repas précédents, on trouve quand même un coin sur la petite table à deux places, pour ouvrir une boîte de sardines dont l'huile servira à ma mère pour mélanger ses couleurs, jusqu'à ce qu'elle ait fini son tableau à un moment donné.

C'est ainsi que tout jeune, un jour que ma mère en avait marre de voir la cuisine en taudis, j'ai été instruit et entraîné à ce qui allait devenir une grande tradition occidentale : les hommes à la vaisselle. Petit à petit ma mère, féministe avant-gardiste, y ajouta les courses, le ménage et la lessive du mois.

Elle a fait de moi deux portraits, l'un quand j'étais très petit, tout en bleu avec des gros yeux blancs où j'ai l'air d'un bébé nègre hébété étreignant ses nounours, et l'autre, il n'y a pas si longtemps, tout marron où j'émerge d'un col roulé beaucoup trop grand pour mon cou, ce qui me donne l'air avec la couleur, de sortir de l'encolure d'un seau hygiénique.

Elle a dans l'idée aujourd'hui de faire une troisième œuvre de ma personne. Elle tend son pouce levé dans ma direction en fermant son œil gauche :

– *Ne bouge pas, je t'ai dit !*

Je ne bouge pas et je l'observe.

De temps en temps, un incident de la journée ou de la veille fait surface dans sa mémoire et elle maugrée contre les mères de famille du quartier à qui elle reproche infatigablement d'être grosses, crasseuses et gueulardes avec leurs chiées de gosses. Puis elle retrouve le silence dans lequel elle s'enferme en se concentrant sur sa toile. Je suis content quand elle râle après les autres, comme ça, de temps en temps, ce n'est pas moi qui trinque.

Mais là, brusquement, il y a quelque chose qui ne lui plaît pas dans ma tenue vestimentaire et elle explose :

– *Tu ne sais pas encore te fringuer à ton âge, regarde ta ceinture qui pend comme une bite de cheval !*

Je repasse la ceinture trop longue pour ma taille dans les pattes de ma culotte courte, et j'essaye d'imaginer de quoi peut bien avoir l'air, une bite de cheval qui ressemble à ma ceinture.

Les réactions agressives de ma mère, ses imprévisibles sautes d'humeur, son langage d'une grossièreté affectée, contrastent avec le raffinement et le romantisme qu'elle affiche par ailleurs et qu'elle tente de m'inculquer.

De temps à autre, elle s'en rend compte et s'en excuse en disant que c'est l'existence qui l'a rendue aussi amère, qu'elle est usée, qu'elle en a marre, que la vie est difficile pour une mère seule dans cette guerre, et que les gens lui puent au nez.

CHAPITRE V

Dès le début des hostilités, Émile a été fait prisonnier quelque part en Autriche dans un stalag, et ma mère a vite appris à se débrouiller pour qu'on survive.

Un coup, elle joue dans les cours ou bien elle fait les terrasses des cafés avec son violon, ou bien elle coule du cirage dans des boîtes en usine.

Elle a aussi appris à faire des fleurs artificielles et quand il y a des commandes, elle donne des acomptes sur les arriérés du loyer.

Elle fait aussi des cachets dans la fanfare municipale comme violoniste. C'est là qu'elle a fait la connaissance d'Yvonnet, le chef d'orchestre…

Si ma mère a du succès auprès des hommes, on ne peut pas vraiment en dire autant d'eux.

Yvonnet qui fait aussi des courses de vélo en pince pour elle. Ça fait plusieurs dimanches qu'il tente sa chance entre la messe et l'apéritif.

On est justement dimanche. Quand approche l'heure critique, ma mère ferme les volets pour faire croire qu'on est sortis et elle guigne à travers les fentes des persiennes.

Le voilà. Il arrive à toute vitesse sur son vélo de course, une main sur le guidon et dans l'autre, un bouquet de fleurs enveloppées dans du papier journal. Visage en lame de couteau, béret pointu, selle pointue, nez pincé et pinces à vélo.

Comme dit ma mère, il a tout pour fendre l'air… alors elle l'a surnommé « Fend la bise ».

Son bec-de-lièvre et ses chaussures blanches à l'italienne n'arrangent rien aux yeux de ma mère. Elle n'aime pas les hommes qui portent du voyant aux pieds et qui parlent du nez.

Avant de s'élancer vers le portail de l'immeuble, il coince une pédale sur le bord du trottoir, rafistole son bouquet et jette un coup d'œil vers les fenêtres du troisième, là où on est en planque derrière les volets.

On a un mouvement de recul comme s'il pouvait nous voir et on se précipite dans le couloir pour coller l'oreille à la porte d'entrée en retenant notre souffle.

Le sportif a vite fait de grimper les escaliers. Il respire bruyamment. Il reste à piétiner un bon moment derrière la porte sans frapper, ce qui exaspère ma mère. Je le vois à ses traits crispés.

Je crois qu'il tend aussi l'oreille de son côté pour repérer s'il y a du bruit dans l'appartement.

Si on fait du bruit, on sera forcés de lui ouvrir.

Il se décide à frapper, doucement parce qu'il est timide. Pas de réponse. Au bout d'un long moment, Il frappe une nouvelle fois, encore plus doucement.

J'ai le cœur qui tambourine. Je me sens coupable en m'imaginant qu'il se dit peut-être qu'on est là et qu'on est vaches de ne pas lui ouvrir.

Il redescend l'escalier lentement et lourdement, lui qui était monté le pied léger. Il a laissé ses marguerites dans le coin de la porte.

Avec le chanteur italien, ça s'est terminé de manière plus spectaculaire.

Ma mère l'a rencontré en faisant une terrasse et il lui a proposé de faire équipe. Il est dans la misère avec une femme, des enfants et une belle voix.

Il y a environ une semaine, ma mère m'annonce :

— *Il chantera et je l'accompagnerai au violon. La recette devrait être meilleure même en partageant la quête...*

C'est la deuxième fois qu'il vient pour répéter. La première fois ça s'est bien passé, mais aujourd'hui l'air est lourd. Ils s'installent dans la chambre de ma mère qui entreprend de tracer des portées de musique à l'encre avec un tire-ligne sur une pile de feuilles de papier blanc. De temps en temps, la voix de l'italien éclate comme un coup de tonnerre suivi d'un coup de violon, tandis que des taches noires s'enchaînent avec des signes mystérieux sur les portées de musique. Mes questions dérangent, ma mère m'envoie dans ma chambre.

Au bout d'un moment, quelque chose ne tourne pas rond car ma mère a un ton de voix agacé que je lui connais bien :

— *Enfin, tenez-vous un peu tranquille !*

Lui murmure des paroles que je ne saisis pas. Puis à nouveau un coup de voix, à nouveau un coup de violon, et ça recommence :

— *Écoutez, ça suffit comme ça, vous êtes collant à la fin !*

Puis, brusquement, ça tourne mal, elle s'emporte :

— *Y en a marre ! Maintenant partez ! Ça ne marchera pas comme ça, je ne veux plus vous revoir !*

Il s'enflamme et dit plein de choses qui n'apaisent pas du tout ma mère, car des trucs se bousculent dans la chambre et elle se met à crier.

Par la porte entrebâillée, je la vois balayer violemment tout ce qu'il y a sur la table du revers du bras. L'encrier s'envole sur le chanteur qui fait buvard. Il en prend plein la figure et plein sa veste. Il y a des éclaboussures partout, au plafond, sur les murs, sur les meubles. C'est la gifle !

Ma gorge se serre et mes jambes se mettent à trembler, j'ai peur.

Ma mère lui rend sa tarte aussi sec et court à la porte d'entrée en m'entraînant au passage. Elle ouvre tout grand et hurle :

— *Foutez le camp ! Foutez le camp immédiatement ou j'ameute les voisins !*

C'est probablement déjà fait car on entend grincer une porte sur le palier.

Le lendemain dimanche, on cogne :

– *Qui est là ?* demande ma mère.

Pas de réponse, la porte reste close, mais l'Italien supplie :

– *Simone, ouvrez-moi...* Il insiste.

Le silence obstiné fait éclater sa colère et la voix d'or emplit le palier. Il se met à chanter de toutes ses forces. Des portes s'ouvrent et se referment aussitôt. Il s'interrompt de chanter pour hurler des invectives à ma mère. Il l'accuse d'exercer le plus vieux métier du monde, mais il le dit autrement.

L'accent du sud se heurte aux murs étroits des couloirs, déferle en cascade le long des trois étages jusque chez la concierge qui, à son tour, se met à hurler d'en bas, quelque chose de fortement assaisonné qui remonte les escaliers et dont la puissance vocale ne le cède guère au coffre de l'italien.

Le duo persiste un court moment et c'est de nouveau le silence.

De notre côté de la porte, ma mère se mord les lèvres, le maudissant sans mot dire.

Lorsqu'on entend s'éloigner l'Italien, ma mère se précipite dans la cuisine : elle ouvre le robinet à fond, emplit à moitié la cuvette à laver la vaisselle, fonce à la fenêtre et arrive juste à temps pour voir le chanteur sortir de l'immeuble un bouquet de roses à la main.

Elle a mal visé. La tête est épargnée, mais la gerbe d'eau arrose la gerbe de fleurs ainsi que le bras qui la tenait. L'homme demeure un moment figé, puis il lève la tête vers les fenêtres.

Ma mère lui conseille d'aller retrouver sa femme et ses gosses et aussi d'aller se faire quelque chose de douloureux à l'anus sur un vélo dont on a ôté la selle.

Lorsqu'elle referme la fenêtre, son visage se durcit et prend une expression d'aversion qui lui est familière à propos de tant de choses :

– *Quel salaud, ça la fout vraiment bien pour les voisins ! Ce que les hommes me dégoûtent, eux et ce qui leur pend entre les jambes...*

Je ne suis pas encore un homme, donc ça ne me concerne pas.

Le seul type pour qui la porte ne soit jamais close, c'est Edmond. Edmond, juif hongrois émigré, est une vieille connaissance amoureuse de ma mère, devenu avec le temps un copain.

Il vient irrégulièrement, la plupart du temps à l'improviste peu importe l'heure. En tout cas, il a la mauvaise habitude de poser des lapins lorsqu'il est invité à souper.

Jusqu'ici ma mère lui a toujours pardonné parce qu'elle l'a à la bonne.

Edmond musicien, Edmond graveur sur étain, sur bois, sur n'importe quoi, c'est la cloche, le bohème, le poète, le grand maigre à la fois timide et nerveux, la crinière noire à tout vent, l'œil bleu électrique, le menton en galoche, les fringues usées et pendantes. Il retient son pantalon avec une corde de violoncelle en guise de bretelles et il bégaie.

Il bégaie même en frappant à la porte : pan… pan… pan, pan… pan ! On le reconnaît, c'est lui.

Je cours lui ouvrir. J'aime bien Edmond. Souriant, gentil, il a toujours quelque chose de marrant à dire. Il tripote mes cheveux frisés et bégaye avec des mimiques amusantes :

— *Nom d'un chien ! Voilà une boucle qui ressemble à une double croche ! Nom d'un chien, je… je… je crois bien que c'est un si bémol !*

Et il se met à rire d'une façon qui entraîne le rire.

Une nuit, ma mère lui a fait son portrait à l'huile de foie de morue qui, parallèlement à l'huile de sardine, sert à peu près à tout dans la maison : à faire la salade, à lubrifier les charnières des portes, à me donner des vitamines et à diluer ses tubes de peinture quand elle ne peut pas se payer de l'huile de lin.

Ceci fait que dans tout l'appartement il flotte une forte odeur de rance qu'elle essaye d'atténuer en vernissant ses toiles.

Le portrait d'Edmond attend le vernissage depuis des mois, faute de moyens. On finit quand même par s'habituer à l'odeur si on reste sans sortir pendant plusieurs heures.

Ce soir Edmond voudrait avoir sa peinture. Il ne sait pas trop comment s'y prendre pour arracher à ma mère le tableau dont elle n'est pas décidée à se séparer malgré les relents, parce qu'il est particulièrement réussi.

Devant l'infusion à la queue de cerise que lui a préparée ma mère, il tire de sa poche des bouts de mégots qu'il a ramassés ça et là le long des trottoirs. Il les écrase entre le pouce et l'index et finit par en extraire assez de brins de tabac pour les rouler ensuite dans un petit carré de papier journal, le même que celui qu'il y a au clou dans nos W.-C.

— *Tu fumes du papier cul ? demande ma mère.*

— *Les temps sont durs, nom d'un chien… Simone !*

Sa cigarette boursouflée qui ressemble à une saucisse, prend feu et dégage une odeur désagréable :

— *C'est ce soir que je l'emballe ?*

Il veut parler de son tableau. Ma mère prétend qu'il n'est pas encore assez sec :

— *Depuis le temps Simone, il doit bien être aussi sec que mon tabac, ou alors il ne le sera jamais, nom d'un chien !* Essaye de ricaner Edmond.

Ma mère regarde longuement le tableau et prétexte maintenant qu'il n'est pas verni.

— *Ce n'est pas chic Simone, tu sais que j'y tiens, tu me l'as promis, nom d'un chien…*

— *Et toi tu crois que tu es chic toi ? Je t'ai donné une photo de moi, il y a au moins un an, tu devais en faire une gravure. Moi aussi j'y tenais et je l'attends toujours.*

Edmond tâte ses poches de ses mains décharnées et claque les doigts :

– *Nom d'un... je... je... je l'ai encore oubliée.*

– *Et bien ton portrait oublie-le aussi, si tu le veux vraiment t'as qu'à me l'acheter. Tiens je te le vends ! Mille balles !*

– *Mille francs, mais c'est le prix d'un Rembrandt !...* essaye de plaisanter Edmond.

Il fait semblant de fouiller dans les poches vides de sa veste. Il retourne celles de son pantalon qui sont percées et fait une mimique en levant ses sourcils broussailleux :

– *Faut-il que ce ne soit pas de veine, Si... Simone, j'ai changé de smoking, je me trouve à court... Mais si tu veux, nom d'un chien, je vais te jouer un air de violoncelle... ça vaut bien mille francs... Nom d'un chien !*

Il prend le violon de ma mère, le coince entre ses genoux et en joue comme d'un violoncelle en faisant vibrer les cordes graves. Ma mère écoute un moment et secoue la tête :

– *Tu ne me fais plus rire Edmond et tu ne m'attendris plus.*

Edmond repose le violon, baisse la tête et finit par repartir sans sa peinture. On le regarde machinalement par la fenêtre disparaître dans la nuit.

En débarrassant la petite table de la chambre où les soucoupes ont laissé des ronds humides, ma mère suspend son geste et je la vois fixer la potiche de cuivre rouge qui contient les grands roseaux séchés, par terre dans un coin de mur.

Parmi les roseaux, il y a, insérée dans un cadre de bois, une petite plaque d'étain qui jette des reflets. Sur la plaque, sculptée de milliers de coups de poinçon, je reconnais ma mère, une casquette Gavroche relevée sur le front, le regard tourné vers le ciel, inspirée, en train de jouer du violoncelle. Ma mère scrute longuement la plaque et murmure :

– *Quel con ! Tu vois, c'est ce genre de délicatesse que j'ai toujours appréciée chez lui. C'est dommage qu'il soit dingue, c'est un type qui ne m'aurait pas déplu.*

– *Pourquoi est-ce qu'il est dingue, maman ?*

Elle fait une drôle de moue, son regard se perd un instant dans les roseaux, puis avec un haussement d'épaules comme si elle se parlait à elle-même :

– *Autrefois, quand je l'ai connu, il buvait le sang de mes règles.*

Je ne comprends pas ce qu'elle veut dire et j'imagine Edmond en train de sucer les tâches brunes des serviettes hygiéniques en tissu éponge que je vois sécher de temps en temps sur une petite corde clouée au mur dans les W-C Je me dis qu'évidemment il doit être dingue.

Même si elle aime bien Edmond, ma mère est rancunière.

Excédée par le fait qu'elle l'ait attendu deux fois de suite pour dîner et qu'il ne soit pas venu, elle lui prépara, un jour qu'elle réussit à l'avoir à table, un terrible laxatif qu'elle incorpora à une sorte de pizza qu'elle avait préparée. Puis elle mit Edmond à la porte sous un prétexte banal de façon à ce qu'il n'ait pas la diarrhée chez nous.

Edmond devait marcher trois quarts d'heure à travers le bois de Vincennes pour rentrer chez lui… On ne l'a pas revu pendant des années.

Puis il y a eu l'époque de Monsieur le comte Raoul de Courtaine, un aristocrate fauché qui, à sa première visite, m'a offert deux livres illustrés qui m'ont émerveillé : l'un sur la naissance des chemins de fer et l'autre sur les montgolfières. J'ai conservé ces livres une bonne partie de ma vie.

Raoul n'est venu que trois fois à la maison : la première, lorsque ma mère l'a foutu à poil pour lui laver ses sous-vêtements qui étaient infestés de poux, la deuxième, quand il s'est ramené avec une bouteille de Moët et Chandon, deux verres en cristal de baccarat, une nappe en fine dentelle d'Arles qui avait appartenu à sa défunte mère, et une caisse à savon.

Comme Raoul détestait toute table qui n'était pas d'époque, ma mère et lui se retrouvèrent assis en tailleur dans ma chambre, sur des coussins autour de la caisse en bois recouverte de dentelle, sur laquelle régnaient le champagne et les verres.

Ma mère y allait alternativement d'un petit coup de champagne et d'un petit coup de violon, jusqu'à ce qu'elle m'annonce que Mozart consentait à ce que je goûte au champagne. Raoul m'en a versé une petite goulée qui ne m'a pas laissé indifférent.

La troisième et dernière fois que j'ai vu Raoul, c'est quand ma mère lui a annoncé qu'elle était enceinte. Elle lui a demandé :

– *Qu'est-ce qu'on va en faire ?*

Il lui a répondu :

– *Bah, on ne va pas en faire de la chair à saucisse !*

Comme ce n'était pas la réponse que ma mère attendait, elle l'a traité de salopard, lui a dit qu'elle allait se faire avorter et qu'il ne refoutrait plus jamais les pieds chez elle.

Moins d'une semaine plus tard ma mère me prévint d'un air grave qu'elle allait recevoir une dame qui allait introduire une aiguille à tricoter avec de l'eau savonneuse dans ses *parties intimes* pour chasser le bâtard de Raoul.

Faisant comme si je comprenais, je pris un air imprégné et convaincu pour lui signifier que j'accordais toute l'importance convenue à sa confidence et que j'étais l'homme de la situation vu les circonstances.

Le surlendemain, l'ambulance emportait ma mère à l'hôpital, fiévreuse, presque délirante et je restai ensuite trois jours entiers livré à moi-même à la maison.

Curieusement, lorsque je me suis retrouvé seul, je n'ai pas éprouvé le besoin d'aller m'enivrer du sirop de la rue. Au contraire, je suis resté cloîtré à grignoter les biscuits à soldat dont ma mère avait fait une réserve lorsqu'elle taillait des ceintures de cuir dans une caserne pour les uniformes militaires au début de la guerre. Elle n'était pas payée cher, mais elle avait trouvé le moyen de compenser.

La première idée qui me vint à l'esprit en l'absence de ma mère fut de lui faire plaisir. Je me dis que si je grattais le parquet de sa chambre à la paille de fer et que je l'encaustiquais par la suite, elle serait contente de retrouver un beau plancher jaune tout neuf, et elle serait fière de son fils.

J'entrepris donc de bouger les meubles et, au prix d'efforts difficilement imaginables pour un garçon de mon âge, je vidai sa chambre pour encombrer l'entrée, la cuisine et ma propre chambre.

Il me fallait libérer toute la surface de la pièce de façon à pouvoir encaustiquer en une seule fois quand tout serait fini. Pour aller d'une pièce à l'autre je devais faire de l'escalade.

Passer le parquet à la paille de fer consiste à écraser avec force sous le pied un pavé de copeaux tranchants d'acier et de faire aller vigoureusement la jambe d'avant en arrière pour extraire un certain nombre de millimètres de crasse incrustée dans les lames du parquet, proportionnellement à son manque d'entretien.

Il faut balayer au fur et à mesure et humecter le bois si on ne veut pas flotter dans un nuage de poussière. J'avais déjà vu une fois ma mère à l'œuvre dans le vestibule.

Même pour un adulte, le travail est crevant et n'avance pas vite. Tout dépend de la noirceur du plancher. Et le nôtre…

J'y mis tout mon cœur, mais j'avais humecté le plancher jusqu'à l'imbibition et le parquet commençait à gonfler.

J'avais de bonnes intentions, certes, mais j'avais visé trop haut. Avec la surface à couvrir, mon ardeur diminuait d'heure en heure et de jour en jour. Et puis je me demandais ce qui était en train de m'arriver : je commençais tranquillement à me gratter la tête, et rapidement cela devint intenable avec la transpiration. Plus je grattais le parquet, plus je me grattais la tête.

Dans la soirée du deuxième jour, épuisé, je me suis assis devant l'impossible, découragé. Je n'avais nettoyé qu'un tiers de la chambre et ma mère revenait le lendemain.

De retour, ma mère qui semblait déjà épuisée, examina mon chantier en secouant la tête d'un air complètement découragé, et elle allait me faire ses commentaires lorsqu'un roulement de tambour se fit entendre sur la porte d'entrée.

Madame Belin, accompagnée de son petit-fils et de la concierge, expliqua à ma mère sur un ton suraigu, qu'elle venait de découvrir une fuite d'eau en provenance de notre appartement. Ladite rigole s'était insinuée par le plafond le long de son lustre à partir duquel elle avait dégouliné jusqu'au tapis en y imprimant une auréole jaunâtre qui l'endommageait.

Le petit-fils, plus coloré dans ses propos, ajouta que l'eau avait laissé comme une tâche de pisse au plafond.

Ma mère promit de payer les dommages faits au plafond ainsi qu'au tapis et referma la porte au nez des plaignants. Puis elle me dévisagea, muette. Tout ce que je trouvai à dire fut :

– *Je voulais te faire plaisir...*

Ma mère hocha la tête et dit simplement d'un air las :

– *Aide-moi à tout remettre en place. Et il n'en fut plus question.*

Je me grattais avec une telle insistance qu'il ne fallut pas longtemps à ma mère pour diagnostiquer que Monsieur le comte m'avait laissé à moi aussi, un souvenir d'adieu : des poux bien remuants !

Le remède ne se fit pas attendre. Un litre de pétrole jaune que ma mère nommait de « l'huile de pierre », m'attendait dans la cuisine.

La tête penchée au-dessus de l'évier, je hurlais, je trépignais, je pleurais, j'implorais pitié. J'avais du pétrole plein les cheveux, les yeux et le nez. Mon crâne enturbanné d'un crasseux chiffon à poussière bon à jeter, était en feu, je ne voyais plus clair, j'avais envie de vomir et je me sentais étourdi.

Ma mère me traita de mauviette, et tout en me rinçant les yeux à l'eau du robinet, m'engueula :

– *Je te l'avais pourtant dit de te boucher les yeux !*

Le supplice dura une demi-heure.

Le minuscule râteau à poux avec lequel ma mère déracina ensuite mes cheveux qu'elle examinait un à un à la loupe, révéla malheureusement que la torture n'avait pas eu entièrement raison des guerriers les plus trapus de Monsieur le comte.

Alors, Simone ma mère, jamais à court d'idées, ramena cette fois du DDT de chez le marchand de couleurs.

La poudre inodore paraissait plus inoffensive que la redoutable puanteur du pétrole, mais je n'étais pas au bout de mes douleurs.

Ma mère m'installa sur le tabouret carré de la cuisine et entreprit de me couper les cheveux le plus court possible. Le ciseau coupait mal, ça tirait désagréablement, et à chaque coup de sécateur, je râlais en silence.

Puis ce fut la surprise. Ma mère ouvrit le grand rasoir pliant qu'Émile Gervais n'avait pas emmené à la guerre, et entreprit de l'affûter sur une lanière de cuir comme elle avait vu faire son mari autrefois. J'étais inquiet.

Ma mère crut bon de me rassurer :

– *N'aie pas peur j'ai déjà fait la barbe à Émile, je ne l'ai jamais coupé sérieusement...*

Puis elle ajouta avec une sorte de fierté :

– C'est avec ce même rasoir que je lui ai enlevé un jour une écharde de bois de palissandre qui s'était enfoncée en profondeur dans sa cuisse et avait provoqué un abcès. Il risquait la gangrène. J'ai ouvert et il a supporté la douleur sans broncher. Sinon, il aurait perdu la jambe parce que le médecin qui le soignait était marron.

Elle n'aurait jamais dû me dire ça. Mon inquiétude fit place à l'angoisse.

Hardiment, elle savonna mon cuir chevelu déjà douloureux, avec un mélange de savon et de DDT. Et, de grimaces en gémissements, je me suis retrouvé la boule à zéro, la peau à vif et ensanglantée, que ma mère dans sa compassion m'a enduite de bicarbonate de soude. Mon crâne pétillait et faisait des bulles, ce qui faisait bien rire Simone ma mère. Au moins, cette fois, je n'avais plus de poux.

CHAPITRE VI

Lorsqu'elle s'absente, ma mère ne me fait plus garder depuis longtemps et je reste seul à la maison, parce que la dernière fois qu'elle m'a confié aux locataires du quatrième, j'avais 4 ans, et ils m'ont saoulé au vin rouge. Il paraît qu'ils ont bien rigolé, mais pas ma mère.

Il y aurait pourtant, pas loin de chez nous, une sorte de voisine, la *Tata Henriette* encerclée de tous ses moutards, les siens et ceux des autres qu'elle garde dans son taudis.

Cette brave grosse dame avec ses bas roulés sur les chevilles, un marmot toujours sur un bras, et toujours toussotant dans la fumée grasse de sa cuisine, m'a donné autrefois la gougoutte quand ma mère s'est retrouvée à sec.

Elle ne demanderait pas mieux que d'ajouter une écuelle pour moi à sa table, par complaisance. Ça arrangerait bien ma mère, mais il n'en est pas question. Simone ma mère, n'a pas envie que je me *démolisse* le foie avec le beurre brûlé de la *Tata Henriette*.

Puis il y a autre chose. À mesure que je grandis, elle craint que mes contacts avec les gens du commun, comme elle les appelle, ne m'influencent et détruisent son œuvre. Elle m'isole avec autorité :

— *Je t'interdis formellement de jouer dans la rue ou d'adresser la parole à quiconque quand je t'envoie faire les courses. Je ne veux pas que tu te mélanges avec la basse classe, avec ces garnements !*

Pourtant, dès qu'elle a le dos tourné, j'essaye de mettre à profit ma liberté et je vais les retrouver les garnements, ce qui me vaut à chaque fois une correction assez douloureuse. Mais, je dois avoir la mémoire courte ou être très obstiné, car je suis incorrigible.

En revanche, Je n'aime pas ce que mes copains les voyous, disent de ma mère :

— *C'est une crâneuse ta mère ! Mon père dit qu'elle marche comme s'il n'y avait que de la merde sur le trottoir.*

Je voudrais bien tout de même jouer aux billes, à la délivrance et gueuler un coup avec les autres. J'ai besoin du sirop de la rue.

Malgré tout, je sens bien que je ne fais pas partie de la bande à cause de mes cheveux longs, mon air de fille et ma mère qu'on débine. Pourtant, je fais des efforts, je connais autant d'argot et de grossièretés qu'eux. Je fais même des conneries pour leur faire plaisir. L'autre jour, ils m'ont mis au défi :

– Chiche que tu n'entres pas chez le marchand de couleurs en criant : Bande d'enculés !

Je ne me suis pas dégonflé mais la trempe que j'ai prise par ma mère deux jours après, m'a fait comprendre le sens de certains mots de vocabulaire à ne pas utiliser chez les commerçants.

Maintenant, les gosses du quartier, ceux-là même qui m'ont envoyé au casse-pipes, ricanent sur mon passage en se martelant la tempe de l'index :

– Il est cinglé… Il est cinglé… Ouh ! La fille… Il est cinglé !

Depuis l'incident du marchand de couleurs, ma mère m'enferme à double tour lorsqu'elle doit sortir. Ça ne fait rien. J'ouvre la fenêtre et, à genoux sur le radiateur qui m'élève jusqu'à l'appui en fer forgé, je participe aux jeux des mômes en liberté du haut de mon troisième.

Pour me faire illusion, pour m'imaginer que je suis dans le coup, je mets de temps en temps mon grain de sel et j'interpelle à grands cris l'un ou l'autre des mômes.

Madame Belin fait son rapport à la concierge qui transmet à ma mère et c'est le début des cruelles dérouillées qui n'ont pas encore pour autant raison de mes comportements.

Je ne sais pas comment me définir. Ou bien je ne pense pas plus loin que le bout de mon nez, comme dit ma mère, et je retombe impulsivement dans l'attrait du jeu et des copains sans mesurer les conséquences ou bien je suis un insoumis, un rebelle de nature, épris de liberté qui connaît les conséquences mais qui s'en fout. Peut-être un peu des deux.

CHAPITRE VII

On ne paye pas souvent le loyer et on emprunte dur. Comme dit ma mère, notre situation financière est *catastrofric*.

Puisqu'on a un poêle à gaz à deux ronds avec un four, on a vendu la cuisinière à charbon, ce qui donne un peu plus de place dans la petite cuisine, mais ceci nous prive de chaleur en hiver, puisque le chauffage central ne fonctionne plus depuis plusieurs années. Toutefois, ma mère a prévu cette éventualité et elle a un truc pour transformer au moins la cuisine en bain turc.

D'abord, elle verrouille la porte d'entrée à deux tours et elle ferme toutes les persiennes pour faire croire qu'il n'y a personne à la maison. Si quelqu'un frappe, naturellement, on ne répond pas. Tout cela, parce que ce qu'elle va faire n'est pas exactement légal.

Le compteur à gaz repose de ses quatre pattes sur une tablette en fer fixée au mur. L'une des pattes est maintenue solidement à la tablette par un fil d'acier dont les deux extrémités passent par un plomb scellé, les autres sont libres.

Ma mère a réussi il y a longtemps à faire glisser une des extrémités du fil d'acier en chauffant le plomb patiemment à l'allumette sans abîmer le sceau.

Elle grimpe sur le tabouret de la cuisine pour être nez à nez avec le compteur à gaz. Elle incline alors le compteur sur ses deux pattes de derrière et ça bloque le cadran enregistreur qui cesse de tourner. Le tuyau de plomb fixé au compteur par lequel passe le gaz est un peu amoché à force d'être tordu et redressé, mais ma mère prend soin de patiner avec du mastic à fenêtre, les petites craquelures qui se forment à la pliure. Il faudrait vraiment, comme elle dit « vouloir enculer les mouches », pour y voir quelque chose.

D'ailleurs elle ne manque pas d'idées pour se rassurer à sa façon :
– *Celui qui a perdu sa femme n'ira pas la chercher là !*

Ensuite, elle allume tous les brûleurs du réchaud y compris celui du four, et les mètres cubes du gaz foncent comme des bolides sans que ça ne coûte un sou.

En quelques minutes, on étouffe dans la cuisine et la chaleur bienfaisante a tôt fait de se répandre dans l'appartement.

Ma mère a appris à faire des fleurs artificielles je ne sais ni quand ni comment, mais elle doit être vraiment douée parce que les fleurs qu'elle fabrique ont l'air plus vivantes que nature.

Il paraît que ce sont les Américains qui en font une grande consommation, mais ces temps-ci, les commandes sont rares.

Elle est payée à la pièce, mais si peu, qu'on devrait plutôt dire qu'elle fait la mendicité pièce par pièce…

Ma mère n'aurait pas été heureuse si elle ne m'avait pas embauché pour l'aider à fabriquer ses fleurs.

Il lui arrive de faire des roses, ce qui d'ailleurs est difficile à confectionner dans ce métier particulier de fleuriste. Il y a des professionnelles de la rose qu'on appelle des « rosières » et d'autres qui sont des professionnelles de la marguerite qu'on appelle des « effeuilleuses »… En ce moment elle fait des giroflées.

Les pétales nous arrivent d'abord en tissu plat coloré et découpé, un peu comme de gros trèfles à quatre feuilles. Il faut mettre ces pétales à *l'humide*, c'est-à-dire les insérer dans une sorte de grand buvard gris de la dimension d'une feuille de papier journal pliée en quatre, que l'on passe furtivement sous l'eau du robinet la veille au soir, afin qu'il soit juste *humide* et non détrempé le lendemain matin.

Il faut humecter une trentaine de buvards pour une journée de travail. Ça, c'est une de mes corvées, et gare à moi si les buvards ne sont pas humectés correctement.

Un jour qu'ils étaient trop humides ma mère qui était enragée de devoir gâcher sa journée de travail m'en a fait bouffer un de force. J'ai eu mal à l'estomac toute la journée et toute la nuit, mais les buvards ont toujours été impeccables depuis.

Lorsque les pétales ont été correctement humidifiés, environ une vingtaine de minutes, il faut les « gaufrer », c'est-à-dire les ourler sur le pouce à l'aide d'une pince très effilée, chauffée presque à blanc sur une petite lampe à alcool, pour leur donner la forme du pétale de la giroflée.

Ce n'est pas facile, parce qu'il faut un certain doigté qui relève du don artistique. Plus la pince est vieille et usée, plus elle est souple, et plus l'ourlet du pétale semble naturel.

Pour les roses, il faut faire chauffer un autre type d'outil avec lequel on « boule » les pétales.

Tout cela est réservé à ma mère.

Moi je fabrique les étamines ou peut-être les pistils, je n'en sais rien, car ma mère n'étant pas sexiste pour les fleurs, les appelle tout simplement des graines, ce qui règle le problème.

De ma main gauche, mais néanmoins adroite, je groupe des petites graines à courtes queues autour d'une petite tige de fil de fer. Je coince le tout entre mon pouce et mon index, l'extrémité de la tige en appui sur mon petit doigt, et à l'aide d'un étroit ruban de mince papier vert dont je mouille une extrémité avec ma langue, ce qui me laisse la bouche verte pendant toute la journée, je « passe ».

C'est comme cela que ça s'appelle. C'est-à-dire que j'enroule de papier vert toute la tige par un mouvement continu des doigts, ce qui laisse une douleur intolérable au poignet après un moment. D'ailleurs ma mère qui fait le montage final des fleurs sur le « set », une longue tige de métal qu'elle « passe » également avec un plus gros papier vert, ce pour quoi je n'ai ni la force ni le savoir faire, a un kyste qui lui déforme la face interne du poignet, et les lèvres encore plus vertes que les miennes.

Parfois, ma mère est de bonne humeur. Par exemple, lorsqu'elle a *touché ses fleurs,* c'est-à-dire qu'elle a reçu l'argent qui lui est dû pour son travail, en rentrant, sur le coup de midi, elle commence par lancer l'une de ses phrases favorites qui annoncent qu'elle est de bon poil :

– *Caramba s'écria la comtesse en posant sa chique sur le piano ! Rendez-moi mon fils ou je vous mords le dos ! Son fils ne lui fut pas rendu, elle le mordit au cul !*

Puis, on va au « Resco » du quartier, ce qui signifie : « Restaurant communautaire », pour chômeurs, indigents, personnes handicapées ou âgées, où le repas néanmoins payant, ne coûte pas plus cher que ce qu'il vaut.

On y sert une sorte de soupe populaire dans laquelle trempe peut-être, quelque chose de comestible, mais indescriptible.

L'endroit est toujours plein à craquer. Ceux qui sont membres ont droit au rond de serviette autour de leur petit torchon bien roulé et conservé dans un casier à croisillon qui couvre toute une section de mur. Les non-membres payent plus cher et n'ont pas droit à la serviette. Il faut alors utiliser son mouchoir ou déchirer un morceau de la nappe en papier sans se faire prendre.

De temps à autre, ma mère m'envoie chez le tripier pour lui demander du mou pour les chats. Le mou c'est du poumon de bœuf. En général le tripier ne fait pas payer son mou si on lui dit que c'est pour les chats. Les chats c'est nous, ma mère et moi.

Ma mère fait bouillonner ce que je rapporte dans la poêle avec quelque chose qui donne du goût. Je ne me suis jamais plaint parce que personne ne m'a jamais dit que c'était dégueulasse.

Ma mère possède, ce qu'elle appelle ses « ressources humaines ». Ce sont des copines ou encore des personnes dont elle fait la connaissance à l'occasion de rares petits concerts de quartier dans lesquels elle joue du violon et à qui, assez rapidement, elle emprunte.

Pour ce genre d'activité, son style d'expression approprié à la circonstance, veut qu'elle : « effectue des levées de fonds temporaires ». Plus simplement dit, elle les tape !

À Vincennes, elle avait une ressource potentielle, une vieille demoiselle ayant considérablement maigri récemment d'après ce qu'en dit ma mère. Cette femme vivait avec sa solitude, son petit chien turbulent et ses revenus. Mais j'ai tout gâché.

Un soir, nous sommes invités à souper chez cette dame qui a un bel appartement, un air austère et intimidant, qui mange en tenant son couteau et sa fourchette ainsi que des stylos, comme si elle écrivait des deux mains.

Je ne peux détacher mes yeux de sa personne. De la pointe de son menton jusque sur sa poitrine qu'elle garde découverte dans une robe noire assez décolletée, s'étale curieusement, une cascade de rides en demi-cercles comme des ronds dans l'eau.

Lorsqu'elle demande en s'adressant à moi :

– *Quel âge a ce joli petit garçon ?*

Je ne peux me retenir de sortir cette énorme bavure :

– *Vos rides, on dirait un collier de perles !*

Et la vieille demoiselle à qui je reconnais aujourd'hui beaucoup d'humour, rétorque sans qu'aucune expression faciale ne trahisse d'émotion :

– *Mais jeune homme… on ne dirait pas… c'est un collier de perles !*

– *Il faut l'excuser,* dit ma mère qui ne sait comment s'excuser tout en me fixant avec un mélange de stupéfaction et de fureur, *il est parfois spontané et très maladroit.*

Le froid qui vient de s'inviter à table givre la conversation et ma mère visiblement contrariée à l'extrême ne sait plus comment s'en sortir. Elle est devenue aphasique tandis que je me ronge et que la dame aux perles demeure imperturbablement hautaine et muette.

C'est alors que le petit chien entre en scène et vient aider à rompre la glace ou plutôt faire exploser la banquise. Il me grimpe sur les genoux autant de fois que j'essaie de le faire redescendre, et si ce n'était la mauvaise odeur qu'il dégage, je l'aurais peut-être laissé faire pour me donner une contenance. Pour la deuxième fois notre hôtesse m'adresse la parole :

– *Tu n'aimes pas les chiens ?*

J'aurais peut-être pu me rattraper et sauver la situation, mais encore une fois je suis mal inspiré :

– *C'est pas que je n'aime pas les chiens, mais celui-là, il sent vraiment mauvais… il pue…*

Je viens de toucher à quelque chose de sensible dans les sentiments de la dame. Et la réaction est volcanique. D'impassible, la maîtresse de la petite chose malodorante devient rouge d'indignation. Elle claque ses ustensiles dans son assiette, me lacère des yeux et me jette d'une voix rendue tremblante par la colère :

– *En voilà assez mon jeune ami, vous êtes un petit insolent d'une audacieuse impertinence, un enfant mal élevé par sa mère. Finissez votre assiette si le cœur vous en dit, et sortez de chez moi, je vous mets à la porte, vous et votre mère.*

Sur le chemin du retour, dans la nuit glaciale, nous traversons une zone très obscure du bois de Vincennes. Ma mère me traîne par le poignet comme si elle voulait me l'arracher, sans ralentir le pas. Je déteste ces longues marches silencieuses à côté de ma mère lorsqu'elle est de mauvais poil après moi. En général, à mesure qu'on se rapproche de la maison, j'ai les jambes qui faiblissent, mais s'il lui arrive de me prévenir avec un : « Attends un peu qu'on soit rendu à la maison », alors là, il me prend des crampes à faire dans ma culotte. Ce soir, je voudrais que les quelque cinq kilomètres qu'il nous faut parcourir pour rentrer chez nous s'allongent sans jamais finir, tellement je n'ai pas hâte de subir ce qui m'attend.

Un incident va pourtant venir atténuer mon châtiment en faisant bifurquer l'agitation émotionnelle de ma mère vers un autre sujet qui commence à la perturber.

Dans la pénombre du bois, nous sommes à l'affût des ombres mouvantes et des moindres bruits. Or, cela fait un moment qu'on entend craquer les brindilles mortes pas très loin derrière nous. On s'arrête pile, pour voir. Les brindilles aussi. Il y a quelqu'un derrière qui nous suit.

Ma mère accélère le pas, moi aussi, les brindilles aussi. Elles nous rattrapent. Ma mère défait ses chaussures à hauts talons et me lance dans un souffle :

– *Viens, on fonce !*

On pique un cent mètres à faire pâlir Mimoun. On ralentit et on se retourne. Il n'y a personne. Ma mère remet ses chaussures et on reprend une allure normale. Nous touchons maintenant la zone des immeubles. Les maisons bien que sans lumière et les rues, même désertes, paraissent néanmoins accueillantes et rassurantes sous la pâle lueur des rares becs de gaz. On marche en plein milieu de la rue et on se retourne fréquemment. Les talons de ma mère résonnent sur le bitume. Nous avançons à bonne allure depuis un moment et nous allons bientôt tourner le coin de la rue où nous habitons.

Brusquement, nous ne sommes plus seuls. Un pas lourd, un pas d'homme, a emboîté le nôtre sur le trottoir. Le type a dû prendre un chemin parallèle et il vient de déboucher par une rue transversale. Ma mère s'arrête soudainement, se retourne et fait face à l'individu. Il stoppe net et recule légèrement. Déjà en proie à la colère, elle l'apostrophe d'un ton furieux :

– *Qu'est-ce que qu'il y a ? Qu'est-ce que vous voulez ?*

Le type, enveloppé d'un long manteau qui a l'air vraiment trop grand pour lui est surpris. Il hésite, tend une main et réplique mollement :

– *Laissez-moi vous expliquer…*

– *Il n'y a rien à expliquer, foutez-moi le camp !* continue de hurler ma mère tout en serrant sa grosse clef d'appartement dans son poing fermé. Puis elle se met à crier puissamment :

– *Au secours !*

L'homme s'écarte et s'éloigne suffisamment pour que ma mère me dise :

– *Courons, vite, cours aussi fort que tu peux !*

Et on se remet à courir à perdre haleine. Derrière nous, l'homme semble courir aussi, mais à distance. La maison n'est plus loin maintenant. Encore un effort et nous y sommes.

Nous n'avons jamais monté les escaliers aussi vite. Une fois la porte bien verrouillée, ma mère s'effondre à genoux sur le plancher de l'entrée.

Lorsqu'elle a repris son souffle, assise par terre, elle est prise d'une crise de fou rire qu'elle a du mal à maîtriser. Alors je ris avec elle, mais je ne sais pas pourquoi.

– *Ce que tu peux être con : vous avez des rides et un chien qui sent la pisse...*

Et elle rit de plus belle :

– *Tu nous as foutu cinq mille balles en l'air avec tes conneries !*

Abruptement, elle change de sujet. Elle ne rit plus et revient sur les derniers instants de notre course folle :

– *On l'a échappé belle ! Laissez-moi vous expliquer... Expliquer quoi... ce sale type avait des mauvaises intentions... On l'a vraiment échappé belle !*

Ma mère est épuisée, alors... elle m'envoie me coucher.

Avant de dormir, les paroles mordantes de la dame blessée me reviennent. Elles m'ont frappé, me rendent songeur et mal à l'aise. Elles s'inscrivent dans ma mémoire ; je ne les ai jamais oubliées mot pour mot.

Alice est une jeune violoncelliste qui demeure seule dans une maisonnette tout près de la boutique du boulanger nommée « Au soleil ».

Ces temps-ci, ma mère visite Alice assez souvent. Je suis entré une fois chez elle, mais ma mère m'a fait ressortir assez rapidement et m'a demandé de l'attendre dans la rue. Je me suis assis sur le trottoir et j'ai attendu plus d'une heure sans oser aller frapper pour savoir si elle ne m'avait pas oublié.

Chaque fois, ma mère me dit qu'elle va jouer du violon chez Alice, mais elle n'emporte jamais son violon, et chaque fois il faut que j'attende au moins une heure sur le trottoir.

Deux fois, pour tromper le temps, je suis entré dans la boutique du Soleil. La première fois, j'ai demandé une pâtisserie à crédit et la deuxième fois, j'ai pris une baguette que j'ai mangée entièrement sur le trottoir. La troisième fois, on n'a pas voulu me faire crédit, mais quand ma mère est sortie de chez Alice, la boulangère lui a réclamé mes dettes sur le trottoir et ma mère m'a réclamé des explications à coups de torgnoles.

Un jour j'ai questionné ma mère :

– *Est-ce qu'elle a un violon Alice ?*

– *Mais non, elle ne joue pas du violon mais du violoncelle.*

– *Alors pourquoi tu dis que tu vas jouer du violon si tu n'emportes pas ton violon quand tu vas chez elle ?*

– *Ça ne te regarde pas !* fut la réponse pour toute réponse.

Aujourd'hui ma mère m'envoie au front :

– *Va chez la tante Andrée, demande-lui mille francs et ne traîne pas !*

Je remonte le boulevard de la République en passant devant l'usine des rigolos, une sacrée côte. Il y en a pour une demi-heure à grimper à pied.

La tante Andrée, une demi-sœur de ma mère, est une grosse dame presque âgée qui prend beaucoup de cachets et de comprimés, couturière de sa profession et toujours contrariée de son état. Elle a de la moustache et quelques longs poils hirsutes au menton.

Je ne l'ai jamais connue autrement que secouée par d'interminables quintes de toux, penchée sur sa grosse machine à coudre de confection dans sa petite cuisine près de la fenêtre, le dos à sa ronflante cuisinière à charbon poussée au rouge avec du gros coke bon marché qui enfume la cuisine, été comme hiver.

Hiver comme été, elle est toujours vêtue de sa robe noire, toujours emmitouflée d'un grand châle noir, toujours gelée, toujours moustachue. Elle tousse gras, elle sent le vieux linge sale et la sueur froide.

Pis que mal commode, elle est franchement désagréable. Elle n'aime pas ma mère et me la débine.

Son énorme chat, aussi gros et noir vêtu que sa maîtresse, est allongé entre ses pieds. Il me colle la frousse avec son regard fixe. Il fait partie de l'ambiance qui me met mal à l'aise à chaque fois que ma mère m'envoie faire la mendicité chez la tante Andrée.

La tante vit avec le bonhomme Gandubert, de plus de dix ans son aîné, un ancien de la colo qui, curieusement, sans être asiatique, a les yeux tout aussi en amandes que les habitants de l'Indochine où il a baroudé pendant plusieurs années.

Quand il parle d'eux, je trouve drôle qu'il dise « les bridés ». En dedans de moi, je me dis « Il ne s'est pas regardé ».

Gandubert n'a pas l'air de beaucoup priser les Asiatiques, sauf peut-être en ce qui a trait aux femmes dont il parle sans retenue, même devant la tante Andrée.

Je n'ai jamais entendu prononcer le prénom de Gandubert, à croire qu'il n'en possède pas.

Avec moi, il n'est pas méchant, mais il ne doit pas trop apprécier ma mère non plus parce qu'elle l'a traité de vieux salaud un jour qu'il a essayé.

La tante Andrée s'est modernisée. Elle a fait installer un puissant moteur sur sa machine à coudre. Le pédalier à bascule qui aggravait ses varices et lui donnait des douleurs aux jambes a été remplacé par une petite pédale qu'elle actionne du bout du pied, par à-coups, lorsque les coutures sont longues et droites. Les brusques vrombissements périodiques de la machine font vibrer les carreaux, trépider les chaises, et trembler la petite table de cuisine au coin de laquelle est accoudé Gandubert, une épaule soutenue par le mur jauni à la sueur du poêle.

Tandis que la cuisinière ronfle au gros charbon, Gandubert ronfle au gros rouge, un combustible de onze degrés qu'il ramène de chez Châtelard, l'épicerie d'en face qu'on aperçoit par la fenêtre.

Malgré sa somnolence, l'ancien à son poste étreint son verre pour l'empêcher de trépigner sur la table et de se renverser.

Tous les deux jours, il descend faire le plein avec son casier de six litres de verre blanc, où le verjus transparaît en teintes violacées.

Gandubert dit que ce n'est pas tant de descendre les escaliers qui lui soit pénible, mais c'est de les remonter. Toutefois il avoue qu'après ça, il est pénard pendant deux jours.

Il garde sa réserve sous la table, à portée de main et à l'abri des séismes du prêt à porter.

Après un long moment d'attente sur le palier, Gandubert vient m'ouvrir, son verre à la main, et me fait entrer. Il claque la porte dont le bruit réveille le carillon en sursaut comme d'habitude et lui fait toujours sonner la demi, peu importe l'heure. J'emboîte le pas à Gandubert en prenant les patins parce que le parquet est ciré. Autant la cuisine est surchauffée, autant le reste de l'appartement est glacial. Il fait frisquet dans l'entrée. On se suit à la queue leu leu jusqu'à la cuisine en glissant sur nos patins comme les Indiens sur leurs raquettes à neige, mais on n'a pas loin à aller, heureusement.

Une fois la porte de la cuisine refermée, l'ancien retourne à son poste et le carillon à son silence.

– *Bonjour ma tante.*

La tante ne lève pas le nez et je l'embrasse sans respirer.

Elle m'éloigne rapidement de la pointe du coude sans lâcher son tissu couvert d'épingles et de lignes tracées à la craie blanche.

– *Qu'est-ce que tu veux, toi ?* Le ton désagréable du « toi » me garde à distance et me ramène au rang de gamin indésirable.

– *C'est maman qui m'envoie... elle a besoin de mille francs...*

La réponse est rauque. Elle explose avec les graillons :

– *Tu diras à ta mère que du pognon, j'en chie pas moi, et qu'elle me rende d'abord celui qu'elle me doit. T'as compris ? Elle a qu'à travailler ta mère ! Pendant qu'elle joue du violon, y en a d'autres qui travaillent...*

Il s'installe un silence difficile. Je risque timidement de lui dire que ma mère coule du cirage dans des boîtes à l'usine mais que ça ne suffit pas. La tante Andrée est irréductible :

– *Et bien, qu'elle se démerde !*

J'ai alors droit à des paroles de rancœur avec des « Ta mère... » appuyés et des secousses de rire et de toux grasse qui me donnent envie de m'enfuir à toutes jambes, mais je n'ose pas.

Gandubert y va de son humour :

– *Puisque c'est ta demi-sœur, t'as qu'à lui en filer la moitié : cinq cents balles...*

– *De la zut !* réplique la tante Andrée dont le ton se radoucit quand elle parle à son homme.

Et se tournant vers moi, elle me donne congé à sa manière :

– *Fous le camp je t'ai assez vu !*

Je ne me le fais pas dire deux fois.

Je cours alors chez la tante Germaine comme c'était la consigne si je devais faire chou blanc avec l'aînée des demi-sœurs de ma mère. C'est beaucoup plus loin, à une heure de marche, dans la banlieue campagnarde de Montreuil.

La tante Germaine n'est pas une force de la nature. Elle a une petite toux discrète mais constante et ne parle pas fort. Elle répond toujours « Oui Félix » à tout ce que dit son mari.

Félix, le mari de la tante Germaine, est donc mon oncle. Il desserre à peine les dents lorsque je lui dis « Bonjour mon oncle », parce qu'il déteste ma mère au point qu'il ne lui adresse plus la parole depuis des années à cause d'une vieille querelle dont tout le monde a oublié la cause. Alors, je me demande bien pourquoi ils ne se reparlent toujours pas !

Pourtant, avant ça, ma mère lui avait pardonné le fait qu'un soir où lui et la tante germaine avaient été invités à dîner chez nous, Félix s'était déchiré au vin blanc et avait eu une telle colique qu'il avait laissé des virgules sur les deux murs des W-C lorsqu'il s'était trouvé à court de papier.

Moi je crois que ça ne s'arrangera jamais parce que Félix est Lorrain et que ma mère a sa théorie sur les Lorrains comme sur les Alsaciens, mais ça doit être sur les hommes seulement parce que, à l'inverse, je ne l'ai jamais entendu dire que les Lorraines étaient toutes des connes ou que les Alsaciennes étaient toutes des tartes, peut-être bien parce qu'elle aime les quiches lorraines et les biscuits à l'alsacienne !

Félix a construit de ses mains la maison de sa famille, en dur, mais sans eau courante, ce qui fait que malgré les apparences, ma cousine Micheline et ses parents sont obligés de se laver par morceaux à l'eau de la pompe et de sortir dans le jardin pour faire leurs besoins, hiver comme été.

C'est Félix qui tient les cordons de la bourse et la tante Germaine n'a que de très petites économies qu'elle grappille un peu sur ce que lui donne son mari pour faire les courses.

Elle a d'ailleurs besoin de ses économies pour se payer le cinéma à Strasbourg Saint-Denis. Elle s'assied toujours sur un fauteuil entouré de places vides pour attirer les hommes. Soit disant qu'elle va chez le médecin tous les vendredis, pour faire pomper son pneumothorax, mais en vérité elle va draguer à Paris pour cocufier son Félix. C'est ma mère qui me l'a raconté.

La tante Germaine n'a pas les mille francs, mais elle est bonne fille et me donne tout de même une botte de poireaux de son jardin où les légumes sont engraissés périodiquement avec le tas d'excréments du seau des W-C

Comme la tante est tuberculeuse, ma mère pense que les poireaux le sont aussi à cause de l'engrais et elle les flanque à la poubelle.

Les mille francs, j'ai fini par les trouver pas trop loin de notre quartier, en lisière du bois de Vincennes, chez Marguerite, une connaissance de ma mère plutôt qu'une copine.

Comme je suis en veine, il me vient une idée qui m'achètera peut-être les bonnes grâces de ma mère. Je monte chez Yvette qui habite le même bâtiment. C'est une autre connaissance, un peu plus intime puisqu'elle est la femme d'Édouard, le frère d'Edmond « le dingue » :

– *C'est maman qui m'envoie...*

Je redescends avec un autre billet de mille. Marguerite et Yvette, ce sont les deux seules fréquentations populaires tolérées par ma mère, et pour cause... :

– *Ce sont de braves petites ouvrières...* dit ma mère lorsqu'elle parle d'elles.

L'après-midi commence à s'assombrir, le soleil est bas sur l'horizon. Tout content, je retourne à la maison aussi vite que mes jambes fatiguées me le permettent car j'ai couru toute une partie de la journée et j'ai l'impression de lever du plomb à chaque enjambée.

À bout de souffle, j'exhibe mes deux mille francs. J'ai cru bien faire. J'ai eu tort. La colère de ma mère déclenche un mécanisme rétroactif positif par lequel la rogne déclenche la gifle qui entretient la rogne qui fait repartir une autre gifle et ainsi de suite jusqu'à ce que je comprenne que J'ai pris une initiative malheureuse : Yvette, ce n'était pas prévu pour aujourd'hui, il fallait se la garder au frais pour les trois mille francs du gaz !

CHAPITRE VIII

Ma mère attendait l'argent pour m'envoyer en courses. Mon filet à provisions qui ressemble à un filet de pêche avec ses grandes mailles me pend le long des jambes jusqu'aux chevilles. Elle me tend un billet de mille.

– *Va chez Bedu chercher du lait et deux ou trois tranches de jambon, puis tu iras chez Guerton prendre une baguette, dépêche-toi !*

Chez Bedu, ils me font la gueule parce qu'on leur en doit un sacré paquet.

– *T'as de l'argent aujourd'hui ?*

Je montre mon billet à Bedu qui l'engloutit tout rond dans sa caisse dont la sonnette émet un *cling* triomphant et ça recommence :

– *Tu diras à ta mère...*

Il dit ça tout fort Bedu. C'est humiliant, mais je plaide quand même pour avoir la monnaie.

– *S'il vous plaît, il faut que j'aille chercher du pain... et puis d'autres courses ou bien ma mère va me tabasser.*

J'ai récupéré la monnaie du lait sur le billet de mille. Je sors en vitesse pour me sentir libre. Je marche lentement et me livre à une expérience que j'ai vu réaliser par les autres enfants. Je fais tourner la gamelle remplie de lait à bout de bras, sans son couvercle, avec de grands moulinets. C'est marrant de voir comme le lait reste collé au fond.

Pour aller au pain, je dois passer devant la boutique du marchand de couleurs, celui-là même où j'ai crié des grossièretés dans la boutique pour me faire admettre dans le clan des voyous du quartier. Dans la vitrine, il y a un pistolet à bouchons, des billes en verre, des agates, des gros calots en acier comme en ont les chienlits du 94 qui jouent à la dégomme dans le caniveau de la rue. Le pistolet à bouchons, ça fait des semaines qu'il me rend malade d'envie.

C'est plus fort que moi, je pousse la porte et je me fais tout petit devant cet homme maigre en blouse grise et béret qui se tient derrière le comptoir et qui rajuste ses lunettes en me dévisageant.

J'ai l'impression qu'il me voit pour la première fois tellement il m'épingle du regard.

Je rassemble mon courage.

– *Je voulais vous dire que je m'excuse pour ce que j'ai fait la dernière fois. Je ne recommencerai plus jamais.*

– *C'est ta mère qui t'envoie ?*

– *Non M'sieur, c'est moi tout seul.*

J'épie les réactions, mais je n'obtiens pas de réponse de ce visage hermétique, ni de la bouche ni des yeux qui me jugent derrière les petites lunettes cerclées de fer. Ce silence me déconcerte et je me risque :

– *C'est combien le pistolet à bouchons ?*

L'homme en gris le sort de la vitrine. Il est là, sur le comptoir, sous mes yeux avec sa crosse toute nickelée. Je peux même y toucher. Je sais que le ciel va me tomber sur la tête si je ressors de la boutique avec ce truc-là, mais l'envie me rend amnésique et j'efface la perspective du châtiment qui me fera souffrir des jours à venir pour ne goûter que le plaisir qui n'habite que l'instant.

J'essaye néanmoins de gagner un peu de temps afin de reculer l'heure dramatique des conséquences et je tente le coup :

– *Est-ce que je pourrais vous le payer demain ?*

– *Non.*

– *Demain sans faute ?*

– *Il n'en est pas question.*

Je ne me permets plus de réfléchir et je sors la monnaie de chez Bedu. Pendant que j'y suis, je ne me retiens plus. J'achète des bouchons et des billes, pas celles en plâtre qui n'intéressent pas les copains, mais celles en verre et en acier. Toute la monnaie y passe.

Dehors, je marche lentement, écrasé par le poids de la fatigue et de la connerie que je viens de faire. Je pousse jusque chez le boulanger comme un automate et il ne me reste même plus assez pour acheter le pain. Je prends une baguette à crédit.

Pour revenir, je ralentis tellement le pas que j'ai l'impression de marcher à reculons.

Devant le 94, il y a deux mômes et un triangle plein de billes, dessiné dans la poussière du trottoir.

– *Je peux jouer ?*

– *Fais voir tes billes.*

Je pose le filet avec le jambon, le lait et le pain sur le rebord d'une fenêtre de plain-pied d'une maison qui borde la rue. D'où je suis, ma mère ne peut pas m'apercevoir. Elle ne descendra pas non plus à ma recherche. Avec tout l'argent qu'on doit dans le quartier, elle n'ose plus passer devant les commerçants. J'oublie tout ce qui va me tomber dessus plus tard et je me livre au plaisir du jeu.

Le temps passe trop vite. Une à une j'ai perdu toutes mes billes. Ça doit faire presque deux heures que ma mère m'attend.

La nuit vient de tomber. Les commerçants ont fermé boutique Les mômes rentrent chez eux.

Je sors de ma poche le pistolet et les bouchons dont je ne me suis pas servi une seule fois et je les tends aux copains.

– *Tiens je vous en fais cadeau, je ne pourrai jamais rentrer avec ça chez moi.*

– *Ta mère veut pas ?*

– *Non.*

Ils disparaissent en rigolant.

Ça me fait tout drôle de les voir partir. La rue est déserte tout à coup. Tant qu'ils étaient à côté de moi j'avais le sentiment d'être protégé par leur présence et la complicité de la rue sans comprendre pourquoi. Maintenant que je me retrouve tout seul, je me sens comme abandonné, désespéré. Je connais la violence de ma mère et la trouille me coule dans les jambes.

J'ai du mal à monter les escaliers tellement la peur me paralyse.

J'ai grignoté du pain et mangé une tranche du jambon dans la rue. Le papier ciré qui enveloppait le jambon est froissé et déchiré. Il n'est vraiment pas frais lorsque je le dépose avec le lait et le pain sur la table de cuisine.

Sans un mot, ma mère referme doucement la porte d'entrée derrière moi. Le petit bruit du loquet qui retombe claque à mes sens aux aguets comme une détonation.

À partir de cet instant, les sons, les mouvements prennent dans mon esprit une amplitude exagérée par l'angoisse.

Les trempes, avec ma mère, c'est une espèce de rituel qu'elle prépare et qu'elle retarde comme une torture.

Figé dans l'entrée de la cuisine, j'épie ses gestes, j'attends. Elle bouge au ralenti, en silence. Elle débarrasse le couvert qui faisait le poireau sur la table et le décompose lentement, méthodiquement dans le placard, chaque chose à sa place. Il est clair qu'on ne mangera plus ce soir. L'atmosphère s'alourdit d'instant en instant.

Il ne reste sur la table de cuisine convertie en tribunal que les pièces à conviction : le lait tourné, le pain grignoté et le jambon écrasé.

Elle tire une chaise calmement sans la faire traîner et s'assied. Les bras croisés, elle fixe le mur d'un air apparemment absent et se met à faire craquer sur son front une mèche épaisse de sa chevelure noire. C'est un tic qui révèle qu'elle est en train de réfléchir et qui dure jusqu'à ce qu'elle se décide à agir.

J'angoisse et je sens des larmes de sueur glisser de mes dessous-de-bras, le long de mes côtes.

Soudain, elle plonge ses yeux dans les miens, froids, hypnotiques, redoutables. Son regard glacial me brûle. Il me transperce, me lacère et me réduit avant l'assaut.

C'est à cette époque de ma vie que j'ai remarqué qu'elle avait d'immenses yeux verts, un peu humides avec de grands cils, un regard profond et magnétique de myope.

Son index me fait signe d'approcher. Je n'ai plus aucune volonté. Je suis une chiffe molle. Je me suis approché, mais trop. J'ai dépassé la zone de la bonne distance pour les gifles. Elle enfonce son doigt raidi dans ma poitrine et me fait reculer à portée exacte. Elle me garde là, sous son pouvoir, un long moment, silencieuse. Le pli qui abaisse le coin de sa bouche m'indique clairement le mépris avec lequel elle me considère. Elle démarre l'inquisition d'une voix calme, posée, mais sourde.

– *D'où viens-tu ?*

J'invente :

– *Il n'y avait plus de pain chez Guerton, ni à la boulangerie du Soleil. Je suis allé en face de chez la tante Andrée, chez Châtelard. Il y avait la queue, j'ai attendu au moins une heure.*

Mon histoire est presque plausible, c'est à peu près le temps que ça aurait pris si le pain avait manqué dans les boulangeries comme ça arrive souvent.

Elle déplie du bout des doigts ce qui reste du papier du jambon, avec une mine aussi dégoûtée que si elle déballait des excréments, et elle me les met sous le nez.

– *Qu'est-ce que c'est que ça ?* Je me risque :

– *C'est du jambon...*

Je n'ai pas vu partir la gifle, mais je l'ai sentie arriver. Elle m'a cinglé du revers, c'est douloureux. J'ai un goût de sang dans la bouche.

– *Tu me prends pour une idiote ? Je le vois bien que c'est du jambon ! Je te demande pourquoi il est dans cet état !*

– *Je ne sais pas... C'est parce que...*

Celle-là non plus, je ne l'ai pas vue venir. Je l'ai prise sur la tempe, je me sens étourdi. Je me mets à pleurer.

– *Approche !*

Elle s'échauffe, le ton a monté.

– *Arrête de chialer. T'as compris ?*

J'ai beaucoup de mal à contrôler mes sanglots et elle s'impatiente.

– *Pourquoi est-ce que le lait est tourné ?*

– *Je ne sais pas...*

Je la sens enragée.

– *Il fallait le ramener tout de suite, crétin ! Tu n'as aucun respect pour la nourriture, pour le mal que je me donne. Tu ne comprends donc pas que je me crève la santé pour t'élever, pour que tu deviennes autre chose que cette crasse d'imbéciles du quartier ? Tu mets deux heures et tu fais les courses comme un jean-foutre ! T'as rongé la moitié du pain comme un rat et tu me rapportes du jambon pas bouffable et trop gras par-dessus le marché ! T'as pas vu qu'il était trop gras son jambon ?*

Effectivement, plus je le regarde, plus il a l'air gras. Elle soupire et reprend soudainement cette expression hypnotique qui me pétrifie :

– Alors, comme ça, il n'y avait plus de pain chez Guerton ?

Je sais que la moindre hésitation est fatale. Je réplique aussitôt.

– Non maman, je suis allé...

– Je sais, je sais... Tu es allé tout là-haut chez Châtelard, chercher du pain-pain pour ta petite maman chérie, n'est-ce pas ? Comme un bon petit cœur ?

Elle me caresse la joue, j'en ai la chair de poule.

– Et il y avait la queue chez Châtelard, et tu as attendu une heure ?

Je commence à me troubler. Même si l'attitude terrorisante de ma mère m'a fait cultiver l'art de mentir, je ne suis pas encore au point et je devrais lâcher prise, tout lui avouer.

Je la sens narquoise, trop sûre d'elle. Il doit y avoir quelque chose qui cloche dans mon histoire, mais je ne trouve pas. Elle me tend la perche que je ne saisis pas, car je veux simplement retarder l'humiliation d'avouer mes mensonges.

Je m'embourbe :

– Oui maman.

– Tu ne t'es pas attardé en chemin et tu ne t'es pas amusé avec les voyous du quartier, n'est-ce pas ?

– Non maman.

– Tu peux le jurer ?

Ça y est, je suis perdu. Quand elle me demande de jurer comme ça, ça veut dire qu'elle est convaincue depuis le début que je mens. Mais comment peut-elle en avoir la preuve ? Elle me cuisine à petit feu, mais peut-être qu'elle ne sait rien malgré tout.

Les idées se bousculent dans ma tête et je repasse à toute vitesse les événements de l'après-midi. *« Non, elle ne peut pas savoir, elle bluffe... ça lui est déjà arrivé ».*

Alors, je tente le tout pour le tout, je glisse et je m'enfonce. Il ne faut pas que je baisse les yeux sinon elle ne me croira pas.

– Oui maman.

– Alors, jure-le-moi !

Je lui en veux de m'obliger à me parjurer et d'avoir honte si elle sait que je mens.

– Plus fort, tu articules mal.

– Je te le jure !

– Je te le jure... qui ?

– Je te le jure maman.

– Plus fort !

– Je te le jure maman... !!!

– Tu jures que tu es allé chercher du pain chez Châtelard ?

– Oui maman.

– Tu le jures sur ma tête ?

C'est dans ces instants que j'ai commencé à avoir de furtifs sentiments de haine à son égard, lorsqu'elle m'obligeait à m'enfoncer au profond de ma propre humiliation.

Je baisse les yeux, j'ai honte jusqu'à me sentir vidé de toute énergie, pourtant je résiste encore et je descends aux enfers :

– *Oui maman.*

– *Dis-le : je le jure sur ta tête.*

– *Je le jure sur ta tête.*

– *À la bonne heure ! Me voilà rassurée. Pendant un moment j'ai douté de toi, mais à présent je suis complètement rassurée. Je sais que tu n'as pas menti n'est-ce pas ? Un enfant qui jure sur la tête de sa mère ne ment pas, n'est-ce pas ?*

Elle répète :

– *N'est-ce pas ?*

– *Non maman.*

Elle s'adosse lentement à sa chaise. Elle me sourit et ses yeux se sont faits tendres. D'une voix sans tonalité, en détachant bien les syllabes :

– *C'est fermé le lundi chez Châtelard...*

Je me sens devenir malade. J'ai envie de vomir. J'avais oublié qu'on était lundi. Ma mère prend le temps de savourer mon malaise et ma tête qui va avec.

– *Alors tu m'as menti ? Je suis fière d'avoir un fils qui jure des mensonges sur la tête de sa mère.*

Elle me fixe un moment en silence et le sol semble vaciller sous mes jambes qui tremblent.

– *Va me chercher la ceinture !*

Je suis presque soulagé. Au moins le supplice de l'interrogatoire est terminé. Je lui ramène du placard de sa chambre une large lanière de cuir qu'elle a conservée du temps qu'elle fabriquait des ceintures pour les soldats au moment de l'exode.

– *Déshabille-toi complètement.*

Je suis tout nu et je frissonne :

– *Pourquoi m'as-tu menti ? Pourquoi me mens-tu toujours ?*

Comment lui expliquer qu'elle m'étouffe en m'imposant sa personne, ses problèmes, ses responsabilités, ses états d'âme, comme les seuls points d'intérêt dont il faut que je me préoccupe. Comment lui faire comprendre que quelque chose me pousse à essayer de lui voler de temps à autre un peu de la liberté qu'elle me refuse et que je n'ai aucun espoir qu'elle ne m'accorde jamais. Mentir est la seule façon d'arracher un peu d'indépendance pour laquelle mes pulsions d'enfant me créent un besoin impérieux.

Comment lui exprimer que par ailleurs, la façon qu'elle a de me reprocher mes actions, de me culpabiliser, de me faire honte et de m'humilier devant les gens, me terrorise en paralysant tout dialogue, toute communication, et m'entraîne inévitablement à me réfugier dans le mensonge pour tenter d'échapper au supplice. Je suis pleinement conscient que c'est la peur, pire, la terreur qui dicte mes mensonges. Je réponds comme un automate :

– *Je ne sais pas...*

– *Tiens-toi droit, au garde à vous. Tu vas prendre deux coups de ceinture. Si tu bouges, si tu pleures, si tu fais le moindre geste, ce sera le double, et ainsi de suite.*

Sous la brûlure du premier coup, je plie les genoux en hurlant.

– *Debout, ça fera quatre.*

J'essaye tout ce que je peux pour ne pas broncher. J'ai bougé.

– *Ça fera huit.*

J'ai la nausée et je tremble. Elle compte :

– *Un, deux, trois, quatre, cinq...*

Je vais mourir…

Je ne sais pas si elle frappe moins fort ou si je sens moins les coups, mais elle s'arrête à trente-deux. J'ai tenu jusqu'au bout et je vomis à genoux, grelottant de froid et de choc. Elle ordonne sarcastique :

– *Lave-toi la gueule, abruti. Et regarde là bien dans la glace ta gueule de bâtard arriéré avec ton petit front court et buté.*

Elle m'indique la hauteur de mon front entre le pouce et l'index.

– *Jamais tu n'arriveras à rien dans la vie, j'aurais mieux fait de te foutre à l'Assistance publique ou de te chier dans les W-C*

Ses yeux me méprisent, me détestent, me rejettent. Elle a repris son sang-froid. Et calmement :

– *Demain tu reporteras son jambon à Bedu. Tu lui diras qu'il est trop gras, que j'en veux du bien maigre, t'as compris ?*

Elle ajoute comme pour elle-même : « le lait tourné, on en fera du fromage blanc. »

– *Au fait, rends-moi la monnaie des courses.*

Je revois en un éclair le pistolet à bouchons, les billes et j'ai les poches vides. Il faut gagner du temps ;

La monnaie, Bedu l'a gardée, il a dit que cela ferait cela de moins qu'on lui devrait.

Ma mère a changé d'humeur presque instantanément. Elle a l'air préoccupé, elle a repris son tic. Je la vois qui réfléchit et je sais que ce n'est plus après moi qu'elle en a maintenant. Elle pense peut-être à Bedu.

Du même coup elle vient de m'enseigner un truc que je mettrai à profit dans le futur comme issue de secours quand elle sera en rogne contre moi : détourner sa colère sur quelqu'un ou quelque chose d'autre qui ait le pouvoir de mobiliser son attention plus fortement que le problème dont je fais l'objet.

– *C'est bien vrai cette fois ce que tu me dis pour Bedu, tu n'as pas perdu l'argent en couraillant ?*

C'est peut-être ce que j'aurais dû dire. C'est trop tard.

– Non maman...

Elle remballe le jambon, du moins ce qu'il en reste, le pose sur une assiette qu'elle recouvre d'une cloche grillagée et va le placer sur la planchette qui sert de garde-manger dans les cabinets, sous la petite fenêtre un peu en arrière de la cuvette des W-C, là où se trouvent aussi l'huile de foie de morue et ce qui est à conserver du repas de la veille ou de ceux des jours précédents.

Le lendemain matin, elle prend la décision de se rendre elle-même chez Bedu. Elle m'enferme à clef. Je n'ai même plus la force d'avoir peur.

Elle rentre en claquant la porte. Un moment après, elle me tient par les cheveux et me tape la tête contre le radiateur du chauffage central. Je tombe et elle continue à me frapper à coups de pieds. Je ne sais pas comment j'ai bondi vers la porte d'entrée.

Plus vite qu'elle ne peut réagir, je suis sur le palier, dans les escaliers, dehors, je cours, je cours, je me sauve n'importe où.

J'ai vagabondé toute la journée sans manger. Il doit être une heure du matin lorsque les gendarmes me ramènent à la maison.

Ils ne sont pas du quartier, ils m'ont ramassé dans le bois de Vincennes du côté du château dans le territoire des prostituées, seul endroit où il y a encore de la vie à cette heure tardive, ce qui me faisait sentir un peu moins seul.

On aperçoit les dames de la nuit adossées ici et là aux arbres, trahissant leur présence par le rougeoiement de la cigarette qu'elles écrasent lorsqu'un sidi, c'est comme cela qu'on appelle les Algériens, les plaquent contre l'écorce en faisant danser leur sac à main.

La voiture de police qui me ramène à la maison donnerait aujourd'hui l'impression de sortir d'un film d'horreur. Avec ses gros yeux aveuglants, sa carapace noire étroite et sinistre surmontée d'une capote haut perchée sur d'immenses bras articulés laissant entrer sur les côtés le vent, la pluie et la peur du gendarme, elle a l'air d'un cafard terrifiant.

Je suis assis sur une sorte de strapontin face à deux moustachus en uniforme bleu. L'un est franchement très gros avec une petite moustache à la Hitler et l'autre franchement très maigre avec une grosse moustache à la Staline.

Ils sont parfaitement ajustés pour tenir ensemble sur l'étroite banquette de la voiture face à moi. Ils me font penser à Laurel et Hardy.

C'est le gros qui me questionne :

– Qu'est-ce qu'elle fait ta mère ? Elle travaille ?

– Elle est musicienne.

– Où ça?

– Dans les rues. Elle joue du violon dans les cours.

– Et ton père?

– Il est prisonnier.

– Qui c'est qui t'a fait ça, c'est ta mère?

Il désigne les marques boursouflées des coups de ceinture que ne peut pas dissimuler ma culotte courte.

– Elle te bat souvent ta mère?

Je fais non de la tête. Je n'ai pas envie de trahir ma mère ni d'avouer que je n'écoute pas.

– Tout de même, elle y va fort.

La voiture brinqueballe et cahote sur les pavés indisciplinés en émettant sans répit d'entre ses roues arrière, un gémissement métallique qui laisse une traînée lugubre dans la nuit. Nous tournons le coin de ma rue et devant la cour du charbonnier, tout près de chez nous, on croise un homme qui s'immobilise surpris par les pleins phares.

Le maigre ouvre la bouche pour la première fois:

– Pour moi, il ne doit pas avoir la conscience tranquille celui-là!

Le gros a des idées:

– Elle reçoit des hommes ta mère? Comme je n'ai pas l'air d'avoir compris, il reprend.

– Est-ce qu'il y a souvent des hommes qui viennent chez toi et que tu ne connais pas?

– Non, je les connais tous.

Ma réponse fait rire les gendarmes.

Le gros monte les escaliers avec moi pendant que l'autre attend dans la voiture.

Dans le fond, je suis bien content que le gendarme m'accompagne. Devant lui, elle n'osera pas me tabasser. Et puis elle doit être fatiguée. Elle m'enverra peut-être me coucher tout de suite. D'habitude, quand il est tard comme ça, elle remet la trempe au lendemain, elle est plus en forme.

Arrivé sur le palier, j'ai quand même les jambes molles. Le gendarme cogne rudement dans la porte, se gratte la nuque et porte deux doigts à la visière de son képi lorsqu'il voit ma mère.

– Bonsoir Madame, c'est votre fils?

De la façon dont il a demandé ça, il n'a pas l'air content.

Ma mère y va d'un « oui » assez sec et me fixe.

Le gendarme force son chemin dans la porte d'entrée et on se retrouve tous les trois coincés dans le couloir étroit, devant la porte de la cuisine.

– On peut savoir ce que votre fils fabrique dans les rues à cette heure-ci?

Il a ôté son képi. Il y a une nette démarcation entre le crâne pâle et le faciès rouge. C'est seulement là que je remarque qu'il sent fortement la sueur. Ma mère ne s'en laisse pas imposer par l'uniforme.

— *Demandez-lui donc vous-même ce qu'il fait dans les rues à cette heure-ci ? C'est curieux que ce soit la première fois que vous le ramassiez ! Il s'est sauvé, comme d'habitude !*

— *Les marques qu'il a sur les jambes… ?*

— *Vous avez des enfants ?* questionne ma mère sans répondre à la question.

— *Oui Madame, mais vous n'y allez pas de main morte !*

Et là, ma mère lui détaille d'une voix blanche contenue par la colère, ce que c'est que d'élever un enfant pour une femme seule, ce que c'est pour une femme seule de gagner son bifteck pour nourrir son gosse, qu'elle ne fait pas le trottoir, qu'elle travaille honnêtement, qu'on ne mange pas tous les jours, et que si on peut se payer une tranche de jambon, elle mange le gras pour laisser le maigre à son gosse. Elle hausse le ton :

— *Et lui, vous savez ce qu'il fait ? Il s'achète des billes avec l'argent des commissions. Il reste parti trois heures en courses pendant que je l'attends. Et c'est chaque fois la même chose, Il ne veut rien écouter, il n'y a pas moyen de le faire obéir, il ne se rend pas compte, c'est à vous rendre folle…*

Elle a baissé la voix, elle a un air d'immense lassitude et de chagrin sur son visage fatigué où glissent des larmes silencieuses. De la voir ainsi, je ressens un sentiment inexplicable d'envie de me jeter dans ses bras. Je me sens horriblement coupable de lui désobéir.

Le gendarme ôte et remet son képi nerveusement. Il baisse la tête et lorgne la poitrine de ma mère par-dessous sa visière. Puis il se tourne vers moi. Son cou est enfoncé dans les épaules, ses biceps gonflent l'étoffe bleue. Je ne reconnais plus l'homme qui se montrait sympa dans la voiture. Il a des petits yeux fixes et inquiétants. Il les enfonce dans les miens. J'ai peur tout d'un coup. Il me prend par l'oreille et m'attire à lui. Je perçois pour la première fois une puissance, irrésistible, brutale, dominante, celle de l'homme, peut-être celle du père devant qui je n'ai pas eu à me soumettre, et je la déteste farouchement.

— *Alors garnement, on ne veut pas écouter sa mère ?*

Puis il me secoue par l'oreille et me donne des tapes sur la nuque de sa main libre. Ce que je ressens est indescriptible. Je revis les Pouchat et les écluses.

— *Vous voyez Madame, c'est comme ça qu'il faut les dompter. C'est efficace et ça ne laisse pas de traces.*

Lorsque le gendarme me lâche, je me jette sur sa main et le mords avec une rage animale, comme j'avais fait pour le bonhomme Pouchat. Il pousse un cri et me frappe encore à la tête.

Je me réfugie contre ma mère et lui entoure la taille. Ma véritable protection c'est elle. Le gendarme a des marques rouges et profondes. Il sort son mouchoir et s'enveloppe la main. Ma mère supplie :

– *Laissez-nous, allez-vous en, vous ne voyez pas que nous sommes des malheureux !*

Avant de sortir, l'homme en bleu a le dernier mot :

– *Il en a un grain votre gamin. Vous devriez le faire enfermer. Ça ne se passera pas comme ça, je vais faire mon rapport*

La porte refermée, ma mère me repousse :

– *Tu vois dans quel pétrin tu nous mets avec tes conneries !*

– *Je te demande pardon, je te jure que je ne recommencerai plus.*

– *Tu jures, tu jures et tu recommences toujours. Je les connais tes serments. J'en ai marre à la fin.*

Elle se met à sangloter et elle répète qu'elle en a marre. Elle pleure assise sur le bord de son lit. Dans le fond de moi je regrette vraiment. Je mets mes bras autour de son cou.

– *Je te jure que je ne recommencerai plus*

– *Fous-moi la paix, vas te coucher !*

Je sors de sa chambre à reculons.

– *Bonsoir maman*

– *Bonsoir, bonsoir, bonsoir !*

Je me déshabille. Au bout d'un moment, je retourne à sa chambre et je frappe discrètement

– *Maman tu dors ?*

– *Qu'est-ce que tu veux ?*

Elle est couchée et il n'y a que sa petite lampe sans abat-jour d'allumée. Elle lit. Je me glisse dans les draps à côté d'elle et je la prends par le cou.

– *Je viens faire câlin.*

– *Non, pas ce soir*

J'insiste et sans comprendre comment ni pourquoi, je l'embrasse sur la bouche.

– *Non, mais tu es malade ! Qu'est-ce qui te prends ? On n'embrasse pas sa mère sur la bouche !*

– *Pourquoi ?*

– *Parce que ça ne se fait pas c'est tout ! Et maintenant va te coucher !*

Je l'embrasse sur une joue et quand je vais pour l'autre, elle se détourne agacée.

– *Ça suffit, ne me lèche pas.*

Je retourne me coucher sans états d'âme et je ne tarde pas à m'endormir. Pendant combien de temps… ? J'ai l'impression de rêver, d'entendre la voix de ma mère qui m'appelle.

– *Gérard ! Réveille-toi !*

Non, je n'ai pas rêvé, C'est bien elle qui m'appelle pour de bon. Je retrouve ma lucidité, mais je ne réponds pas.

Ce n'est pas la première fois qu'elle me réveille en pleine nuit pour me faire la morale. J'ai déjà essayé de faire semblant de ne pas entendre, mais depuis quelque temps, elle me demande de m'attacher au poignet une longue ficelle qui traverse l'appartement de ma chambre jusqu'à son lit. Je m'attache le cordon à la main droite quand je me couche.

La voix est forte, impérative, en même temps que la ficelle me secoue le poignet avec insistance. J'ai du mal à garder le silence, mais il se peut qu'elle abandonne. C'est déjà arrivé. Elle hurle :

– *Gérard, réveille-toi !*

Là ce n'est plus possible de faire semblant d'autant plus que la ficelle me scie douloureusement le poignet.

Comme convenu je donne deux petits coups à la ficelle pour lui indiquer que je suis en train de réagir et je prends une voix faible et ensommeillée pour lui dire que j'arrive. J'ai du mal à me défaire de la ficelle qui s'est entortillée autour de mon poignet.

– *Viens ici !*

Je ne dois pas avoir une tête qui lui revient car elle me demande rudement d'aller me passer de l'eau sur la figure. Dans la cuisine, je jette un coup d'œil au réveille-matin qui porte bien son nom. Son gros tic-tac impersonnel est en train d'amener la petite aiguille sur deux heures du matin. Je fais ce que je peux pour revenir de la cuisine l'air frais et dispos. Elle est vraiment de mauvaise humeur. Elle se plaint qu'elle n'a pas encore fermé l'œil et que c'est ma faute, que je lui donne trop de souci.

– *Ne te tiens pas comme une chique molle, mets-toi au garde-à-vous !*

Je me raidis.

– *Non, pas comme ça ! Tiens-toi droit, sans raideur, avec fierté, mais sans arrogance et regarde droit devant toi. Maintenant écoute...*

Je me retiens de bâiller.

– *Ce soir, tu as juré sur ma tête, tu sais ce que ça veut dire ?*

– *Oui maman.*

– *Ça veut dire que tu souhaites ma mort puisque tu as juré sur ma tête pour un mensonge ?*

– *Non maman.*

– *Mais si c'est ça, tu veux me voir mourir !*

– *Non maman, je t'assure que ce n'est pas ça !*

– *Alors pourquoi tu as juré sur ma tête ?*

– *C'est parce que j'avais peur.*

– *Pourquoi tu as menti ?*

– *J'avais peur. Je savais que j'avais fait des bêtises et que ça te mettrait en colère, alors j'ai menti parce que j'avais peur de toi.*

– Tu ne deviendras jamais un homme si tu mens parce que tu as peur ! Il n'y a que les lâches qui mentent par peur. Même si tu as fait une bêtise, quand bien même tu serais puni, tu dois avoir le courage de tes actes, t'as compris ?

– Oui maman.

– T'es sûr que t'as bien compris ?

– Alors répète-moi tout ce que je viens de te dire

Je jette un coup d'œil au petit réveil sur sa table de nuit. L'heure tourne. Il est déjà deux heures et demie. Je m'embrouille passablement et ça ne lui plaît pas.

– T'as l'air tout endormi. Va te repasser de l'eau sur la figure et tâche de me montrer clairement que tu as compris.

– Mais si je t'assure…

– Ne réponds pas et fais ce que je te dis.

Pendant que je me passe le gant sur les yeux, je me creuse. Je crois que cette fois, je ne m'en suis pas trop mal sorti parce qu'elle me fait :

– Bon !

Ça veut dire que je vais pouvoir aller me coucher. C'est vrai, d'habitude, c'est quand j'ai l'air vraiment réveillé qu'elle m'envoie dormir. Elle est comme ça. Pour une fois je me suis trompé.

– Maintenant tu vas me lire ça à haute voix, et demain tu l'apprendras par cœur.

Elle me tend un livre que je connais bien. Il est recouvert de liège avec des fleurs de lys bleues peintes à la main. C'est un recueil des récitals donnés par Mary Marquet une célèbre actrice. Ce livre, comme je l'ai appris plus tard a été donné en cadeau à ma mère par Françoise Adam, une conquête féminine. Il y a un morceau intitulé « Pour être un homme ». Elle m'explique que c'est une traduction du poème « If » de Rudyard Kipling.

Je n'ai aucune hésitation à entamer ma lecture. Dès l'âge de trois ans, ma mère m'a pris en main avec l'alphabet et maintenant je lis couramment les journaux, les livres de philosophie, les poèmes, les pièces de théâtre… et elle me fait apprendre par cœur tout ce qui lui tombe sous la main. Je n'y comprends pas grand-chose, mais je lis couramment n'importe quoi et je retiens pour m'éviter les corrections.

– Vas-y à haute voix !

Et je lis : *« si tu peux voir détruit l'ouvrage de ta vie et sans dire un seul mot te mettre à rebâtir, ou perdre en un seul coup le gain de cent parties sans un geste et sans un soupir… »* Il y en a deux pages comme ça qui se terminent par : *« Si tu peux rencontrer triomphe après défaite, et recevoir ces deux menteurs d'un même front, alors les rois, les dieux, la chance et la victoire seront à tout jamais tes esclaves soumis, et ce qui vaut mieux que les rois et la gloire, tu seras un homme mon fils. »* Nous y voilà.

Une fois ma lecture terminée et si j'en crois les consignes de l'auteur, je m'imagine que lorsque je serai grand, il faudra que je mette toute une vie à construire une grande maison et que je la démolisse pour la reconstruire. Je devrai également jouer au casino comme le faisait ma mère et m'abstenir de respirer quand je perdrai tout mon argent. Je ne devrai aimer aucune femme. Lorsque je serai haï par tout le monde, je n'aurai le droit de détester personne et il faudra au contraire que j'aime tout le monde comme mon frère, ce qui me paraît vraiment difficile parce que je n'ai pas de frère. Tout le monde aura le droit de mentir sauf moi. Il me faudra tout comprendre, tout savoir et ne rien détruire, (alors là je pense à la grande maison et je n'y comprends plus rien...), et qu'enfin je devrai être dur, brave, bon, sage, courageux, gagner des batailles et en perdre aussi. Quand j'aurai fait tout ça, j'aurai des esclaves, et en tout cas je serai un homme...

Je suis écrasé par tout ce qui m'attend pour devenir un homme et faire plaisir à ma mère.

– *Voilà ce que je veux que tu deviennes : un homme ! Pas un manche à couilles, Un sage ! Un homme sage ! Est-ce que tu as compris tout ce que tu as lu ?*

Je lui avoue que je ne connais pas tous les mots et qu'il y a des trucs que je ne comprends pas bien...

– *Des trucs, t'appelles ça des trucs ! Quels trucs ?*

Elle m'a dit ça avec un air franchement méprisant, mais j'enchaîne tout de suite pour ne pas qu'elle se fixe sur mes trucs.

– *Qu'est-ce que ça veut dire :* « Si tu peux rester digne en étant populaire, Si tu peux rester peuple en conseillant les rois » ?

Ma mère réfléchit un moment et me donne son interprétation toute personnelle de ce passage du poème de Kipling.

– *Ça veut dire que quand t'es ouvrier, tu peux conseiller les patrons tant que tu veux, mais les patrons n'écoutent rien parce qu'ils n'en ont rien à faire si ce n'est pas dans leur intérêt personnel. Comme ça les ouvriers restent « peuple » et les patrons restent dignes... En fin ce n'est pas tout à fait ça... Tu comprendras plus tard.*

J'ai des fourmis dans les jambes et j'ai froid. J'ai enfin droit à m'asseoir à côté d'elle au bord du lit.

Elle reprend phrase par phrase et pour me faire comprendre, elle s'y prend de la façon que j'aime bien.

Ce ne sont plus les révélations sèches et brutales avec lesquelles elle a l'habitude de me peindre la vie.

Elle me prend par la main et me serre contre elle. Elle me raconte à voix basse des histoires qui se passent dans des royaumes imaginaires avec des animaux et des personnages fantastiques, comme il m'arrive d'en inventer avant de m'endormir. Je l'écoute, je la regarde. J'ai l'impression de voir tout ce qu'elle me raconte dans ses yeux et je l'aime, ma mère. Elle me demande gentiment si je comprends. Et je lui affirme que je comprends.

Elle me parle aussi de la Côte d'Azur, des cactus accrochés aux flancs des rochers rouges, de la terre ocre, des palmiers, de l'immense mer bleue que je n'ai jamais vue. Elle me raconte les villas somptueuses, baignées dans un soleil éblouissant, l'indigo du ciel la nuit, les bougainvillées, les mimosas, les yachts qui dansent dans la rade, les pêcheurs à quai et les filets qu'ils réparent, le vieux château qui domine le port de Cannes, les ruelles étroites du Suquet, les citronniers, les parfums de Grasse.

Et brusquement :

– *Allez, va te coucher. Demain, il faut que je livre mes fleurs, ça nous fera trois mille francs. Je les donnerai à la concierge pour le terme. Après cela il n'y a plus de commandes, je ne sais pas ce qu'on va faire.*

– *Dis maman, est-ce qu'on ira y habiter un jour sur la Côte d'Azur ?*

– *Ça ne dépend que de toi. Pourquoi tu t'imagines que je me donne tout ce mal à t'élever ? C'est pour que tu réussisses dans la vie, c'est pour que tu deviennes quelqu'un, quelqu'un de riche. Alors là oui, on ira habiter dans le paradis terrestre, sur la Côte d'Azur, tous les deux, rien que nous deux.*

– *Bonne nuit maman.*

Je me suis précipité vers ma chambre. Peut-être un peu trop vite pour qu'elle pense que j'ai attaché assez d'importance à ses dernières paroles.

– *Gérard, reviens ici !*

C'est pas vrai, elle ne va pas recommencer, mais si !

– *Je ne crois pas que tu aies pris ce que je viens de te dire au sérieux. Tu t'es dit bon débarras, je peux enfin aller me coucher, elle m'emmerde avec ses conneries, hein, c'est ça que tu t'es dit ?*

– *Non, maman, je t'assure, je croyais que tu voulais que je m'en aille.*

– *Mets-toi au garde-à-vous, je n'ai pas fini*

La tension est remontée. Je prends mon air soumis, mais pas trop coupable pour ne pas avoir à me repasser de l'eau sur la figure.

– *Tu vois dans la vie, il y a une route avec un fossé le long de la route. Dans le fossé, il y a les pauvres, les ouvriers qui triment du matin au soir et qui ont à peine de quoi bouffer. Ils ne sont pas instruits et ne peuvent pas faire autre chose que de travailler comme des nègres et de crever de faim. Vu qu'ils ne savent rien faire d'autre, ils font des gosses et crèvent encore plus de faim. Et puis sur la route, il y a les patrons qui ont des villas, des domestiques et qui passent dans leurs grosses voitures pour s'assurer que leurs ouvriers n'arrêtent pas de travailler, de faire des gosses et de crever la misère. Je ne veux pas que tu sois dans le fossé. Je veux que tu fasses des études, que tu te promènes sur la route toi aussi et que tu en fasses profiter ta mère qui se sera sacrifiée toute sa vie pour toi.*

Elle s'interrompt pour fixer son lit et arrache des bouts de laine de sa couverture.

– *J'espère que tu ne seras pas assez con, quand tu auras vingt ans, pour te marier et aller foutre tous mes sacrifices dans le cul d'une bonne femme qui n'aura rien fait pour toi et qui croira que tout lui est dû.*

Le fossé, les patrons, les études, ça fait je ne sais combien de fois qu'elle me le répète. L'histoire du mariage n'est pas nouvelle non plus.

– Non maman, je te jure que je ne me marierai jamais. Je resterai toujours avec toi.

Je viens de dire ça avec le sentiment obscur d'une obligation à vie. J'ai l'impression que lorsque je serai grand, je n'aurai aucune liberté de faire quoi que ce soit, comme de m'acheter un beau pistolet à bouchon, des tas de billes, un fusil à plomb et un tambour…

– Va te coucher, tu as l'air tellement idiot, que ça m'écœure de voir ta gueule.

Cette fois, c'est pour de bon. Elle ne remet jamais ça plus de deux fois.

Je commence à m'évaporer dans le sommeil, mais je ne suis pas encore parti assez loin pour ne pas entendre ma mère :

– Gérard, tu dors ?

– Non maman…

– Alors, endors-toi vite et fais de beaux rêves, je t'emporte dans ma pensée…

Lorsqu'il lui arrive de me dire un truc comme ça, c'est qu'elle regrette de m'avoir secoué et elle veut me dire qu'elle m'aime quand même. Je m'endors en souriant et en sécurité, moi aussi je l'aime quand même.

Chapitre IX

Ma mère est plus soucieuse, plus irritable que d'habitude.

– Ta grand-mère, ça ne va pas, tu sais...

Comme tous les dimanches depuis plusieurs semaines, on prend le train pour quelque part en Normandie et on va la voir dans son petit deuxième au-dessus d'un bistrot. C'est là qu'elle a entassé ce qui lui restait de beaux meubles et son horloge d'époque.

Les oncles et les tantes chuchotent que « la vieille » a quelques « louis » de planqués dans un mouchoir, noué en croix.

– Des racontars ! se révolte ma mère. Ils disent ça pour ne pas lui verser ce que le gouvernement leur réclame pour elle. Si grand-mère a eu quelques sous de côté, il y a une époque, il y a bien longtemps qu'ils ont disparu. Imagine avec la santé qu'elle a, être obligée de faire des ménages à soixante-dix ans pour ne pas crever de faim, alors qu'elle a six enfants pour l'aider. Quand je pense que ce sont mes propres frères, j'en ai honte.

Ma mère ne mâche pas ce qu'elle pense de la tante Andrée :

– Quelle peau de vache, celle-là ! À quinze ans, c'était une vraie putain. Elle s'est fait foutre enceinte et pour ne pas que ça se voit, elle s'est serré le ventre jusqu'à huit mois dans un corset. Le gosse est né étouffé avec la marque des baleines du bustier sur tout le corps. Je crois qu'Andrée déteste sa mère, parce qu'elle n'a pas le courage de se détester elle-même.

– Et les autres, pourquoi est-ce qu'ils lui en veulent à grand-mère ?

– Je ne sais pas... Peut-être parce qu'elle a eu six enfants avec des hommes différents, peut-être aussi parce qu'elle a survécu à ses maris, qui sait ? En tout cas, elle nous a tous élevés et ils se permettent de la juger. Ce n'est pas très beau à voir.

On monte l'escalier étroit et raide avec nos sacs à provisions et on pousse la porte doucement.

À part l'horloge et les quelques meubles sur le parquet nu, la chambre est pauvre, triste, et ça sent le renfermé. Grand-mère est couchée dans la pénombre. Ma mère questionne à voix basse :

– Alors, ma pauvre maman, comment ça va ?

On dirait que grand-mère a du mal à nous situer pendant un instant, puis elle parle lentement, avec difficulté :

– *Pas bien fort, ma fille… Pas bien fort, mes jambes ne veulent plus me porter du tout.*

– *Qui est-ce qui te fait à manger ?*

– *La dame du dessous, elle est bien charitable.*

– *Est-ce qu'ils sont venus te voir ?*

– *Ta sœur Andrée est venue cette semaine. Je ne l'avais pas vue depuis des années. Et la première fois qu'elle vient, c'est pour me faire des reproches. Elle est toujours aussi dure…*

– *Et les autres, ils ne sont pas venus ?*

– *Non, je ne sais même pas ce qu'ils deviennent.*

– *Est-ce qu'ils t'ont envoyé un peu d'argent au moins ? Ils me l'ont promis quand je leur ai dit que tu étais malade.*

– *Non, rien, il n'y a guère que ton frère Léon et toi qui m'avez aidée ces dernières années. Les autres n'ont jamais fait un geste, mais que veux-tu, ce sont mes enfants, je ne leur en veux pas.*

Ma mère lui prend la main et se fait suppliante :

– *Pourquoi refuses-tu de venir habiter chez moi, au lieu de rester ici comme ça, sans rien, sans personne ?*

– *Tu as déjà assez de mal à élever ton fils toute seule. Non, vois-tu, si j'avais les moyens, j'irais dans un hospice pour n'embêter personne, mais ça va aller mieux, ne te fais donc pas autant de soucis. Tu te fais toujours tant de soucis… Tu verras, ça ira mieux…*

Grand-mère s'est rendormie subitement. Ma mère la regarde longtemps, puis elle met un peu d'ordre dans la pièce.

Il fait déjà nuit. Dans le compartiment du train, ma mère fixe obstinément la vitre, son visage est fermé. Une larme creuse un sillon jusqu'à sa bouche.

Le dimanche suivant, la dame du bistrot nous arrête au pied de l'escalier :

– *Comment, vous ne savez pas ? Ils sont venus toute une équipe la chercher avant-hier avec ses meubles.*

– *Qui ça ?*

– *Vos sœurs et vos beaux-frères, je crois bien. Elle était au plus mal, comme on dit.*

– *C'est vous qui les avez prévenus ?* demande ma mère.

– *Dame oui ! Votre sœur, Madame Andrée, m'avait demandé de lui téléphoner chez les voisins quand votre mère n'aurait plus sa conscience.*

– *Elle n'a plus sa conscience ?*

– *Dame non, elle ne mangeait plus ! Elle ne buvait que son vin rouge.*

– *Savez-vous où ils l'ont emmenée ?*

La dame du bistrot se tourne vers un homme qui est en train de laver les verres derrière le comptoir. Elle lui crie :

– *Sais-tu ce qu'ils ont fait de la grand-mère ?*

L'homme fait non de la tête, et la dame du bistrot se retourne vers ma mère :

– *Non, on ne sait pas ce qu'ils en ont fait. Tout ce qu'on sait, c'est qu'ils l'ont mise dans le camion avec les meubles, mais on ne sait pas ce qu'ils en ont fait.*

De retour à Paris, on va directement chez la tante Andrée. Elle nous reçoit à contrecœur :

Tiens, te v'là, toi, entre quand même, qu'elle dit à ma mère, en lui tournant le dos.

L'horloge de grand-mère occupe déjà son nouvel emplacement dans le vestibule à la place du carillon et l'appartement est engoncé de nouveaux meubles. On suit la tante Andrée dans la salle à manger surpeuplée. Sauf pour mon oncle Léon qui est au front, le reste de la famille est là : la tante Germaine et son Félix qui n'adresse pas la parole à ma mère, la tante Lucienne et son Thibault baptisé par ma mère « Ti beau-frère Ti con » qui lui fait la gueule parce que lui aussi a essayé sans succès, l'oncle Maurice qui s'est fait réformer et qui arrive de Haute-Savoie accompagné de sa nouvelle maîtresse.

Autour de la table les femmes sont debout près des hommes assis, les litres sont vides près des verres pleins.

Ils nous regardent entrer, baissent la tête et cessent de parler. On se fait tout de même les quatre bises d'usage qui ne veulent rien dire, on sent qu'on dérange.

La grosse tante Andrée retourne dans sa cuisine étriquée et surchauffée et se remet à sa couture. Elle est en train de se fabriquer une robe de deuil. On la rejoint.

– *Où est-elle ?* demande ma mère.

La tante Andrée répond sèchement de son débit accéléré qui lui est familier :

– *Elle ne te reconnaîtra pas, elle ronfle tout le temps, elle est dans le coma.*

– *Où est-elle ?* insiste ma mère.

– *Vas-y si tu veux, elle est dans la chambre du fond.*

– *Dans la chambre du fond, mais elle va attraper froid, elle est glaciale cette pièce. Pourquoi ne l'as-tu pas mise dans ta chambre ?*

– *Elle pisse au lit, je n'ai pas envie d'esquinter mon matelas.*

– *Et elle pue,* ajoute Gandubert avant de vider son verre de rouge de deux petits coups secs du poignet tout en ponctuant par un claquement de langue.

Ma mère a un pli de la bouche méprisant que je lui connais bien. Elle hausse le ton et couvre le bruit de la machine à coudre :

– *Est-ce que tu as appelé un docteur, Andrée ?*

– *Pourquoi faire, un docteur ? Elle est foutue.*

– *Autant que ma mère, c'est la tienne Andrée, il lui faut un docteur.*

– *Mais puisque je te dis qu'elle est foutue !*

– *C'est bon, je vais en chercher un moi-même.*

La tante Andrée s'agite :

– *Écoute, si tu es venue pour nous emmerder tu peux rester chez toi avec ton gosse. On n'a pas besoin de toi !*

Ma mère s'emporte :

– *Si mon frère Léon était ici, tu n'agirais pas comme ça et il te la ferait fermer. En tout cas, tu ne m'empêcheras pas de voir ma mère, ni personne ici, même si pour ça je dois ramener la police !*

Elle se tourne vers moi et me dit d'aller l'attendre près de grand-mère pendant qu'elle va chercher un médecin. Elle est déjà dans l'escalier.

La tante Andrée crie :

– *La porte ! On ne chauffe pas pour les voisins !*

Gandubert me retient par le bras et me tend son petit doigt :

– *Tiens, prends-le et tire fort, allez plus fort !*

Tandis que je tire sur son petit doigt, il lève la cuisse et s'arrache un long pet difficile et sonore. Satisfait, il conclut :

– *Ahhh ! Encore un que les boches n'auront pas.*

La tante Andrée est secouée par le rire jusqu'à la quinte de toux. D'ailleurs elle rit toujours lorsque Gandubert pète et elle tousse toujours jusqu'à s'étouffer quand elle rit de bon cœur comme maintenant.

– *Pendant que tu rigoles je vais chercher un litre*, annonce Gandubert qui est à court de provisions, *après je te poserai des ventouses.*

– *Un médecin...* graillonne la tante Andrée, *un dimanche soir... Qu'elle ne compte pas sur moi pour payer !*

– *N'empêche qu'elle a du caractère*, dit Gandubert en sortant de la cuisine.

– *Du caractère, mon cul, il faut toujours qu'elle soit autrement que les autres !*

Pour aller voir Grand-mère, je passe par la salle à manger où les hommes sont en conversation :

– *Il faudrait commander le cercueil...*

Gandubert qui vient de nous rejoindre, son litre à la main, a une idée :

– *On ferait peut-être mieux d'attendre qu'elle soit raide et lui visser directement les poignées au corps, ça ferait des économies ?*

Félix, le mari de la tante Germaine ramène les esprits aux réalités qui préoccupent le groupe :

– *Si on revenait aux choses sérieuses, qu'est-ce qu'on fait pour le partage ?*

Les hommes se concentrent, le nez dans leur verre tandis que les femmes font des calculs :

– *Vu qu'elle n'a plus rien de côté, il faut d'abord décider comment on va payer l'enterrement.*

– *Avec son bridge et ses couronnes en or, il doit y en avoir assez pour payer les frais...*

Thibault, le mari de la tante Lucienne intervient en homme pratique :

– *Il faudrait savoir comment lui arracher ses dents, ça ne doit pas être si facile à enlever.*

Les hommes se mettent d'accord. Une bonne paire de pinces devrait faire l'affaire, le tout est de savoir qui va s'en charger.

La tante Germaine remarque avec un air chagrin qu'elle justifie par un sanglot :

– *Tout de même, lui arracher ses dents, elle qui nous a jamais ôté le pain de la bouche...*

– *Alors comment est-ce qu'on va payer l'enterrement,* se plaint Lucienne ?

– *Yaka partager les frais.*

Félix n'est pas d'accord pour partager.

– *Partager, partager, vous êtes marrants, qu'est-ce qu'elle va en foutre de ses dents en or quand elle sera dans le trou ? Elle ne va tout de même pas bouffer les asticots avec !*

Lucienne avoue qu'elle ne comprend pas :

– *Moi je ne comprends pas qu'elle n'ait pas prévu, qu'elle n'ait pas mis d'argent de côté. Enfin tout de même, à c't'âge-là, on prévoit !*

– *C'est pas étonnant, il paraît qu'elle buvait,* se mêle la maîtresse de l'oncle Maurice à qui on n'a pourtant rien demandé, *la dame du bistrot nous a dit qu'elle picolait.*

C'est décidé on lui arrachera les dents.

Grand-mère est étendue tout habillée sur un divan, sous une couverture ajourée de grosses mailles qui laisse filtrer une odeur d'urine.

Malgré la salamandre qui a été allumée dans la salle à manger pour la circonstance, on gèle dans la chambre de Grand-mère. Il est vrai que la porte de la chambre restant close, la chaleur ne peut y pénétrer.

La bouche entrouverte, mémé ronfle, comme ils disent. Je la regarde et je me souviens de l'époque où, il n'y a pas si longtemps, elle m'a gardé en Normandie. On cueillait des fleurs de sureau sur le chemin qui menait à la ferme du père Farnaud où elle allait faire du ménage. Un jour le vieil homme et moi, on a déniché des moineaux au-dessus de la porte de la grange et le père Farnaud en a fait une fricassée pour nous inviter à dîner. Ça n'a pas plu à grand-mère qui aimait les oiseaux. Alors ils se sont engueulés, le vieux et elle, et Mémé a cogné bruyamment sur la table avec un bol de cuisine qu'elle était en train d'essuyer en déclarant qu'elle ne mangerait pas de ces pauvres petites bêtes. Le père Farnaud nous a foutus dehors et on s'en est retourné le ventre vide. Mémé a perdu son boulot.

Le dimanche, ma mère venait me voir, et lorsqu'elle repartait, je courais derrière elle jusqu'à la gare avec mes petits chaussons de feutre en pleurant tout ce que je savais. Je voulais repartir avec elle. Au moment de prendre le train, ma mère m'expliquait qu'elle ne pouvait m'emmener avec elle parce que je n'avais pas mis mes chaussures. Chaque fois il y avait une raison différente, mais c'était le même manège, je me sentais abandonné et je repartais avec grand-mère en pleurant de plus belle. Ma bonne grand-mère s'offusquait, m'accusait de ne pas l'aimer et me traitait d'ingrat en me reprochant de vouloir la quitter. Ce n'est pas que je n'étais pas gâté avec Mémé mais je voulais ma mère tout simplement.

Je m'approche de grand-mère et je lui murmure à l'oreille :

– *Tu sais Mémé, je ne suis pas un ingrat. Est-ce que tu m'entends Mémé ?*

Son front est couvert d'une sueur froide qui sent fort et j'éprouve de la réserve à l'embrasser malgré mon envie. Je lui éponge le visage avec mon mouchoir et je l'embrasse tout de même sur la joue, content d'avoir surmonté ma réticence. Une sorte de plainte passe à travers ses lèvres et elle se remet à ronfler. Je ne sais pas si elle m'a entendu. Gandubert et Thibault entrent à ce moment dans la chambre.

Le beau-frère m'écarte :

– *Fous le camp de là toi.*

Je recule dans un coin de la pièce. Ils se penchent sur ma grand-mère et Thibault lui enfonce les doigts dans la bouche qu'il ouvre toute grande :

– *On n'y voit rien.*

– *Attends, je vais chercher une pile électrique, s'empresse Gandubert et il revient avec la lampe.*

Admiratif, le beau-frère laisse échapper :

– *Y en a bien pour cinquante mille balles !*

Puis il se tourne vers moi :

– *Toi, on t'a dit de foutre le camp, t'as pas compris ?*

Vers les onze heures du soir ma mère est de retour avec un médecin que j'ai déjà vu en l'accompagnant lorsqu'elle l'a consulté pour sa cystite.

Le lendemain grand-mère est transférée dans la chambre de la tante Andrée et une infirmière est auprès d'elle toute la journée. Il y a une bouteille accrochée à un support près du lit et un tube transparent est fixé au bras de mémé.

Le docteur vient la voir deux fois par jour. Il a déclaré qu'elle faisait une crise d'urémie, mais qu'il y avait peu d'espoir. Il aurait fallu s'y prendre plus tôt pour la sauver.

Dans le vestibule un cercueil attend, posé sur deux chaises.

Ma mère et moi, on est pratiquement là toute la journée depuis deux jours. On amène nos casse-croûte parce que la tante Andrée dit qu'elle n'a pas de chiens à nourrir alors nous encore moins. De temps en temps, Gandubert vient jeter un coup d'œil dans la chambre. Il regarde Mémé, secoue la tête et remarque :

– *Elle a le cœur solide.*

Cette fois il vient enquêter, son verre à la main. Il secoue encore la tête et fait une moue :

– *On peut pas dire, elle a vraiment le cœur solide.*

Puis il lève la cuisse et se laisse aller :

– *Ah ! Encore un que les boches...*

L'infirmière se lève d'un bond et lui coupe la parole :

– *Un peu de respect Monsieur !*

Gandubert se défend en ricanant :

– *Bah quoi ? Ça ne vous arrive jamais ?*

La femme en blanc le pousse hors de la chambre avec autorité :

– *Sortez Monsieur.*

Ma mère est à bout. Elle s'effondre à genoux contre le lit où se trouve Mémé et elle se tord les mains en sanglotant.

– *Allons, allons Madame,* lui dit l'infirmière en la prenant par les épaules, *reprenez-vous ce n'est qu'un grossier personnage.*

Ma grand-mère s'en est allée sans ses dents. Elles ont servi à payer la messe, l'enterrement et les festivités qui ont suivi chez la tante Andrée.

La route qui mène de l'église au cimetière est assez longue pour que tout le quartier s'aperçoive que la tante Andrée a bien fait les choses : le corbillard disparaît sous les fleurs. Avec son immense chapeau noir, la voilette et la robe de crêpe, les bas et les chaussures noirs, elle est enchagrinée de la tête aux pieds. Elle est en tête du cortège soutenue par Gandubert et les plus officiellement endeuillés de la famille. Elle pleure bruyamment en étreignant son livre de messe et semble inconsolable. Suivent les voisins et les commerçants proches, pas dans le sens de la parenté, mais dans celui où le client devient un proche lorsqu'il concentre ses dépenses dans les mêmes boutiques. Nous on suit derrière. On évite, ça et là, le crottin enfumé des chevaux. Il pleut, il fait froid, on voit de la fumée blanche sortir des nasaux de l'attelage dans la courbe de l'avenue de la République.

– *Regarde, maman, les chevaux, on dirait des locomotives.*

Ma remarque est déplacée, et ma mère est contrariée :

– *Tu n'as donc aucun sentiment pour ta grand-mère !*

Elle ne m'adresse plus la parole de tout le trajet et je prends un air de circonstance comme tout le monde. Pour tromper l'ennui, je compte les pavés et j'écoute grincer les essieux qui souffrent dans la grande côte. On passe enfin la grille du cimetière et le corbillard s'immobilise sur le gravier dans l'allée principale.

Là où on se dirige, la terre est détrempée, boueuse. Près de l'excavation au-dessus de laquelle les porteurs déposent le cercueil sur des traverses de bois, il y a d'autres trous bordés de monticules terreux qui attendent leurs locataires et qui ressemblent eux aussi à des blessures boursouflées.

Les gens ont du mal à avancer, on s'enlise… Quelques-uns font demi-tour. Alors qu'on s'approche ma mère et moi tant bien que mal, on a juste le temps d'apercevoir la chaussure à talon haut de la tante Andrée s'enfoncer profondément dans la glaise et d'entendre un « Ah ! » de détresse tandis qu'elle fait un plat ventre dans la gadoue, chapeau, voilette, sac à main, livre de messe et fleurs éparpillés de tous bords, tous côtés.

Elle a entraîné Gandubert dans sa chute et il s'est planté les deux genoux dans la terre glaise.

Ma mère me tient par la main, puis par le bras et elle s'appuie enfin des deux mains sur mes épaules. Aux brusques secousses que je subis chaque fois qu'elle fait un pas, je la sens mal assurée sur ses pieds, mais j'éprouve une sorte de fierté de la savoir en péril et qu'elle ait besoin de moi.

Malgré ses efforts, la tante Andrée ne peut se remettre sur pied toute seule. Plus elle se débat plus elle aggrave sa situation. Elle se lève à moitié, retombe, roule encore et se traîne sur le sol comme une serpillière.

Les uns s'appuyant sur les autres, on finit par remette la tante debout. Les pochettes et les mouchoirs font du visage un nettoyage sommaire, tandis que des mains armées des gants dont elles sont dégantées fouettent le crêpe de Chine afin de redonner à la robe un semblant de dignité pour la cérémonie qui débute, mais qui sera de courte durée.

Le curé prononce rapidement quelques paroles inintelligibles pour moi auxquelles tout le monde répond « Amen ». Je sais que ce qu'il agite au-dessus du cercueil s'appelle un goupillon, c'est Gandubert qui me l'a dit. Il s'est penché à mon oreille et il m'a chuchoté :

– *Les curés, ils ne sont pas mariés, c'est pour ça qu'ils ont toujours le goupillon à la main.*

Lorsque les fossoyeurs retirent les cordes qui ont servi à descendre la bière, la tante Andrée fait entendre un long cri de désespoir.

C'est le moment pour quelques-uns d'entre nous de s'aligner sur un rang. Je secoue des mains inconnues, j'embrasse des joues mouillées de circonstances attristantes, et puis on me regarde sérieusement dans les yeux en me répétant à chaque passage :

– *Je suis navré… toutes mes condoléances…*

Je répète à mon tour, à chacun de ces étrangers pour être poli :

– *Moi aussi je suis navré, toutes mes condoléances…*

La tante Andrée interrompt ses sanglots pour dire à ma mère de la raccompagner chez elle avec les autres, elle a quelque chose à lui donner.

Le retour chez la tante Andrée se fait à grandes enjambées parce qu'elle a laissé deux gigots sans surveillance dans le four de la cuisinière avant de partir pour l'enterrement et elle s'inquiète qu'ils ne soient trop cuits.

Des rallonges ont été mises en place pour agrandir la table déjà grande de la salle à manger afin d'accueillir les proches. Douze couverts de belle vaisselle sont disposés sur la nappe blanche. Cette fois il fait chaud dans tout l'appartement et ça sent bon. Une fois chez elle, la tante Andrée pousse un long soupir et dit :

– *Ah ! Quelle histoire !*

Puis elle se change, elle s'affaire, elle s'organise. Elle a retrouvé son énergie, elle parle fort, distribue les places autour de la table et ordonne à Gandubert de servir les apéritifs.

Ma mère et moi, on reste plantés dans le vestibule à ne pas trop savoir quoi faire.

La tante Andrée sort d'un placard une sorte de gros ballot de chiffons retenus par un drap noué au centre comme en portent les vagabonds au bout d'un bâton sur les gravures des livres. Elle le tend à ma mère :

– *Tiens, ce sont ses robes et son linge de corps. Tu en feras ce que tu voudras, c'est ce qui te revient.*

Ma mère dit merci et la tante Andrée ajoute :

– *Tu ne peux pas rester à déjeuner parce que ça ferait treize à table et il n'y a pas assez de place autour pour ajouter le gosse.*

On se fraye un passage autour de la salle à manger en faisant à la famille le rituel des quatre bises dans le vide, on fait des signes de la main aux autres et on s'en va avec le balluchon.

Dans la soirée, devant les affaires de Mémé qui sont déballées sur le lit, ma mère a son tic. Elle fait craquer inlassablement sa mèche de cheveux sur son front. Elle finit par dire :

– *Il va falloir que je me débrouille pour payer le docteur et l'infirmière, je ne sais pas comment on va faire.*

CHAPITRE X

En pleine nuit, le son grave de la sirène nous réveille et annonce un autre bombardement. Nous, on reste couchés. Il y a belle lurette que nous ne descendons plus à la cave pendant les alertes. Ça tombe toujours loin de chez nous. Ma mère se contente de fermer les persiennes de fer. Cela nous donne l'impression d'être bien à l'abri.

Mais, soudain, un court sifflement s'amplifie, change de ton et fait place à un coup de tonnerre. Mon lit a changé de place et les carreaux éclatent. Et ça recommence, une autre déflagration puis un silence bizarre. D'abord je ne peux plus distinguer les sons réels, seulement des bruits feutrés. Je ne peux pas me retenir de faire pipi dans le lit, mais en même temps mon oreille gauche se débouche.

Ma mère m'arrache du lit par un bras, on dévale les trois étages et on emprunte les escaliers de ciment qui mènent à la cave. Les voisins y sont déjà en pyjamas ou à moitié nus. Ils crient, se bousculent dans le noir et la poussière, trébuchent dans les marches les uns sur les autres, des enfants pleurent, des gens se blessent.

La lueur d'une bougie et une voix autoritaire masculine ramène un peu d'ordre jusqu'à ce qu'on atteigne les profondeurs souterraines de l'immeuble.

L'entrée des soubassements qu'on nomme la cave est constituée d'un espace en pleine terre noircie de poussier et éclairée habituellement par une faible ampoule lorsque la concierge peut l'atteindre pour la remplacer.

L'endroit peut contenir une cinquantaine de personnes et donne accès à un dédale de galeries totalement privées de lumière.

Dans ce labyrinthe sont alignés des cabanons qui servaient de remises avant la guerre, mais qui sont devenus des réduits individuels à charbon depuis que la chaudière du chauffage central est tombée soit disant en panne au début de la guerre et refuse d'être réparée avant la fin des hostilités d'après les propos équivoques du propriétaire qui, d'après l'opinion générale, n'a tout simplement pas les moyens de chauffer ses deux immeubles à cause de tous les arriérés de loyer.

Dans la cave, les pieds nus dans la poussière de charbon pour certains, les voisins s'interpellent et des petits groupes se forment tandis qu'une à une, des chandelles projettent maintenant des ombres fantastiques mais rassurantes sur le plafond. Des personnes avisées ont un pliant pour s'asseoir.

Chacun y va de son opinion pour évaluer la situation :

– *Est-ce que vous croyez que l'immeuble a été touché ?*

– *Si ça nous tombe dessus, vous croyez que la cave tiendra le coup ? Ces caves-là, c'est pas bâti pour servir d'abris. Celles du 94 sont beaucoup plus solides, d'abord, il y a affiché* « Abris » *sur les murs du 94. Ça veut dire ce que ça veut dire !*

– *Et si ça tombe, et qu'on puisse plus sortir ?*

– *Arrêtez de dire des conneries, pour l'instant ça a l'air calme.*

– *En tout cas, c'est pas tombé loin, il y a eu deux bombes coup sur coup, je suis sûr que c'est l'usine du métro qui a trinqué.*

Les Carré qui sont les voisins en face les Klein au deuxième habitent l'Afrique et sont de passage dans leur appartement. Lui est un homme d'affaires et tout le monde respecte les Carré parce qu'ils sont toujours tirés à quatre épingles et qu'ils ont une grosse voiture cubique moderne. Personne ne critique le fait qu'ils occupent un appartement *vide*. Monsieur Carré, dans son pyjama rayé bleu et ses babouches de cuir beige a ses convictions. Il déclare avec assurance :

– *Nous n'avons rien à craindre, une bombe ne retombe jamais deux fois dans le même trou.*

– *Et s'il y a un deuxième trou à côté du premier*, demande une voisine qui se pose des questions vu qu'il est tombé deux bombes.

– *C'est la même chose*, affirme Monsieur Carré, *puisqu'une bombe ne retombe jamais dans le même trou, c'est comme pour la première, rassurez-vous.*

La dame insiste :

– *Oui mais s'il n'y a pas de trou à côté du deuxième ?*

Monsieur Carré hausse les épaules :

– *Et bien alors la question du trou ne se pose plus !*

– *Mais si justement* argumente la dame, *car on ne dit jamais deux sans trois|*

Cette dernière remarque ramène un silence inquiet sur la possibilité d'une troisième bombe et plusieurs regards se tournent vers le plafond, figés dans une sorte d'attente fatidique. Et comme pour concrétiser l'angoisse, la concierge Madame Shröer, qui serre sa fille *Chanine* contre elle, ajoute :

– *Ils font sûrement ref'nir... y r'fiennent toujours...*

La troisième bombe se fait attendre et plus le temps passe, plus la détente s'installe. Des personnes s'accroupissent, d'autres, comme ma mère et moi, sont adossées au mur.

Dans cet instant de répit, chacun reprend espoir et les langues se délient. Un petit garçon de l'immeuble de derrière est accroché d'une main à sa mère et de l'autre se décrotte le nez, probablement par habitude, parce que ses fouilles semblent vaines depuis le temps qu'il s'y emploie. Il me fixe tandis que je l'observe ce qui doit le déranger, parce qu'il interrompt son excavation improductive pour me tirer brusquement la langue. Je lui rends la politesse et à mon tour je lui tire tout ce que possède de langue.

– Ben en voilà des manières ! Vous avez vu ce qu'il a fait votre fils ? Il a tiré la langue au mien ! Mal élevé votre gosse !

Ma mère me jette un œil de biais et ne répond pas.

– C'est pas les Anglais qui nous tapent dessus, affirme avec suffisance le voisin Mertz qui a déjà essayé de mettre la main aux fesses de ma mère un jour qu'elle descendait chercher du charbon. Comme elle l'a giflé solidement, ce n'est pas à elle qu'il s'adresse.

– Ça dépend, il y a peut-être des boches dans le coin ?

– Moi je vous dis que non. Y a rien à bombarder par ici.

– Et le métro alors ?

– Qu'est-ce que vous voulez que ça leur foute le métro ! Moi je vous dis que c'est les Américains. Ils ne regardent pas où ils visent. Ils ont tout détruit dans le nord. Ils larguent à deux mille mètres et ils arrosent tout peu importe où ça tombe. Les Anglais, eux, ils volent en rase-mottes et ils décrochent dans le mille. Tiens même les boches ils font gaffe. Ils ne détruisent pas pour rien. Eux, c'est des soldats, ils savent ce qu'ils font.

Tout le monde y va de son commentaire :

– Vous appelez ça des soldats ! Des belles ordures oui ! Vous avez vu ce qu'ils ont fait au fils Marguillard ? Ils l'ont torturé et ils l'ont fusillé, un gosse de vingt ans, dénoncé par un Français encore ! Il a écrit avec son sang sur un mouchoir le nom du salaud qui l'a donné. Tout ça, ça se paiera un jour !

– Oui mais ça c'est autre chose, c'est la Gestapo. Quand on fait de la résistance, on prend ses risques. L'armée régulière, c'est pas pareil, ils s'occupent pas de ces trucs-là.

– En tout cas avec les Américains ça ne durera plus longtemps, ils ont de l'argent et du matériel.

– Vous parlez, c'est bien les Russes qui sont en train de les épuiser.

– Si c'était pas à cause des collaborateurs, il y a longtemps qu'on les aurait foutus dehors les boches. On n'avait besoin de personne, tenez en quatorze…

– En attendant, y en a qui s'enrichissent avec le marché noir pendant que nous on tire la langue !

Vient alors un boniment tiré à bout portant par l'épouse plantureuse de Monsieur Mertz, ce qui sème la guerre jusque dans la cave. Elle donne du menton vers ma mère :

– En tout cas y en a qui s'font pas de souci. Regardez celle-là, elle a de quoi se mettre sur le dos et elle se maquille. Faut pas se demander où elle trouve le pognon !

Ma mère hautaine rétorque :

– Dame Mertz, si j'étais aussi difforme et laide que vous l'êtes, je me ferais un devoir d'envoyer mon mari au bordel, ça lui éviterait de se planquer dans les caves pour pincer les fesses des locataires.

Dame Mertz, comme toutes les personnes que le manque de réplique rend physique, s'approche tout enflammée et lève le poing avec l'intention non équivoque de démolir…

Ma mère que ses effets de langage viennent de mettre en danger immédiat ne fait pas le poids devant ce morceau humain aux avant-bras endurcis à frotter les parquets. Et là, l'inattendu se produit.

Au moment ou l'impact va avoir lieu, Hilda Hidoux s'interpose, cette même « mère Hidoux », l'émigrée allemande bâtie solide, à qui ma mère reprochait de la bousculer dans les escaliers et de parler franchement un français inintelligible, barre le passage à Dame Mertz. Le Sieur Mertz arrive en renfort, mais le fils Hidoux qui a dix-huit ans et dont ma mère n'aimait pas le visage carré est taillé comme un athlète et il est aux côtés de sa mère. Hilda Hidoux se fait parfaitement comprendre malgré son accent prussien ;

– *Fous-lui la paix grosse morue ! C'est vrai ce qu'elle dit la crâneuse, Ton homme, il pince le cul de toutes les femmes seules du bâtiment.*

Le Sieur Mertz s'offusque :

– *Eh ! Dites donc vous !*

Les poings sur les hanches, Madame Hidoux n'a pas froid aux yeux. Elle s'approche de Mertz jusqu'à lui parler sous le nez.

– *Toi le satyre, la ramène pas ! Moi aussi j'élève mon fils toute seule et c'est pas facile gagner la croûte. Ah\ ! Il faut vous entendre discuter les hommes, comme tout à l'heure !*

Elle bombe le torse et singe :

– *Moi, je vous dis ci, moi, je vous dis ça… ouais ! Ils sont planqués et ignorants comme mes fesses mais ils croient tout savoir et ils débitent la connerie avec des airs supérieurs. Ils ont toujours raison et ils se prennent au sérieux.*

Elle crache par terre et continue :

– *Vous êtes ridicules avec votre politique, vos stupides guerres, vos critiques et vos discussions dans le vide.*

Puis elle finit par s'adresser à Dame Mertz :

· – *Et les femmes qui ont des hommes pour rapporter la paye, ne venez pas nous emmerder…*

Elle avait peut-être encore des choses à dire mais la sirène libératrice nous annonce que c'est fini pour la nuit, la troisième bombe ne tombera pas cette nuit.

Hilda Hidoux et son fils viennent chez nous pour la première fois.

Toutes les vitres sont cassées. Le lustre de la chambre de ma mère s'est effondré sur le plancher. Les portes des placards sont ouvertes et on retrouve des morceaux de vaisselle un peu partout. C'est le chantier.

– *Ça aurait pu être pire,* dit ma mère.

Une fois effectué le rapide inventaire des dégâts dans notre appartement, on se met tous à la fenêtre et on distingue, dans ce qui reste de la nuit, que les bombes sont effectivement tombées dans la gare de triage des usines du métro, mais cela ne nous préoccupe pas plus qu'il ne faut. On nettoie les fenêtres des morceaux de carreaux qui sont restés pris dans le mastic, avant de boucher les trous avec ce qu'on trouve de papier journal et de carton.

Et tout d'un coup, il y a une bath d'ambiance. Ma mère fait du café et moi je fais connaissance avec le fils Hidoux. Ça fait du bien de voir du monde à la maison. Ma mère et Hilda ont l'air de vachement bien s'entendre. Par la suite on va chez eux, ils viennent chez nous et ça dure… un peu.

Quelques semaines plus tard, à propos d'une vague histoire d'emprunt où l'amour-propre de ma mère s'est trouvé un peu écorché, elles se sont fâchées.

Ma mère se plaindra :

– *La boche me bouscule comme une brute quand elle me croise dans les escaliers.*

Hilda Hidoux redeviendra « la mère Hidoux » et je ne devrai plus adresser la parole à son fils.

Mais, en attendant, J'ai dormi un peu et je m'aperçois que j'ai retrouvé toutes mes facultés auditives. Je note la présence des bruits matinaux familiers de la rue dont le bombardement de cette nuit ne nous a pas privés pour autant : le raclement des sabots du cheval qui traîne la voiture du laitier, le choc des bidons de lait devant chez Bedu, la plainte épuisée du camion à ordures qui vient reprendre son souffle un court moment devant la porte de chez nous tandis que Madame Shröer vide chacune des poubelles de l'immeuble dans la benne à ciel ouvert laquelle nous gratifie de ses odeurs.

Puis c'est le tintement de la cloche de cuivre du rémouleur. Diling… diling… diling… Il « repasse » les instruments tranchants. Arc-bouté, une courroie de trait à l'épaule, l'homme s'appuie sur les brancards de sa voiturette étroite surmontée d'un petit toit et peine à avancer le long de la rue en criant de temps à autre :

– *Repasso… Couteaux… ciseaux…*

Lorsqu'on l'interpelle d'une fenêtre, le vieil homme dépose son fardeau et cale sa voiturette. Il se retourne entre ses brancards sur lesquels il pose une traverse de bois pour s'asseoir et fait face à sa petite installation mobile. Il découvre alors ses meules de pierre dont la moitié inférieure baigne dans une cuve d'eau. Puis il actionne des pédales en bois reliées par des tiges à une manivelle, ce qui fait tourner l'ensemble des roues abrasives. Moyennant quelques centimes, ces pierres aux grains de diverses finesses aiguisent et polissent ciseaux, hachoirs et rasoirs dans des gerbes d'étincelles dorées.

Maintenant voici le rétameur. Son cheval, un sac d'avoine sous la tête et un sac à crottin sous la queue, tire la petite usine roulante qui refait sur place, c'est-à-dire au beau milieu de la rue, l'intérieur des casseroles en cuivre, avec de l'étain.

Lui aussi s'annonce :

– *Étameur ! Étameur !*

Lorsqu'il s'installe, on en a pour plusieurs heures de concert de coups de marteau. Le ronflement et la flamme bleue que dégage sa torche à acétylène sont impressionnants et font peur aux parents qui disent aux enfants de ne pas s'approcher.

Il y a aussi les Gitans rempailleurs de chaise qui s'installent sur le trottoir d'en face à l'ombre du muret de l'usine du métro. Femmes, hommes, enfants, tout le monde rempaille et tout le monde se chamaille.

La longue plainte du vitrier nous surprend sous nos fenêtres sur le coup de midi :

– *I… trrrrrier… ! I… trrrrrier… !*

L'homme porte d'étroites feuilles de verre sur son dos dans un long cadre de bois qui fait penser à une hotte de Père Noël. Il n'a pas à se plaindre longtemps. Peu de fenêtres sont restées intactes dans notre immeuble puisqu'il a pris le souffle des bombes en pleine face et les locataires s'arrachent déjà le pseudo saint Nicolas.

Ma mère n'aura pas besoin d'attendre son tour, elle n'a plus un centime et les carreaux n'ont pas tellement l'air de la préoccuper.

– *Ça peut attendre, on tiendra bien le coup comme ça un bout de temps.*

Puis c'est le chiffonnier qui est au rendez-vous. Sa charrette tirée par un âne, déborde de peaux de lapins grises qui pendent des ridelles. Des morceaux de métal de toutes formes et de toutes provenances, des pièces de vélos, des pneus de voiture, des instruments de musique et des outils s'entassent pêle-mêle et forment un assemblage hétéroclite montagneux au milieu du tombereau.

On l'entend s'annoncer de loin parce qu'il a un timbre de voix particulièrement haut et qui porte lorsqu'il crie :

– *Chiffons… Peaux de lapins… Ferraille à vendre !*

Ce matin il y a une salamandre émaillée verte qui trône au centre du tas de ferraille et qui soulève particulièrement l'intérêt de ma mère, non seulement à cause de la froidure d'automne qui commence à préparer l'hiver, mais surtout parce qu'elle redoute quand même de se faire éventuellement pincer avec sa combine du gaz.

Elle fait signe au ferrailleur et descend. Un long moment plus tard, elle remonte avec l'homme qui, lui, monte avec la salamandre dans ses bras robustes :

– *Alors Madame, sans faute la semaine prochaine, je vous fais confiance, mais j'ai pas l'habitude de faire crédit.*

– *Sans faute, la semaine prochaine,* affirme ma mère, *je ne vais pas me sauver avec le poêle !*

Dans l'entrée de notre petit appartement, là-haut, dans le mur près du plafond, il existe un trou de cheminée que je n'avais jamais remarqué parce qu'il avait été bouché avec un carré de carton.

La petite salamandre verte avec ses croisillons en mica est donc placée de guingois dans l'angle du mur, à l'aplomb sous le trou de la cheminée.

Ma mère n'a pas réussi à convaincre la quincaillière qu'un poêle sans tuyaux ne peut pas fonctionner, mais la quincaillière a convaincu ma mère que des tuyaux sans argent comptant, on ne peut pas s'en procurer non plus.

Alors c'est Hilda Hidoux, la nouvelle amie de ma mère qui avance l'argent. Il y en aura même assez pour acheter un seau et faire rentrer un peu de charbon.

L'espace est très juste pour que le tuyau de poêle trouve sa place dans l'angle du mur en frôlant le compteur électrique et les fusibles en plomb qui sont à découvert.

Quelques jours plus tard, ma mère décide d'essayer de faire fonctionner la salamandre.

Les essais ne vont pas sans souffrance. D'abord, en descellant le carton qui bouchait l'entrée de la cheminée depuis des années, on a tout de suite pris un tas de suie qui nous a transformés, ma mère et moi, en négatifs photographiques sans option de tirage ni pour nous ni pour le poêle. Il fallait, d'après Madame Shröer, faire venir un ramoneur si on ne voulait pas risquer un incendie ou l'asphyxie pure et simple.

Ma mère a donc fait venir un ramoneur et trouvé le moyen de faire nettoyer la cheminée en limitant toutefois les frais. Lorsqu'elle a estimé que suffisamment de suie était tombée sur le plancher de l'entrée, elle a interrompu le travail du jeune ramoneur à moitié chemin en lui disant :

– *Maintenant ça suffit, je n'ai pas les moyens de payer un ramonage complet, la moitié ça suffira, combien je vous dois ?*

– *Mais Madame…*

– *Ça suffit je vous dis.*

Elle ne lui a donné que ce qu'elle a bien voulu et le jeune homme s'est fait éconduire sans réplique avec son balai, sa pelle et son araignée métallique.

Ma mère tient à ce que je l'accompagne à la cave pour aller chercher du charbon.

– *Quand tu seras capable de porter un seau rempli de charbon, tu iras chercher du charbon tout seul.*

Puis, elle se ravise :

– *À la réflexion, il n'a pas besoin d'être rempli, tu y retourneras deux fois au lieu d'une, c'est tout.*

Je voudrais que ce temps-là n'arrive jamais car je suis déjà terrorisé en restant agrippé à ma mère dans l'obscurité de ce labyrinthe, alors je n'imagine pas m'y retrouver tout seul pour la corvée de charbon.

Notre réduit est encombré par les deux fausses cheminées en marbre que ma mère a fait descendre il y a des années pour gagner de la place dans les chambres. Sur les cheminées, il y a des caisses en bois qui contiennent les gros outils de menuiserie d'Émile, et dans un coin, il y a des cartons à chapeau empilés eux aussi depuis plusieurs années. Je me demande bien ce qu'ils peuvent contenir :

– *Du linge et des masques à gaz,* dit ma mère. *Tiens, on va remonter les masques à gaz et on va s'entraîner, on ne sait jamais.*

Je suis content d'être de nouveau à l'air libre, je commençais à avoir du mal à respirer dans le sous-sol.

Ma mère tient à essayer les masques à gaz séance tenante. Elle met d'abord le sien. Puis elle m'allonge sur le lit et me force la tête dans cet horrible scaphandre où chacun de nous ressemble à une monstrueuse fourmi d'où pend une trompe arrimée à une boîte ronde. La puanteur qui filtre des boîtes, et que je suis forcé d'aspirer, est indescriptible.

J'étouffe et ma mère à tête de fourmi me colle les bras au lit pour essayer de me faire rester tranquille, mais je me débats en pleurant, ce qui me fait suffoquer et perdre connaissance.

Ma mère m'a expliqué un peu plus tard avec une moue de doute, qu'effectivement l'odeur était insoutenable et que les masques étaient peut-être périmés. La séance des masques ne s'est jamais reproduite ni par mesure de sécurité, ni par nécessité.

C'est au tour du poêle d'être à l'essai.

Sur le sol, comme pour une exposition, il y a, bien disposés, du papier journal, un gros lingot de cinq fagots de petit-bois sec serré dans du fil de fer comme c'est l'usage, et le seau à charbon authentique en forme de cône, muni d'une anse avec une poignée de bois, empli d'anthracite, et son ouverture en biseau pour faire glisser la houille dans l'étroite ouverture du fourneau qui accueille le combustible. Le tisonnier, on l'a eu en prime avec le poêle.

Ma mère, à genoux, réussit à allumer la salamandre qui fait d'abord mine de vouloir exécuter la fonction qu'on attend d'elle, mais nous fait tout à coup un caprice en nous faisant croire qu'elle s'est éteinte.

Ma mère qui n'a pas l'habitude qu'on lui tienne tête, encore moins si elle est à genoux, ouvre sans ménagement la porte de fonte ajourée de mica et se prend en pleine figure une bourrasque de fumée noire qui envahit aussitôt l'entrée et la cuisine. On vide le poêle, on nettoie la cendre et la suie, puis… on recommence.

– *Il n'y avait pas assez de tirage*, dit ma mère*, on va lui donner de l'air.*

La porte de fonte entrouverte et la clef du tuyau en position verticale, effectivement la salamandre se met à ronfler comme la cuisinière de la tante Andrée, au point que la tuyauterie se met à rougir jusqu'à mi-chemin du plafond. Ma mère est encouragée et bourre le poêle jusqu'à la gueule.

– *Ça marche* observe ma mère, *ça tiendra bien un moment!*

D'un côté, ça a tenu, et d'un autre, ça n'a pas marché. Tout le charbon du seau a disparu, on a aussi froid qu'avant et il y a un attroupement en bas de l'immeuble qui attend les pompiers : le feu est pris dans la cheminée et des flammes s'échappent du toit.

– *Ah ben merde alors,* fait ma mère, *il ne manquait plus que ça! Ce salaud de chiffonnier, il m'a roulée avec son poêle, quand il viendra se faire payer, je vais lui balancer sur la gueule!*

Les pompiers ont laissé des traces de leur intervention. Le mélange d'eau et de suie qui recouvre les planchers jusque dans les chambres nous occupe ma mère et moi jusqu'à la tombée de la nuit. Elle éponge et je fais la corvée des seaux. Entre-temps les pompiers ont appris à ma mère comment faire fonctionner un poêle à combustion lente et le chiffonnier ne se prendra pas la salamandre sur le coin de la figure.

Mais lorsqu'on vient pour allumer l'électricité, surprise… il n'y a plus de courant. Ma mère va vérifier dans les escaliers. La minuterie fonctionne. Ça fonctionne aussi chez tous les voisins de palier sauf qu'elle ne cogne pas à la porte juste en face parce que c'est inutile. La voisine est atteinte de tuberculose et se laisse mourir dans le noir.

Ma mère n'est pas stupide. Elle vient de comprendre que les plombs ont fondu à cause de la chaleur du tuyau de poêle chauffé au rouge qui passe à proximité. Nous sommes à court de fil de plomb et ma mère, ingénieuse, utilise une fourchette pour rétablir le courant entre les bornes du fusible.

– *Nom de Dieu de bordel de merde! hurle ma mère en lâchant la fourchette qui valdingue sur le sol.*

Elle descend de son tabouret, referme le commutateur qu'elle avait laissé ouvert lorsqu'elle s'est aperçue qu'il n'y avait plus de lumière, et remonte bravement rétablir le courant avec sa fourchette en prenant soin cette fois de ne plus s'électrocuter.

– *Allume Gérard!*

À peine y voyons-nous clair, que la sirène annonce une autre alerte et il faut éteindre la lumière sitôt retrouvée.

Par la suite, et par mesure d'économie, ma mère essayera plusieurs sortes de charbon : du gros coke qui enfume, des briquettes qui brûlent trop vite, des boulets qui coûtent bonbon et enfin l'anthracite qui coûte encore plus cher.

Après avoir enfumé l'appartement et les escaliers je ne sais combien de fois, et ensuite risqué in extremis de mettre cette fois le feu à l'appartement en vidant sur le plancher les cendres incandescentes d'un poussier qui se refusait à flamber dans le poêle mais pas sur le parquet, ma mère finit par capituler :

– *C'est l'anthracite qui convient le mieux, mais ça nous ruine, on chauffera un jour sur deux.*

Ça voulait plutôt dire : « On crèvera de froid un jour sur deux. »

CHAPITRE XI

Ma mère est partie de bonne heure livrer ses fleurs artificielles dans Paris.

Il y a maintenant deux ateliers qui lui confient des commandes, ce qui améliore sensiblement l'ordinaire. Elle sera absente plusieurs heures. Pendant ce temps-là elle me laisse seul à la maison et d'habitude elle m'enferme à double tour. Ma première réaction est de vérifier la porte. Il arrive parfois que ma mère oublie de la verrouiller. C'est mon jour de chance, elle a oublié. C'est le Paradis, il faut que j'en profite. J'ai bien envie d'aller jouer dehors, mais avant, il faut que je fouille partout, surtout là ou c'est défendu.

Tout d'abord, je vais dans les W-C parce que j'ai faim. Sur l'étagère où ma mère garde *au frais* notre nourriture, entre la cuvette sanitaire et le vasistas, se trouve en permanence la bouteille d'huile de foie de morue dont je prends une grande rasade, car j'en aime le goût. Je finis un vieux reste de camembert desséché et je ne peux résister à ce qu'il y a de jambon sur une assiette, maigre et gras compris. J'ai des remords : j'aurais peut-être dû laisser le gras à ma mère. L'autre fois devant le gendarme, elle avait l'air d'y tenir. Tant pis !

De manger m'a donnée envie, je m'installe. La fente du siège en bois me pince la cuisse comme d'habitude et je me place légèrement de travers. Néanmoins à cause de ça, au début, ça me coupe un peu l'envie.

Pendant que j'attends, je fixe le bouton de la porte des cabinets. Il est en cuivre, ovale, avec un air penché comme la tête du Jésus que j'ai vu sur une image religieuse quand on a enterré ma grand-mère. Avec son air de travers, le bouton de cuivre me donne une idée. Je remets mon envie à plus tard, je déniche le marteau et quatre petits clous à tapisserie que je réussis à enfoncer dans le sommet du bouton comme pour faire une couronne d'épines.

Mais ça ne suffit pas, et mon inspiration me dicte de dessiner pour le crucifié, de longs bras maigres que je prolonge d'un seul trait du rouge à lèvre de ma mère, depuis la tête jusque sur les murs, l'un qui passe au-dessus de la ficelle où ma mère fait sécher ses serviettes hygiéniques, et l'autre qui s'allonge avec une main immense jusqu'à la poignée de la chaîne de la chasse d'eau. Je me rassois sur les toilettes, contemple mon œuvre qui me satisfait mentalement, et maintenant physiquement…

Ensuite je me hâte d'aller dans la chambre de ma mère pour fouiller. Il y a un placard construit dans le mur avec une porte invisible recouverte du même papier à tapisserie qui ornemente la pièce, le tout dissimulé sous une tenture en étoffe aux couleurs délavées qui représente une scène de chasse à courre. C'est l'un des rares endroits, à part un petit espace rectangulaire au-dessus du piano, occupé par une petite tapisserie représentant Beethoven en train de jouer du violon, qui ne soit pas couvert par les tableaux de Simone ma mère, artiste peintre.

Pour ouvrir cette porte discrète sinon secrète, dissimulée derrière la tenture, il est d'abord nécessaire d'introduire et de tourner une clef dans une serrure dissimulée dans un placard à vêtements attenant. Ensuite, il faut appuyer d'une certaine façon sur un segment de lame de parquet et le faire glisser vers le mur avec la pointe d'un couteau.

C'est Émile qui a eu l'idée de confectionner ce dispositif pour une raison que j'ai toujours ignorée, mais qui a bien arrangé ma mère comme on le verra, à quelque temps de là.

J'actionne le mécanisme, la porte du placard secret s'entrouvre toute seule et révèle les trésors de la caverne d'Ali Baba.

Il y a des vieux livres, dont un est dédicacé par Victor Hugo à son ami David Dangène, des bibelots, des statuettes, un plateau en cuivre ciselé, des poignards dans des gaines en cuir ouvragé.

Dans un coffret scintillent des médailles, des bagues et une montre en argent avec des chiffres romains ; c'était celle de mon grand-père Auguste, que je n'ai jamais connu parce qu'il est mort avant ma naissance.

Il y a aussi une grande boîte avec des bouteilles de parfum vides, des fleurs séchées. De temps en temps ma mère les sort, les contemple et les remet en place en soupirant. Dans une autre boîte, des photos sur lesquelles ma mère pose comme une star de cinéma au milieu de cactus.

Un paquet de lettres entourées d'un ruban rose m'intrigue : je vais voir ça tout à l'heure.

Sur une tablette devant mes yeux je reconnais nos cartes d'alimentation et quelques billets de mille. Il n'est pas question que je touche à l'argent, rien ne pourrait justifier sa disparition. Et puis il ne prend qu'une importance secondaire devant tous ces trésors.

Ce qui m'intéresse, ce sont d'abord les armes. Un jour que ma mère me les a montrées, elle m'a dit qu'elles venaient du Tonkin et du Maroc. Pour moi, ça ne veut pas dire grand-chose, mais il n'y en a pas des comme ça chez le marchand de couleurs.

J'ai dans les mains un bouquin dont les pages sont toutes jaunies. Il doit être rudement vieux celui-là : « Maladies de la femme ». À l'intérieur, j'ai découvert une gravure qui me fascine, le tronc nu d'une femme sans tête ni jambes, avec très en relief, un zizi fendu de haut en bas, bordé de monticules gonflés, sans poil.

Je suis perplexe parce qu'un jour que je suis rentré par surprise dans la cuisine pendant que ma mère faisait sa toilette, je n'ai pas vu un zizi comme celui là, mais un grand triangle, noir et touffu, ce qui confirmait bien mes observations par le trou de la serrure. Et chaque fois que je regarde par ce trou de serrure quand l'occasion se présente, ça ne change pas…

Ce jour-là, lorsque je suis entré sans crier gare dans la cuisine, ma mère a eu le réflexe de se couvrir d'abord la poitrine avec ses mains et ses bras, en ébauchant par la suite un mouvement vers le bas. On aurait dit que ça la gênait plus que je lui regarde le haut que le bas.

Depuis j'ai remarqué que curieusement, plusieurs statues dans les parcs ont l'habitude d'en faire autant, sauf la Vénus de Milo qui n'a pas de bras et qui ne peut rien cacher du tout.

Je défais le ruban rose du paquet de lettres et j'en ouvre une. Ça commence par *« Ma Simone chérie, si Dieu a voulu que la nature nous donne un enfant, je viendrai te rejoindre à Paris et nous nous marierons, Cannes, août 1938. »* C'est signé Léo. Seule la lettre a rejoint Paris, mais jamais son auteur. Cette lettre-là, je la connais, ma mère me l'a déjà montrée. Il paraît que ce gars-là, c'est mon vrai père et qu'il ne savait pas que ma mère était déjà mariée.

Je ne comprends pas grand-chose à tout cela et j'en ouvre une autre que je n'ai jamais lue.

Ça commence par les mêmes mots « Ma Simone chérie », mais ça ne parle pas d'enfant et il est question de volupté et de divine sensualité. C'est signé Dolly.

Dolly c'est une institutrice d'origine anglaise, une vieille demoiselle qui a une propriété avenue de la Dame Blanche dans le sous-bois des riches et que je connais bien puisqu'elle m'a gardé un certain temps dans une sorte d'école maternelle privée aménagée dans son pavillon.

Acré!* J'entends du bruit sur le palier. Je suis prêt pour les urgences. En un clin d'œil tout est en place et la lame de parquet repoussée. Je fonce au piano et je me concentre sur un exercice pour main droite de Czerny, à propos duquel je n'ai pas beaucoup de talent.

Si elle m'entend pianoter quand elle arrive, ma mère, ça la met de bonne humeur, mais ça ne m'évite quand même pas les questions embarrassantes du genre *« Qu'est-ce que tu as fait pendant que j'étais partie ? »*

Fausse alerte, ce n'était pas elle.

Je vais à la fenêtre. Les garçons et les filles de l'immeuble sont en bas. Ils ont tracé une grande marelle en plein milieu de la rue et ils poussent à cloche-pied une pierre plate de la *Terre jusqu'au Ciel* en passant par des cases carrées avec des chiffres d'un à neuf. Je ne peux plus résister. Il faut que j'aille voir ça de plus près.

Quelques minutes plus tard, je suis absorbé dans le sirop de la rue. De temps à autre, je surveille l'horizon, c'est-à-dire le bout de notre rue. Ma mère a l'habitude de revenir du métro à pied en empruntant toujours le même chemin. Je reconnais sa silhouette de loin et comme elle est myope, j'ai en général le temps de disparaître et de remonter avant qu'elle ne me repère. Mais soudain…

– *Gérard !*

---

* – Vieille exclamation signifiant : Ah ! Cré nom de Dieu !

C'est comme si tout mon sang venait de se vider de mon corps. Elle vient de déboucher par la rue transversale qui longe la maison : elle a pris l'autobus.

Lorsqu'elle découvre le Jésus dans les W-C et que j'ai mangé le jambon, elle ne me fait pas une réflexion, pas un reproche. Je sens que ça va être grave.

Je ne sais comment elle m'a traîné dans la cuisine, mais elle me martèle la tête sur le radiateur du chauffage central :

– *Tu as la tête dure Gérard ! Tu as la tête dure !*

Dans un sens, heureusement que j'ai la tête dure, car lorsque j'ai repris connaissance, j'étais étendu en travers de la cuisine une serviette froide sur le front avec des bosses douloureuses et un œil tuméfié, mais vivant.

Puis elle s'est mise à fouiller dans une sorte de dictionnaire où il était dit apparemment que s'il n'y avait pas vomissement, il n'y avait pas fracture du crâne. Une fois rassurée, elle me fit cette remarque déconcertante :

– *Un jour tu me tueras !*

Je me souviens m'être demandé de quelle façon elle s'imaginait que je pouvais la tuer.

Après une longue réflexion elle ajouta :

– *C'est décidé, dès demain je te mets en pension.*

Je n'ai qu'une vague idée de ce que peut représenter « la pension » et ça fait tellement de fois qu'elle me le dit que je n'y attache pas une plus grande importance que ça. Elle m'envoie chercher du lait, du jambon, du pâté et des boîtes de conserve chez « Les économats », mais elle insiste bien pour que je n'aille pas chez Bedu parce qu'il ne veut plus nous servir.

La boutique des Économats a été reprise par un jeune couple : elle, enceinte qui tient la boutique, et lui qui travaille aux usines du métro. Vu qu'on fréquente un peu plus souvent la boutique des Économats depuis que Bedu nous refuse, ma mère qui a établi une relation de confiance avec la jeune épouse, ne me donne que la moitié du montant des courses, et la brave et timide jeune femme des Économats nous fait crédit du reste.

Comme on s'approvisionne chaque jour un peu plus que le précédent, l'ardoise monte sans jamais redescendre.

Dans la rue, je me ressens encore de la dérouillée que je viens de prendre, et je n'ai pas envie de traîner. Je ne mets pas cinq minutes aller-retour, et à la maison, je me montre poli, respectueux, au garde-à-vous, tout le truc.

J'ai été privé du repas de midi et j'ai le ventre qui tiraille. Je passe l'après-midi à apprendre des poèmes par cœur sans que ma mère ne me le demande. Toute la journée, ma mère s'est montrée froide, distante et elle ne m'adresse la parole que le soir pour m'appeler à dîner. Face à face à la petite table de cuisine, je n'ose pas lever la tête et nos regards ne se croisent pas. L'atmosphère est celle des mauvais jours. L'estomac serré, je mange en silence ma soupe au lait, c'est-à-dire une assiette de lait chaud avec du pain dedans.

Le jambon que j'ai ramené des courses ce matin trône tout frais, rose et odorant dans une assiette. Ma mère se sert les deux seules tranches existantes qu'elle commence à consommer avec des gestes précieux, mesurés, artificiels, en mâchant ostensiblement au ralenti. Elle demeure silencieuse jusqu'à la dernière bouchée. Et là, me fixant, elle me dit calme et détachée :

– *T'as déjà mangé le tien ce matin je crois bien ?*

J'avais compris. Mais je n'aurais jamais dû crâner :

– *De toute façon je n'avais pas faim.*

Elle ne relève pas et je l'aide à essuyer la vaisselle.

– *Gérard, sais-tu ce que c'est que la méditation ?*

Ma mère n'attend pas la réponse et elle m'explique que c'est une façon de se remémorer avec précision toutes les conneries qu'on peut faire dans la vie sans que personne ne soit là pour nous engueuler sauf nous-mêmes.

Elle me dit avec douceur qu'il faut être isolé dans un endroit très calme autrement ça ne marche pas.

– *Tu as compris ?*

– *Oui maman.*

– *Bon maintenant viens avec moi.*

On se rend jusqu'à la porte de la cave. L'ampoule de l'entrée du sous-sol est grillée.

Rendus aux premières marches, elle allume sa lampe électrique munie de la fameuse pile « Wonder qui ne s'use que si l'on s'en sert » comme l'affirment les affiches dans le métro. Notre pile, pourtant neuve, nous fait croire qu'elle a servi longtemps, parce que sa petite lumière jaunâtre nous fait à peine entrevoir les marches.

Le vestibule de la cave qui me semblait si hospitalier avec tout son monde lors du bombardement est maintenant sinistre. On s'enfonce dans les couloirs étroits. La lampe est tellement faible qu'il faut avancer à tâtons. On tourne à droite, puis à droite, notre réduit est au fond.

– *Maman...*

Ma mère me saisit fermement le bras et me plaque contre la porte de bois à claire-voie de notre cabanon, pendant qu'elle fouille la serrure du cadenas. Je n'essaye même pas de demander grâce. Avec elle, c'est inutile. Le verdict est rendu, la sentence sera exécutée. Elle me pousse à l'intérieur du réduit et barricade la porte.

– *Maintenant, médite !*

J'entrevois le fragile faisceau de la lampe danser quelques courtes secondes, j'entends s'éloigner les pas de ma mère et puis, plus rien, c'est le noir total, le silence, la peur.

Je reste figé, debout, sans oser esquisser un seul geste, sans presque oser respirer. Je n'arrive pas vraiment à y croire. Je me dis qu'elle veut me faire peur, qu'elle a réussi, et qu'elle va revenir d'un instant à l'autre.

Le temps passe, j'appelle :

– *Maman ! Maman !*

Alors là ce n'est pas marrant, mais pas marrant du tout. Je sais qu'il y a des rats et je me sens très mal à l'aise. J'ai la gorge serrée, envie de chialer, mais je ne pleure pas, car je suis sur le qui-vive.

Je me répète sans arrêt : « non, elle ne va pas me laisser encore longtemps ici ».

Je voudrais m'asseoir. Je mets un pied sur le tas de charbon, mon pied s'enfonce, je trébuche en voulant me rattraper et je m'étale.

Les bruits que font tout d'un coup dans ce silence les morceaux de charbon qui dégringolent du tas me glacent de peur. Je suis à quatre pattes et j'ai une horrible appréhension d'avoir des rats partout sous mes mains. Je me dis que si j'arrive à me faire un trou entre les caisses sur l'une des cheminées, je pourrai me percher et je me sentirai plus en sécurité. J'essaye de parler tout haut pour me donner du courage mais ma propre voix me surprend désagréablement et s'étrangle. J'arrive à me nicher tant bien que mal sur l'une des cheminées, mais je ne me sens pas plus brave.

J'ouvre tout grand les yeux pour essayer d'y voir quelque chose, parce que j'ai entendu dire qu'on finit par voir dans l'obscurité. Je n'y vois toujours rien mais j'entends distinctement que ça remue quelque part. On dirait aussi de petits cris. Est-ce que ça crie un rat ?

Je me racle la gorge en faisant des « hum… hum… ». Les bruits cessent, puis reprennent. Chaque fois que je fais du bruit, ce sont les bruits qui n'en font plus. Maintenant je suis sûr que ce sont des rats. Il s'établit une espèce de contact entre eux et moi dans cet espace aveugle des bruits, et incroyablement, je me sens moins seul.

Au bout d'un moment, les séquences bruit-silence se chevauchent. Je ne les dérange plus et après tout, ils ont l'air de me laisser tranquille. J'essaye en tout cas de m'en persuader. Le temps passe et je réfléchis. Je me demande si c'est pire d'être ici que de recevoir une trempe. Tout compte fait, je n'en sais rien.

Je ne sais depuis combien de temps ou combien d'heures je suis engourdi sur mon perchoir.

J'ai très nettement entendu la porte principale de la cave s'ouvrir avec son raclement caractéristique sur le ciment. On se dirige par ici. C'est sûrement ma mère qui vient me chercher. Je savais bien qu'elle ne me laisserait pas là toute la nuit.

Les pas se rapprochent, jusque devant moi, un peu trop lourds pour être ceux que j'espérais. C'est un voisin qui vient au charbon dans le cabanon juste en face du nôtre. J'entends la pelle qui plonge dans le charbon : « Ran ! Ran ! » Les boulets résonnent dans le fond de son seau. J'imagine que ce sont des boulets parce qu'ils tombent en cascade. Si c'était du coke, ils s'écraseraient comme un gros pavé grinçant dans le fond du seau. Avec les briquettes, le voisin ne pourrait pas utiliser sa pelle et elles s'amoncelleraient en claquant comme du petit-bois sec qui se rompt. Quant à l'anthracite, il s'entasserait sourdement comme du gravier surtout s'il est mêlé à du poussier, ce qui dépend de l'honnêteté du charbonnier.

Je retiens mon souffle, je ne veux pas être repéré. Ma mère dirait que je l'ai fait exprès et me foutrait une trempe, ça, c'est sûr. Le voisin est reparti de son pas alourdi.

De nouveau, c'est le noir, le silence et les rats.

Lorsque ma mère vient enfin me chercher, je suis profondément endormi, recroquevillé sur la cheminée.

Dehors, le grand jour me rapetisse les yeux. Elle n'a pas l'air plus causante ni mieux disposée à mon égard qu'hier soir. Sur la table de cuisine, un grand bol de café au lait et une tartine beurrée.

Pendant que je me lave les mains, je me regarde dans la glace. Je suis noir de la tête aux pieds.

J'ai à peine le temps de terminer ma tartine :

– *Gérard, je te ferai ta toilette plus tard, pour le moment vide le poêle ! Puis tu iras chercher du charbon et tu allumeras le feu.*

J'installe les journaux sous la salamandre, je vide le cendrier et je nettoie l'intérieur du foyer à la brosse comme si on devait manger dedans. J'essaye de bien faire pour me racheter.

Je fonce au charbon. La cave toute noire avec ses corridors étroits ne me fout plus la pétoche. Depuis hier soir, elle me paraît pratiquement familière. Je me dis même que si je veux, je n'ai pas besoin de lumière. Pour me le prouver, je me paye le culot de ne pas me servir de la lampe à pile qui ne s'use que si l'on s'en sert. J'enfile les couloirs dans l'obscurité complète, mais, je siffle tout de même un petit peu comme ça, histoire de me rassurer complètement… Je défais le cadenas, j'ouvre la porte, je dis à voix haute aux copains, juste en cas, pour qu'ils ne me prennent pas pour un autre :

– *Coucou me voilà !*

Je vais droit au charbon, je pellette à grands coups et je remplis le seau un peu plus qu'à la moitié parce que je me prends pour un costaud qui n'a plus peur de rien. Je referme, je fais « Ouf ! » et je retourne par les couloirs toujours sans lumière pour me prouver que je suis un dur, un vrai, un tatoué, comme chantait Fernandel l'autre jour dans le poste de TSF.

Je pose une seconde mon seau à mi-chemin, parce que c'est quand même vachement lourd, surtout que dans ma hâte, je crois avoir mis autant de poussier que de charbon.

Au même moment, il y a une voisine qui s'avance à l'autre bout avec sa torche. En me découvrant elle pousse un cri comme si elle avait vu le diable.

– *Ah! Quel sale gosse! Tu le fais exprès pour me faire peur! Attends un peu que je le dise à ta mère! Saleté de gosse, faire des tours pareils aux gens!*

Je me dis qu'elle est bien bonne celle-là, c'est moi qui me balade sans lumière et c'est elle qui a peur. Je ne parle pas de l'incident à ma mère et j'allume le feu. Je suis en train de me battre avec le fil de fer qui étrangle les lingots de petit-bois d'allumage lorsqu'on frappe à la porte. C'est la concierge derrière laquelle se cache la voisine peureuse.

– *Madame Cherfais, fotreu fils fait peur aux locataires dans la caffe... !*

Ma mère se tourne vers moi et comme je ne trouve rien à répondre à cette injustice elle me flanque une gifle douloureuse qui atteint mes ecchymoses à la tempe dont je ne suis pas encore guéri. Et s'adressant aux deux femmes elle leur crie :

– *Voilà, vous êtes satisfaites ?*

Puis elle leur claque la porte au nez avec violence et en me poussant vers la cuisine où elle va se mettre en devoir de me blanchir, elle me dit sèchement :

– *Alors je vois que tu n'as encore rien compris...*

Chapitre XII

Les séances de ma toilette m'angoissent autant que les trempes, à ça près qu'elles se présentent presque tous les jours.

Le rituel veut que je sois perché tout nu sur l'évier à vaisselle, les deux pieds dans une bassine remplie d'eau froide en général, et que j'attende parfois jusqu'à dix ou quinze minutes pendant que ma mère s'occupe ailleurs dans l'appartement. Aujourd'hui je suis tellement sale qu'elle a fait chauffer l'eau.

Et ça commence pendant que je poirote dans ma cuvette, je m'interroge « Est-ce qu'il est rouge aujourd'hui ou est-ce qu'il n'est pas rouge ? »

C'est sûr qu'elle va me « le » laver, elle ne passe jamais à côté. Elle le fait à chaque fois minutieusement après inspection attentive.

J'espère qu'il ne grossira pas non plus ou qu'il ne se raidira pas. Des fois pendant qu'elle me savonne, et surtout quand ça lui arrive d'utiliser de l'eau chaude, il raidit et ça la met dans tous ses états ma mère. Elle ne veut pas qu'il grossisse ou qu'il durcisse.

Les gifles avec les mains mouillées font beaucoup plus mal qu'à sec.

Je le fixe et je me concentre « Il ne faut pas que tu grossisses… » Je n'ose pas regarder la couleur qu'il a, même si les paumes de mes mains sont les seules surfaces de mon corps qui ne soient pas noircies pas le charbon. J'ai peur de me faire surprendre à l'examiner si elle entre brusquement dans la cuisine. En outre, si je le retrousse pour voir, c'est possible qu'il se mette à rougir…

Elle vient d'entrer. Elle grimpe sur le petit banc pour me laver la figure parce que je suis très haut perché. Ça la fait râler de tendre les bras :

– *Lève tes coudes, plus haut !*

Elle n'y va pas doucement, mais je préfère ça. J'ai remarqué que quand elle est brutale, je ne grossis jamais.

– *Donne ton pied, l'autre !*

Je suis complètement rincé. Le moment approche. C'est comme si mes forces se vidaient avec l'eau de la cuvette. Elle me retrousse, marque un temps et me regarde, farouche. Comme d'habitude elle attaque en élevant la voix :

– *Tu t'es encore touché ! Regarde, ton pipi est tout rouge !*

À chaque fois, je me sens terriblement coupable. Je penche la tête et je regarde. Je prends un air pénétré et perplexe pour examiner ce phénomène curieux et incompréhensible. Je ne peux pas vraiment dire qu'il soit rouge, mais la manière dont elle tire dessus, ça me fait plutôt mal :

– Comment tu fais quand tu te touches, montre-moi !

– Je ne sais pas…

– Fais-moi voir !

Je n'ai aucune idée de la façon dont « je me touche » comme elle dit, mais pour ne pas la contrarier, je prends mon zizi entre le pouce et l'index comme lorsque je fais pipi et je dis :

– Comme ça…

– Comme ça ?

Et elle me saisit le prépuce qu'elle agite brutalement d'avant en arrière en me faisant très mal :

– C'est pas plutôt comme ça ? Regarde comme il est rouge, tu n'as pas honte !

Une fois j'ai été terrifié. Elle est sortie de la cuisine et elle est revenue avec une paire de ciseaux :

– Attends, je vais te le couper ! Tu m'entends ? Si tu continues à te tripoter, je vais te le couper !

Et elle s'était mise à crier en me coinçant le pipi entre les lames du ciseau :

– Tu veux que je te le coupe ? Dis, tu veux que je te le coupe ?

Je me suis mis à chialer et je me suis affolé parce que je la croyais bien capable de le faire.

– Si tu recommences, je vais finir par te le couper.

Un peu plus tard en y réfléchissant, je me suis dit qu'elle avait peut-être voulu me faire peur mais qu'elle ne me le couperait pas, autrement comment je ferais pour faire pipi. Mais quand même, je n'ai jamais été rassuré.

Ce matin, elle doit quand même avoir des doutes, car elle m'a épargné les gifles. Étant donné que je n'ai pas le pipi noir de charbon parce que j'ai pissé dans ma culotte à la cave pour ne pas y toucher, elle doit penser que je ne me suis pas tripoté.

Chapitre XIII

Nos finances sont comme les montagnes russes. C'est peut-être pour cela que nous rendons visite plus souvent à Dolly, l'institutrice dont j'ai découvert les lettres dans le placard secret.

La Miss, comme ma mère la surnomme en référence à ses origines anglaises et au fait qu'elle n'ait jamais été mariée, est une blonde aimable et dodue dans la petite cinquantaine.

Lorsque ma mère a fait sa connaissance à Alvar bien avant la guerre, il y a une dizaine d'années, elle était grande et élégante comme en témoignent des photos d'elle en tenue de décor naturel que j'ai aussi trouvées dans le placard secret.

Et puis un beau jour, comme ça, elle s'est affaissée sur ses chevilles en ouvrant une boîte de petits pois : tuberculose des os. Depuis elle ne cesse de rapetisser et de grossir. Plus ou moins infirme, elle porte des chaussures orthopédiques, se déplace néanmoins avec une canne qu'elle agite comme une houlette en faisant claquer ses dentiers lorsqu'elle est en colère.

Elle se farde ostensiblement et porte un parfum trop lourd qui donne envie de s'éloigner d'elle.

Dolly, comme la fourmi de la fable, n'est pas prêteuse, mais elle aime se faire servir. Ce qui fait que derrière son dos, ma mère qui en toute circonstance a la critique acide, la traite de « radin » et dit qu'elle exagère son infirmité pour cultiver ses péchés mignons : la fainéantise, la gloutonnerie et la crasse.

Dolly entretient neuf chats, deux chiens, des lapins perchés dans des clapiers à l'ombre des haies du jardin, des rosiers, un frère bourru et peu causant qui vient un jour sur deux nourrir les animaux et faire un semblant de ménage en repoussant la poussière dans les angles des murs de la cuisine ou en l'accumulant sous les tapis du salon.

Dolly héberge également une vieille fille épineuse, Stella Goudket, qui se présente comme la belle-sœur de l'écrivain Colette, parce que son frère, Émile Goudket s'occupe des affaires du célèbre auteur.

Enfin, Dolly cache sous les combles de son grand pavillon, deux jeunes sœurs juives Adèle et Rounia. Ce n'est un secret pour personne et c'est un miracle qu'elles n'aient jamais eu d'ennuis. Adèle est une jeune femme blonde, mince, effacée, timide alors que Rounia, plus corpulente, est exubérante, rieuse et n'a pas sa langue dans sa poche. On ne les voit pas souvent, mais c'est avec Rounia que ma mère se trouve le plus d'affinités. Elle les invite à la maison lorsqu'elle a les moyens de partager un sandwich au saucisson et un petit coup de rouge.

Stella se montre désagréable à notre égard depuis le jour où ma mère l'a accusée de s'être installée chez Dolly en parasite parce que complètement fauchée, afin d'exploiter le poil dans la main de son hôtesse, en jouant les maîtresses de maison.

Entre les chats qui font leurs besoins sous les meubles, les chiens qui ne sortent jamais, l'humidité qui ronge les tapis, Stella qui joue du piano mais pas du plumeau et le frère qui joue du balai sans jouer de la pelle, le grand salon de la Miss empeste la cage aux fauves du zoo de Vincennes et les vieilles filles ne sentent pas la naphtaline.

N'empêche que dans ce pavillon embaumé, aux murs décrépits, aux fondations lézardées et au toit ruisselant la pluie par les greniers jusque dans le grand salon, Dolly *donne des réceptions* car elle est mondaine.

Dans ce sanctuaire encombré des reliquats d'un trésor de meubles anciens dégradés par la moisissure et les griffes des animaux, de livres précieux rongés par les souris et de curiosités inestimables de toutes sortes ramenées des Indes et d'ailleurs par feu le Colonel son père, elle fait salon le premier dimanche de chaque mois.

Il faut cultiver ses relations mondaines, affirme Dolly en bonne britannique, dont ma mère affirme qu'elle a de la sécurité sociale dans les Bons du Trésor.

Les jours de réception, les meubles sont repoussés contre les murs et les tapis d'Orient sont roulés pour que le piétinement de la cinquantaine d'invités attendus n'ajoute pas à la macération de l'urine et des excréments. S'il pleut, le frère dispose des casseroles un peu partout et assure la vidange permanente des récipients lorsque les averses font rage. Dolly, que ces petits ennuis triviaux n'atteignent pas, reçoit ses invités toujours avec bonne humeur, bon sourire et bon buffet.

On dispose des chaises sur le parquet dénudé, face au piano, ainsi la grande soue aux richesses fanées devient « Le salon littéraire. »

Ma mère trouve que les relations mondaines de Dolly ne sont que des miteux, des destitués, des tordus inspirés par le ridicule. Fidèle à elle-même, elle n'est pas tendre :

– *T'as vu un peu ? Tous des pseudos, des écrivassiers, des rimailleurs sans talent, des brailleurs de classique à la voix de fausset, des musiciens de fanfare...*

En revanche elle ne critique pas les pique-assiette, ce qui serait illogique, puisqu'on en fait partie. Nombreux, en effet, sont ceux qui lorgnent déjà le buffet où ils se hâteront sans se précipiter, dès la clôture de la foire aux vanités artistiques, c'est-à-dire dans deux heures environ.

Toutes les places assises sont occupées. Ma mère et moi on se tient debout avec quelques autres au fond du salon, entre le buffet et deux grands rideaux qui masquent l'entrée de la chambre de Dolly et derrière lesquels nous sommes à moitié dissimulés. Nous avons de la chance, aujourd'hui, il ne pleut pas.

Parfois, ma mère m'autorise à aller prendre l'air dans le jardin, mais j'en profite toujours pour me faufiler dans le garage et respirer le moisi des banquettes de la voiture de Dolly. Il paraît qu'elle s'est fait avoir par un « ami » garagiste qui lui a vendu très cher une vieille bagnole dont le moteur a une bielle de coulée. Je m'assieds derrière le volant, je tripote tous les boutons et j'essaye de comprendre comment ça fonctionne.

Comme je suis grand pour mon âge, mes pieds atteignent les pédales et je joue au conducteur.

Aujourd'hui, à force de tripoter le levier de vitesse et d'enfoncer les pédales, la voiture a reculé dans la porte du garage et je n'ai pas su l'arrêter. Ça a fait un boum qui m'a pétrifié mais n'a alerté personne. Je suis sorti du garage le cœur battant et je suis allé musarder du côté des lapins avant d'aller rejoindre ma mère d'un air moins innocent que je le pensais, car elle, à qui rien n'échappe me dit :

– *T'en fais une tête, t'es tout rouge, t'as fait une connerie ?*

Stella qui est accoudée au piano comme une diva m'évite de répondre car, de sa petite voix acide, elle commence à décliner le programme :

– *Vous entendrez un tel poète... une telle cantatrice... un tel fantaisiste... un tel musicien dans leur répertoire.*

Le répertoire, c'est au moins deux morceaux par interprète, quelquefois trois. Si l'artiste est quelconque, on s'ennuie à mourir, mais s'il est franchement nul et se prend au sérieux, on attrape ma mère et moi, un fou rire douloureux car il doit rester insonore, et on enfouit nos visages cramoisis dans les rideaux de la même couleur.

On essaie de se faire remarquer le moins possible. Cependant, il devient vite évident que d'autres personnes près de nous ont la même réaction que la nôtre devant le spectacle.

Peut-être aussi que le rire entraîne le rire. Toujours est-il qu'au bout d'un moment nous formons un petit groupe de contorsionnistes muets et souffrants, surtout lorsque Stella qui est plus âgée que la Voie lactée essaye en vain avec une fausse note suraiguë de dépasser le registre du piano désaccordé, pour hurler « qu'elle a vu passer l'hirondelle dans la douceur du printemps. »

Dolly y va aussi de sa chansonnette. Comme elle ne se prend pas au sérieux et qu'elle n'oublie pas de sourire, je la trouve sympathique, j'irais même jusqu'à dire marrante avec son histoire de mari cocu qui se fait renverser par un fiacre qui allait trottinant... Avec son embonpoint, ses pieds écartés, sa canne, ses yeux ronds, son rouge à lèvres qui déborde et ses frisettes, je ne peux m'empêcher de songer à Charlot.

Ma mère et moi, on rigole bien un peu comme ça en douce, mais on n'est pas là pour se distraire. On se rapproche insensiblement du buffet où règnent petits fours, canapés, mousseux, charcuterie fine, pâtisseries.

Dès que la bonne grosse Julia, la dernière interprète, avec sa rose rouge à l'oreille a fini d'étrangler Carmen avant de tomber lourdement sur le parquet frappée à mort, les applaudissements s'évanouissent et se confondent dans le bruit des petites cuillers et le tintement des verres où mousse le pseudo-champagne tiédi par l'attente.

Une fois notre place durement conquise près du buffet, il ne s'agit pas de se faire déloger par d'autres crève-la-faim, alors ma mère et moi, on se tient les coudes.

On a aussi prévu un remplissage pour la soirée. Les grandes poches du tailleur de ma mère : un dans la bouche, un dans la poche. Un autre dans la bouche, un autre dans la poche…

Mais on n'a pas tous les mêmes intérêts. Il y a des relations mondaines qui se déplacent pour autre chose. C'est pour cela que les livres rares de la bibliothèque deviennent de plus en plus rares après chaque réception. Ce qu'il en reste est désormais sous les verrous.

La dernière fois, ma mère a même surpris un invité « de marque » en train de se faufiler par le jardin pour escamoter dans sa voiture, une jolie petite chaise africaine entièrement sculptée. Ma mère l'a très mal pris parce que cette petite chaise aurait fait exactement le pendant avec celle que nous possédons déjà à la maison et qui est sa sœur jumelle. Elle m'a donné un coup de coude :

– *Tiens une relation mondaine qui fait de la magie noire !*

Ma mère n'en a pas parlé à Dolly. Elle a même dit que c'était bien fait pour sa gueule.

Seulement, nous, on ne lui pique rien. D'abord parce qu'on n'est pas des relations mondaines, et puis parce que ma mère s'y refuse. Elle dit que du temps qu'elles étaient vraiment intimes, Dolly lui faisait cadeau de tout ce qu'elle voulait et que ce serait vraiment dégueulasse de lui faucher quoi que ce soit parce qu'autrefois elle avait été très chic.

C'est comme ça que bien des livres et des choses exotiques se sont retrouvés à la maison, y compris la petite sœur jumelle de la chaise africaine. Toutefois ma mère a une dent contre Dolly :

– *Elle dépense sans compter pour son plaisir personnel. C'est devenu une vieille égoïste. Elle a une voiture qui dort dans son garage et dont elle ne sait même pas se servir, elle entretient un tas de cloches fêlées qui se foutent pas mal d'elle, mais quand il s'agit d'aider une amie intime qui a un gosse à nourrir, elle me raconte qu'elle a des difficultés de fin de mois.*

Parfois ma mère et elle se disputent :

– *Écoute Dolly, tu pourrais faire un effort !*

– *Simone, on ne peut pas peler un diable qui n'a pas de cheveux !*

100

Tandis qu'on revient à la maison la peau du ventre un peu tendue, elle n'a plus envie de rire et me fait cette réflexion :

– *Je devrais avoir honte d'être tombée si bas. Des pique-assiette, voilà ce qu'on est, de pauvres miteux de pique-assiette !*

En dehors de la réception mensuelle, on va de temps en temps chez Dolly mais elle vient rarement à la maison. Or un dimanche après-midi…

Notre rue est envahie par le ramdam d'un véhicule brinquebalant et ferraillant, une Renault déjà ancienne au capot en chasse-neige, dont le moteur anarchique lance d'énormes pétarades qui font avancer le tacot poussif par à-coups comme un âne rétif.

C'est le teuf-teuf de l'ami Fraye que ma mère a déjà appelé « Dédé » à une certaine époque, puis rebaptisé « le vieux Fraye » ensuite « le père Fraye » et finalement « le vieux con » lorsque Dolly a répété à Simone ma mère qu'il la débinait.

Sa voiture qui a vieilli avec lui, semble avoir hérité des caractéristiques de son propriétaire. Elle a conservé une certaine élégance dans le style, mais elle n'a plus de couleur, sent mauvais au passage, grince du squelette, se déplace lentement en gênant le trafic des gens pressés et pétarade sans retenue du pot arrière.

Comme lui, sa voiture n'intéresse plus personne, selon ma mère. Pourtant André Fraye se tient encore fièrement derrière l'immense volant, excepté lorsqu'il rebondit contre le plafond en cabossant son chapeau chaque fois que la guimbarde, souffrant des amortisseurs, s'enfonce dans un nid-de-poule.

Pour André Fraye, nous ne sommes pas des relations mondaines, mais « des petites gens » et il nous traite avec une certaine condescendance de vieil aristo assez culotté, parce qu'il se fait nourrir et rincer par ma mère lorsqu'il nous rend visite, ce qui arrive de moins en moins depuis qu'elle l'a remis à sa place.

André Fraye est un vieux peintre – vieux garçon – vieux grippe-sou – fils de gros bourgeois – gros propriétaires. Il demeure dans une villa à deux pas de chez Dolly. Il n'attend qu'une seule chose, le décès de sa mère qui a quatre-vingt-quatorze ans, pour hériter.

En attendant, il paraît qu'il vit des toiles qu'il peint pour le musée de la Marine et il se fait inviter à droite et à gauche.

Ma mère ne lui trouve bien sûr aucun talent. Elle juge ses peintures ennuyeuses et monochromes, à tel point qu'en ses propres termes, elle décrit les marines du Père Fraye comme des diarrhées d'épinards saumâtres privées de l'émotion de celui qui les a chiées.

– *Il faut vraiment qu'il ait du piston pour vendre ses croûtes au gouvernement. Et par-dessus le marché, ils lui ont filé la Légion d'honneur !*

On s'est mis à la fenêtre. André Fraye stoppe le véhicule devant l'entrée de l'immeuble et nous adresse un petit signe discret de la main. Le moteur rouspète pour s'éteindre et continue pendant un moment à lancer des détonations qui secouent la carrosserie en dépit des efforts du vieux Dédé qui manipule le contact pour lui imposer silence.

La Dolly s'extirpe de l'ancestrale guimbarde et nous fait un coup de moulinet avec sa canne pour dire bonjour. Même de loin, le rouge à lèvres criard qui fait un cercle gras au milieu de la peau blanche, trahit l'incapacité de Dolly à se maquiller les lèvres.

La Renault s'est enfin calmée et bientôt, on entend les pas des visiteurs dans les escaliers.

Leur venue tombe bien parce que je viens justement d'avoir droit à la séance du pipi rouge et ma mère est en rogne ça va faire diversion.

Ils entrent et on se fait les quatre bises dans le vide. Tout le monde s'assied dans la chambre de ma mère qui offre du thé pour faire convenable.

Le vieux Fraye a des tics. Il fait toujours claquer sa langue en même temps qu'il fait claquer ses doigts et c'est immanquablement suivi d'une phrase qu'il ne termine jamais :

– *Oh, moi vous savez ma chère amie…*

Je le trouve assez marrant. Il raconte des histoires sur la Vendée où il passe plusieurs mois de l'année pour peindre ses marines, plus précisément à Saint Jean de Monts. Il imite l'accent des habitants qui sont d'anciens chouans, en roulant les « r », et fait semblant de chasser du revers de la main une mouche imaginaire qui bourdonne.

– *Ah la fine garce ! Vla-t'une mouche qui vole-t'en l'air avec une paille-t'au cul qui la zétrangle ! Bzzzzz… Ah la fine garce !*

Il suit des yeux la mouche inexistante et cogne le dos de sa main sur le bord de la table.

– *Ça y est, je l'ai tuyée la carogne !*

Il critique tout et tout le monde. Quand il vient seul chez nous, il critique la Dolly, la Stella, les chats, les chiens, la crasse des lieux et la tête des invités, mais quand il est chez Dolly, c'est de nous qu'il dit :

– *Des petites gens ma chère amie, des petites gens !*

Ma mère retient Dolly à souper. Elle s'excuse du fait qu'il n'y en a pas assez pour tout le monde, et Dédé Fraye fera ceinture. Du coup il s'excuse à son tour en prétextant qu'il est invité ailleurs et il se fait la cerise.

C'est décidé, Dolly restera à coucher chez nous, Dédé gardera la voiture et reviendra chercher Dolly demain matin.

À table, ma mère et Dolly sont censément engagées dans une conversation philosophique, du moins ma mère le croit-elle, car Dolly suit quelque chose qui se promène sur la table et elle interrompt ma mère en riant :

– Oh tiens, une fourmi !

Ma mère se vexe et accuse Dolly d'être tête en l'air.

– Il n'y a pas moyen d'avoir une conversation sérieuse avec toi ! Qu'est-ce qu'on en a à foutre de ta fourmi pendant que je suis en train de te parler de quelque chose de profond ?

L'histoire tourne un peu au vinaigre, Dolly se fâche, finalement ça se raccommode, et ma mère finit par secouer la tête pour ne pas dire :

– Ce qu'elle peut être con !

C'est l'heure d'aller me coucher. Toute la journée ma mère m'a fait la vie dure à cause d'un pipi qu'elle a jugé d'un rouge cerise, et ce soir, elle emploie les grands moyens.

Elle m'attache purement et simplement les mains dans le dos pour dormir. Ce n'est pas la première fois qu'elle le fait.

Lorsque je suis entravé de cette manière, je me sens devenir enragé d'impuissance et en même temps je panique. J'ai peur de m'étouffer dans les draps, peur de je ne sais quoi, mais j'ai peur. Ça m'angoisse jusqu'à éprouver chaque fois de la difficulté à respirer.

Un peu plus tard, Dolly pénètre seule dans ma chambre pour me dire bonsoir.

Elle se penche sur moi et pendant qu'elle me souhaite une bonne nuit à voix haute, elle défait prestement mes liens et pose un doigt sur sa bouche :

– Chut !

Libéré, je m'endors tout de suite.

Le lendemain matin, c'est ma mère qui me réveille. Quand elle se rend compte que je ne suis pas prisonnier, elle éclate aussitôt. Je n'ai pas le temps d'ouvrir les yeux que je me prends une gifle. Elle est vraiment en rogne.

– Comment t'as fait pour te détacher ?

Je suis embarrassé pour répondre.

– Comment est-ce que tu t'es détaché ? Réponds !

Dolly intervient :

– C'est moi qui l'ai détaché.

– Comment ça, c'est toi ?

– Le pauvre petit, dormir les mains attachées dans le dos, enfin Simone, je trouve que c'est cruel.

– Cruel ? crie ma mère.

Ça tourne rapidement très mal :

– Tu penses que c'est meilleur pour sa santé qu'il se tripote ?

– C'est inhumain !

– Je te demande un peu si ça te regarde ! Est-ce que c'est ton fils ! Est-ce que c'est toi qui l'élèves ! Tu ne lui donnerais même pas une croûte de pain si tu le voyais crever de faim, radin comme tu l'es, et tu te mêles de la façon dont je l'élève ! Tu trouves normal qu'il se touche ?

– C'est toi qui lui mets ces choses-là dans la tête avec tes idées puritaines.

103

– *Ça te va bien de me faire la morale vieille gouine, avec tes chiens et tes chats qui s'enculent devant tout le monde !*

Dolly prend feu :

– *Ce sont des animaux, c'est naturel ! Et pour la gouine, j'en connais une autre !*

– *Tu n'es qu'une vieille salope, une vieille vicieuse. Ça doit t'exciter que le gosse se tripote, tu voudrais peut-être aussi le regarder comme tes clébards !*

Dolly rouge de colère se fait menaçante et ses dentiers se font entendre :

– *Fais attention à ce que tu dis Simone, je pourrais t'attaquer en diffamation !*

– *T'aurais bonne mine, j'ai encore toutes les lettres que tu m'as écrites… Ah oui t'aurais vraiment bonne mine !*

– *De la littérature ma chère, de la littérature !*

– *Et bien, ça les amusera sûrement ta littérature ! Allez, fous-moi le camp et ne remets plus jamais les pieds ici !*

Ma mère a ouvert tout grand la porte d'entrée et pousse Dolly vers le palier.

– *Dehors vieille maquerelle !*

– *Ne me bouscule pas, je suis une infirme, ça va te coûter cher Simone !*

– *Dehors vieille salope !*

– *Tu vas le regretter !*

– *Dehors vieil égout !*

Dolly brandit sa canne, ses dentiers claquent rageusement.

– *Et toi, tu n'es qu'une petite morue illettrée qui veut péter plus haut que son cul et qui élève son fils comme une détraquée sexuelle !*

Dolly se prend une terrible volée de gifles, perd l'équilibre, mais se rétablit par miracle en s'agrippant à la rampe du haut de l'escalier.

– *Ça va te coûter cher ma petite, j'ai des relations moi !*

Ma mère referme la porte comme si elle voulait la fracasser. Sur le palier Dolly en appelle aux voisins pour les prendre à témoin.

– *Elle vient de me frapper, ça ne se passera pas comme ça, frapper une infirme quelle honte, ça ne se passera pas comme ça !*

Longtemps après, le teuf-teuf pétaradant ramasse Dolly sur le trottoir où elle faisait le poireau dans le froid.

On a fini par nous couper le gaz et l'électricité. Il ne reste pratiquement plus de charbon, juste un peu de poussier mélangé à la terre du sol de la cave. On dort tout habillés et on fait chauffer le manger au-dessus d'une bougie collée à l'envers d'une boîte de conserves.

Ça prend un temps infini, et c'est décourageant d'essayer de maintenir la flamme à une distance constante sous le derrière de la casserole.

Ma mère a de grands cernes sous les yeux et ses traits se sont durcis. Elle ne se maquille plus. Elle s'est coupé les cheveux elle-même en se regardant dans deux morceaux de miroir.

Avec ses mèches plaquées sur les tempes et ses queues d'endive qui rebiquent au ras de la nuque, je ne la reconnais plus. Elle a un air franchement masculin.

Il fait trop froid pour que ma mère aille jouer du violon dans les cours et le crédit nous est définitivement fermé chez tous les commerçants. Toutes les sources d'emprunt sont également épuisées. Partout ce sont toujours les mêmes réponses, les mêmes boniments ou le refus poli, ce qui est plus rare.

Hier, il nous restait encore quelques biscuits à soldat qui sentaient le rance et qu'on a délayés dans un peu d'eau, mais c'est loin hier quand on a faim aujourd'hui.

Ce matin, je suis allé emprunter deux pommes de terre à la concierge. Elle m'a dit que ce ne serait plus la peine d'y revenir et elle m'a claqué assez sèchement la porte au nez. Il faut comprendre, ce n'est pas la richesse pour bien du monde et les gens commencent à en avoir assez de nous voir tendre continuellement la main.

Les coudes appuyés sur le bord de la table, on fixe la petite casserole en alu avec ses deux pommes de terre dans l'eau qui refuse de faire des bulles. De temps à autre, ma mère les pique avec une fourchette. Elles ne cuiront jamais, la bougie est presque consumée. Alors on décide de les manger telles quelles.

– *Ça fera toujours quelque chose à mâcher, remarque ma mère.*

Je plonge mes doigts dans l'eau tiède et je mords dans la pomme de terre. Comme elle dit, ça fait quelque chose à mâcher. Tout de même, c'est mangeable.

– *Et alors ?*

– *Ça va.*

J'ai déjà avalé la mienne. Je fixe la bouche de ma mère en train de mastiquer. Elle me regarde un moment, baisse les yeux et pousse sa patate entamée devant moi.

– *Mange celle-là aussi, au moins il y en aura un de nous deux qui aura quelque chose dans le ventre.*

– *T'en veux pas ?*

– *Quand je t'offre quelque chose, ce n'est pas forcément parce que je n'en veux pas, réplique ma mère avec humeur.*

– *Alors, tu la veux ?*

– *Non.*

– *Alors pourquoi tu me la donnes ?*

– *Merde ! Bouffe j'te dis et fous-moi la paix !*

Maintenant c'est elle qui me regarde manger. Tout d'un coup, je n'ai plus faim. Je pose ce qui reste de la patate devant elle.

– *J'en veux plus, mange là.*

– *Gérard ne m'oblige pas à me mettre en colère, Je t'ai dit de la manger. Pourquoi faut-il que tu ne te soumettes jamais à ce que je te demande !*

J'hésite et elle s'impatiente :

– *Alors tu te décides ?*

– *Maman, je voudrais que tu en manges la moitié avec moi, pour me faire plaisir.*

– *Je n'ai pas envie de te faire plaisir. Maintenant finis-moi cette pomme de terre ou ça va mal aller !*

Puisqu'elle le prend comme ça…

Dans l'après-midi, elle tourne en rond. Elle est énervée et j'ai l'impression qu'elle a du mal à respirer. Les ailes de son nez sont pincées et elle est très pâle. Elle me fait peur.

Ce soir je vais faire un cachet dans l'orchestre d'Yvonnet, je ne tiendrai jamais le coup. Il faut que je mange quelque chose sinon je vais me trouver mal, je le sens. On va aller chez Dolly.

– *Chez Dolly ?*

– *Oui, il y aura bien quelque chose à se mettre sous la dent.*

– *Mais, elle ne va jamais nous recevoir à cause de l'autre jour !*

– *On verra bien, ce n'est pas une mauvaise fille. Elle n'est pas rancunière, égoïste peut-être, mais pas rancunière. Si l'autre cafard de Stella n'était pas là pour lui monter la tête, j'y serais retournée depuis longtemps pour arranger ça. Je ne pense pas qu'elle nous foute dehors. Elle ne nous refusera quand même pas à manger.*

L'air froid nous fait oublier la faim jusque chez Dolly. De la rue, on entend les sonorités du piano désaccordé et la voix de Stella qui n'arrange rien. Ma mère ne laisse pas passer ça.

– *Écoute-moi l'autre qui en train de faire sa crise d'asthme.*

Devant chez Dolly, on dirait que ma mère n'est plus aussi sûre d'elle. Elle hésite. Elle pousse le portail en essayant de ne pas le faire grincer et on traverse le jardin au ralenti. En grimpant les quelques marches circulaires du perron, elle chuchote :

– *Enfin, on verra bien…*

Elle frappe aux carreaux de la double porte-fenêtre et on entre sans attendre d'y être invités.

Stella seule dans le salon interrompt ses vocalises, se lève du piano et reste figée en nous faisant face sans nous adresser la parole. On entend la chasse d'eau dans la salle de bains.

Les chiens, Rouqui et Bambo le cocker noir, qui n'ont rien contre nous, viennent nous renifler en remuant la queue. On reste plantés là un peu mal à l'aise.

Enfin Dolly pénètre dans le salon et nous découvre. Elle a les yeux arrondis par la surprise. Elle se ressaisit aussitôt. Je le vois à ses sourcils qui plongent dans le coin des yeux et remontent vers les tempes, et à sa bouche qui se rétrécit pour ne pas laisser échapper les dentiers qui lui gonflent les lèvres. Lorsqu'elle fait ça, c'est qu'elle n'est pas de bonne humeur, et dans ces cas-là, elle a du caractère la Dolly.

Ma mère risque :

– *On passait...*

Dolly réplique :

– *Et bien passe, la rue est à tout le monde. C'est d'ailleurs l'endroit qui convient le mieux à ton éducation !*

C'est mal parti et ma mère se rebiffe.

– *Depuis le temps qu'on se connaît, tu t'en aperçois seulement, et bien ma vieille tu manques de psychologie !*

– *Maintenant je n'en manque plus et ma porte est fermée aux fréquentations de basse classe !*

Ma mère devient grossière :

– *Parlons-en de tes fréquentations : des peigne culs qui viennent se rincer la gueule une fois par mois et foutent ensuite le camp avec tes meubles. C'est ça que t'appelles des fréquentations mondaines ?*

Dolly est véhémente :

– *Tu ne penses qu'à faire des histoires Simone ! Mais cette fois, je te le dis, je ne renouerai pas !*

Ma mère poursuit sa guerre en donnant du menton dans la direction de Stella.

– *Sans compter cette vipère qui te monte la tête, se fait entretenir à rien foutre et te vole sur les commissions.*

Stella escalade les octaves et s'abîme d'indignation dans les aigus :

– *Ça suffit, ça suffit, je ne veux plus en entendre d'avantage ! Dolly fais-la sortir !*

Les trois femmes hurlent et gesticulent, les chiens aboient. Ma mère s'adresse à Stella :

– *Vous, fermez-la c'est à Dolly que je parle !*

Stella continue de vocaliser et ma mère lui rit au nez, méprisante :

– *Regardez-moi l'autre hystérique qui pique sa crise de nerfs.*

Dolly brandit sa canne et a du mal à retenir son dentier du haut qui entre et sort continuellement de sa bouche, c'est que la colère est à son comble. Dans ces moments-là ma mère dit qu'elle mâche...

– *Tu ne viendras pas forcer ma porte pour faire la loi et insulter les gens chez moi. Tu m'entends Simone ! Je suis chez moi ici, je t'ordonne de sortir ou j'appelle la pol...*

Dolly n'a pas pu achever son mot. Son dentier a été expulsé par la *police*, et Bambo, le cocker espagnol, s'est précipité pour le lécher.

L'incident jette un silence. Ma mère se laisse tomber sur une chaise tandis que Dolly qui a du mal à se pencher, récupère sa prothèse qu'elle remet directement en bouche tout en se redressant. Ma mère se fait sarcastique :

– *La police, vraiment la police… tu aimerais que la police vienne ici et découvre les deux réfugiées que tu caches dans ton grenier, Adèle et Rounia… ?*

Puis ma mère secoue la tête et se reprend aussitôt :

– *Allez Dolly, on est en train de dire des conneries. En vérité Je suis venue aussi pour m'excuser. Et puis si tu ne nous donnes pas quelque chose à manger, je vais tourner de l'œil, le gosse et moi, on n'a rien mangé depuis deux jours.*

Dolly a plus ou moins baissé le ton mais ne désarme pas :

– *Ah, c'est donc ça ! Toi aussi tu viens ici pour te faire nourrir si je comprends bien !*

– *Ma pauvre Dolly tes comparaisons sont déplacées. En dix ans, je t'ai invitée plus souvent que tu ne l'as jamais fait et je ne t'ai jamais reproché de te faire nourrir.*

– *Il ne fallait pas inviter si tu n'en n'avais pas les moyens !*

– *Non je n'en avais pas les moyens et pourtant je l'ai fait, pour toi, parce que tu es mon amie et que je valorise notre amitié. Pour toi, ça ne signifie rien ?* demande ma mère sur un ton très adouci.

– *De la façon dont tu m'as traitée la dernière fois, en effet je me demande si ça signifie quelque chose ?*

– *Ce n'est pas la première fois qu'on se dispute Dolly et toi non plus tu n'es pas facile quand tu t'y mets.*

– *Je ne t'ai jamais giflée, moi !*

– *Mais tu as déjà été très blessante et je ne t'ai jamais refusé mon amitié, encore moins ma porte si tu avais crevé de faim.*

– *Je n'ai jamais crevé de faim, moi ma chère !*

Ma mère se tait un instant. Elle baisse la tête et fait craquer sa mèche de cheveux. Elle a perdu toute arrogance, elle se fait suppliante :

– *Je le sais Dolly, mais admettons, est-ce que je serais restée là sans faire un geste ? Dis…*

Dolly arpente le salon avec une agilité dont je ne l'aurais jamais crue capable. Elle ne se sert pas de sa canne pour marcher mais pour matraquer les pieds des meubles en passant.

– *Est-ce que je t'aurais aidée oui ou non ?* questionne ma mère.

– *C'est possible.*

– *Même si on avait eu la pire des disputes, tu le sais que je t'aurais aidée si tu me l'avais demandé.*

Dolly ne répond pas.

– *Alors, est-ce que tu vas nous laisser repartir comme ça, quand j'ai tant besoin de toi ? Je te le demande en face…*

Dolly frappe le sol de sa canne :

– Et moi, je te dis en face que tu n'auras rien !

Ma mère faiblit, elle s'humilie.

– Écoute Dolly, je t'en prie, on n'a rien mangé depuis deux jours…

– Ce n'est pas mon affaire. J'ai des animaux à nourrir, moi ! Une maison à tenir, moi !

– Et moi j'ai un gosse à faire vivre.

– Je ne peux pas me permettre de faire la charité, ma chère Simone !

Simone ma mère a un ultime sursaut :

– Je ne le croyais pas vraiment quand je te disais que tu nous laisserais plutôt crever de faim que de faire un geste, mais je me rends compte que tu n'es qu'une avare, égoïste et sordide !

– Et toi tu n'es qu'une mendiante !

Ma mère fond en larmes :

– Tout ce que je te demande, c'est un peu à manger, n'importe quoi, ce que tu donnes à tes chiens, je ne tiens plus… Dolly… Après je m'en irai sans faire d'histoires, je te le promets, et si tu veux, on ne se reverra plus jamais.

Dolly continue à *mâcher* de long en large :

– Me frapper, moi, une infirme !

– Je le regrette Dolly, crois-moi.

– Me traiter de vieille salope.

– Je ne le pensais pas, je t'assure.

– De maquerelle !

– Des mots, Dolly, rien que des mots.

– De vieil égout !

– J'étais en colère, essaye de comprendre…

– De gouine !

Ma mère n'a plus de voix, et c'est à bout de forces qu'elle murmure :

– Je suis venue m'excuser et je te demande pardon Dolly.

Un long silence engourdit l'atmosphère. Puis Dolly cesse de faire les cent pas. Elle s'appuie des deux mains sur sa canne, considère ma mère décomposée sur sa chaise, le visage baigné de larmes. Elle frappe deux petits coups de sa canne sur le sol et, retrouvant le ton de l'institutrice qui vient de faire avouer sa faute à l'écolière, questionne :

– Es-tu sincère au moins ?

Ma mère la regarde sans répondre. La Miss se détend, rentre ses dentiers et se met à sourire. Non, décidément, Dolly n'est pas une mauvaise fille :

– C'est oublié Simone, n'en parlons plus.

Et elles tombent dans les bras l'une de l'autre, ma mère sanglotant sans pouvoir s'arrêter, ce qui me serre le cœur.

Stella intervient avec acidité :

– Enfin Dolly, je ne te comprends pas !

L'ex institutrice rétablit l'ordre dans la classe avec fermeté :

– Simone est mon amie et l'amitié est chose sacrée.

Puis elle s'assied et retrouve la bonhomie que je lui connais. :

– Stella, fais-nous chauffer de l'eau s'il te plaît, Simone va prendre le thé avec nous.

Prendre le thé, cela signifie qu'il y aura quelques petits gâteaux ou confiseries en accompagnement.

Stella s'est éloignée vers la cuisine et Dolly, bienveillante, tapote le bras de ma mère d'un air complice :

– Tu vas prendre un thé, ça fera toujours quelque chose de chaud, il fait si froid dehors...

Stella laisse tomber tasse et soucoupe devant ma mère. Nous sommes figés sur nos chaises autour de la table tandis que Dolly gaie et insouciante ne tarit pas de remarques banales avec un air de porcelaine souriante.

Bambo est grimpé sur un chat flegmatique et s'agite convulsivement en roulant des yeux blancs.

Stella sermonne :

– Bambo !

Ça ne le dérange pas et ça fait rire Dolly. Le Bambo finit tout de même par lâcher le minou complaisant et vient reprendre son exercice sur la jambe de ma mère.

Là, il se passe quelque chose, parce que le cocker s'éloigne en geignant, mais il adopte une autre tactique avec laquelle il accueille souvent les visiteurs. Il se renverse sur le dos et, la langue de côté, les yeux révulsés, les pattes en l'air et le reste à l'avenant, il attend...

J'ai faim et je connais la maison. Je prétexte un petit besoin urgent, mais j'évite les toilettes et je mets le cap sur la cuisine. Il y a de la vaisselle sale qui traîne dans tous les coins. Je n'ai pas fait attention et j'ai marché sur quelque chose de mou qui reste collé à ma chaussure. Tant pis, il paraît que ça porte bonheur quand c'est le pied droit.

Sur le comptoir j'avise une boîte ouverte, c'est de la « springaline », l'annonce sur le couvercle affirme que ces flocons savoureux donnent de l'appétit aux chiens et aux chats. Je renifle et j'en conclus que la publicité n'est pas mensongère à propos de la saveur c'est pour cela que je vais jusqu'au fond de la boîte. Ensuite, la bouche encore pleine, j'inspecte rapidement l'armoire. C'est plein de trucs qui ne se mangent pas sans les faire cuire, mais dans un placard je découvre un croûton de pain sec dans lequel quelqu'un ou quelque chose a déjà laissé des traces de dents. D'habitude, la grande boîte rectangulaire en fer contient des gâteaux. Manque de chance, c'est vide, mais il y a encore du sucre dans une boîte en carton rose. J'en emplis mes poches jusqu'au dernier morceau.

Je n'ose pas ouvrir le réfrigérateur, il fait trop de bruit quand on le referme.

Le samovar commence à chanter sur le gaz. Il est temps que je m'éclipse. Je retourne au salon. Les derniers survivants de la grande boîte en fer se trouvent déjà dans une assiette, sur la table.

Mounette, triste et maigre félin noir efflanqué, d'un mauvais caractère de surcroît, est la grand-mère de tous les chats. Elle a le rhume et la morve lui coule du museau.

Dolly remarque :

– *Regarde Stella, Mounette a encore le nez qui coule !*

Stella décolle sans ménagement la grand-mère du tapis et la couche dans son giron. Elle sort alors de sa manche un mouchoir roulé en boule qu'elle déplie à moitié et, torche le nez de la chatte qu'elle renvoie au tapis tout aussi brutalement. Puis elle remet le mouchoir à sa place.

– *L'eau devrait bouillir,* rappelle Dolly aimablement.

Stella se lève avec humeur.

Pendant qu'elle est absente, ma mère montre sa tasse à Dolly et lui fait remarquer qu'il y a une tache de rouge à lèvres sur le rebord.

La belle-sœur de Colette réapparaît avec le samovar et quelques rondelles de citron.

– *Regarde Stella, je crois que la tasse de Simone n'est pas propre. C'est vrai, on dirait qu'il y a du rouge sur le bord.*

Stella prend la tasse, la lève à hauteur des yeux, fait une moue ambiguë et finit par marmonner une excuse. Elle sort de sa manche le mouchoir roulé en boule qui a servi à démorver le chat, coince le chiffon sur le rebord de la tasse entre pouce et index, et d'un coup sec... efface le cerne du rouge à lèvres.

– *Voilà,* fait Stella.

Ma mère se lève, se penche sur la table saisit l'assiette de biscuits devant elle et sans dire un mot la vide dans la poche de son tailleur.

– *Viens Gérard.*

Dehors, le froid est vif. On essaye de marcher vite, Ma mère a du mal à parler sans claquer des dents :

– *Mon Dieu, dites-moi que ce n'est pas vrai...*

J'ai dans mes poches du sucre et le croûton de pain que je voudrais partager avec ma mère. Je commence par tirer le morceau de pain de ma poche.

– *Tu n'aurais pas dû, c'est du vol*, proteste ma mère en haussant le ton. *Jette-moi ça !*

– *Mais maman...*

– *Je n'ai pas faim pour du pain volé.*

Je me débarrasse à regret du croûton dans le caniveau de la rue. Si j'avais su !

J'enfonce la main dans la poche de mon pantalon et je suis bien ennuyé de sentir les petits carrés de sucre qui s'y trouvent encore. J'ai envie de le semer tranquillement derrière moi sans qu'elle s'en aperçoive, comme le Petit Poucet. Mais j'ai une idée qui va sûrement mettre ma mère en rogne. Tant pis je risque, et si elle veut me taper, on est dans la rue, je me sauverai.

– Dis, maman, d'habitude tu mets du sucre dans ton thé ?

– Oui, pourquoi ?

– Pourquoi Stella n'en a pas mis sur la table ?

– Peut-être parce qu'elles n'en avaient plus ces chipies.

– S'il y en avait eu sur la table, tu en aurais mis combien dans ta tasse ?

– Pas dans cette tasse-là, certainement pas !

– Mais les morceaux que tu n'aurais pas mis dans ta tasse, tu aurais pu les manger ? Tu dis toujours que le sucre, ça donne des forces...

– Naturellement que j'aurais pu les manger.

– Ça n'aurait pas été du vol ?

– Bien sûr que non.

– Combien t'en aurais mangé de morceaux ?

Elle s'immobilise sur le trottoir et me fait face :

– Tu as du sucre ?

Je lève le coude instinctivement pour me protéger. J'ai envie de me sauver et je recule. Elle me rattrape tout de suite et sa main fait étau sur mon poignet.

– Combien de morceaux as-tu ?

– Tous ceux qu'il n'y avait pas sur la table.

Ma mère se met à rire et moi à pleurer, j'ai eu peur.

– Tu veux savoir ? J'aurais mangé tout le sucrier. Allez, donne tout ce que tu as dans tes poches. T'as raison ce n'est pas du vol, c'est de la survie.

Un peu plus loin elle me sort très sérieusement :

– Quand même, il faudra que je te mette en pension pour faire ton éducation, tu es un vrai voyou.

Mais elle serre ma main dans la sienne et je sais que cette fois, ce n'est pas pour m'empêcher de me sauver.

CHAPITRE XIV

La nuit est tombée de bonne heure. Ma mère s'apprête à partir avec son violon pour son concert.

Elle s'est donnée un peu de couleur aux joues en grattant le fond d'un tube de rouge à lèvres avec une épingle.

Je lui demande si je peux l'accompagner jusqu'à son concert et revenir ensuite à la maison :

– *Il n'en est pas question. Tu ne serais pas revenu avant le couvre-feu et je ne veux pas que tu traînes dans les rues, encore moins à cette heure-ci. Va te coucher tout de suite, il faut économiser la bougie.*

Je ne sais pas depuis combien de temps je me tourne et me retourne dans mon lit, mais je n'arrive pas à dormir. Je crois que j'ai faim. Je baille constamment. Je me demande s'il est bientôt onze heures. Ma mère m'a dit qu'elle rentrerait vers cette heure-là. Elle m'a dit aussi que si j'avais très faim d'aller boire de l'eau.

Je suis dans la cuisine lorsque j'entends une voiture s'arrêter devant l'entrée de la maison. Le moteur ronfle bruyamment. Des portières claquent, des gens parlent fort. Je grimpe sur le petit banc pour atteindre la fenêtre de la cuisine qui est assez haut perchée et j'entrouvre doucement les volets pour voir ce que c'est. Des Allemands !

Ma mère, sa boîte à violon sous le bras, est encadrée par deux soldats casqués avec de courtes mitraillettes qu'ils pointent vers ma mère. Un autre homme en casquette et redingote descend de la voiture. Le chauffeur reste au volant. Les deux soldats prennent ma mère chacun par un bras et suivis de l'homme à la redingote et grande casquette, ils entrent dans l'immeuble. Je referme rapidement la fenêtre et renvoie d'un coup de pied le petit banc à sa place. Je fonce me recoucher.

Le bruit des pas dans l'escalier et sur le palier s'amplifie rapidement et bruyamment. Ils viennent d'entrer. Je suis pétrifié.

Piétinement dans l'entrée, puis on ouvre la porte de ma chambre violemment. Je suis aveuglé par une puissante torche électrique. Le soldat qui tient cette sorte de massue lumineuse se met à fouiller partout. Il sort tous mes jouets du petit placard lambrissé, vide la bibliothèque vitrée et finit par s'intéresser à mon gros vieux nounours brun auquel il manque un œil. Il le tâte partout, dégaine son poignard, lui ouvre le ventre de bas en haut et en sort toute la paille.

Je n'avais pas imaginé mon nounours avec de la paille dans le corps. Je m'étais depuis toujours habitué à le considérer un peu vivant comme moi, mais d'une façon différente. De le voir le ventre vide et toute cette paille répandue me fait prendre conscience brusquement d'une autre réalité de la vie. Lorsqu'il a terminé sa fouille, le soldat me sort du lit et m'emmène dans la chambre de ma mère.

L'autre soldat a également tout retourné ici et dans la cuisine. Le militaire en casquette a l'air beaucoup plus vieux que les deux soldats armés et il ne bouge pas plus qu'une statue. Cependant cet homme parle français. Il parle lentement et clairement en détachant les mots :

– *Pourquoi n'y a-t-il pas d'électricité ?*

– *Nous n'avons pas de quoi payer ni gaz ni électricité, répond ma mère, alors ils ont été coupés.*

L'homme me dévisage et demande :

– *Est-ce que tu es juif ?*

Ne sachant vraiment pas quoi répondre, je hausse les épaules et je dis que je ne sais pas.

– *N'aie pas peur garçon, baisse ta culotte de pyjama.*

Je regarde ma mère qui ferme les yeux et je n'ose pas faire autrement que d'obéir. Les deux torches électriques me dévisagent le pipi et la conclusion ne se fait pas attendre :

– *Et bien, garçon, maintenant tu le sais, tu n'es pas juif.*

Il m'a dit ça dans les yeux avec un air sérieux et je ne sais pas encore s'il faut que j'interprète ça comme une catastrophe ou une bonne nouvelle. L'homme qui vient de faire cette affirmation sort une cigarette d'un étui plat en métal et prend tout son temps pour l'allumer, c'est-à-dire qu'il fait cela au ralenti en ayant l'air de réfléchir.

– *Madame, puisque vous êtes violoniste, une concertiste comme vous le dites, nous allons vous écouter jouer du violon.*

L'homme s'assied, déboutonne sa redingote, ôte sa casquette et, le menton levé, fume sans lâcher ma mère des yeux. Les soldats, eux, demeurent debout tandis que ma mère installe sa boîte à violon sur le bureau à deux coffres qu'Émile n'a jamais terminé d'assembler avant la guerre et qui sert de table.

Elle allume sur le piano les chandeliers dont les bougies sont presque entièrement consumées. Elle sort son violon de sa boîte et avec des gestes très las, elle tourne la vis du talon de l'archet pour bander les crins qu'elle frotte ensuite sur un morceau de résine.

L'Allemand saisit le violon de ma mère le porte à la hauteur des yeux et cherche à lire à travers l'ouïe de la table d'harmonie ce qu'il y a d'écrit dans le fond du violon. Moi je sais ce qu'il y a d'écrit parce que ma mère me l'a déjà expliqué : c'est un « Giovanni Paolo » de 1715 qui lui a été offert par un homme qui était très amoureux d'elle lorsqu'elle allait sur la Côte d'Azur avant qu'elle ne fasse la connaissance de celui qui allait être mon père biologique. Il s'appelait Érasme Loir.

– *Cet instrument a beaucoup de valeur Madame, comment vous l'êtes-vous procuré ?*

– *C'est un cadeau d'un ami très cher qui appréciait la musique.*

Elle se passe le dos de la main sur le front et questionne :

– *Que voulez-vous que je joue ?*

Sur le mur, au-dessus du piano droit, il y a une petite tapisserie plus longue qu'étroite représentant un violoniste et un pianiste jouant pour un groupe de personnes intensément attentives. Il n'y a aucun doute sur la personnalité du violoniste qui se tient de dos et que sa chevelure identifie.

– *Qui est-ce ?* demande l'homme qui fume, avec un air hautain en désignant la tapisserie.

– *Beethoven*, répond ma mère, *c'est lui qui est au violon*

– *Vous aimez Beethoven ?*

– *Oui Monsieur.*

– *Alors, je vous en prie, jouez du Beethoven.*

Le ton est froid et distant, presque méprisant. Ma mère, debout, incline la tête sur la mentonnière de son seul ami et ferme les yeux. Les cordes se mettent à vibrer harmonieusement, puis le cantique emplit la pièce dans cette demi-clarté hallucinante et cette ambiance insolite. Lorsque le morceau est terminé, ma mère repose son violon et soupire.

– *Madame, je vous prie, jouez encore.*

Le ton est devenu plus que simplement courtois, il est respectueux.

Quelques mots en allemand et les soldats ont remis l'arme à la bretelle. Ils ne me semblent plus aussi menaçants. Ils ont trouvé nos bougies et la pièce mieux éclairée devient plus rassurante.

Ma mère cette fois attaque, comme elle dit habituellement, une czardas dont je connais l'air par cœur tellement je l'ai entendue répéter.

Peut-être, cette nuit-là, ai-je compris que ma mère était une grande musicienne, une virtuose, une immense artiste.

La plainte de la czardas s'élève, profonde, vibrante, envoûtante puis le chant s'élève, se libère, devient vif, enflammé, passionné et ma mère transmet à sa musique toute la tourmente qui agite son âme.

Avec les dernières mesures de la czardas, ma mère, prise de vertige, se laisse tomber sur une chaise et se retient à la table.

Je me précipite vers elle, mais en même temps, l'officier allemand, car c'était un officier, plus précisément un colonel comme nous l'avons appris plus tard, est déjà près d'elle et la soutient.

Ma mère avoue qu'elle n'a presque rien mangé depuis deux jours et qu'elle ne se sent pas bien. Et là quelque chose se passe qui va transformer notre vie pendant quelque temps.

Le ton est autoritaire mais l'attitude est bienveillante :

– *Reposez-vous et excusez-nous. Je ne peux rien pour vous ce soir mais je vais revenir demain matin. Ne bougez pas d'ici.*

Les soldats se proposent de remettre de l'ordre dans l'appartement, mais ma mère les convainc qu'elle s'en occupera elle-même.

Le lendemain matin, peu avant midi, le colonel est de retour et déclare à ma mère qu'il vient se faire pardonner les désagréments de la veille.

Il est accompagné de trois soldats qui, en plusieurs voyages, emplissent la cuisine de boîtes de carton contenant de la nourriture… !

En y regardant de plus près, ça porte un autre nom, ce sont des victuailles ! Des pâtés, des saucisses, du jambon, des conserves et encore des conserves, des légumes, du pain, du vin, du sucre, du chocolat, du café, une boîte pleine de bougies et… il y a aussi un sac de charbon !

Ma mère fait une drôle de tête. Elle a l'air contrarié. Elle me glisse :

– *Les voisins, qu'est-ce qu'ils vont penser… Les Allemands ici…*

Moi je suis aux anges. Il y a du va-et-vient dans la maison et tout cela est tellement inattendu. Pendant qu'un soldat est en train de rempailler mon nounours et de lui recoudre le ventre, le colonel me prend sur ses genoux :

– *Comment t'appelles-tu ?*

– *Gérard.*

– *Ah Ya Gerhard. Sais-tu ce que veut dire Gerhard en allemand ?*

Je fais non de la tête.

– *Cela signifie « javelot puissant ». C'était le nom qu'on donnait aux guerriers courageux autrefois en Allemagne. Alors est-ce que tu seras un jour un grand guerrier courageux ?*

Je fais signe que oui.

– *Ah Ya !*

Il dit souvent « Ah Ya » et je répète aussi « Ah Ya », et ça l'amuse.

Une fois le butin alimentaire installé sur les hautes étagères de la cuisine et jusque dans le grand placard de l'entrée, les Allemands disparaissent et j'allume le feu.

Ma mère secoue la tête, elle a son tic et elle répète :

– *Mon Dieu, mon Dieu, les voisins qu'est-ce qu'ils vont dire…*

Les voisins vont avoir beaucoup à dire parce que vers la fin de l'après-midi, surprise ! On frappe.

C'est de nouveau le colonel. Il est accompagné de trois autres officiers et des deux soldats de la veille. Les hommes gradés ont chacun une bouteille de champagne sous le bras et ce qui me semble être des étuis à musique dans l'autre.

– *Entrez,* dit ma mère qui s'efforce de sourire.

– *J'ai amené avec moi des musiciens,* dit le colonel avec l'air de quelqu'un qui fait une bonne blague, *nous allons jouer de la musique !*

– *Vous allez me faire avoir des ennuis avec les voisins, vous n'imaginez pas ce que tout cela va me causer comme tort dans le quartier. Que vont penser les gens ?*

Le colonel se fait rassurant mais sans réplique :

– *Madame, les gens ne se permettent pas de penser quand ils ont peur et pour le moment ils ont peur.*

Pour lui la question est close. Il fait les présentations de ses compagnons dont les noms sont impossibles à retenir et tout le monde s'installe dans la chambre de ma mère, soit autour de la table, soit par terre, soit au piano. Il y a des bougies qui brûlent dans tout l'appartement. C'est drôlement plus sympa que l'électricité.

Je ne suis pas mis à l'écart et pour moi c'est la fête.

Tout le monde mange et boit bien, y compris ma mère. Il y a toujours du champagne au frais, car la cave à vins, c'est la voiture dont on entend ronfler le moteur dans le froid de canard devant la porte de l'immeuble. On ne distingue pas la tête du chauffeur tellement il est emmitouflé, peut-être ronfle-t-il lui aussi.

Pendant une partie de la soirée la musique classique *violon et piano* contribue à une ambiance assez réservée.

Mais les officiers, à ma grande curiosité, font apparaître un bandonéon et un saxophone. Un soldat improvise même une batterie avec un journal plié en plusieurs épaisseurs, une brosse à cheveux appartenant à ma mère, et une fourchette. À partir de cet instant, la musique change de costume, il paraît que ça s'appelle du jazz. Ma mère n'a jamais joué ce type de musique et au début elle semble embarrassée et hors du coup, puis elle s'y met, improvise visiblement et se fond dans l'orchestre fortuitement constitué. Bientôt le jazz cède la place au bandonéon. Ce sont maintenant des chants populaires, le verre dans une main et la bouteille dans l'autre, qu'entonnent à pleine voix les Allemands complètement désankylosés. Il est à présent très tard, la nuit est noire, les Allemands aussi.

De temps à autre, on entend nettement les coups de balai de Dame Belin au-dessous de chez nous. Cette fois elle se donne assez de mal pour tenter de faire passer son balai à travers le plafond. Ma mère essaye de reprendre le contrôle :

– *Je vais me faire très mal voir...*

Et elle ajoute avec une certaine retenue ces trois mots qui cassent l'ambiance en rappelant brusquement les dangers de la promiscuité entre belligérants.

– *Nous sommes en guerre ! Vous savez les gens n'apprécient pas tellement que...*

Le colonel hoche la tête et fait cette réflexion :

– *Ah Ya, j'avais oublié : les gens ! Un jour les gens comprendront qu'il est plus intelligent de faire la musique que la guerre. Ne vous inquiétez pas, je vais faire garer la voiture plus loin dans la rue à côté.*

Puis il ajoute en s'adressant au pianiste et à ma mère :

– *Allez, on va terminer la soirée avec Beethoven et après tout le monde ira se coucher !*

La musique reprend douce et berçante et elle a un effet apaisant sur tout le monde. Le crépitement des flammes dans le poêle de l'entrée est à nouveau audible et l'ambiance est redevenue romantique.

La magie des sons est soudainement interrompue, car voilà qu'on frappe dur à la porte. Les musiciens s'interrompent. Cette fois on cogne violemment.

– *Police, ouvrez !*

Le colonel debout donne des ordres. Les tenues sont rectifiées et les pistolets mitrailleurs redeviennent menaçants en quelques secondes. Ma mère se fait entendre :

– *Voilà j'arrive.*

Le colonel écarte ma mère de son chemin et, suivi des trois officiers et des deux soldats, va droit à la porte et l'ouvre en grand. Sur le palier, se trouve Dame Belin en chemise de nuit, protégée par la concierge en turban, elle-même protégée par deux gendarmes. Ma mère et moi sommes dans l'entrebâillement de la porte de cuisine dans le dos des soldats armés.

La tête qu'ils font les visiteurs ! Surtout les gendarmes qui ont l'air mal à l'aise.

– *Oui*, dit simplement le colonel.

– *C'est qu'on a eu une plainte, vous comprenez. Les gens disent qu'il se passe des choses et qu'ils ne peuvent pas dormir à cause du bruit.*

– *Vous voulez dire la musique,* dit le colonel sans hausser le ton et il ajoute :

– *De quelles choses voulez-vous parler ?*

– *Je ne sais pas,* bredouille le gendarme intimidé.

– *Vous croyez que je suis stupide ? Entrez et venez vous rendre compte.*

– *Non, non, ce n'est pas la peine, ne vous dérangez pas. On a constaté maintenant, on s'en va.*

– *J'insiste pour que vous veniez constater.*

Le gradé allemand n'a pas l'air de vouloir plaisanter. Les gendarmes n'osent plus refuser.

La concierge et Dame Belin sont restées sur le palier et les Allemands ont refermé la porte sur elles.

Dans la chambre de ma mère, il y a quelques bouteilles qui reposent en paix, mais il y en a d'autres encore vivantes et les gendarmes ne refusent pas les coupes qu'on leur tend. Même s'ils disent qu'ils sont en service et qu'ils ne peuvent accepter, ils ont plutôt tendance à tendre leur verre sous le goulot de la bouteille que de laisser couler le champagne sur le parquet. Les gendarmes basculent leur verre d'un petit coup sec en levant le petit doigt, en hommes expérimentés, ce qu'on appelle habituellement le coup du facteur, sauf qu'ici ce n'est pas le même képi.

Une nouvelle rasade et l'Allemand décrète alors que la paix a été faite et que tout le monde va aller se coucher.

Les gendarmes sont les premiers à se diriger vers la porte et à la prendre.

Le colonel sort des billets de son portefeuille et les dépose sur le piano. Ma mère réagit :

– *Je ne peux pas accepter ! Si vous voulez vraiment me faire plaisir, reprenez cet argent.*

– *Madame, vous n'êtes pas dans une position pour refuser ni pour me donner des ordres*, dit le colonel en souriant et en baisant la main de ma mère. *Je vous remercie infiniment pour cette soirée.*

Le colonel remet une carte de visite à ma mère et lui dit que si elle a des ennuis, elle peut le contacter.

Une fois les Allemands partis elle couvre son visage de ses mains et murmure :

– *Et maintenant, qu'est-ce qu'il va nous arriver… ? Des Allemands chez moi ! Qu'est-ce qui va nous arriver…*

Elle lit la carte que lui a laissée le gradé, secoue la tête, déchire le petit carton en menus morceaux, et les jette dans la cuvette des cabinets.

Quelques jours plus tard on nous a remis le gaz et l'électricité par magie. Nous n'avons jamais revu les Allemands.

CHAPITRE XV

Ce matin, ma mère est allée porter au « mont-de-piété » la bague en or ciselé 22 carats et le violon que lui avaient offerts Érasme Loir sur la Côte d'Azur. Elle a aussi déposé le cadeau de mariage des parents d'Émile, un service de fourchettes en argent massif.

Pour qu'elle mette son violon au clou, il faut vraiment qu'on en soit à la dernière extrémité ! Et bien non car elle me sort :

– *Aujourd'hui on va faire des folies !*

Elle est anormalement gaie, car elle se libère de quelques phrases habituelles qui indiquent sa joie :

– *Gribouille qui est rigolo, afin de passer un petit quart d'heure, se fourre une bougie dans le bas du dos. Il gambade comme une levrette, pendant que je cours après pour l'allumer...*

Mais si elle ajoute :

– *Soudain, on entend un grand cri ! C'était ce salaud de Gu-Gus qui abusait du vieux dab. Pensez voir, un vieux de soixante-dix ans, trois blessures : une à la jambe, l'autre à Solferino et la troisième à l'improviste... !*

Alors là je sais qu'il y a quelque chose d'exceptionnel dans l'air.

En sortant du mont-de-piété, au lieu d'aller directement chez nous, on traîne un peu dans Vincennes hors de notre quartier pour lécher quelques vitrines.

On entre dans une parfumerie. Ma mère en ressort avec du rimmel, du rouge à lèvres, du fond de teint, un poudrier et une énorme boîte de poudre de riz. Ensuite on va chez le coiffeur et on achète un gigot d'agneau, pas chez le coiffeur bien sûr, mais chez un boucher inconnu, donc à qui on ne doit pas d'argent, ce qui est quand même difficile à dénicher, parce que, même loin de chez nous, on est connu. Il n'y a pas beaucoup de commerçants à qui on ne doive pas quelque chose.

Et puis elle m'annonce en rentrant :

– *Ce soir, on va au cinéma !*

Je n'en crois pas mes oreilles. D'habitude, il faut que je la supplie.

– *Au cinéma ! Mais qu'est-ce qui passe ? Dis maman, mais qu'est-ce qui se passe ?*

– *Je te le dirai plus tard, après le souper. Pour l'instant va chez le boulanger et demande-lui de faire cuire ça.*

Ça, c'est le gigot d'agneau. Elle l'a mis dans un plat avec plein de beurre et une serviette par-dessus. Un gigot, c'est de la grande cuisine. Ma mère ne veut pas se risquer à le faire cuire elle-même. Le four du boulanger, on peut compter dessus. Comme elle dit « Lui, y connaît ça » !

– *Dis-lui qu'il le fasse bien saignant. Achète aussi deux tartes aux fraises.*

Je suis déjà dans les escaliers.

– *N'oublie pas de demander à quelle heure il faut aller le chercher !*

Je suis très excité à l'idée de la soirée en perspective et je fais l'aller-retour prestissimo en ramenant les deux tartes. La table est déjà mise et on attend. On a l'impression que le temps prend son temps pour faire tourner les aiguilles du réveil. Ma mère attend son gigot et moi le cinéma. Je m'en fais toute une joie.

Une heure et demie plus tard, enfin je cours chez le boulanger. Je reconnais le plat et la serviette mais pas le gigot. Il est tout noir et tellement ratatiné qu'il ressemble à un petit oiseau grillé.

Quand je ramène ça à la maison, c'est d'abord la tempête, mais elle ne durera pas longtemps. Simone ma mère ne cesse de répéter, tout en ouvrant la bouteille de vin rouge bouché :

– *Quel con ce boulanger ! Mais quel con ! Je n'y refouterai plus jamais les pieds, jamais tu m'entends ! D'abord ça ne m'étonne pas. Avec sa gueule en pain de sucre et ses yeux en trou de bite, il doit être cocu !*

Une fois qu'elle a dit ça, elle est plus calme.

Elle retourne le morceau de viande dans tous les sens et finit par conclure qu'il en restera quand même assez pour un repas. Alors on fait bombance : des radis, des flageolets, de la viande et de la tarte. J'ai même droit à un grand petit fond de verre de vin rouge.

À la fin du repas, ma mère se fait taquine. C'est une des rares fois où je l'ai vue aussi détendue. Quand elle est dans cette sorte d'humeur, il faut surtout que je fasse attention pour qu'elle n'en change pas. C'est-à-dire qu'il faut que j'évite de penser, de dire ou de faire la moindre chose qui pourrait la contrarier.

Elle se décide enfin :

– *Devine ce qui nous arrive ?*

J'ouvre tout grand les yeux et les oreilles.

– *Demain, je te le dirai demain.*

Elle me fait languir :

– *Fais-moi une bise.*

Elle le fait exprès bien sûr et s'amuse de mon impatience. Je m'imagine n'importe quoi d'extravagant, de miraculeux, de surnaturel, quelque chose comme le Père Noël auquel je croyais encore il y a un an. Enfin, elle respire un grand coup et m'annonce :

– *Demain je commence à travailler comme fonctionnaire pour la municipalité. Je vais distribuer des cartes d'alimentation dans la salle des fêtes de l'église. Je vais être payée tous les mois, on va être heureux... Qu'est-ce que tu dis de ça ?*

La seule chose qui me rende heureux maintenant, c'est qu'on ne soit pas en retard pour le cinéma. Alors d'une pensée à l'autre j'enchaîne :

– Est-ce qu'on pourra aller au cinéma tous les jours ?

– Non, mais on pourra manger tous les jours. Toi tu ne penses qu'à t'amuser. Allez habille-toi, je suis bientôt prête.

Habillé, je le suis depuis longtemps et impatient. Elle n'en finit pas de se préparer et elle essaye de justifier qu'elle n'a pas acheté sa panoplie de maquillage pour rien ce matin. Elle en met et elle en remet. Elle a le visage tellement enfariné de poudre de riz qu'on la croirait échappée d'un théâtre japonais, ce qui révèle peut-être inconsciemment son engouement pour l'Orient.

En tout cas c'est bien l'Orient qui l'inspire et la rend exclusive pour se décider à aller voir un film. Elle n'aime que les histoires mystérieuses qui se passent en Chine ou au Japon. Elle n'a d'admiration que pour Sessue Hayakawa, un comédien japonais qui, avant de faire des films, fut tour à tour dans la vraie vie : officier de marine, maître d'arts martiaux et ordonné moine Zen, ce qui ne l'a pas empêché de tenter de se suicider en se poignardant trente fois l'abdomen parce qu'il ne s'entendait pas avec son père. Il fut sauvé par son chien… Le parcours tourmenté de cet homme au regard insondable en a fait une idole dans le psychisme attisé de ma mère.

Parfois j'utilise cette faiblesse qu'elle possède pour Sessue Hayakawa dans le but de la faire se déplacer jusqu'au cinéma du coin, un peu avant le début de la séance. Par exemple quand je reviens de faire les courses, je lance sur le ton le plus indifférent possible :

– Tiens, je suis passé devant le « Celtique », j'ai regardé les photos, il me semble que j'ai reconnu l'acteur qu'on a vu l'autre fois, tu sais, le Japonais… Comment il s'appelle déjà ?

– Sessue Hayakawa ?

– C'est ça, que je fais, comme si je venais de m'en souvenir, *je crois bien que c'est lui.*

Ou alors je risque :

– Tiens, cette semaine ils passent un film avec des Chinois…

Lorsqu'on sera devant l'affiche, je sais qu'elle ne confondra pas des Indiens à plumes avec des Chinois, mais un coup rendu là, elle a ses lunettes à la main et j'insiste. Pourtant je sais qu'elle a horreur des films où on joue du cheval, du chapeau et du revolver, avec pour tout dialogue des types qui font « Ouais… », d'une voix grave et métallique, en crachant un long jet de salive sur le sol. Mais parfois ça fonctionne et elle cède, surtout s'il y a Gary Cooper. Lui, elle lui pardonne. Il ne fait pas « Ouais » comme les autres, d'ailleurs elle dit qu'il ne fait rien comme les autres parce que c'est un séducteur flegmatique.

De temps en temps, elle craque aussi pour Charlot. En revanche je n'ai jamais pu la faire assister à un seul film de Laurel et Hardy.

Ce soir, il n'y a ni Sessue Hayakawa ni Gary Cooper ni Charlot. C'est un film policier : « L'assassin habite au 21 » avec Pierre Fresnay et Suzy Delair. Je sens qu'on va être en retard pour le début, c'est-à-dire le dessin animé.

Ma mère n'a pas aimé ma réaction un peu indifférente de tout à l'heure à propos de son nouveau travail et elle est plutôt maussade sur le chemin du cinéma qui se trouve juste au détour de notre rue, néanmoins, on se presse.

En route, elle pense tout haut :

— Je crois que ce serait une bonne idée si on nous voyait une fois de temps en temps à la messe, ça ferait bien, pour le quartier. Oui, je crois que ce ne serait pas une mauvaise idée...

Et tout à coup, à propos de mauvaise idée, il lui en vient une qui lui fait ralentir le pas.

— Et si la guerre se termine ? On dit qu'elle va bientôt finir. Alors si la guerre se termine, les restrictions seront levées et je perdrai mon travail... ce n'est pas à souhaiter qu'elle continue, mais si elle se termine qu'est-ce qu'on va devenir... ?

Je la tiens par la main comme si je pressentais qu'elle allait s'échapper et je marche devant elle :

— Ah ne tire pas comme ça !

Devant l'entrée du cinéma, elle regarde l'affiche scrute les photos, mais son idée est déjà faite :

— C'est une connerie, je n'ai pas envie de voir ça, on ira une autre fois.

Et on s'en retourne. J'ai des jambes de laine. Elle est de mauvaise humeur :

— Ah ne chiale pas comme ça !

Au retour, c'est elle qui me tire.

Et voilà que quelques jours avant Noël, ma mère se fait renvoyer de son travail de fonctionnaire. On a pourtant été à la messe tous les dimanches et ma mère faisait bien son travail. J'allais souvent la voir à la salle des fêtes et je l'observais, droite sur sa chaise, parlant peu, l'air sévère, collant des feuilles de timbres alimentaires dans les cartes que lui tendaient des centaines de gens qui faisaient la queue des heures durant.

Le problème est que son chef de service est aussi chef d'un réseau de trafic dans les cartes d'alimentation. Il y a eu des fuites et le réseau est visé. Il faut un bouc émissaire. Ma mère est nouvelle, et de plus elle n'est pas aimée par ses collègues avec qui elle prend les choses un peu *de haut* selon son caractère, comme d'habitude. Alors comme elle dit, c'est elle qui *trinque*.

Mais elle ne l'encaisse pas.

Étant donné qu'elle n'a jamais volé une épingle et qu'elle n'a rien à se reprocher, elle est prête à faire un scandale. Pour cette occasion, elle reprend contact avec le Comte Raoul de Courtaine, l'aristocrate pouilleux qu'elle avait, noblesse oblige, royalement éconduit. Elle saute par-dessus les poux, et lui demande de l'aider pour que justice soit rendue. Le comte a peut-être des poux, mais il a aussi des lettres. Il formule au nom de ma mère, ce qu'elle aurait été incapable de faire elle-même, parce qu'elle n'avait pas l'éducation d'une grande dame, une requête adressée à un certain ministre, aux fins qu'elle soit citée en justice et qu'une enquête soit ouverte, ce qui pourrait déranger bien du monde.

La démarche porte ses fruits et ma mère est convoquée par le maire qui l'amadoue et la console :

– *Mon petit, il ne faut pas vous emballer comme ça ! Je vais étudier cette affaire dans les détails. Si c'est une erreur, nous allons arranger cela, faites-moi confiance. Ça va peut-être prendre un peu de temps, mais soyez patiente.*

En sortant de la mairie, ma mère en veine d'humour m'a fait cette remarque :

– *Tu vois Gérard, on a souvent besoin d'un « pou »* petit que soi.

Elle en a profité pour me faire apprendre par cœur la fable d'où est tirée cette morale. J'ai fini par comprendre.

En attendant, c'est la dèche une fois de plus.

Le soir du 24 décembre, toutes les boutiques du quartier sont illuminées : celles du libraire, du maraîcher, du boulanger, du boucher.

Les mareyeurs et leurs tréteaux sont installés sur la place des Rigolos sous les auvents des cafés parés de guirlandes flottantes et scintillantes. On a envie de tout acheter. La foule bruyante se dispute les fines de claire par douzaines.

La vitrine éblouissante de lumière du charcutier est surchargée de pâtés, de jambons, de rosbifs, de volailles en gelée, de boudins blancs.

On a un peu moins de dettes, mais pas un radis en poche.

– *Essayons quand même, dit ma mère.*

La boutique du charcutier ne peut pas contenir tous les gens qui voudraient s'y entasser et la queue déborde sur le trottoir. On attend une éternité.

Les clients ont du mal à se frayer un passage pour ressortir avec leurs filets à provisions frappés d'obésité. À l'intérieur de la boutique, le mélange des odeurs est une pure ivresse.

Notre tour arrive enfin.

– *Et pour vous ?*

On nous enveloppe du rosbif, de la macédoine et du boudin blanc. Ma mère n'a pas exagéré, elle a vu petit. Devant la caisse, elle se tâte les poches et prend un air consterné.

– *Mon porte-monnaie !*

Elle regarde par terre, tout autour. Les gens se reculent, font un peu de place comme ils peuvent et cherchent aussi le porte-monnaie imaginaire.

– *C'est un peu fort, je l'avais il y a une minute.*

Et elle lance :

– *On m'a volé mon porte-monnaie !*

Les visages se ferment et les gens commencent à s'impatienter parce que l'attitude de ma mère bloque le service. La patronne, derrière sa caisse, corsetée dans sa blouse blanche croisée qui accentue ses bourrelets, n'attend plus.

Impassible sous ses lunettes épaisses qui rétrécissent ses yeux, elle pose ses doigts boudinés sur notre réveillon et le fait disparaître sous son comptoir.

– *Désolée, on ne fait pas crédit.*

Mais enfin vous me connaissez depuis des années, s'offusque ma mère, je suis cliente chez vous depuis toujours, je vous paierai demain. Et elle continue de faire semblant de chercher son porte-monnaie.

– *Demain c'est fermé.*

Et bien après-demain alors ?

– *Désolée, on ne fait pas crédit. À qui le tour ?*

Tandis qu'on rebrousse chemin avec notre sac qui pendouille, les gens nous dévisagent. Je baisse les yeux. J'ai honte. Dehors, ma mère me ramène devant la vitrine en me tirant par la main.

– *Regarde, on va faire comme si ! T'as vu ce rosbif ? Il était rudement bon hein ? Moi, je trouve ça un peu lourd, je n'arrive pas à le digérer, et toi ?*

– *Moi non plus...*

– *Et puis le boudin blanc, j'en ai trop mangé, il me reste sur l'estomac, pas toi ?*

– *Si maman...*

– *Et puis cette volaille avec toute cette gelée, et ce foie gras, ça va sûrement nous rendre malade.*

– *Oui maman...*

– *Heureusement que ce n'est pas tous les jours Noël ! Allez viens, on a assez mangé !*

À la maison on se fait des pommes de terre.

Ma mère a quand même trouvé le moyen de mettre deux petites bûches de Noël sur la table. On est allé à la boulangerie Guerton, là où ma mère avait dit qu'ils ne nous reverraient jamais parce qu'ils avaient ratatiné le gigot. On a attendu qu'il n'y ait plus personne dans la boutique en laissant passer notre tour à chaque fois jusqu'à l'heure de la fermeture. Là ma mère a dit :

– *Puisque vous ne les vendrez plus ce soir, est-ce que je ne pourrais pas les payer demain ?*

Madame Guerton, elle aussi a de grosses lunettes qui lui rapetissent les yeux, mais elle répondit sur un ton doux et aimable :

– *Vous avez raison, je ne les vendrai plus ce soir, autant que vous en profitiez, je vous en fais cadeau.*

Après notre gueuleton de réveillon, ma mère ouvre le placard secret et fume une cigarette anglaise une « Gravenne » comme elle les appelle, ce qui n'est pas la marque exacte.

Le paquet de « Craven A » doit être là depuis des années, car le tabac est tellement desséché qu'il s'émiette. Sur une étagère, il y a une petite pipe miniature.

– *Dis maman, je peux tirer une bouffée ? Dis, juste une fois ?*

D'abord c'est non et non et non ! Puis elle cède, je suis heureux, c'est Noël.

On va jouer à la barbichette. Elle me tient le menton entre le pouce et l'index et je lui fais la même chose.

— *Je te tiens, tu me tiens par la barbichette, le premier de nous deux qui rira aura une tapette. Un, deux, trois !*

On s'observe et c'est elle qui rit la première. Alors au lieu de lui donner une tapette, je lui saute au cou.

Puis ma mère me fait sa séance de marionnettes. Elle noue le coin d'une serviette et dans le gros nœud ainsi formé qui ressemble à un turban, elle enfile son index et rabat les pans de la serviette autour de sa main. Elle commence à chanter en agitant la poupée :

— *Les moines de Saint-Antoine sont tous de braves garçons, ils sont tous de fervents moines et observent sur tous les tons, rontonton… rontonton…*

Comme ça ne me fait pas vraiment rire, vu qu'elle me l'a fait tant de fois, elle improvise quelque chose de nouveau qui retient davantage mon intérêt.

— *Ah, ça ne te fait plus rire, attends, tu vas voir !*

Elle confectionne une deuxième poupée qu'elle ajuste sur son autre index, met les deux personnages en présence et les anime. D'abord, ils se parlent, puis s'embrassent, s'étreignent et enfin s'agitent spasmodiquement en face à face, puis en face arrière, en fonction d'un dialogue à l'accent campagnard que j'ai retenu :

— *Bonjour Titine,*

— *Bonjour Mathieu,*

— *Où qu'tu vas ?*

— *Je vas promener,*

— *Tu m'emmènes ?*

— *Bah, J'veux ben.*

— *Eh ! Dis-moi, quoi que tu m'donneras ?*

— *J'sais pas moé, une croix d'or, un tablier de soé, une montre en argent…*

— *C'est promis ?*

— *C'est promis. Maintenant, r'lève ta jupe que je vouaye tes jarrets !*

— *Eh ! Dis donc… dis donc… cochonne, tu l'a plus ?*

— *À quoi qu'tu vois ça ?*

— *Tu ne cries point…*

— *Ahhhhh !*

— *Té toé, té toé, t'la co !* (encore)

Intrigué, je demande :

— *Qu'est-ce qu'ils font ?*

— *L'amour, dit ma mère.*

Le lendemain matin, ma mère est assise sur mon lit et me réveille en m'embrassant. Je me demande si j'ai la berlue en découvrant près de mon lit sur un papier d'emballage un peu froissé : quelques soldats de plomb, un petit train mécanique qui se remonte avec une clef, un mécano et… une grande carabine à bouchons ! Jamais je n'ai eu autant de jouets ! Je ne sais pas lesquels toucher tellement je suis émerveillé.

– *Tu vois, le Père Noël est passé cette année.*

Je prends ma mère par le cou et je la serre dans mes bras aussi fort que je peux. Le Père Noël je sais que c'est elle, mais je me garde bien de le lui dire parce que je ne veux pas la désillusionner.

Je comprends aussi pourquoi elle n'avait plus d'argent hier pour acheter à manger. Ça je ne peux pas lui dire non plus, alors je la serre encore plus fort.

Chapitre XVI

Quelque temps après, au lever du jour, on heurte la porte d'entrée plutôt qu'on n'y frappe. Ma mère demande :

– *Qui c'est ?*

Pas de réponse, et de nouveau des coups de heurtoir.

– *Qui est-ce ?* s'énerve ma mère en haussant le ton.

– *Je suis assistante sociale, j'ai à vous parler, ouvrez !*

Ma mère s'est habillée à la hâte et me fait signe de me lever. Puis elle va ouvrir la porte.

Quelle apparition ! On se trouve nez à nez avec une femme si grande, si carrée qu'elle occupe tout le chambranle de la porte.

Elle est casquée d'un feutre noir qui lui emboîte la tête comme un heaume et elle porte un imposant crucifix qui est le seul relief offert par sa poitrine. Elle est couverte d'une longue robe, noire et droite, que rencontre à mi-mollets une paire de bottes rouges.

Elle porte aussi une cape noire rejetée sur l'épaule qui laisse voir en bandoulière un immense sac de cuir rouge ouvragé d'une armoirie, le tout faisant songer à un bouclier.

Elle tient par le milieu une massive canne à pommeau de métal, cependant trop courte pour qu'elle puisse lui servir à marcher. Ses yeux ardents encadrés de traits anguleux sans maquillage, où la bouche est une incision sans lèvres et sans sourire, nous font pressentir que cette femme impressionnante, armée comme un chevalier des croisades, vient nous déclarer sa guerre.

Ma mère n'a pas besoin de la prier d'entrer, elle a déjà forcé notre porte.

– *Faites-moi visiter votre appartement Madame.*

– *En quel honneur ?* demande ma mère sur ses gardes.

– *J'en ai le droit Madame, vous permettez ?*

Et sans qu'on lui permette, elle ouvre la porte de ma chambre et se plante au milieu. Elle circule un regard.

– *C'est ici que vit l'enfant.*

– *C'est ici qu'il dort,* rectifie ma mère.

– *Comment se fait-il que votre fils n'aille pas à l'école ?*

– *Il entrera à l'école publique quand il aura eu ses sept ans.*

– *Vous avez combien de pièces ?*

Elle ouvre la porte des cabinets, jette un coup d'œil, inspecte la cuisine et se retrouve dans la chambre de ma mère. Elle n'y va pas par quatre chemins :

– *On nous a signalé que votre fils était éduqué d'une façon immorale.*

– *Immorale ? Qu'est-ce que c'est que cette histoire ?*

L'assistante sociale désigne le lit d'un haussement du menton.

– *Alors, c'est ici que vous recevez ?*

Ma mère articule lentement et baisse le ton, ce qui prouve chez elle, que la colère est en train de faire son chemin.

– *Que je reçois quoi Madame ?*

– *Mademoiselle,* rectifie l'inquisitrice.

– *Que je reçois qui, que je reçois quoi ?* s'échauffe ma mère

– *De quoi vivez-vous ?* demande la guerrière qui ne s'en laisse pas imposer.

Cette fois, ma mère s'emporte :

– *Vous venez de le dire « mademoiselle » ! Je fais le trottoir ! Il y a des jules qui entrent et qui sortent du matin au soir ! Ils font la queue sur le palier, dans la rue. Demandez aux voisins, ils vous le diront, ça n'arrête pas !*

Elle secoue sa robe entre le pouce et l'index à hauteur de la poitrine :

– *Vous voyez comment je suis habillée, comment je suis coiffée, dans quel luxe on vit ? Vous avez vu ce qu'il y a à bouffer dans la maison ? Et vous avez le culot de me demander de quoi je vis ? Je travaille mademoiselle pour vivre, je travaille ! Je suis musicienne ! Je fais des concerts quand il y en a, je fais des fleurs artificielles quand il y en a, je travaille en usine quand il y a du travail et je joue du violon dans les cours pour nourrir mon gosse et mon fils n'a jamais vu un homme passer la nuit chez moi.*

La vieille fille contre-attaque froidement :

– *Et les Allemands ?*

– *Quels Allemands ?*

– *Vous recevez des Allemands, ne niez pas, on les a vus chez vous.*

Ma mère se met à rire et semble se calmer. Sûre d'elle, elle pense marquer un point :

– *Ah je vois d'où ça vient, la vieille du dessous... vous avez raison, j'ai reçu des Allemands, ils étaient six, non je me trompe, ils étaient huit avec la police française et ils sont restés très tard à jouer de la musique.*

– *La police française ?*

– *Oui, la police française, une patrouille allemande m'a arrêtée après le couvre-feu. Je revenais d'un concert. Ils se sont installés chez moi et m'ont obligé à jouer pour eux. Ensuite les deux gendarmes qui sont intervenus parce que les voisins n'arrivaient pas à dormir, sont restés jusqu'à ce que tout le monde s'en aille. C'est tout. En ce qui concerne les Allemands, je ne les ai jamais revus. Si on pense que je reçois des Allemands chez moi c'est une erreur.*

– *Que vous dites !* décoche l'assistante sociale sans désarmer. Puis elle change de sujet :

– *Quand vous travaillez, qui garde votre fils ?*

– *Il est assez grand pour se garder tout seul.*

– *Je ne crois pas,* soutient la fonctionnaire, *et j'en prends note.*

C'est là que ma mère n'aurait pas dû faire d'humour en répondant :

– *Vous pouvez en prendre toute une portée si ça vous chante.*

– *Une portée de quoi ?*

– *Une portée de notes, pas de lapins !*

La vieille fille n'aime pas l'attitude de ma mère.

– *Vous allez à l'église ?*

– *J'y allais, mais je n'y vais plus. Je n'ai pas le temps. Moi aussi je dois faire la quête pour ramener la croûte. Moi, je la fais sous les fenêtres, alors vous ne voulez pas que j'aille refiler ce que je gagne à la concurrence !*

– *Votre fils est donc élevé sans religion. J'en prends note.*

– *Il n'est pas sans religion puisqu'il est baptisé,* rectifie ma mère.

– *Oui mais vous n'êtes pas pratiquante. J'en prends note.*

L'assistante sociale poursuit sarcastique :

– *Vous étiez employée à la distribution des cartes d'alimentation il n'y a pas si longtemps, n'est-ce pas ? Et on vous a renvoyée pour vol. Ça aussi c'était une erreur ?*

Ma mère accuse le coup. Elle baisse la tête en joignant le bout des doigts de ses deux mains comme pour une prière et fait :

– *Bon... écoutez-moi bien...*

Elle détache les mots d'une voix sourde qui traduit une intense colère intérieure.

– *Vous commencez à m'emmerder avec votre église, votre moralité et vos conneries et je vais vous dire quelque chose : des gosses, vous allez d'abord en chier vous-même avant de dire aux autres comment les élever. Et maintenant foutez-moi le camp, je vous ai assez entendue, vous me tapez sur les nerfs ! Allez, dehors !*

D'un seul coup ça éclate. La dame guerrière repousse ma mère avec le pommeau de sa canne qu'elle lui colle contre l'épaule et la toise :

– *Vous ne me faites pas peur vous savez ! Attendez un peu que je fasse mon rapport ! Vous êtes indigne d'élever votre fils convenablement ! Nous allons vous enlever l'enfant et le placer à l'Assistance publique !*

Ma mère a reculé jusque dans la cuisine. Elle en ressort aussitôt avec un petit couteau à éplucher les pommes de terre qu'elle brandit la lame haute. Au bout de son poing agressif, cet épluche patates prend l'allure d'un sabre de samouraï.

La guerrière pousse un cri, lève sa canne comme une massue, accroche dans ce geste son chapeau qui lui tombe sur les yeux tandis que ma mère vive et furieuse la tient déjà d'une main par les cheveux et de l'autre lui appuie la pointe du couteau sur la gorge :

– Essayez de m'enlever mon fils, essayez seulement, vous m'entendez ? Dans un mois, dans un an, dans dix ans, je vous tue ! Vous m'entendez ? Je vous saigne comme un cochon !

Ma mère prostrée après le départ de l'assistante sociale répète inlassablement :

– Je n'aurais jamais dû jeter la carte du colonel allemand. Quelle conne je suis, On va avoir de sacrés emmerdements.

Lorsque les policiers sont venus chercher ma mère, ils ont d'abord demandé si une voisine pouvait me garder pendant quelques jours. Ma mère a répondu que non, alors ils m'ont embarqué aussi dans le fourgon de police.

Au commissariat de Vincennes, ma mère a disparu derrière une grande porte à double battant et j'ai passé toute la journée sur un banc, libre de ne pas m'enfuir, à regarder tourner les grandes aiguilles noires de l'énorme horloge au-dessus d'un plâtre délavé de Marianne.

Vu que j'étais simplement gardé à vue, je n'ai eu droit ni au pain sec ni à l'eau, juste à la fumée de cigarettes.

Ma seule distraction a été d'observer le gardien qui me surveillait faire ses exercices de dactylo du cours « Pigier », tandis que lui m'observait, par-dessus ses lunettes, faire mes exercices de balancement de jambes.

Vers la fin de l'après-midi, l'assistante sociale, toujours aussi impressionnante dans son armure, s'est présentée et elle est allée rejoindre ma mère derrière la double porte. La grande aiguille a fait plus de deux fois le tour avant qu'elle ne ressorte.

Un peu plus tard ma mère reparaît, elle est libre. Elle m'attrape la main et ne prononce pas un seul mot jusqu'à ce qu'on soit dans le sous-bois. Là, elle marque une pause et respire plusieurs fois à fond.

– Merde alors, nous avons beaucoup de chance. Il y a quand même des vaches qui ne sont pas vaches !

– Qu'est-ce que tu veux dire ?

– Les flics. Ce sont eux qui l'ont convaincue de retirer sa plainte.

– C'est vrai ?

– Ça n'a pas été facile, mais cette bonne femme-là, ce n'est pas la première fois qu'elle a des histoires qui se terminent au commissariat. Elle est connue comme une personne mal commode, vraiment agressive.

Ma mère reste longtemps silencieuse avant de me confier :

– Seulement il y a un « mais », une condition et j'ai promis.

– Laquelle ?

– Que je te mette en pension d'ici huit jours. Je ne sais pas où je vais trouver l'argent. Bon, est-ce qu'on t'a donné quelque chose à manger à toi ? Non ? Parce que moi, en attendant, je crève de faim. Bon, on va aller chez Vala, j'espère que ça ne sera pas fermé.

On avance à grands pas. Vala, c'est un petit restaurant à quelques pas de chez nous, tenu par des Italiens. Leur fille Lydia est sympa puisque… elle nous fait crédit. En chemin, ma mère se monte toute seule contre moi.

– Tout ce qui arrive c'est ta faute ! Tu n'écoutes jamais rien ! Tu ne fais jamais ce que je te demande ! Dès que j'ai le dos tourné, tu fais les quatre cents coups ! Tu cries à la fenêtre, tu te fais remarquer dans la rue, tu disparais des heures quand je t'envoie en courses, tu me voles de l'argent et je ne peux pas te laisser seul sans que tu fasses des conneries ! Tu me fais faire constamment du mauvais sang ! Tu ne changes pas, tu comprends, tu ne changes pas ! Et en plus de ça maintenant tu me coûtes de l'argent pour t'envoyer en pension, Où est-ce que je vais trouver ça !

Le restaurant est fermé et ça la met franchement de mauvaise humeur. En rentrant à la maison, je cogne sans le faire exprès le bout de mes chaussures aux contremarches de l'escalier et le bruit la met dans tous ses états. J'ai droit à une gifle.

– C'est ça, crie pour ameuter les voisins !

Puis, elle se met à parler haut et fort dans les escaliers surtout à partir du deuxième étage :

– C'est sûr que la pension va te faire le plus grand bien. Tu es infernal ! La pension c'est la seule solution. Je te mets en pension.

Après avoir claqué notre porte, elle déclare sur un ton normal :

– Maintenant que les voisins savent que tu vas aller en pension, ils vont nous foutre la paix.

Chapitre XVII

Nous sommes habillés comme pour aller à la messe.

On a pris le train de banlieue. Dans une petite valise, j'ai quelques sous-vêtements, un peigne, une brosse à dents, du dentifrice, quelques mouchoirs et un gros chagrin. En chemin, ma mère essaye de me convaincre :

– *Tu vas recevoir une éducation. Tu vas être bien élevé. Tu vas avoir de bonnes manières, tu vas être instruit. Tu vas devenir un « Monsieur ». J'aurais bien voulu te mettre chez « Albert Demain » qui est une pension plus cotée, mais il faut un uniforme et c'est beaucoup trop cher.*

– *Quand est-ce que je vais te voir ?*

– *J'irai te chercher tous les dimanches si tu es sage.*

– *On n'a pas le droit de sortir tout seul ?*

– *Non, ceux qui sont sages font des promenades avec des surveillants, les autres restent enfermés.*

Je commence à avoir l'impression de me diriger vers un piège.

– *Tu te rends compte des sacrifices que je fais pour toi ? Tu sais combien ça va me coûter ? Je ne sais pas encore où je vais trouver les sous !*

Le train ralentit. On entre à quai. Après un long grincement aigu qui semble ne jamais vouloir cesser, quelques jets de vapeur sonores et un arrêt suivi d'une reculade, puis d'un dernier bond en avant, le train s'immobilise pour de bon. Le chef de gare, son drapeau à la main, annonce :

– *Nogent !*

On descend pendant que la locomotive rend un long soupir blanc épuisé.

Le coin ne m'est pas inconnu. Ce n'est pas tellement loin de chez nous. D'ailleurs on l'a déjà fait en bicyclette et même une fois à pied pour venir se baigner dans la Marne. C'est le bois de Vincennes qui se continue. Et je me souviens que pas très loin on était passés devant la maison où avait habité l'écrivain Hector Malot. Cette idée me réconforte un peu. Je sais où je suis. On arrive devant une vieille maison flanquée de bâtiments plats qui forment une cour intérieure. L'ensemble est clos par de hauts murs et une grande grille en fer forgé. Le frontispice indique « Pensionnat A. Kalis ». Il faut sonner. On vient nous ouvrir avec une monstrueuse clef qui referme sur nous la porte de fer à double tour. Dans le fond, à droite, j'aperçois une autre grille, plus petite et derrière, des gamins vont et viennent, blouses noires silencieuses dans une sorte de préau.

On nous admet chez le directeur.

J'ai la gorge serrée. Je saisis que ma mère n'en est pas à sa première visite.

Derrière le bureau, sous un pince-nez, une voix perchée mais bien timbrée s'échappe de la barbiche en pointe d'un petit homme pour nous enjoindre sans amabilité de nous asseoir.

Dans le dos du petit homme, une fenêtre donne sur la liberté condamnée par les grilles verrouillées. Il fait tellement sombre dans la pièce que j'ai du mal à distinguer ce qu'il y a sur les murs.

Tant que je suis à côté de ma mère, je n'y crois pas encore. Elle sort plusieurs billets de mille francs qu'elle pose timidement sur le coin du bureau. Elle se montre réservée et impressionnée.

– Voici un acompte Monsieur le Directeur, je vous réglerai le solde du trimestre dans quinze jours en même temps que je vous apporterai son trousseau.

– Je vous fais confiance. Il faudra coudre le chiffre douze sur ses affaires ou bien l'inscrire à l'encre de Chine.

Il prend un temps.

– Ce numéro est vacant, l'enfant qui le portait est mort d'une méningite.

Ma mère ouvre ma valise :

– J'ai apporté quelques affaires qui ne sont pas marquées. Son manteau non plus.

Le directeur occupé à faire grincer son porte-plume dans un grand registre dont il sèche l'encre systématiquement avec un tampon buvard à bascule* ne répond pas.

– C'est qu'il est fragile des sinus, il a déjà été opéré... Est-ce que je peux lui laisser son manteau ?

– On le fera marquer à la lingerie. Ça vous coûtera un supplément.

Ma mère retire de son sac une petite boîte qu'elle a achetée à la pharmacie. Elle la pose sur le coin du bureau comme elle avait fait pour l'argent.

– Je ne voudrais pas abuser Monsieur le Directeur, mais est-ce qu'on pourrait lui faire prendre ça une fois par jour ? C'est du vermifuge.

Le directeur examine la boîte du bout des doigts et la pousse de côté du revers de la main comme un objet sans importance. Ma mère insiste un peu :

– Il a des vers, vous comprenez ? Il se gratte l'anus constamment. C'est peut-être ça qui le rend nerveux.

Le directeur hoche la tête et s'adresse à moi par-dessus ses lorgnons :

– Alors jeune homme, vous savez lire ?

Je réponds timidement que je sais. Mais il me reprend avec autorité :

– Oui Monsieur le Directeur, je sais lire.

Et je répète. Puis il me tend une lettre à en-tête où il y a imprimé le nom et l'adresse de la pension. Il place son index sous trois mots écrits en petits caractères.

------

* – Sorte de demi-lune en bois retenant une feuille rectangulaire de buvard rose que l'on faisait basculer d'avant en arrière en la tenant par une petite poignée pour éponger l'encre trop longue à sécher

– Lisez ceci.

Je commence à lui sortir d'un trait tout ce qu'il y a d'écrit sur la feuille. Il n'est pas content.

– Je ne vous ai pas demandé de me lire tout le texte ! Seulement ces trois mots.

Et il remet son doigt sous les trois mots que je viens déjà de lire :

– Alors qu'est-ce qu'il y a d'écrit ?

Cette fois je répète les trois mots qui n'en font qu'un : « Nogent sur Marne ».

– Nogent-sur-Marne...

– Nogent-sur-Marne, Monsieur le Directeur !

– Il n'y a pas écrit Monsieur le Directeur ?

– Vous êtes insolent ou complètement idiot, tonne le petit homme à barbiche.

Ma mère se précipite tandis que je m'enfonce dans ma chaise :

– Il n'est pas idiot...

– C'est bien ce que je pensais, mais nous le corrigerons. Maintenant voyons le calcul.

– Il connaît ses tables de multiplications par cœur Monsieur le Directeur.

– Il connaît bien des choses ce jeune homme excepté l'obéissance C'est un insoumis ! Nous le corrigerons !

Ma mère renchérit :

– Ça vous pouvez le dire Monsieur le Directeur. Si vous saviez ce qu'il m'en fait voir ! Il est infernal ! Il n'en fait qu'à sa tête. Il ne sait pas se tenir dans la rue ! Il fait son m'as-tu-vu ! Et il ment comme il respire !

Elle hésite un peu et décide de se lancer :

– Et puis, il faudrait le surveiller. Il est vicieux, il se touche.

– Nous le corrigerons Madame, soyez sans crainte.

L'affaire s'ébruitera dans l'école et les pensionnaires me surnommeront « Touche-pipi » en faisant la ronde autour de moi ou en me pointant du doigt, en ricanant tandis que je traînerai ma honte dans la cour de récréation.

Devant le directeur, ma mère a une attitude bizarre qui me déconcerte. Je ne l'avais encore jamais vue prendre un tel air de soumission inconditionnelle. Assise sur le bout de sa chaise, les mains sur son giron, la tête un peu penchée de côté, le sourire figé, la voix dolente, je ne l'avais jamais vue s'écraser ni m'écraser de cette façon devant qui que ce soit.

Elle me dénonce d'un air plaintif, d'un air de victime. Je suis dans le piège que j'appréhendais, livré pieds et poings liés par ma complice.

L'image de la déesse combative, irréductible et protectrice que j'avais toujours eue de ma mère avant d'entrer dans cette prison, s'effrite soudainement et je me sens trahi par le modèle dans lequel je me suis moulé.

– Nous le corrigerons Madame, nous le corrigerons...

Il a dit ça sur un ton indifférent comme si ça ne faisait aucun doute, tout en martyrisant sa plume. Il n'arrête pas de griffonner dans son grand livre.

– Voyons tout de même le calcul, répète cet homme qui maintenant me fait peur, *combien font deux fois six ?*

– Mon chiffre, et j'hésite un peu, *Monsieur le Directeur.*

– C'est-à-dire…

– Douze Monsieur le Directeur.

– Et combien font neuf fois huit Monsieur le pitre ?

– Soixante-et-douze, Monsieur le Directeur

– Non jeune homme !

Je regarde ma mère qui baisse les yeux. Pourtant je suis bien sûr de ne pas m'être trompé. Mentalement je repasse à toute vitesse : Neuf fois cinq, neuf fois six, neuf fois sept, neuf huit…

– Si M'sieur ça fait soixante-et-douze.

– Non jeune homme ! Neuf fois huit ne font pas soixante-et-douze ! Ils font soixante-douze !!!

Ma mère a l'air soulagée.

Le directeur décide que j'entrerai en treizième. Il trempe son porte-plume dans l'encrier, épure consciencieusement l'excès d'encre sur l'endroit et l'envers de la plume et gratte encore quelque chose dans son livre où s'éparpillent néanmoins de minuscules taches d'encre sous l'effet de la plume grinçante. Puis il agite son index à mon intention :

– Maintenant soyez averti jeune homme que si vous êtes puni, vous serez consigné le dimanche et votre mère n'aura pas le droit de venir vous chercher. N'espérez pas non plus vous échapper, les grilles sont fermées jour et nuit et vous serez surveillé.

– Soyez très sévère avec lui, Monsieur le Directeur, vous avez carte blanche.

Quelqu'un frappe et entre. C'est une femme maigre, un peu voûtée, habillée en curé, visage blême, petits yeux noirs et chignon. Elle est sanglée d'un ceinturon dans lequel est glissé un anneau de fer complété par une sorte de croc de boucherie auquel pend une trique en osier qui se termine par une boucle de cuir.

Le directeur se lève. Il n'est guère plus grand debout qu'assis :

– Mademoiselle Trappe est notre surveillante générale. Il est temps de dire au revoir à Madame votre mère.

D'un seul coup je panique :

– Non, je ne veux pas !

Je me suis précipité sur ma mère et je m'accroche à elle de toutes mes forces. Le directeur et la surveillante parviennent à m'arracher à elle. Ils dégagent mes poings en forçant mes doigts en arrière et me maintiennent les bras dans le dos.

– Allez-y Madame, nous allons nous occuper de lui.

Lorsque ma mère ferme la porte derrière elle, je hurle.

– Maman !

Je suis saisi d'une rage incontrôlable. Révolté, je me débats, je hurle, je donne des coups de pieds, j'essaye de mordre.

La surveillante m'a maîtrisé. Elle est derrière moi : d'une main, elle m'a basculé la tête sur la nuque par les cheveux, et de l'autre, elle me force le poignet dans le dos jusqu'aux omoplates. C'est ainsi que je traverse la cour d'école au milieu des élèves curieux et silencieux.

On pénètre dans une pièce où une dame vêtue de blanc aide la surveillante à me passer une sorte de chemise qui s'enfile par-devant et s'attache par en arrière avec de longs cordons. J'apprendrai plus tard que ça s'appelle une camisole de force. Les chevilles bridées par une courroie de cuir qui m'immobilise sur le lit, les deux femmes quittent la pièce me laissant dans le noir. Je suis pris de panique parce que j'éprouve de plus en plus de difficulté à respirer. En vérité j'étouffe et je pense que je vais mourir.

Lorsque j'accepte l'idée de mourir, la panique fait place à un immense désespoir et je pense à ma mère. Peut-être avait-elle raison de se plaindre de moi. Je me dis que j'aimerais lui demander pardon et la convaincre que je ne la ferais plus jamais se mettre en colère.

Je ne sais pas si je me suis endormi ou si je suis tombé dans les pommes, mais la dame en blanc est en train de me faire respirer un petit flacon d'une odeur piquante indescriptible. Je suis détaché. On me dit de me lever, mais je suis faible sur mes jambes et je me sens complètement ahuri.

– *Il faut qu'il prenne l'air,* dit la dame en blanc, *ça va le remettre.*

Effectivement l'air froid me fait du bien et je retrouve mes esprits.

Un grand vient me chercher pour me conduire à la lingerie qui tient également lieu d'infirmerie. Dans une baignoire, il y a un enfant qui trempe sur le ventre. Ses fesses et le bas de son dos sont couverts d'une sorte de duvet épais et vert. J'ai déjà vu ça sur du fromage moisi. D'autres mômes aux yeux cernés toussent creux et attendent qu'on leur colle des révulsifs sur la poitrine avant de les renvoyer aussi sec dehors parce qu'il y a la queue jusqu'à l'extérieur. La lingère me commande :

– *Déshabille-toi complètement et assieds-toi.*

Un peu plus tard, j'erre dans la cour en tablier noir et galoches que je croyais à ma taille. J'ai tout de suite mal aux talons. Je passe et repasse ma main sur mon crâne rasé jusqu'à la peau et je grelotte de froid. La nuit est tombée. Je me dirige avec les autres vers le réfectoire. Tous s'installent dans un silence relatif. On n'entend que le bruit des godillots à semelles de bois sur le carrelage, le grincement des bancs déplacés, le raclement des cuillers dans les assiettes de fer, les reniflements de la soupe aspirée bruyamment.

Mademoiselle Trappe surveille le réfectoire. Elle progresse lentement entre les tabliers noirs aux dos arrondis sur leur banc. Sa cravache à la main, elle en frappe de temps à autre un petit coup sur le coin d'une table en passant. Tout a l'air calme et pourtant deux élèves sont déjà debout sur leur banc, punis. Je regarde cette eau douteuse où trempe un morceau de pain, je n'y touche pas. Je n'ai pas faim.

C'est terminé. On ressort tous en rang, table après table. Dehors personne ne court, c'est interdit. Personne ne joue c'est interdit, personne ne parle fort, c'est interdit. J'aperçois la grille qui isole la cour de la vieille maison. Une surveillante se tient là en permanence pendant les récréations. J'ai la conviction que les enfants sont victimes du monde inhumain et aliénant des adultes qui possèdent le droit du plus fort et en profitent.

Je retourne à la lingerie pour prendre mes draps et mes couvertures et le même grand m'accompagne au dortoir pour que je fasse mon lit. Je couche au troisième étage. On monte les escaliers. En passant au premier, le grand m'indique les W-C qui servent pour les trois étages.

– *Faut que ton lit soit fait au carré*, dit le grand, *comme à l'armée. Si c'est pas tiré à quatre épingles, tu sors pas le dimanche.*

Et il ajoute :

– *C'est moi qui vérifie les lits.*

– *Est-ce qu'on peut se sauver d'ici ?*

– *Te sauver ? T'es pas dingue non ? Pourquoi ? T'as envie de te sauver ?*

Il a posé la question sur un ton tellement réprobateur que je réponds « non ».

– *T'as pas intérêt à essayer de te sauver. Si tu te fais piquer pendant que t'essayes, t'es consigné pendant un mois. Si c'est les gendarmes qui te ramènent, t'es consigné pendant trois mois.*

– *Mais ceux qui essayent comment ils font ?*

Il hésite. Il n'est pas dupe de ma question détournée :

– *Pendant la promenade dans le bois. C'est la seule façon, mais t'es vachement surveillé. Et puis il n'y en a pas beaucoup qui y vont. Seulement ceux qui ont dix de conduite toute la semaine. Et où tu veux te barrer, chez ta mère ? Ta mère c'est comme les gendarmes, elle te ramènera ici et t'écoperas de trois mois de consigne.*

On entre dans une salle longue éclairée du plafond par une seule ampoule. Douze lits de chaque côté, tous avec la même petite couverture grise et un petit triangle de drap rabattu. Pas d'oreiller.

À l'entrée il y a un box dont les murs n'atteignent pas le plafond.

C'est une prof qui couche ici. La nuit elle nous surveille.

À mi-chemin du dortoir, sur un petit lit de fer, il y a un matelas mince, usé avec un creux au milieu et de grandes auréoles jaunes. C'est là qu'on s'arrête.

– *C'est ici qu'il est mort ?*

– *Qui ça ?*

– *Celui qui a eu une méningite.*

– *J'en sais rien, je ne couche pas dans ce dortoir.*

– *Qu'est-ce que c'est que ça une méningite ?*

– *J'en sais rien. Je crois que c'est un truc dans la tête. Aide-moi à faire ton lit et retiens bien ce qu'il faut faire. T'as de l'argent ?*

– *Non, pourquoi ?*

Il sort un canif de sa poche.

– *Si tu le veux, je te le vends deux cents balles.*

– *J'ai pas d'argent.*

– *T'as rien à échanger ?*

– *Si, ma brosse à dents et mon dentifrice.*

– *C'est tout ?*

– *J'ai aussi un peigne*

– *Un peigne à poux ? Si c'est un peigne à poux, ça peut être intéressant.*

Il rejette mon peigne sur la couverture.

– *Qu'est ce que tu veux foutre de ça, on a tous la boule à zéro.*

– *C'est tout ce que j'ai.*

– *Pauvre minot vas, tu ne vaux pas un clou. Salut !*

Le dortoir vient de se remplir. Les pensionnaires se mettent au lit en vitesse. Au bout de quelques minutes, je suis le seul à rester habillé assis sur mon lit. Tous ces enfants ont des têtes sinistres. Avec leurs dents cariées, ils me font penser aux chienlits du 94.

– *Silence et dormez !*

C'est notre surveillante de nuit qui se fait entendre. Je finis par me déshabiller et je me glisse dans les draps humides. Je me tourne sur le côté et je ne peux m'empêcher de chialer. La lumière est éteinte depuis longtemps. Je ne peux pas dormir. Je me lève avec l'intention d'aller faire pipi. Je suis arrêté à la porte par la surveillante.

– *Où allez-vous ?*

– *Aux W.-C.*

– *Vous me dérangez. Il fallait prendre vos précautions avant. Retournez vous coucher !*

Le ton est rébarbatif. Il n'y a rien à attendre de cette femme grasse, au petit nez en trompette.

Dans mon lit, je recommence à sangloter et je me rappelle les paroles de ma mère quand elle me corrigeait :

– *Chiale, tu pisseras moins.*

Je chiale, mais ça ne me coupe pas l'envie et je ne peux plus me retenir. À l'entrée du dortoir, une lampe électrique fait son entrée et va-et-vient d'un lit à l'autre. Je reconnais la silhouette de Mademoiselle Trappe.

Lorsqu'elle s'arrête à mon lit, j'ai les yeux grands ouverts. Elle me braque sa lampe en plein visage et d'un seul mouvement rejette drap et couverture jusqu'au pied du lit.

J'ai les bras le long du corps et l'urine dans laquelle je baigne s'est refroidie. Elle me sermonne à voix basse :

– *Il faut dormir avec les mains sur la couverture. Comment se fait-il que vous n'ayez pas de pyjama ?*

– *Je ne sais pas mademoiselle.*

Les larmes coulent sans que je puisse les arrêter.

– *Tu as fait dans ton lit ?*

– *Oui Mademoiselle.*

Elle vient de me tutoyer ce qui me surprend. Puis il se passe alors une chose à laquelle je ne m'attendais pas le moindre du monde. Mademoiselle Trappe s'éloigne et s'arrête au box de la surveillante de nuit, puis sort du dortoir. Elle réapparaît quelques moments plus tard avec une paire de draps. Sans plus prononcer un seul mot, elle refait mon lit elle-même, puis elle m'emmène à la douche. Elle me lave, me sèche, me frictionne et me ramène au lit. Elle me recouvre doucement et me borde comme faisait ma mère des fois, s'assied sur mon lit, me prend la tête entre ses mains et m'embrasse sur les deux joues, puis s'éloigne avec mes draps souillés dans l'obscurité du dortoir.

J'oublie le bras tordu, j'oublie la camisole de force, j'oublie mon chagrin, ma solitude et je m'endors.

En classe, je m'applique. Je ne réussis pourtant qu'à faire des additions fausses et des divisions qui ne sont pas justes. J'écris mes chiffres comme il faut et je fais ce que je peux, mais j'ai l'esprit ailleurs. Je pense à ma mère et je m'ennuie. Je me refuse à envisager que je devrai passer des années dans cette prison.

Je découvre la senteur caractéristique des écoliers groupés dans une classe : un remugle particulier composé d'odeur d'encre, de sueur et de relents intimes. Mon institutrice est une jeune femme blonde qui me semble sympathique, une image douce dans ce pénitencier. Je m'efforce de lui plaire, je veux gagner mon dix de conduite.

J'ai hâte d'aller au réfectoire pour revoir Mademoiselle Trappe. À midi, je me presse dans les rangs. Je suis dans les premiers à table. La surveillante Trappe est à son poste, cravache en main, distribuant déjà des punitions. Je cherche son regard. En vain… Je me penche vers mon voisin et comme je vais pour lui adresser la parole :

– *Le douze, debout sur votre banc.*

Un moment je reste sans réagir, puis je me souviens que le douze, c'est moi. Je grimpe sur mon banc déçu et humilié.

Dans l'après-midi, un élève me montre comment faire de la chaînette. Quatre clous dans une bobine de fil vide, de la laine, une aiguille. On enfile d'abord un brin de laine à travers le trou de la bobine que l'on fait un peu dépasser à l'opposé de là où se trouvent les clous. On fait ensuite deux fois le tour des clous avec la laine, puis à l'aide d'une aiguille, on passe le brin du dessous par-dessus, celui de dessus est donc par-dessus le clou. On fait indéfiniment le tour de chaque clou et on tire ce qui se fabrique par le bas de la bobine. Il en sort une chaînette de laine avec laquelle on peut faire des napperons, des tapis, des couvertures, des tas de trucs.

Je dois à la complaisance d'un grand qui me prête sa bobine et sa laine, d'essayer de passer le temps, mais le temps ne passe pas vite.

Le vendredi c'est le jour de la promenade. J'ai eu dix de conduite en classe, mais j'apprends que je n'ai pas droit à la promenade parce que je suis trop nouveau. Il me faudra attendre *un certain temps* selon le bon vouloir du directeur. En revanche j'ai le droit de sortir avec ma mère.

Lorsque le dimanche matin arrive, je ne tiens plus en place. Depuis neuf heures tous les pensionnaires qui ont droit de sortie ne portent pas de tablier et tournent en rond dans la cour. Je suis parmi eux le cœur battant à regarder l'heure toutes les minutes.

De l'autre côté de la petite grille qui clôture la cour, on nous appelle par nos numéros. « Le trente-quatre au parloir ! Le cinquante-sept, allez vous déshabiller, votre mère a prévenu qu'elle ne pouvait pas venir. »

Le cinquante-sept fond en larmes et retourne à son dortoir. Ça me fait mal pour lui, mais immédiatement je fais cette distinction qui me rassure. Il vient d'être éliminé, mais moi je suis toujours là à attendre, je fais toujours partie des privilégiés qui vont sortir.

À mesure que le temps passe, le groupe des sortants diminue et nous ne sommes plus que trois ou quatre à tourner et dévisager l'horloge de plus en plus souvent. Mon estomac se serre bizarrement. « Et si elle ne venait pas ? » Je repousse cette idée en me disant que ce n'est pas possible.

Nous ne sommes plus que deux. Il est presque midi. Les pensionnaires qui ne sortent pas vont être appelés au réfectoire. J'ai la gorge bloquée par une envie de chialer que seul l'espoir retient encore.

– *Le douze au parloir !*

Ça y est, c'est pour moi ! Ma gorge se dénoue et je pleure de joie. Ma mère est venue. Je lui prends la main, je ne la lâcherai plus jusqu'à la maison.

L'appartement me semble à la fois étranger et accueillant. Une fois rentrés, ma mère me regarde avec un pli à la bouche et me sort :

– *T'as vraiment l'air abruti !*

Ça ne fait rien ce qu'elle peut me dire. Je suis heureux d'être près d'elle et je ne demande qu'à lui faire plaisir :

– *Maman, tu veux que j'aille faire les courses, tu veux que je fasse quelque chose ?*

– *Non.*

Elle n'a besoin de rien. Je ne sais pas quoi faire et je ne décolle pas d'à côté d'elle. Je crois que ma tête rasée ne lui revient pas trop. Elle me demande des détails sur la pension. Je lui raconte ce que j'ai vu et ce que j'ai vécu sans omettre un détail, avec l'espoir qu'au moins elle me console ou de l'entendre dire qu'elle me garde à la maison, mais elle est sourde à mes arguments.

– *Maman, je ne veux pas y retourner.*

– *Ah ! Mais que si, tu vas y retourner. Ça te fait le plus grand bien. Tu as un peu maigri, c'est tout, mais ça te dresse. C'est pour ton bien. Et puis on ne peut pas faire autrement, j'ai promis, on pourrait avoir des ennuis. Je ne veux pas revivre ce cauchemar avec l'assistante sociale.*

Le lundi matin je franchis les grilles du pensionnat avec en poche une bobine surmontée de quatre clous, de la laine et une aiguille. Pendant des semaines, je fais de la chaînette pour tuer le temps. J'essaye de me résigner mais je n'y parviens pas, du moins intérieurement car aux yeux des geôliers du pensionnat j'ai été maté et je me tiens tranquille. J'ai simplement appris l'hypocrisie.

Mon seul bonheur c'est de retrouver ma mère le dimanche, même si elle est de mauvaise humeur parce que c'est une corvée pour elle de venir me chercher et me reconduire.

J'ai attrapé froid. Je tousse. À la lingerie, je fais la queue pour attendre qu'on me pose un petit Rigolo à la moutarde avant de me renvoyer dehors grelotter dans l'air glacial.

Toute la semaine ça va mal. Un grand, du nom de Darde, me cherche des ennuis de plus en plus souvent. Pour le plaisir, il me bouscule, m'insulte, me tapote la tête ou me donne des coups de genou dans le dos sans que je m'y attende.

Je suis continuellement sur mes gardes dans la cour, les couloirs, les escaliers et j'angoisse quand je le croise. Je ne veux pas être pris à me battre avec lui sinon je serai consigné. Lui, il s'en fout, il ne sort jamais. En outre, il est franchement plus grand et plus fort que moi et je suis sûr de me faire rosser. En vérité, il fait la loi dans la cour. Tout le monde a peur de lui. Si je le dénonçais, ça n'empêcherait rien et ce serait pire parce qu'aux yeux des autres, je passerais pour un cafteur. Alors j'encaisse ses provocations sans me rebiffer et il en profite.

J'ai attrapé des poux. Ils sont voraces, je me gratte jusqu'au sang.

Vendredi, je n'ai pas eu droit à la promenade parce que j'étais trop malade. Lorsque ce dimanche arrive, je suis le premier à tourner dans la cour. Toute la semaine je n'ai pensé qu'à cet instant. J'attends, les heures passent. Un à un, les pensionnaires disparaissent vers le parloir. Je garde quand même le moral. Ma mère n'est pas toujours régulière dans ses heures. Elle m'avait promis qu'elle viendrait de bonne heure, mais elle viendra probablement vers midi. De toute façon elle viendra, elle me l'a promis. Dans la désolation de mon internement, je commence à comprendre la valeur d'une promesse. Cette promesse, cette simple promesse à laquelle je me raccroche de toutes mes forces fait toute la différence entre tenir le coup et fondre en sanglots. À midi je vais au réfectoire à contrecœur et je ne mange rien. Je me dis qu'on va m'appeler d'une minute à l'autre. J'attends jusqu'au soir.

Elle n'est pas venue et elle n'a pas prévenu, n'a laissé aucun message. Lorsque je retourne au dortoir, la seule chose qui m'empêche de sombrer, c'est la décision que je prends de m'enfuir le vendredi suivant. Toute la semaine, cette idée me soutient.

J'ai une toux de plus en plus caverneuse, mais je ne vais plus à l'infirmerie me faire soigner parce que je ne veux pas qu'on me sucre la promenade. En classe, je me retiens de tousser ou je tousse dans mon cache-nez. Pendant les cours, on garde le béret et le cache-nez parce qu'il fait presque aussi froid que dehors, le désagrément c'est que les poux me dévorent le crâne parce qu'ils ont chaud.

Les jours qui suivent ne passent que trop lentement. Je n'en peux plus, mais je suis fébrile d'impatience ou j'ai tout simplement la fièvre. La gourme s'étale tout autour de ma bouche et de mon nez et je n'ai pratiquement plus d'appétit. Mon obsession, c'est obtenir le dix de conduite et de ne pas avoir l'air malade.

Comme la plupart des enfants sont aussi mal en point que moi, je passe inaperçu de ce côté-là. Le soir, c'est terrible, je déprime et je ne cesse de me poser la question : « pourquoi est-ce qu'elle n'est pas venue ? » Puis, j'essaye de m'endormir en me disant que lorsque je me réveillerai, la nouvelle journée me rapprochera de la liberté.

Le vendredi arrive enfin et je suis autorisé à aller en promenade. On est tous alignés devant la grille du préau. Il y a du chahut dans le groupe et au début, il est question de ne pas nous laisser sortir.

C'était une fausse alerte :

– *En rang deux par deux, prenez vos distances.*

Nous sommes encadrés par quatre jeunes surveillantes. On franchit la petite grille, puis la grande. Mon cœur bat à tout rompre. On est dehors. Dans la rue qui mène au bois, le vent est vif. Les pavés inégaux qui bordent le trottoir, les feuilles mortes et gelées des platanes et des marronniers me rappellent à la vie et j'ai l'impression de respirer la liberté.

J'ai mis du papier journal dans mes galoches pour que mes pieds ne flottent pas dedans, ce qui m'empêcherait de courir.

Il y a une surveillante en avant, une autre en arrière et une de chaque côté. Nous progressons dans une allée assez clairsemée entre arbres et gazon et nous allons passer à proximité d'un camp militaire allemand retranché dans l'épaisseur du bois et encerclé de barbelés. Je ne sais pas sur quelle longueur les barbelés m'empêcheront de m'enfoncer dans le bois, du moins si je parviens à l'atteindre. Il y a plus de cent mètres et je manque de souffle. Ensuite, Il me faudra contourner le camp et c'est ça qui m'inquiète car je demeurerai visible. J'aperçois l'entrée du camp militaire. Il va falloir que je tente ma chance avant que nous bifurquions hors du bois.

La surveillante qui garde notre flanc vient de remonter en tête du groupe pour je ne sais quelle raison. C'est maintenant ou jamais. Je m'échappe du rang et je m'élance avec toute l'énergie que je possède. Il s'écoule quelques secondes sans que rien ne se passe, puis les clameurs des enfants me dénoncent. J'entends :

– *Mademoiselle, Mademoiselle, le douze est en train de s'enfuir !*

Je cours, je cours à perdre haleine, mais une voix qui se rapproche derrière moi me crie de m'arrêter.

La peur me fait oublier le feu dans ma poitrine et mes chaussures qui s'alourdissent. Je jette mon béret, mon cache-nez et je me débarrasse de mon manteau sans me retourner. Je traverse la rue asphaltée qui borde le camp militaire et je cours le long des barbelés. C'est seulement là que je risque un coup d'œil sur ma droite.

La surveillante est à bonne distance. Elle a cessé de crier, elle a cessé de courir. Elle a ramassé mon manteau et c'est ça qui m'a permis de la distancer. Je suis sauvé. Je continue pourtant à courir jusqu'à l'épuisement.

Vers le fort de Vincennes, je bifurque en direction de chez moi. Je ne sens pas le froid, je ne sens que la liberté et je prends tout mon temps pour retourner à la maison. Dans ma rue, j'aperçois de la lumière aux fenêtres. Ma mère est là. Je regarde alentour pour m'assurer qu'il n'y a pas de gendarmes. Je rampe sous la partie vitrée de la loge de la concierge et me coule dans l'escalier comme un monte-en-l'air. J'ai l'impression que tout le monde va surgir de son appartement pour me barrer le passage. Sur le palier du troisième devant ma porte, je réalise seulement maintenant que j'ai très mal dans la poitrine.

Nous n'avons pas le téléphone et ma mère n'a pas été autrement avertie de ma fuite. Lorsqu'elle ouvre la porte, elle est pétrifiée. Je dois avoir une drôle de tête parce qu'elle me prend dans ses bras et répète plusieurs fois :

– *Mon pauvre petit, mon pauvre petit.*

Rien que pour cet instant, ce petit instant de bonheur, ça valait le coup que je me sauve. Et elle m'ouvre le paradis en disant :

– *Mon chéri, mon trésor, tu n'y retourneras plus. Tu vas rester avec moi. C'est fini... là... là... c'est fini... Demain je te retire du pensionnat.*

Elle me dévisage encore et pose la main sur mon front :

– *Regarde-moi ça dans quel état tu es. Ce sont des sauvages. Je vais appeler un médecin.*

Pourquoi tu n'es pas venue me chercher dimanche ?

– *Je ne pouvais pas.*

Elle consent à m'expliquer :

– *Je peux aussi bien te le dire. Tu vois, il fait très froid et sur les terrasses, il n'y a personne. Alors je suis allée faire les cours avec mon violon. J'ai mal choisi le quartier. Quelqu'un a dû se plaindre et je me suis fait ramasser. Je suis allée en prison.*

– *Toi aussi tu t'es sauvée ?*

– *Non, ils m'ont relâchée tout simplement.*

– *Tu n'y retourneras plus en prison ?*

– *J'espère que non. De toute façon ce n'est pas bien grave. Bon ! Maintenant tu vas te mettre au lit et je vais te faire un enveloppement à la farine de moutarde en attendant le médecin.*

– *Cinq minutes, hein maman ! Tu me le promets ? Pas plus !*

– *Promis, cinq minutes. Pas une de plus !*

Les semaines qui suivirent, je fus véritablement un ange. Ma mère s'est employée à me remettre sur pied. Deux fois par jour, elle détache mes croûtes de gourme à l'eau de Dalibour. Elle me ratisse la tête au peigne fin et elle écrase mes poux aplatis, coriaces et incolores entre ses ongles : clic, c'est un petit, crac, c'est un gras. Elle finit par me débarrasser des lentes avec du pétrole, encore du pétrole et de la patience. J'ai retrouvé ma gaieté et ce que je considère ma liberté.

Chapitre XVIII

Monsieur le Maire de notre commune, est un homme plein de bonté, mais surtout plein de bon sens. Comprenant que ma mère, accusée à tort et rédigeant de belles lettres malgré son tailleur vert râpé jusqu'à la corde, ira jusqu'au bout afin de prouver son innocence dans l'affaire des cartes d'alimentation, il finit par la réintégrer dans ses fonctions avec ce conseil :

– Mon petit, je crois que vous êtes intelligente. Il ne faut en vouloir à personne. Vous avez récupéré votre poste, c'est l'essentiel. N'attisez donc pas cet incident. Faites votre travail comme tout le monde et soyez un exemple pour vos collègues.

Ma mère ne se le fait pas dire deux fois. Elle se remet au travail comme tout le monde. C'est-à-dire que l'exemple n'étant pas nécessairement le chemin de la vertu, elle qui n'avait jamais fait disparaître une épingle qui ne lui appartint pas, met au point un dangereux système de prestidigitation.

L'enceinte de la salle des fêtes où elle travaille sert de gigantesque bureau de distributions des cartes et il est gardé par les gendarmes. Le peuple fait la queue afin qu'on lui renouvelle ses intercalaires mensuels pour le beurre, le sucre, le café, la viande, le lait, etc.

Des « fouilleuses » tamisent les employés à la sortie en fin de journée. Par ailleurs, il est naturellement interdit de s'absenter de la salle durant le travail, sauf… pour aller aux cabinets, W-C, Waters, latrines, toilettes, lavabos, salle d'aisance, garde-robe, cagoinces, tartisses, goguenots, chiottes selon le terme qui convient le mieux à l'image que l'on peut se faire de ces réduits publics insalubres qui bordent les murs de notre église. Dans ce cas les employés ne sont pas fouillés.

C'est là que ma mère a trouvé la faille. Il faut sortir de la salle et parcourir une centaine de mètres pour se rendre à ces lieux mal saints accolés à l'église. Or le saint lieu, lui, est à dix minutes de marche normale, aller retour de chez nous. Mais avec ma mère, la marche normale s'est transformée en marche rapide, voire forcée, tout en affectant l'air de ne pas être pressée, et son temps de parcours s'est réduit de moitié.

Rien dans les mains, rien dans les poches, les intercalaires et même les cartes sont cachés dans sa culotte. Elle fait semblant d'aller aux W-C, et deux fois par jour, au pas de gymnastique jusqu'à la maison, elle approvisionne le placard secret. Étant donné que ma mère n'a pas un tempérament modéré, elle ne fait pas les choses à moitié. Elle s'est confectionné une large culotte comme en portent les grands-mères, munie d'une grande bande élastique, puis elle a raconté à tout le monde qu'elle avait une cystite, ce qui est un pieux mensonge, car ça lui arrive souvent. Et lorsqu'elle demande à sortir de plus en plus souvent pour aller uriner, les fouilleuses trouvent ça normal.

Ma mère s'est fait maintenant des alliés de ses collègues pour les besoins de la cause, parce que les intercalaires sont répartis entre tous les employés, par exemple, ma mère a le sucre, mais pas le café, une autre a la viande, une autre les produits laitiers, une autre le pain et ainsi de suite.

Pour faire un jeu complet d'intercalaires, il faut qu'il y ait des échanges entre collègues. Ma mère en exige de plus en plus.

– *Simone tu exagères, tu vas tous nous faire pincer!*

– *Vous m'avez prise une fois pour une conne, maintenant c'est à moi de me servir. Si je me fais coincer, vous êtes tous dans le bain, alors démerdez-vous de me fournir.*

Un soir, on compte plus de deux cents cartes garnies d'intercalaires dans le placard secret. Si tout ça devait être converti en nourriture, il faudrait un entrepôt. Ma mère s'est mise en cheville avec un, puis deux, puis trois petits commerçants, loin de chez nous à Montreuil, du côté de la tante Germaine, auxquels elle vend des jeux complets de cartes et ramène aussi du sucre et du café pour les revendre aux particuliers. Mais elle ne stocke rien à la maison. Elle achemine en gros, les dimanches, chez Yvette et Marguerite qui se débrouillent pour revendre au détail et faire leur profit.

Même la tante Andrée entre dans le cercle des clients de ma mère qui n'a pas de rancune. Et du coup, la grosse tante malcommode se montre aimable avec moi.

Ma mère a acheté deux vélos d'occasion sans lumière, avec des porte-bagages, et c'est nous qui convoyons la marchandise le samedi soir à la tombée de la nuit, depuis Montreuil jusqu'à la maison, d'où elle ressortira le dimanche matin.

Mon porte-bagages arrière est lourdement chargé et ma mère m'a affublé d'un grand ciré d'hirondelle, c'est-à-dire d'une pèlerine de policier à bicyclette, trouvée au marché aux puces. Le ciré noir tombe en parachute, de mes épaules sur le vélo, afin de cacher les barres de dix kilos de sucre placées en travers du guidon.

Mes freins sont usés et j'ai beau serrer les poignées de toutes mes forces lorsque nous descendons la côte abrupte de l'avenue de la République, je vois grossir à toute vitesse le carrefour des Rigolos avec la certitude que je vais terminer ma course dans la vitrine du café d'en face ou entrer en collision avec une voiture ou un autobus.

Je parviens néanmoins à chaque fois à zigzaguer miraculeusement entre les véhicules et je suis toujours étonné de m'en sortir indemne.

Ma mère dit qu'on passe inaperçus. Je n'en suis pas si sûr: elle, qui se tient toute droite sur sa selle pendant qu'elle perd ses grains de café qui rebondissent en gerbes sur les pavés, et moi qui la précède avec ma tête minuscule émergeant d'une pèlerine d'agent de police. Je crois plutôt que nous avons une chance insolente.

On amène donc la marchandise à la maison à la faveur du crépuscule et si l'obscurité n'est pas assez profonde au goût de ma mère, on attend la nuit assis sur nos bicyclettes à quelques rues de la maison.

On passe alors devant le poste de la concierge en prenant soin de ne pas faire craquer les marches d'escalier que l'on grimpe trois fois de suite pour tout décharger, en tenant nos pieds près du mur. La nuit, ça ne pose pas trop de problèmes, tous les chats étant soi-disant gris, mais c'est le dimanche ! Il faut repasser la marchandise en plein jour devant la loge de notre bonne Madame Schröer. Afin d'éviter la dangereuse centrale d'information, donc éloigner les soupçons de la conciergerie, ma mère a imaginé toute une combine.

Sur ma vieille poussette de bébé qu'on a exhumée de la cave, on emballe « la petite commerce » dans des chiffons qui ont servi autrefois de vêtements, puis on cache tout ça dans un bric-à-brac de bibelots, de livres et certaines de ses peintures que ma mère ne peut plus voir en peinture.

On charge le landau, et quand tout est prêt, ma mère frappe au carreau pour parler à Madame Shröer, car c'est elle qui donnera le ton à l'opinion générale. Ma mère a toujours un nouveau prétexte qu'elle se réserve jusqu'au dimanche :

– *Madame Shröer, est-ce que le propriétaire vous a donné le reçu pour mon terme ?*

– *Il n'est pas encore passé.*

Ça, on le savait, bien entendu.

– *Où est-ce que fous allez affec tout ça Madame Cherfais ?*

– *On va essayer de vendre quelques bricoles au marché aux puces. Il faut bien vivre et rembourser les dettes. Mon travail ne suffit pas à nous faire vivre. Et le petit qui est grand, il faut l'habiller, ça coûte cher !*

– *Fous l'affez dit, ça coûte cher ! Moi, ma fille me coûte l'essieu de la tête.*

– *Soyez gentille Madame Schröer, ne parlez pas de ça aux voisins, j'ai ma fierté vous comprenez. Je ne voudrais pas qu'on sache…*

Maintenant, c'est sûr que tout l'immeuble sera au courant de ce que ma mère veut qu'on pense ; les Gervais tirent le diable par la queue.

Après deux ou trois dimanches, la routine s'est établie, ma mère n'a plus besoin de prétextes, et la concierge ne pose plus de questions pour deux raisons : la première c'est que sa curiosité est satisfaite, et la deuxième, est que ma mère se garantit que la curiosité de la concierge demeure satisfaite. En effet lorsqu'elle paye son terme, elle n'oublie pas de donner un bon pourboire à Madame Shröer, en fonction de la devise que lui a enseignée son père « Payez, vous serez considéré ! »

On va de plus en plus souvent faire nos courses au marché de Vincennes pour se faire moins remarquer près de chez nous. En revenant, nous aussi maintenant on a des filets à provision qui font le gros ventre.

Puis un jour ma mère rentre du travail très énervée. Elle m'annonce de manière précipitée qu'on liquide ce qu'il y a dans la maison et qu'on arrête le négoce.

Dans son langage coloré, elle déclare qu'il y a un inspecteur qui remue la merde au boulot et que ça sent mauvais. Elle sort toutes les cartes du placard que j'aide à réduire en milliers de petits papiers qui disparaissent dans les W-C Les billets de banque sont enveloppés dans une feuille de journal et sont cachés dans la cheminée du plafond, là où pénètre le premier segment du tuyau de poêle, et en un rien de temps, le peu de surplus qu'elle conservait de café et de sucre dans l'appartement se retrouve chez Yvette et Marguerite.

Puis ma mère me visse sur une chaise et prend un ton grave. Ça a l'air d'être sérieux.

– *Maintenant, écoute-moi bien. Est-ce que tu veux aller en prison ? La prison, c'est le pensionnat en dix fois pire !*

Je dois avoir l'air ahuri.

– *Bon, alors si on t'interroge, voilà ce qu'il faut que tu dises...*

Ça dure toute la nuit et je n'ai pas envie de rire. Elle met au point tous les détails d'un interrogatoire virtuel et me fait travailler mes réponses mot à mot :

– *On fait comme si j'étais la police qui te questionne.*

Elle me montre les deux cartes d'alimentation qui sont les nôtres.

– *Tu sais ce que c'est ça ?*

– *Oui m'sieur, c'est des cartes d'alimentation.*

– *Fais attention. Si ce sont nos cartes qu'on te montre, tu dis : « ce sont nos cartes d'alimentation ». Si ce ne sont pas les nôtres, là tu dis : « ce sont des cartes d'alimentation, parce que si tu dis que ce sont des cartes alors que ce sont les nôtres, on peut penser que t'as l'habitude d'en voir d'autres que les nôtres, et que pour toi, celles-là ou d'autres, elles n'ont pas plus de valeur les unes que les autres. Tu comprends, les cartes, c'est précieux.*

J'ai du mal à retenir cette gymnastique et j'ai très envie de dormir, mais ma mère me rappelle à l'ordre :

– *Le pensionnat, tu veux y retourner ?*

– *Non maman.*

– *Ta mère elle en a beaucoup de cartes comme celle-là ?*

– *Non m'sieur.*

Là, elle m'engueule :

– *Tu dis que t'en sais rien. Comment pourrais-tu le savoir si j'en ai d'autres, des cartes. Si tu dis non, ça prouve que tu t'es occupé de savoir si j'en avais d'autres. Ce n'est pas logique chez un enfant de ton âge. Et là, ils sauraient que tu as pu en voir d'autres à la maison, c'est vu ?*

Je commence à ne plus rien voir du tout tellement j'ai sommeil, mais on continue :

– *Ta mère t'envoie souvent faire les courses, pas vrai ?*

– *Oui M'sieur.*

– *Qu'est-ce que tu achètes quand tu vas faire les courses ?*

– *Du pain, de la viande, des légumes, du sucre...*

– *Est-ce qu'elle t'envoie souvent acheter du sucre ?*

– *Non M'sieur.*

Elle m'interrompt :

– *Hésite avant de répondre ; le sucre on en a droit qu'à un kilo par mois, alors tu n'en vois pas souvent. Fais comme si tu cherchais dans ta mémoire, mais pas longtemps, t'as compris ? Continuons...*

Et elle continue inlassablement :

– *Et ta mère elle ramène souvent du sucre à la maison ?*

J'hésite un peu...

– *Et du café ?*

– *Non M'sieur.*

– *Où est-ce que vous allez ta mère et toi quand vous partez le soir en vélo ?*

– *On va se balader.*

– *Où ?*

– *On va voir la tante Germaine ou bien on va au bois de Vincennes.*

– *Pour quoi faire ?*

– *Pour faire le tour du lac.*

– *Tu mens ! On vous a vus ta mère et toi transporter du sucre et du café sur vos vélos. On vous a vus !*

– *Non M'sieur.*

– *Tu mens. Qu'est-ce que tu caches sous ta pèlerine quand tu es en vélo ?*

– *Je cache rien M'sieur, c'est ma mère qui ne veut pas que je prenne froid.*

– *Tu mens, c'est ta mère elle-même qui nous l'a dit que vous transportiez du sucre et du café le soir et le dimanche matin !*

Je regarde ma mère :

– *C'est vrai, tu leur dirais ?*

– *Imbécile, c'est un piège dans lequel tu ne dois jamais tomber. Ils te font croire que j'ai avoué pour que tu avoues. Ne crois jamais ça, tu entends ? Jamais ! Même si tu voyais qu'on est en train de me couper la main, n'avoue jamais, compris ?*

– *Oui maman.*

– *Même sous la torture !*

– *La torture ?*

– *Oui, même si on te fout des baffes sur la gueule, qu'on te fait mal, très mal, comme quand... je te donne... la fessée, tu n'avoues pas.*

La fessée... elle a de ces diminutifs ! Ou bien alors elle vient d'avouer qu'elle me torture.

Pendant plusieurs jours, tous les soirs, on répète l'interrogatoire avec du fignolage, à tel point que maintenant je rêve toutes les nuits que je suis en prison et que je reçois des trempes.

Deux semaines plus tard on apprend que Monsieur Mitivier, le chef de service aux cartes d'alimentation, celui-là même qui avait fait porter le chapeau à ma mère, vient d'être arrêté et écroué pour trafic de cartes.

Nous, on n'a jamais vu l'ombre d'un agent de police.

Ma mère a gardé son travail et elle s'est refait une conduite. On ne mange que ce à quoi on a droit avec nos propres cartes, sauf peut-être qu'on a suffisamment de charbon pour accueillir le printemps, mais on ne fait du feu que rarement, car c'est un problème de déloger le trésor et d'attendre que la cheminée refroidisse pour le reloger sans prendre également toute la suie sur la tête.

Toutefois, de temps en temps, ma mère déboîte le tuyau de poêle, plonge sa main dans la cheminée, prend ce qui lui est nécessaire pour un extra et on va au restaurant à Paris où on mange des trucs que je ne connaissais pas : des tripes au vin blanc, du poulet, du lapin, du poisson, des tas de légumes et des fruits.

Et puis… on va au cinéma ! Ma mère a retrouvé sa chevelure frisée au fer, son allure distinguée un peu hautaine.

On va faire les courses ensemble partout depuis qu'on ne doit plus d'argent. Les commerçants sont aimables.

– *Ce qu'il a grandi le petit, on ne le reconnaît plus. Et avec ça Madame, ce sera tout Madame ? Voilà Madame, au plaisir Madame !*

Ma mère leur répond sur le même ton, mais à chaque fois qu'elle sort de la boutique elle marmonne :

– *Quels cons !*

– *Dis maman, si je suis grand que ça, pourquoi est-ce qu'on m'appelle toujours le petit ?*

– *Bah… Parce que tu es un petit qui est grand.*

– *Ah…*

Un jour qu'il faisait particulièrement froid et humide et que j'étais resté à la maison, j'ai voulu faire une surprise à ma mère pour son retour du travail et j'ai allumé le poêle sans autre pensée que de bien faire.

Elle est arrivée peu après que le feu était pris et je dois dire que la surprise a été totale. Elle a bondi dans la cuisine, a rempli la cuvette d'eau et sans prendre le temps de fermer le robinet, a versé l'eau sur le brasier, dispersé la cendre noire à la volée et transformé l'entrée de l'appartement en bain turc pour Africains.

Juchée sur une chaise, elle a démanché le tuyau… Le papier journal était en train de se calciner en rougeoyant, mais… les billets étaient encore intacts… elle a fait :

– *Ouf !*

Et l'incident en est resté là. Les billets ont réintégré le placard secret et on a eu un peu plus souvent chaud dans la maison, mais jamais autant que ma mère ce jour-là.

Chapitre XIX

Le médecin a conseillé à ma mère de me faire opérer des végétations. Leur présence serait la cause que je dors la bouche ouverte. Et ma mère est convaincue que si je continue à dormir la bouche ouverte, je deviendrai idiot. Nous nous rendons donc un matin à l'hôpital Trousseau. Après une attente interminable, je suis immobilisé sur une chaise à l'aide d'un drap qui m'enserre le corps et me rappelle la camisole de force du pensionnat. Tandis qu'une infirmière dans mon dos maintient ma tête entre ses puissants avant-bras, un jeune Monsieur en blanc, probablement médecin en titre, me force entre les dents ce que je sais maintenant être un spéculum et m'écarte de force les mâchoires qui sont ainsi maintenues grandes ouvertes. Puis, avec l'instrument qu'il m'enfonce dans la bouche, il me cisaille les amygdales, s'y prend à plusieurs reprises et me rend fou de douleur, chaque fois qu'il m'arrache un morceau de la gorge. Enfin, il me vide des cubes de glace dans la bouche en m'intimant l'ordre de les sucer sans les avaler, et me rend à ma mère avec une tape derrière la tête.

J'obtiens mon congé de l'hôpital deux jours plus tard, déclaré en en bonne santé, pour m'aliter à la maison avec trente-neuf de fièvre. Trois semaines plus tard, mon œil gauche est fermé et a la taille d'un œuf de poule. Ma mère me traîne tous les deux jours par autobus et métro à l'hôpital Trousseau pour y être exposé à un aérosol de Propidon qui non seulement n'arrange rien mais me donne des accès de fièvre jusqu'au délire et des douleurs épouvantables.

Le médecin qui est en charge de ces soins recommande une diète des plus strictes en ce qui me concerne, ce qui me donne l'air, d'après ma mère lorsqu'elle parle de moi, d'un chat efflanqué ne tenant pas sur ses pattes.

Une voisine du 96 de notre rue, l'immeuble voisin, une des rares personnes du quartier à qui ma mère concède la faveur de lui adresser la parole, connaît un certain « Professeur Loiseau » qu'elle contacte et qui finit par consentir à traverser Paris, malgré les restrictions de carburant, pour venir me voir en pleine nuit. Il est péremptoire :

– *Il a un gros abcès au sinus. En outre, il a été sous-alimenté. Donnez-lui un bifteck demain matin à la première heure pour qu'il prenne un peu de forces, ensuite amenez-le à l'hôpital Cochin. Je l'opère en urgence. Il est possible qu'il faille le trépaner, il est possible aussi qu'il perde son œil.*

– *Trépaner,* s'inquiète ma mère, *qu'est-ce que ça veut dire ?*

En attendant de perdre un œil, je ne perds pas un mot de ce qu'explique le Professeur Loiseau. Il veut dire qu'il faudra peut-être me faire un trou dans le crâne ou me scier la calotte de la boîte crânienne afin de mettre mon cerveau à nu.

Je me souviens de l'horrible sensation de respirer le chloroforme mélangé à l'éther dans le masque sous lequel je me débattais.

Je n'ai pas été trépané et je n'ai pas perdu mon œil. C'est un jeune interne, élève du Professeur Loiseau, qui m'a opéré. Lorsqu'il m'a ouvert l'arcade sourcilière, comme il m'a raconté plus tard, le pus a jailli comme la fontaine du Manneken-Pis de Bruxelles.

Trois semaines plus tard, dans ma chambre d'hôpital, on m'a enlevé mon pansement et je me suis écrié :

– *Je vois ! Je vois !*

Pour ma convalescence, j'ai fait connaissance de la Bretagne. On a passé une semaine à Saint-Cast où nous avons mangé du poisson tous les jours.

J'ai appris à nager dans l'eau glaciale avec un maître nageur et j'ai cherché des bigorneaux dans le sable à marée basse avec ma mère qui s'est fait des amies : la maigre Tati et la grosse Yolande qui, elle, a attrapé des bobos de plage aux pieds. Les bobos ont mal tourné, plus tard il a fallu l'amputer.

De retour à Paris, on va souvent dans des restaurants chics les dimanches. Des fois on mange le midi dans un quartier et le soir dans un autre. Entre les deux, on va au cinéma.

L'autre jour, elle a voulu voir deux fois de suite le même film dans un cinéma permanent, à cause d'une scène où Éric von Stroheim disait à la serveuse qu'il y avait quatorze mouches dans la purée. Elle le trouvait sublime dans ce passage.

À la deuxième projection, j'ai essayé d'être mathématiquement drôle et j'ai demandé à ma mère pourquoi il ne disait pas à la serveuse qu'il y avait maintenant vingt-huit mouches dans la purée puisque c'est la deuxième fois qu'on revoyait le même truc.

Elle m'a chuchoté que ça ne se faisait pas de chuchoter dans une salle de cinéma. J'ai quand même insisté :

On ne peut pas partir maintenant que tu as revu le passage ?

Comme elle ne voulait pas me gifler devant tout le monde, elle m'a pincé jusqu'au sang et depuis ce jour-là je déteste les mouches et la purée.

On va également au théâtre. C'est ce que j'aime le plus. On n'y entre pas n'importe quand comme au cinéma. Il faut attendre la sonnerie de neuf heures.

Les lumières discrètes aux portes d'entrée, les tapis partout, les photos d'acteurs sur les murs, les gens habillés chics, l'huissier en smoking qui vérifie les billets, la salle obscure devant l'épais rideau rouge éclairé qui attend que l'on frappe les trois coups pour se lever comme par magie sur des êtres vivants et si proches, confèrent une atmosphère mystérieuse, intime et chaleureuse à ce spectacle, bien différente de la salle de cinéma.

Lorsqu'on ne va pas au ciné, on se promène sur les quais de la Seine et on passe l'après midi à faire les bouquinistes. Simone ma mère, achète des tas de vieux trucs, des peintures, des gravures, des livres, des bibelots, des instruments de musique.

On fait aussi les grands magasins. Mais là, on n'achète jamais rien et c'est crevant. Ma mère rôde dans les rayons, retourne les étiquettes, tripote les vêtements et finit toujours par dire avec une moue de dégoût que c'est trop cher pour elle ou inutile pour moi, parce que je grandis trop vite.

Elle préfère réparer les trous de mes chaussettes avec un œuf en bois en disant :

– Ça fera bien encore quelques mois.

À force d'attendre, les chaussettes rapetissent sur mes pieds qui s'allongent et les encolures des chaussettes commencent à disparaître dans les chaussures, ce qui donne l'impression que je suis pieds nus dans mes souliers.

L'autre jour, dans le métro, on est passé devant une grande affiche des chaussettes « Stem » qui disait : « L'enfant grandit, sa chaussette aussi ». Ma mère a haussé les épaules en secouant la tête :

– Comme si c'était possible !

Alors on conserve nos habits usés, nos chaussures éculées et on continue de fréquenter les grands restaurants. Ça ne dérange pas ma mère le moins du monde, sauf que de temps à autre, il lui arrive de s'engueuler au pluriel, « on », chez elle, n'excluant pas la personne qui parle tout en m'impliquant.

– Merde, ce qu'on peut être cons ! Avec tout ce qu'on vient de dépenser, on aurait pu acheter de quoi s'habiller pour l'hiver !

CHAPITRE XX

Depuis plusieurs semaines, il y a quelque chose dans l'air qui gagne tous les gens que nous croisons dans la rue ou chez les commerçants.

Ce soir, ma mère est enjouée. Toute la journée elle s'est affairée en écoutant la radio, à coudre bout à bout de grands carrés d'étoffe bleus, blancs et rouges. Quand c'est fini, elle me dit :

— *Tu vois, c'est le drapeau français. Les Américains entrent dans Paris, dans quelques heures nous serons libérés. On va fêter ça !*

Elle a sorti des cartons dans lesquels elle avait conservé des surplus de fournitures pour ses fleurs artificielles. Elle verse tout pêle-mêle sur la table :

— *On va faire un drapeau avec des fleurs pour décorer la fenêtre.*

Avec une patience infinie, elle fixe une à une les tiges en laiton de chaque petit bleuet au fer forgé de l'appui extérieur de la fenêtre pour faire le bleu, puis c'est le muguet qu'elle place au milieu avec le même soin, et enfin les giroflées qui représentent le rouge.

Elle cloue ensuite le drapeau de tissu sur un manche à balai qu'elle coince à l'intérieur entre les fuseaux du radiateur à eau chaude qui n'a jamais fonctionné et qui se trouve sous la fenêtre…

— *Et flotte la France !* s'écrie-t-elle, des larmes plein les yeux. *Viens, d'en bas on va voir l'effet que ça donne !*

Il fait presque jour on n'a pas dormi de la nuit. Et d'en bas, en admirant son balcon fleuri, elle a cette remarque qui aurait pu faire d'elle une politicienne :

— **Pétain a enterré la France, de Gaulle l'a ressuscitée !**

C'est rudement beau, un drapeau tout en fleurs qui couvre le bas de la fenêtre sur toute sa largeur et l'autre en étoffe qui descend jusqu'au deuxième étage en attendant que le vent se lève.

On rentre se coucher. On a à peine dormi qu'on est réveillés par une clameur qui envahit la rue :

— *Les Américains ! Les Américains !*

On se met à la fenêtre. Le long du trottoir, du côté des usines du métro, des dizaines de Jeeps militaires avec une étoile blanche peinte sur chacune et un chauffeur noir derrière chaque volant. Ma mère lance sans intention :

— *Regarde, la rue est noire de monde !*

Les soldats sont avachis sur leur siège et leurs jambes semblent refuser de rester à l'intérieur du véhicule. Elles pendent le long des portes, sur les capots ou s'enroulent autour du volant.

159

Certains s'appuient sur leur fusil, mais d'autres ont déjà une fille au cou avec laquelle ils s'entortillent dans la voiture découverte.

Les hommes de notre bâtiment forment des groupes avec d'autres types du quartier. Ils portent tous un brassard avec les initiales « F.F.I. ». Ils parlent fort, font de grands gestes et se donnent des airs importants.

Je sors pour aller au pain. Sur mon chemin, toutes les fenêtres sont également pavoisées.

Chez Guerton, il n'y a déjà plus de pain et je décide d'aller chercher ma baguette à la boulangerie du Soleil. Je traverse la place des Rigolos et à l'instant précis où je mets le pied sur le trottoir pour franchir les deux mètres qui me séparent de la porte de la boulangerie, j'aperçois sur ma gauche un homme avec un brassard F.F.I, une serviette en cuir sous un bras, qui braque un pistolet sur un autre homme à ma droite, en longues bottes noires.

Ils sont sous mes yeux :

– *Haut les mains !*

L'homme en bottes noires n'a pas le temps d'esquisser un geste. Une détonation sèche et bruyante lui perce la gorge. Il s'écroule et saigne par petits jets. Ses yeux sont comme fous.

On le transporte tout près dans une traction avant noire à gazogène, écrasée par ses bonbonnes. La voiture est ornée des lettres F.F.I., du drapeau français et de la croix de Lorraine peinte en blanc dans un V majuscule.

On assied le blessé sur la banquette arrière. Il s'y trouve déjà un autre homme recroquevillé et inerte.

Les F.F.I discutent sur le pavé et ignorent complètement ma présence. Je reste figé à regarder à travers la vitre, le visage du mourant abandonné qui respire encore, la tête rejetée en arrière. Cette image est demeurée indélébile.

Je ramène le pain jusqu'à la maison, mais arrivé devant chez nous, ça ne va pas. Je suis obligé de m'asseoir sur le bord du trottoir tellement j'ai les jambes faibles. Je me sens mal et je me mets à vomir. Puis je monte :

– *Qu'est-ce que tu as, tu es tout pâle, questionne ma mère.*

Je lui raconte ce qui vient d'arriver.

– *Que veux-tu, on n'y peut rien, c'est sûrement un collaborateur.*

Elle me tend un sucre arrosé d'un alcool qu'elle sort du placard :

– *Tiens prend ça, c'est du bon, ça va te remettre.*

C'est vrai que c'est bon et je lui en redemande un deuxième.

– *Dis donc, il ne faudrait pas que tu y prennes goût, enfin, un jour comme aujourd'hui, c'est permis.*

Je suis en train de consommer mon deuxième sucre lorsqu'on frappe rudement à la porte.

– *Ouvre, me lance ma mère qui est aux toilettes.*

Deux hommes qu'on ne connaît pas et qui portent des brassards font irruption.

– Où est ta mère ?

– J'arrive… dit-elle en sortant des W-C

Ils saisissent brutalement ma mère par les bras.

– Résistance, suivez-nous !

Ma mère n'a guère la possibilité de résister et encore moins de les suivre, ils l'emmènent ou plutôt la traînent de force. Elle essaye pourtant de se débattre mollement. L'un des hommes lui donne un coup de poing en plein visage. J'apprendrai que ce coup lui a cassé le nez.

– Qu'est-ce qu'on fait du gosse ?

– On l'embarque aussi, ça lui servira de leçon.

J'ai du mal à suivre, mes jambes refusent une fois de plus de fonctionner. L'un des types m'attrape par l'oreille pour me faire presser le pas.

On pénètre dans une boutique de la rue Dalayrac dont la vitrine est masquée par du papier journal. Il faut une clef pour y entrer. Des femmes sont là, assises, surveillées par des hommes que je connais, dont le voisin Mertz, porteurs eux aussi du brassard F.F.I.

On me dit de m'asseoir et ma mère est immédiatement conduite dans l'arrière-boutique. La porte se referme sur elle. Ça ne dure pas longtemps. Lorsqu'elle ressort, elle est tondue jusqu'au blanc de la peau et porte sur le front une croix gammée tracée au cirage noir, comme les autres femmes présentes.

C'est à ce moment-là que Gandubert entre dans la boutique avec lui aussi son brassard de F.F.I.

Sa clé à la main, il regarde ma mère, comme interloqué :

– Mais qu'est-ce que tu fous ici ? dit-il à ma mère, *mais qu'est-ce qu'elle fout ici ?* dit-il aux hommes.

– Ben… c'est la Simone ! répond un Résistant.

– Mais, c'est pas la bonne Simone, rétorque avec force Gandubert qui semble avoir de l'autorité sur le groupe. *Celle-là, je la connais, c'est ma belle-sœur !*

– Comment ça ?

– Nom de Dieu, je vous dis que c'est ma belle-sœur et qu'elle n'a jamais rien eu à foutre avec les boches !

Mertz, rajuste son béret pointu comme pour se donner une contenance, enfonce ses deux mains dans les poches et intervient :

– Il y en avait une autre Simone qui habitait au deuxième, mais elle a filé, disparue… Effectivement, il peut y avoir erreur…

– C'est maintenant que vous vous en apercevez ! dit ma mère en pointant de l'index son crâne rasé.

Elle a compris que Mertz tenait sa vengeance de l'humiliation qu'il avait subie dans la cave lors du bombardement.

– Bon alors on s'excuse, bredouille un des F.F.I. *On va vous raccompagner.*

Ma mère ne dit plus un mot. Une des femmes se défait du foulard dont elle se couvrait la tête et le tend à ma mère pour qu'elle couvre la sienne, tandis que Gandubert essaye avec son mouchoir et de la salive d'effacer la croix gammée sur son front. Il ne fait qu'étaler le cirage sur la peau, ce qui le fait rire et fait rire tous les hommes.

Ma mère et moi sommes dans la cabine du camion avec le chauffeur qui est censé nous raccompagner à la maison tandis que les femmes tondues, peut-être une dizaine, sont en arrière dans la benne découverte, exposées au public. On leur a ôté leur foulard.

Le véhicule circule lentement dans les rues. Au lieu de se rendre chez nous directement, il emprunte toutes les petites rues du quartier et ça dure toute la matinée. Une foule d'hommes et de femmes accompagnent le camion et hurlent des injures. On entend plus particulièrement les invectives des femmes :

– *Putains ! Salopes ! Ordures ! Culs à boches !*

On lance des pierres sur les femmes entassées dans le tombereau, des ordures ménagères, des morceaux de bois, Des hommes s'enhardissent et se hissent sur les ridelles pour frapper les femmes et les injurier.

Lorsque le camion s'immobilise enfin devant chez nous, ma mère me serre la main très fort, et quelques minutes plus tard, nous nous enfermons chez nous à double tour. Elle fait chauffer de l'eau pour appliquer des compresses sur son nez déformé qui la fait souffrir. Elle s'examine le visage devant une glace pendant un long moment, silencieuse. Elle tend le menton, se regarde dans les yeux, penche la tête, à droite puis à gauche, et elle me fait cette réflexion d'un air indifférent, comme s'il s'agissait de la pluie ou du beau temps :

– *Après tout, ça me donne un genre.*

Elle ajoute :

– *Ce que tu as vu aujourd'hui est un exemple de la connerie du bas peuple. Le peuple tu vois, ce n'est qu'une masse d'ignorants hébétés qui de toute leur vie n'espèrent qu'une seule chose : le prétexte qui leur permettra de se libérer de leurs frustrations en se vautrant comme des porcs dans leurs instincts primaires, peu importe la cause. Ce qu'ils m'ont fait ne m'atteint pas, C'est eux-mêmes qu'ils ont roulés dans la boue, pas moi.*

Elle finit par se débarrasser du cirage sur son front avec de l'essence qu'elle m'a envoyé chercher chez le marchand de couleurs, et se fait un turban élégant avec une longue écharpe blanche, comme j'ai déjà vu sur ses photos lorsqu'elle était sur la Côte d'Azur.

– *Allez, tu ne te figures pas qu'on va se laisser abattre le moral par ces tarés. On va prendre des vacances. On a du pognon, profitons-en ! On fout le camp à la campagne. Tiens en Bretagne pourquoi pas !*

Elle fait nos bagages, mais avant de quitter la maison, elle déchire le drapeau et arrache toutes les fleurs de la fenêtre. Arrivés à la gare du Nord, on nous dit qu'il n'y a plus de trains pour la Bretagne à cette heure-ci.

On prend une petite chambre d'hôtel juste en face, et là, assise sur le bord du lit, ma mère éclate en sanglots. Son nez la fait aussi terriblement souffrir. Le lendemain matin, aux petites heures, elle a changé d'avis :

– *C'est con de foutre du pognon en l'air. Après tout, le père Mertz a eu ce qu'il voulait, ça ne lui portera pas chance et je ne vois pas ce qui peut m'arriver de pire. Et puis, on ne peut pas partir : Émile ne devrait pas tarder à être libéré. Il ne manquerait plus qu'il arrive et qu'il ne trouve personne. Rentrons ! En tout cas je ne retournerai plus travailler aux cartes. Ça, c'est terminé.*

Ma mère est quand même retournée travailler aux cartes durant quelques mois. Quelques mois seulement, car les restrictions seront tranquillement levées. Tout est presque en vente libre.

De plus en plus souvent, elle refait des cachets dans des concerts.

Chapitre XXI

C'est l'automne et c'est aussi le réalisme d'une expression que j'avais presque oubliée depuis mon séjour au pensionnat « La rentrée des classes ». Cette fois je vais à l'école publique, j'ai sept ans et demi.

Dès le début à l'école Roublot, ça va plutôt mal. D'abord, je ne fais pas moins de quinze fautes par dictée, j'ai toujours zéro de conduite et je me retrouve presque tous les jours chez le directeur.

Je suis en retard le matin et je m'arrange pour me faire dérouiller à chaque récréation. Je ne sais pas comment me défendre. Je n'ai jamais fait partie de la rue au même titre que les gamins du quartier et c'est à l'école qu'ils me le font savoir. Ils ne m'acceptent pas. À la sortie, pour ne pas me faire casser la figure, je lâche mon cartable et je détale comme un lapin jusque chez moi, la meute à mes trousses. Tous les soirs, c'est la même chose qui se reproduit : mes habits sont déchirés et je suis plus ou moins amoché.

Ma mère a bien été voir le directeur, mais ça n'a rien changé. Je remarque que c'est toujours le même qui pousse les autres à me tabasser. Il s'appelle Manu. Il a deux ans de plus que moi et un vilain portrait. J'en ai vraiment la frousse. Je me dis que si je pouvais m'en faire un copain, peut-être que les autres me laisseraient tranquille. Pendant une récré, je lui offre mon casse-croûte :

– *Tiens Manu, j'ai pas faim, tu le veux ?*

Je le regarde s'enfiler mon quatre-heures et j'attends le miracle. Quand il a terminé la dernière miette de mon casse misère, il me sort :

– *Merci petit con !*

– *Pourquoi tu me traites de petit con ?*

– *Parce que t'es un petit con et que ta mère c'est une putain, elle a couché avec les boches !*

Et il le redit en me crachant dessus :

– *Ta mère c'est un cul à boches.*

Je tente de lui rentrer dedans, mais c'est lui qui me rentre la tête dans un arbre, j'ai le front ensanglanté et je n'ai même pas pu lui coller une seule châtaigne. Je songe à la vengeance. Je me dis que si je trouvais le moyen de lui faire mal, et d'une, je serais vengé et de deux, je me ferais peut-être craindre et respecter.

Ça tourne dans ma tête comme dans Beethoven. Beethoven, c'est le vieux manège des chevaux de bois baptisé Beethoven parce que, m'a raconté ma mère, il est situé à proximité de l'immense socle qui fut destiné avant 1914 à la statue du célèbre musicien sur la pelouse « Fontenay » dans le bois de Vincennes, statue qui n'a jamais été érigée par suite du décès de son auteur.

Il m'a fallu attendre plusieurs jours pour me décider à commettre mon attentat vengeur contre Manu.

Ce jour-là, je manque délibérément l'école. Je fais semblant de partir de la maison pour l'école, mais je retourne à la maison sachant que ma mère est partie travailler. Toute la journée je tourne en rond en attendant que le réveil me rapproche de l'heure de la sortie des écoliers.

Je sais que Manu descend la rue Jules Ferry avec ses copains jusqu'à la rue Dalayrac. Là, ils se séparent et Manu reste seul sur trois cents mètres environ avant de tourner sur la rue Pasteur et atteindre son immeuble, c'est-à-dire le fameux 94.

Je suis embusqué dans une porte cochère et j'attends. Je le vois enfin qui arrive sans se presser sur le trottoir d'en face, son cartable à la main. J'attends qu'il me dépasse. Je fais un cercle derrière lui et j'arrive à sa hauteur par sa gauche.

J'ai, enroulée autour de mon poing, la sangle en cuir avec laquelle ma mère m'a corrigé tant de fois.

– *Salut Manu !*

Il est surpris.

– *Tiens qu'est-ce que tu fous là toi ?*

Il ne se montre jamais agressif sans ses copains. Je voudrais l'avoir à bonne portée pour être sûr de mon coup. Je marche à côté de lui et je fais mine d'engager la conversation :

– *Dis donc Manu, je voulais te demander…*

Je prends un temps. Mon cœur est en train d'essayer de passer à travers ma poitrine, mais il ne faut pas que je me dégonfle, je me le suis juré.

Il se tourne vers moi, c'est ce que je voulais. Du revers de l'avant-bras je lui envoie sèchement mais durement mon poing sur la bouche. Il lâche son sac d'école et tombe en avant sur les genoux. Mon premier réflexe est de me mettre à courir. Je me sauve, puis je me ravise et j'y retourne. Je n'ai plus peur. Manu s'est relevé. Il se tient la bouche et le sang coule entre ses doigts. Je me jette sur lui et je cogne partout et tant que je peux :

– *Répète-le que ma mère est une putain, répète-le !*

Manu ne se défend pas. Il pleure et je frappe :

– *Répète-le que ma mère est une putain.*

Il ne répète rien.

Me dépassant de deux têtes, lorsqu'il est debout, sur le sol il me paraît tout petit. Un sentiment d'orgueil m'inonde. Je l'ai vaincu. Les passants s'en mêlent et je me sens décoller du sol.

Pendant deux jours, on ne l'a pas vu à l'école et j'appréhende ce qui va se passer à son retour lorsqu'il aura retrouvé ses copains.

La première fois que je le vois à la récréation, il est adossé à un arbre, entouré de ses complices, je prends les devants. Je marche droit sur lui, décidé, et ainsi que je vis faire ma mère, je brandis dans mon poing le même petit couteau de cuisine dont elle s'était armée devant l'assistante sociale et en fixant bien Manu dans les yeux :

– *Manu retire ce que tu as dit sur ma mère où je te le plante dedans !*

Manu cherche ses copains des yeux et hésite.

– *Manu, retire ce que tu as dit sur ma mère, c'est la dernière fois.*

– *Je retire, mec, ça va, oublie ce que j'ai dit.*

– *Non, pas comme ça. Dis-le que ma mère c'est pas une putain !*

– *Ta mère c'est pas une putain.*

L'incident est loin d'être passé inaperçu.

Je me retrouve chez le directeur, cette fois avec ma mère. J'ai beau répéter au directeur que Manu a traité ma mère de putain et de cul à boches, cela n'a pas l'air de l'émouvoir, pas plus que ma mère d'ailleurs.

Je suis, semble-t-il, une forte tête qui refuse de s'adapter à la vie communautaire et un garçon très mal élevé pour oser prononcer le « gros mot » qu'a employé Manu.

Je resterai donc en retenue après la classe tous les soirs pendant un mois.

Dehors, ma mère me déclare qu'elle est bien plus humiliée d'avoir à comparaître devant le directeur pour répondre de mes actes que d'avoir un fils qui prend sa défense. Chez nous elle s'apprête à me le faire regretter avec le ceinturon, celui-là même qui m'a servi à protéger sa dignité.

Elle est assise et prépare le cérémonial que je connais bien : le tic avec la mèche de cheveux, le regard lointain et hautain, le mépris et le silence. Je me tiens devant elle, les mains derrière le dos, ma culotte et mon caleçon en accordéon sur mes souliers. J'attends.

D'abord, tu manques un jour d'école sans raison, et en plus cette histoire de couteau. Mais, est-ce que tu es devenu fou ? Pourquoi as-tu emporté ce couteau à l'école ?

Je sais pourquoi j'ai emmené le couteau à l'école. Je sais que j'ai voulu prouver quelque chose et je réponds :

– *C'était pour faire comme toi avec l'assistante sociale. J'ai voulu lui faire peur.*

Ma mère me dévisage bizarrement. On dirait qu'elle n'a pas l'air de saisir à quoi je fais allusion.

– *Qu'est-ce que c'est que cette histoire ?*

167

Je la lui rappelle dans tous ses détails. Au fur et à mesure que je raconte, elle prend une expression de doute en levant les sourcils et en baissant les coins de la bouche en même temps qu'elle affiche un air de réserve indifférente en haussant les épaules comme si elle ne voyait pas le rapport, puis elle lève les paumes des deux mains qu'elle agite vers le ciel à l'italienne, comme si cet incident n'avait aucune importance et ne devrait pas avoir laissé de souvenir.

Son visage reste figé dans ce qu'elle pense et elle reprend son tic en fixant la table pendant un bon moment. Soudain elle me regarde et rompt le silence :

– *Si je comprends bien, tu veux dire que c'est ma faute si tu as menacé ce gamin avec un couteau ?*

– *Je ne veux pas dire que c'est ta faute, maman.*

– *Si, c'est ce que tu es en train de dire, tu m'accuses !*

– *Je t'assure que non maman, je voulais simplement te dire que j'ai voulu faire comme toi, je n'ai pas réfléchi.*

Elle prend feu :

– *De mieux en mieux, à présent tu me juges ! Tu juges ta mère, tu vas bientôt me reprocher la façon dont je t'élève ! Pourquoi est-ce que tu ne me reproches pas aussi le pain que je te mets dans la bouche !*

– *Je te jure maman, tu te trompes, c'est toi qui dis tout ça, moi je ne le pense pas.*

– *Alors, je me juge toute seule ! Je m'accuse toute seule ! C'est ça ? Hein ? Dis-moi, c'est ça ?*

Je ne sais pas quoi répondre. Elle ne me pose plus de questions. Elle s'est remise à réfléchir. Au bout d'un moment, elle me dévisage avec une expression d'écœurement :

– *Tu es un monstre.*

Je me mets à chialer :

– *Pourquoi tu dis ça maman, qu'est-ce que je t'ai fait ?*

– *Un enfant qui oblige sa mère à se demander si elle est coupable est un monstre…*

– *Maman !*

– *Rhabille-toi et disparais. Tiens, va dehors, va jouer dans la rue… va jouer… fais ce que tu veux mais laisse-moi seule, j'en ai marre de toi ! Fous le camp, je te dis fous le camp !*

Chapitre XXII

La porte est grande ouverte. Il se tient sur le palier, vêtu en soldat, une musette kaki à l'épaule.

Maigre, chauve, les yeux passablement protubérants, l'air maussade, c'est mon père : Émile Gervais. Enfin, c'est l'homme qui m'a prêté son nom, brave garçon, bien que ma mère lui ait avoué son péché indigne de rédemption pour l'éternité aux yeux des hypocrites bien pensants : avoir succombé, un beau soir d'été dans le parfum des mimosas, au charme du plus doux, du plus romantique et du plus beau garçon de la Côte d'Azur, mon père biologique, dont c'était le premier assaut amoureux.

Émile m'a prêté son nom, mais pas de la manière la plus tendre : un jour qu'il était ivre de vin et de colère, avant qu'il ne soit mobilisé, il a projeté mes six mois contre la porte d'entrée où je me suis écrasé les bras en croix comme le coyote des dessins animés.

Il paraît que je m'en suis remis, mais pas ma mère. Elle lui en a conservé une dent, probablement une dent de lapin parce qu'elle s'est allongée avec les années et la ronge de temps à autre quand elle parle de lui.

Mais aujourd'hui, il est là, en chair et en os, dans l'encadrement de la porte après cinq années d'absence.

– *Émile ! Ce n'est pas possible !*

– *Ben quoi, t'en attendais peut-être un autre ! Je peux quand même entrer ?*

Émile a dit cela d'une voix traînante avec un accent parisien appuyé qui lui donne un air populaire et sarcastique.

– *En voilà une question, entre !*

Dans l'entrée, ma mère reste là figée à le regarder. Il pose son bagage.

– *Alors c'est comme ça que tu me reçois, tu ne m'embrasses pas ?*

– *Mais si Émile, mais si Émile voyons !*

Elle l'embrasse sur les deux joues :

– *Excuse-moi, tu sais, je n'en reviens pas encore. Ça fait longtemps, tu sais.*

– *Ouais, cinq ans, ça fait une paye.*

Ma mère adopte un ton animé :

– *Depuis la Libération, je ne vis plus. J'étais impatiente, tu sais. Je commençais à trouver le temps long. Comment que ça se fait que tu as été libéré si tard ?*

– *J'ai fait ce que j'ai pu, hein ? J'ai pas fait ce que j'ai voulu, hein ?*

Émile fait le tour de l'appartement, ouvre les placards, fouille comme s'il cherchait quelque chose ou quelqu'un et revient s'asseoir dans la cuisine.

Ma mère est debout près de lui, et je reste dans l'entrée, planté à les regarder.

Émile dévisage ma mère par en dessous pendant un instant :

— *Ça repousse pas vite, hein ?*

Ma mère se passe la main dans les cheveux et les coins de sa bouche plongent :

— *Non, ça ne repousse pas vite. Alors comme ça, t'es au courant ?*

— *Tout le quartier est au courant. T'as pas dû t'emmerder pendant que j'étais pas là ?*

— *C'est pas ce que tu penses Émile, c'est une longue histoire, la jalousie des gens du quartier, les mesquineries, je te raconterai, mais tout cela n'a pas d'importance, parle-moi plutôt de toi.*

— *Ben si au contraire, ça en a. Je vois ce que je vois. Pourquoi qu'on t'a rasée ? T'as couché avec les boches ?*

Ma mère a un air contraint. Je sens qu'elle s'efforce de rester polie, même gentille.

— *Enfin Émile, je te jure que c'est une erreur. Tu viens à peine d'arriver, on ne va pas commencer à se disputer tout de même ! Je t'ai dit que je te raconterai.*

— *C'est ça, tu me raconteras. Comme tu dis, tu dois en avoir à raconter.*

Ils restent un long moment à s'observer en silence. Puis Émile fait semblant de rire en donnant une tape sur le derrière de ma mère.

— *Ben dis donc ma poule, t'as pas tellement changé. T'as peut-être un peu maigri, mais il y a encore de la fesse !*

Il se tourne vers moi comme s'il venait de découvrir que j'existe :

— *Dis donc, le mioche, il a grandi ! On dirait une asperge !*

— *Ça,* dit ma mère, *il ne pouvait pas toujours rester petit. Depuis cinq ans, il a bien fallu qu'il grandisse.*

Et elle rit d'un rire forcé.

— *Et bien, viens, Gérard, embrasse ton papa. C'est ton papa tu sais, il est revenu !*

Je fais non de la tête. Je n'ai pas envie de m'approcher de cet étranger qui fait comme chez lui. Le mot « papa » n'appelle aucun sentiment de ma part. Non seulement je n'ai pas envie de m'approcher de lui, mais je voudrais le voir partir. Et puis je sais que ce n'est pas mon vrai père, alors je n'ai pas envie de jouer la comédie.

— *Et bien Gérard, qu'est-ce qui te prend ?*

— *Laisse-le tranquille, y m'connaît pas, et de toute façon…*

— *Qu'est-ce que tu veux dire Émile… de toute façon…*

— *Ben quoi, de toute façon, c'est pas vraiment mon fils hein ? Alors on va s'en faire d'autres, pas vrai ma poule ?*

170

Cette fois il a pris ma mère par les fesses et il l'attire contre lui. Elle se dégage doucement en lui ôtant les mains.

– *Écoute Émile, tu viens juste d'arriver, sois gentil, laisse-nous le temps de refaire un peu connaissance. C'est long cinq ans tu sais !*

Émile fait la gueule.

– *Justement comme tu dis, c'est long, alors tu veux pas envoyer le gosse jouer un peu dehors ?*

– *Non Émile, pas maintenant, pas comme ça. Attends un peu... Tiens tu as faim ? Tu veux manger quelque chose ?*

– *Non... T'as du rouge ?*

– *J'en ai pas. Je vais aller en chercher si tu veux.*

– *T'as qu'à envoyer le gosse. Il peut y aller tout seul, il ne va pas se perdre.*

– *J'voulais que tu fasses un peu connaissance avec lui pendant ce temps là, tu n'préfères pas ?*

– *Mais non, on a bien le temps. Tiens p'tit, va me chercher deux litres de rouge, tu garderas la monnaie et prends ton temps.*

J'interroge ma mère du regard. Ma mère consent :

– *Vas-y Gérard, vas aux économats et ne traîne pas.*

Lorsque je reviens, ils sont debout dans la cuisine l'un contre l'autre. Ils ont l'air de s'embrasser. Je pose les deux litres de vin sur la table. Ma mère se décolle d'Émile, elle a l'air embarrassée. Lui se rassoit et me dit :

– *Qu'est-ce que t'as à nous regarder comme ça ?*

– *Il n'a pas l'habitude Émile c'est tout.*

– *Ah bah alors ça, ça m'étonnerait. Ça doit pas être la première fois qu'il te voit te faire peloter !*

Ma mère se fait tranchante :

– *Pendant cinq ans, le petit n'a jamais vu d'homme dans la maison Émile et encore moins me peloter.*

– *Bon, mettons qu'il ne t'ait jamais vue.*

Émile me considère de la tête aux pieds :

– *Qu'est-ce qu'on va faire de lui ? Il faudrait qu'il apprenne un métier.*

– *J'ai l'intention de lui faire faire des études*, affirme ma mère.

– *Des études ! Pour quoi faire ? IL n'en est pas question. Il travaillera à l'usine comme moi. Il deviendra ébéniste, un point c'est marre. J'ai pas envie de lui payer des études pour qu'après il nous crache dessus parce qu'on est des ouvriers.*

– *Il est encore jeune, Émile, on aura le temps d'en discuter.*

– *C'est tout discuté. T'as toujours mes outils ?*

– *Oui, oui, j'ai tout conservé intact. Les plus gros sont à la cave, les autres je les ai gardés ici, ils sont tous dans des valises. Qu'est-ce que tu comptes faire ?*

Émile lève son verre et descend son rouge le petit doigt en l'air comme j'ai vu faire Gandubert :

– *Ben, je vais retourner travailler chez Labrousse, mais avec un copain, on a décidé de se louer un garage et on bossera pour nous le dimanche.*

Ma mère a soudain l'air enjouée.

– *Émile j'ai une grande nouvelle à t'annoncer. J'ai une surprise pour toi. Tu n'auras plus jamais besoin de retourner travailler chez Labrousse. Viens voir !*

Il la suit dans sa chambre. Elle ouvre le placard secret, en retire toute la pile de billets et les étale sur la table comme on étale un jeu de cartes.

– *Compte, Émile, il y en a pour plus de cent mille ! Avec ça, on peut acheter un commerce. Il y a justement un hôtel café à vendre en haut du boulevard de la République, à côté de chez ma sœur Andrée. Qu'est-ce que t'en dis ?*

Ma mère regarde Émile, fière, rayonnante. Lui fait une drôle de tête. Ce qu'il voit n'a pas du tout l'air de l'enchanter. Sarcastique et ricanant, il s'exclame :

– *Eh ben ! Faut pas se demander comment t'a gagné ça ! T'as vendu ton cul aux Schleus ou aux Français ? Ou peut-être les deux ? Tu dois l'avoir comme une porte cochère, hein ?*

Je vois ma mère lutter pour garder son calme :

– *C'est vraiment méchant ce que tu dis Émile. Mais je comprends que tu sois étonné. Maintenant écoute-moi. Je vais t'expliquer comment j'ai gagné cet argent et je ne veux plus jamais qu'on en reparle.*

– *Vas-y, tu m'intéresses. J'écoute.*

Ma mère lui raconte le trafic des cartes de A à Z. Émile n'a pas l'air tellement convaincu, ni tellement enthousiaste.

– *Mettons... Pour ce que j'en ai à foutre, dès l'instant que tu ne t'es pas fait coller la vérole !*

Ma mère n'apprécie pas du tout :

– *Ce que tu peux être devenu vulgaire Émile !*

– *Faut pas que tu t'imagines, j'ai changé ma petite ! La guerre, ça change un homme. Je ne suis plus comme avant. Cinq ans prisonnier, ça change un homme.*

– *T'appelles ça prisonnier ! Mais tu n'étais pas si malheureux que ça en Autriche, d'après les photos que tu m'as envoyées. Tu étais dans une ferme, libre d'aller et venir. Ceux qui étaient prisonniers en Allemagne ont vu pire.*

– *Possible, d'ailleurs j'y ai déjà pensé à rester en Autriche, et même te faire venir.*

L'après-midi se passe tant bien que mal à discuter de ce qu'ils pourraient bien entreprendre avec l'argent. Ma mère se donne beaucoup de mal à le persuader de ci ou de ça. Mais Émile tout en écartant un litre vide allonge des :

– *Ben oui, ben non, pas très convaincus.*

C'est dans la soirée que ça se gâte vraiment :

– Pour ce soir Émile, tu coucheras dans le lit du petit et il dormira avec moi. Comme ça, tu pourras bien te reposer et ça nous donnera un peu le temps de nous réhabituer, tu comprends ?

Émile ne l'entend pas de cette oreille. Il devient agressif :

– Mets-toi bien ça dans la tête ma petite ! J'ai changé ! Je suis un homme maintenant ! Et des poules, je m'en suis envoyé en Autriche et qui n'étaient pas frigides. Alors si c'est pour recommencer tes simagrées comme avant, tu repasseras ! Ou bien tu te mets au pieu avec moi et tu t'envoies en l'air comme une femme, ou je préfère foutre le camp !

Ça n'impressionne pas ma mère qu'Émile gueule. Elle se met à crier aussi :

– Ça tu peux le dire que t'as changé ! T'es dix fois plus con et plus buté qu'avant. T'en aurais rien à branler de rentrer chez toi et de trouver trois gosses de plus dans la maison comme j'en connais ! T'en aurais rien à foutre que j'ai fait le trottoir pourvu que j'écarte les cuisses dès que t'arrives après cinq ans d'absence ! C'est tout ce qui t'intéresse. Au lieu de ça, tu trouves ton chez toi comme tu l'as laissé, ta femme qui t'attend avec de quoi refaire ta vie, mais t'es pas heureux !

– T'as un cul, c'est fait pour s'en servir. J'en n'ai rien à chier de ton pognon si c'est pour recommencer comme avant !

Ma mère s'est raidie :

– Et bien, vas retrouver tes poules en Autriche. Demain tu partiras, ou c'est moi qui foutrai le camp.

Au petit jour, Émile n'était plus dans la maison. Je n'étais pas particulièrement mécontent. Tout ce qu'il est resté de lui dans la vie de ma mère : un piano, deux meubles, deux valises d'outils et deux litres vides.

CHAPITRE **XXIII**

Le petit pécule que ma mère avait posé sur la table devant Émile s'amincit.

Elle devient de plus en plus irascible et elle passe des heures à faire craquer sa mèche de cheveux sur son front sans dire un mot : c'est mauvais signe.

Un soir elle me dit :

— C'est décidé. J'ai rencontré un type du nom de Pasquier, un petit gros bedonnant qui me court après. Il est croupier dans un cercle de jeu privé aux Champs-Élysées et grâce à lui je vais pouvoir tenter ma chance à la roulette. Si je réussis, on est à l'abri pour la vie. Tu m'attends bien tranquillement ici, tu te couches de bonne heure, tu ne sors pas et tu ne fais pas de conneries, je vais sûrement rentrer tard.

Ma mère s'est mise sur son trente-et-un. Elle a enfermé sa liasse de billets avec son inclination pour le jeu dans un petit sac à main noir qu'elle avait du mal à fermer et elle s'en est allée d'un pas optimiste.

Je ne suis pas sorti, je me suis mis au lit de bonne heure et je n'ai pas fait de conneries, mais je n'ai pas pu dormir jusqu'à ce que tard dans la nuit, j'entende la porte d'entrée s'ouvrir et se refermer.

Ma mère est allée directement dans sa chambre et impatient je suis allé la retrouver. Je n'ai pas eu besoin de la questionner. À sa mine, j'ai compris qu'on ne serait pas à l'abri pour la vie. C'était pire. Elle était rentrée à pied des Champs-Élysées. Même si elle n'avait pas raté le dernier métro elle n'aurait pas eu de quoi acheter son billet.

En me voyant, elle se déverse :

— J'en ai marre. Tout ce que j'ai fait, je l'ai fait pour toi, mais j'en ai marre. Tu m'agaces. Je commence à en avoir par-dessus la tête de voir ta gueule et de te trimballer comme un boulet. Je ne peux pas être seule deux minutes. Je ne peux pas refaire ma vie. Tu m'encombres mon vieux. Ce que ça peut être chiant d'avoir continuellement un gosse dans les jambes, merde !

Chapitre XXIV

Ma mère ne m'emmène plus dans ses randonnées du dimanche à Paris. Elle m'a trouvé un travail stable ces jours-là. Faire le ménage, préparer à manger pour le soir quand elle rentre et faire la lessive une fois par mois, mais le plus souvent tous les quinze jours.

Aujourd'hui c'est jour de lessive. Je sors du placard de l'entrée les deux profondes bassines en tôle remplies de linge sale.

Je n'arrive pas à comprendre comment il peut y en avoir à chaque fois autant à laver. Draps, nappes, serviettes, torchons, mouchoirs, mon linge de corps, les sous-vêtements de ma mère, ses culottes, ses serviettes hygiéniques. Les deux lessiveuses sont bourrées. D'ailleurs quelques jours avant le jour « J », quand ça commence à déborder, ma mère me demande de sauter à pieds joints dans les bassines pour tasser le linge afin d'en rajouter.

Je retire morceau par morceau toute cette chiffonnerie que j'étale dans le couloir d'entrée en séparant les blancs et les couleurs.

Les torchons à vaisselle recroquevillés, les mouchoirs ratatinés et collés, les rectangles hygiéniques en éponge maculés de sang dégagent une odeur caractéristique de vieille guenille renfermée et me démoralisent, car je sais que j'en ai pour la journée et que ce ne sera pas facile.

D'abord je mets à tremper à l'eau froide pendant deux heures.

Ça me prend vingt-et-une casseroles d'eau pour remplir chaque bassine qui repose sur le carreau de la cuisine. Je les compte une à une, ça me concentre l'esprit sur ce que je fais ce qui me fait oublier les heures à venir. Puis c'est le premier lavage.

À genoux devant une grande planche en bois rectangulaire et ondulée que je place de biais à l'intérieur de la bassine, je frotte et je brosse le linge une première fois à l'aide d'une brosse en chiendent et d'un gros carré de savon de Marseille.

Il y a un truc pour les draps. Il faut les replier au fur et à mesure sur la planche, comme de la pâte feuilletée. C'est ce qu'a dit ma mère.

Le savon est si gros que souvent il m'échappe des mains et se noie dans la bassine ou se met à courir dans la cuisine.

Les mouchoirs, c'est ce qu'il y a de plus dégoûtant. Au bout de quelques minutes, avec le « Marseille » qui n'est jamais assez sec, l'eau devient toute gluante de morve délayée et de savon.

177

Je renverse de l'eau partout dans la cuisine et je patauge dedans. Il faut que j'éponge à la serpillère toutes les cinq minutes. Il y a tellement de linge que je n'en vois pas la fin.

Si ma mère revient avant que je n'aie terminé, elle m'engueule systématiquement. Elle trouve toujours que je ne vais pas assez vite. *« Quel chantier,* qu'elle dit en rogne, *t'as encore traîné ! »*

Ensuite, il faut essorer chaque morceau de linge en le tordant à la main. Avec les draps, c'est encore tout un système : je fouille dans la colle mousseuse pour trouver un coin et je fais glisser la main le long de la lisière pour trouver l'autre coin. Je rassemble, les coins, je tords et j'y vais centimètre par centimètre en plaçant à mesure ce qui est essoré par-dessus mon épaule. Ça n'en finit pas de sortir du baquet. C'est lourd, c'est humide et ça s'insinue le long de mon dos. Parfois j'imagine que c'est un serpent visqueux et glacé qui va m'enserrer dans ses anneaux, mais je n'y crois pas vraiment.

Quand j'ai terminé, c'est là que tout commence. Il faut vider les lessiveuses à la casserole, les remplir à nouveau, rincer le linge, le tordre encore, revider les bassines, les hisser vides sur le fourneau à gaz, placer à l'intérieur de chacune d'elle un plateau à trou sur lequel s'adapte un tuyau et un champignon armé de tiges à crochets, les remplir d'eau et de linge et enfin arrimer le champignon à l'aide de ses crochets sur les bords de la lessiveuse pour maintenir le linge en place quand ça va bouillir. Il ne faut pas oublier la lessive et ne pas trop en mettre ou alors, sauve qui peut !

Lorsque le linge a bouilli pendant une heure, il faut le sortir, vider les bassines, les descendre par terre, les remplir d'eau et frotter le linge pour le débarrasser de son savon.

Bien sûr il faut encore vider le baquet et remplir une nouvelle fois d'eau propre et ajouter un peu d'eau de Javel, y mettre le linge et attendre vingt minutes. Ça s'appelle « mettre à l'eau de Javel ». Vient alors le moment du rinçage. Vider, remplir, rincer une fois, vider à nouveau, remplir et terminer avec le vrai rinçage. Il n'y a plus qu'à vider une dernière fois. C'est presque terminé. Il faut maintenant étendre les corps raidis et froids dans tout l'appartement sur des ficelles qui font le dos creux comme des vaches maigres.

Il est tard lorsque j'ai terminé. Dans la maison, il flotte un mélange de senteurs fétides de savon bouilli et d'odeur de chlore. Ma mère, à peine rentrée, colle son nez sur les draps :

– *C'est mal rincé, ça sent encore l'eau de Javel !*

Ce soir elle n'est vraiment pas contente parce que j'ai raté le repas. Elle m'avait dit de faire cuire les choux, feuille par feuille, et de les faire blanchir. Je n'ai pas très bien compris et je n'ai pas osé la faire répéter. Ça fait qu'une fois la lessive terminée, j'ai mis les deux gros choux à l'eau froide dans deux casseroles séparées et j'ai mis tout ça au feu bien trop tard. Ils ne sont pas cuits. Ma mère me prend l'épaule entre le pouce et l'index en me pinçant la peau et m'envoie valdinguer dans ma chambre :

– *Tu ne peux jamais faire les choses comme il faut ! Allez, va te coucher !*

Je m'apprête à l'embrasser et lui dire bonne nuit, sans quoi elle sera contrariée que je ne l'aie pas fait, même si elle est en colère contre moi et qu'elle ne veut pas m'approcher. Elle fait comme je m'y attendais, un geste du revers de la main et prononce très vite et agacée :

– *Va, va, pas de léchouillage. Bonne nuit, bonne nuit.*

Le dimanche suivant, en me servant de deux fers en fonte que je fais chauffer l'un après l'autre sur le gaz et dont je tiens les poignées avec des chiffons parce qu'elles sont brûlantes, je mets, comme d'habitude, la journée à faire le repassage. C'est quand même moins dur que la lessive, sauf qu'il faut vraiment surveiller la chaleur du fer ou bien le linge prend feu tout simplement.

Le lendemain au petit jour avant que je ne parte pour l'école, ma mère examine minutieusement à contre-jour une serviette repassée la veille.

– *Je te l'avais bien dit qu'il restait de l'eau de Javel. Avec la chaleur du fer ça a jauni. La prochaine fois tu rinceras trois fois puisque tu n'es pas capable de rincer proprement en deux fois !*

Et elle conclut :

– *Un garçon qui sait faire la cuisine, le lavage et le repassage avant l'âge de huit ans, peut se débrouiller tout seul dans la vie.*

Chapitre XXV

L'autre soir comme ça, en rentrant, sans que je m'y attende le moins du monde, elle m'a fait une grande surprise. Elle est arrivée à la maison avec une paire de patins à roulettes. J'étais fou de joie. Ça n'a pas duré longtemps.

Comme elle m'interdit d'aller jouer dehors, je n'ai eu droit de m'en servir qu'une ou deux fois en lui tenant la main sur le trottoir devant l'immeuble. Elle en a eu vite assez.

J'étais tellement déçu, qu'un après-midi, alors qu'elle était au travail, je me suis risqué à aller en faire un petit coup dans la rue, mais je me suis fait dénoncer. Alors une autre fois, j'ai essayé sur le parquet de l'appartement.

Madame Belin est passée par la voie hiérarchique et la concierge m'a mouchardé comme c'est son devoir. Depuis, lorsque ma mère s'absente, les patins sont verrouillés dans un cagibi et moi dans la maison comme il se doit.

Je m'adapte mal à cette solitude. J'attends qu'elle soit descendue les escaliers et, de rage, j'envoie des coups de pieds dans les murs et dans les portes.

Lorsque je suis calmé, je m'assieds au piano, j'essaye de travailler un peu mes gammes, de rabâcher une ou deux études, mais le cœur n'y est pas et je me mets à rêver. Je rêve d'espace, de jeux avec des copains. Je rêve de ne plus avoir de pipi pour ne plus avoir honte. Je rêve de ne pas être un bâtard, de ne pas être un colis et je rêve que ma mère ne soit pas toujours de mauvaise humeur. Et puis je ne rêve plus à rien du tout. C'est inutile, l'heure tourne et si je ne fais pas mes corvées, je vais encore me faire dérouiller.

Devant ma mère, je me soumets, mais en dedans, il germe malgré moi, quelque chose comme de la révolte contrôlée par la peur, et peut-être aussi quelque chose comme de la rancune contrôlée par l'amour.

FIN DE LA PREMIÈRE PARTIE

DEUXIÈME PARTIE

ENSEMENCEMENT ET CROISSANCE

CHAPITRE I

C'est vers l'âge de quatre ans que j'ai probablement contracté la vocation du cabotinage. Ma mère avait convaincu Monsieur l'abbé dont elle ne fréquentait pas l'église mais le petit orchestre paroissial, que je pouvais déclamer la fable du chêne et du roseau sans me tromper. Je me suis donc retrouvé un soir devant une centaine de personnes sur l'estrade de la salle des fêtes, celle-là même où ma mère devait distribuer des cartes d'alimentation pour le gouvernement, deux ans plus tard.

Aveuglé par deux projecteurs, j'ai débité ma fable en articulant mes mots comme ma mère me l'avait montré, tout en prenant bien soin de me décrotter le nez pendant ma tirade, ce qui a entraîné les rires et les applaudissements de l'audience.

Ainsi gagné par le plaisir du succès, et tout à mon ivresse, je refusai de quitter l'estrade et commençai à enchaîner avec le corbeau et le renard, mais ce n'était pas prévu, et Monsieur l'abbé vint me sortir de force, alors que le fromage n'était pas encore tombé, et que je me débattais en pleurant pour ne pas quitter la scène.

On ne me l'a pas raconté, je m'en souviens encore.

Chapitre II

La France vient d'être libérée. De temps en temps, ma mère joue à l'hospice de la commune dans des concerts organisés par des œuvres de charité à l'intention de citoyens qui y résident, hiérarchisés troisième et quatrième âges, en attente de leur âge définitif.

En raccourci, ma mère les appelle « les petits vieux ». Elle dit que c'est plus affectueux. Elle ne gagne pas lourd, c'est plutôt que la musique demeure sa passion quel que soit le prétexte.

C'est là qu'elle a rencontré Suzanne Gaucher, dame patronnesse qui elle s'occupe de la partie spectacle du programme, c'est-à-dire des chanteurs et chanteuses, ainsi que de la mise en scène de petites pièces interprétées par des enfants travestis en adultes, dans le style du « théâtre du petit monde ».

Tout cela est gentiment amateur, mais porte néanmoins le titre orgueilleux de « Gala ».

L'événement est préparé avec une certaine pompe pour « distraire charitablement les malades et les nécessiteux de la paroisse » ainsi que le déclare Madame Gaucher sur un ton assez condescendant.

Suzanne Gaucher est une bourgeoise authentique dont Louis, le mari fort ventru, vit et boit du commerce des vins en gros et trompe sa femme puisque ma mère m'a affirmé que sa galanterie était directement proportionnelle à son embonpoint. Ma mère réfère à Monsieur Gaucher en tant que « Gros Louis ».

Souriante sur commande, plutôt peinte que maquillée, lourdement parfumée, Dame Gaucher conclut toujours ses phrases par un « Voilà… C'est ça… » bien détaché au nez des gens avec lesquels elle n'a pas envie d'entretenir la conversation, comme avec ma mère par exemple.

Elle donne des cours de chant en privé aux jeunes hommes qui ont du physique et des leçons de piano à portes ouvertes aux petites filles qui n'en ont pas encore.

Tout comme Dolly, elle fait salon régulièrement une fois par mois, sauf que chez elle, c'est dans du Louis XVI, mobilier moins commun que celui de son prédécesseur. On y remue le thé avec de minuscules cuillers en or.

Ma mère remarque avec un humour bien à elle que je ne saisirai que plus tard en fouillant mes souvenirs :

– *Même s'il n'y a que du thé et des canapés maigrichons à se mettre sous la dent, ce n'est pas miteux comme chez la Dolly. Ici ça sent les gros louis, jusqu'à la banque…*

Faut dire que l'immense appartement des Gaucher qui comprend tout l'étage d'un immeuble cossu à l'orée du bois de Vincennes est étincelant de propreté.

Femme de ménage, femme de chambre, bonne à tout faire s'y croisent sans se croiser les bras.

Les convives affichent de la tenue, ils semblent refuser de s'enfuir avec les petites cuillers. D'ailleurs on peut leur faire confiance puisque *Yaya aux cheveux d'argent,* la mère de Suzanne Gaucher, ne laisse pas traîner les tasses vides et recompte elle-même les petites cuillers en ma présence dans la cuisine avant que les gens du monde ne prennent congé. À chaque départ d'invité, elle houspille gentiment la bonne pour aller vérifier dans le salon si le compte est bon :

– *Maintenant, il doit en rester dix-sept, va vite voir !*

Outre le fait de me gaver en douce de pâtisseries, de chocolat et de bonbons, il faut vraiment qu'elle m'ait à la bonne, Yaya, pour me confier en me poussant du coude :

– *Tous des voleurs ces pique-assiettes, des parasites, il faut se méfier !*

Alors je lui raconte les réceptions de la Dolly où les invités se sauvent avec les meubles et ça la fait rire aux éclats.

Pour ce qui a trait à moi, Suzanne Gaucher pense que l'habit fait le moine. Avec mes boucles et mon air de chat étonné, elle me trouve « adorable », du moins elle se l'imagine et c'est ce qui va orienter mon adolescence, mais en vérité toute ma vie sans que j'en prenne conscience, car pour le moment je n'ai pas tout à fait atteint huit ans malgré mes grandes jambes.

La voilà donc qui propose à ma mère de me prendre en main et de m'apprendre à « réciter ». C'est le mot le plus dévalorisant que l'on puisse attribuer à un comédien professionnel en disant de lui qu'il récite. Je vais donc commencer par apprendre mon métier à l'envers !

C'est décidé, je serai du prochain « Gala ». Attifé en libellule, je ferai une grande déclaration d'amour à une minuscule demoiselle âgée de huit ans dans un décor de scène digne de Fragonard, intitulé : « Les oiseaux dans le soir. »

Une fois par semaine, pendant deux mois que durent les répétitions, un genou à terre et les ailes dans le dos, je rabâche à la petite fille blonde et maniérée, sans aucune idée de ce que peuvent signifier mes paroles :

– *Vos yeux inspirent l'ivresse à mon âme en détresse…*

Ce à quoi elle répond par un coup d'éventail muet. Je dois dire ensuite :

– *Quelle chaleur, heureusement le soir apporte sa douceur !*

Mais voilà, les façons gracieuses ne sont pas tout à fait mon truc. Malgré mes boucles et mon visage de libellule, je me sens mal à l'aise de susurrer des mots auxquels je ne comprends pas grand-chose. Je suis donc un peu rétif à l'apprentissage et cela va d'ailleurs me jouer un mauvais tour le soir de la représentation.

Lorsque le jour, ou plutôt le soir du spectacle arrive, je ne sais quel malin microbe s'est emparé de moi, mais le thermomètre indique quarante de fièvre et je suis au lit. Je ne suis pas très gaillard. Étant donné que j'ai le rôle d'insecte principal dans la pièce, si je ne sors pas du lit, il n'y aura pas de pièce.

Suzanne Gaucher et son mari sont là. Ils ont une mine atterrée à côté de mon lit. Ma mère tourne en rond. Elle a l'air bien embêtée aussi. Madame Gaucher lève les bras au ciel. Elle a ses arguments :

– *Trois cents personnes, qui sont déjà dans leur fauteuil à attendre. Toutes ces vieilles gens qui espèrent ce jour depuis deux mois ! Tous ces frais que j'ai engagés… !*

Je me sens terriblement fautif et grelottant, mais la décision ne m'appartient pas de sortir de mon lit. Soudain, Louis Gaucher lève l'index :

– *Est-ce qu'il tousse ?*

Non je ne tousse pas. Alors ils discutent.

– *Si on le couvre bien,* suggère Monsieur Gros Louis, *il n'attrapera pas froid.*

Ma mère pense que c'est risqué et qu'on devrait reprendre ma température. C'est ce qu'ils font tandis que j'entends Madame Gaucher s'énerver pour la première fois.

– *Alors, il fait combien ?*

La minute d'attente traditionnelle à peine écoulée, tous trois se penchent de concert sur mon derrière :

– *Trente-neuf cinq !* s'écrie Madame Gaucher qui a décidé de recueillir l'information en première main. Elle affirme : *Trente-neuf cinq ne sont pas quarante, il faut faire un effort mon petit !*

Elle prend l'initiative et ma mère se laisse convaincre :

– *On va lui donner une bonne dose d'aspirine, cela fera tomber la fièvre ne serait-ce que pour qu'il tienne debout pendant deux heures. Voilà… C'est ça…*

Il n'y a donc plus grand-chose à ajouter sinon que Louis Gaucher, qui sent un peu l'alcool, a la plaisanterie pratique :

– *Et puis l'hospice, c'est tout indiqué pour un malade.*

Vu que ça ne fait rire que lui, il insiste :

– *Au pire, le cimetière est juste à côté, avec les vieux, ils ont l'habitude ! Ha…, Ha…, Ha…*

Ma mère se décide enfin à me sortir du lit et elle me saucissonne dans une couverture jusqu'à m'étouffer :

– *Allez mon poulet, du courage, ça va aller !*

Dans la traction avant, on me gave de l'aspirine que Madame Gaucher est passée prendre à la pharmacie et, à chaque instant, on me demande comment je me sens. Je n'en sais trop rien, un coup j'ai froid, un coup j'ai chaud. Enfin on arrive à l'hospice avec pas mal de retard.

En un rien de temps, je suis désaucissonné et on me pousse sur scène. Le torse nu flottant dans un grand corsage de tulle bleu, transformé en fiévreuse libellule, ému, essoufflé, les ailes battantes, le genou en terre, je baise la main de la demoiselle et je m'embrouille dans mon texte pour lui sortir cette catastrophe au lieu de la réplique attendue :

– *Vos yeux m'inspirent l'ivresse, heureusement que ce soir je connaîtrai votre douceur car je suis en chaleur !*

189

Ma mère a fait une peinture de cette scène sur une planche de bois, au dos de laquelle elle a inscrit ma répartie. C'est pourquoi je la garantis authentique.

Chapitre III

Le pécule qui avait été amassé avec le trafic des cartes s'est envolé à la roulette en une courte soirée aux Champs-Élysées, et ma mère envisage une fois de plus d'avoir recours à l'emprunt.

Un après-midi, chez Madame Gaucher, humblement assise sur le bord d'un fauteuil d'époque, ma mère avoue, mal à l'aise entre deux gorgées de thé, que nous vivons actuellement un embarras financier totalement inattendu et qu'un petit prêt remboursable avant l'août, foi de musicienne…

Madame Gaucher, que quelque chose préoccupe, interrompt ma mère pour lui demander courtoisement de bien vouloir s'asseoir sur le centre du coussin du fauteuil plutôt que sur le bord, ce qui élime la toile du rembourrage sous-jacent et fera perdre de la valeur à cette pièce de mobilier si tout le monde en fait autant.

Elle a dit cela d'une seule traite sur un ton de voix uniforme sans cesser de sourire. Ma mère s'excuse, s'enfonce dans le Louis XVI, s'appuie sur l'un des accoudoirs, puis se ravise peut-être avec l'idée de lui épargner de l'usure. Madame Gaucher fait :

– *Voilà… C'est ça…*

Ça commence mal. Ma mère essaye pourtant de recoudre la conversation, là où le fil s'était brisé, mais Madame Gaucher l'interrompt encore :

– *J'ai une idée.*

Elle est persuadée, malgré ma performance inattendue de l'hospice, que je brûle d'une sorte de feu intérieur qu'il faut attiser. Et comme si c'était la chose la plus simple du monde à voir se réaliser, elle avance avec une bonne foi simpliste :

– *Vous devriez lancer Gérard dans le cinéma ! Il a du talent et il est tellement beau ! Je suis persuadée qu'il ferait une carrière.*

J'imagine ma mère en train de me lancer comme une boule de pétanque dans une salle de ciné. Et hop ! Me voilà sur l'écran, c'est moi le fils de Tarzan.

– *Vous croyez ? dit ma mère qui n'y croit pas du tout.*

Suzanne Gaucher roule les yeux vers le plafond comme lorsqu'elle roucoule en s'accompagnant au piano et elle se met à faire rêver ma mère :

– *Avec ses beaux cheveux bouclés, je le vois déjà à la Comédie-Française lorsqu'il sera jeune homme. Ce sera tout à fait Gérard Philipe !*

Ma mère acquiesce pour ne pas la contrarier mais cherche une échappatoire :

– *Oui, bien sûr… Mais comment s'y prendre… C'est impossible…*

Je vais vous donner une adresse. C'est une sorte de bureau de placement auquel les productions font appel lorsqu'elles manquent de figurants ou de personnages pour des petits rôles. Allez vous inscrire, présentez le petit et proposez-le pour de la figuration. Je suis certaine qu'un metteur en scène le remarquera. Vous-même, vous pourrez en faire et cela vous dépannera un peu.

Puis elle ajoute en allongeant les syllabes, un ultime :

– *Voilà, c'est ça…*

Ça veut dire que la visite a assez duré et qu'il faut qu'on libère les fauteuils inestimables. Alors, c'est ce qu'on fait.

En sortant ma mère récupère sa suffisance coutumière et Madame Gaucher perd du gallon puisque le prêt n'a pas été consenti :

– *Elle est naïve la mère Gaucher. On voit qu'elle n'a pas de soucis d'argent. Elle vit dans le rêve. Faire du cinéma ! Comme si c'était si simple ! Elle aurait mieux fait de me passer cent balles, j'aurais été les jouer sur le double zéro à la roulette et on aurait eu plus de chances de gagner que de faire du cinéma.*

CHAPITRE IV

Pourtant, le lendemain matin, vers les neuf heures, on grimpe la rue Taitbout, on cherche le 83. On a trouvé. C'est en face. Une maison grise, plutôt crasseuse, dans laquelle peut-être une centaine de gens font la queue par grappes dans les escaliers sur quatre étages, jusque dans la rue.

Assis sur les marches, adossés à la rampe de l'escalier, ou au contraire pliés sur elle, il y en a de tous les genres : des femmes maigres et bien habillées qui jouent la classe, d'autres à la poitrine opulente sur talons hauts et maquillage agressif, certaines enfin sont presque en guenilles avec des enfants.

Il y a aussi des clodos avec le litron dans la musette, des Rudolf Valentino, des durs en chapeau, style Humphrey Bogart, des vieux qui racontent leur carrière dans le muet à qui les écoute, et puis il y a maintenant nous.

Le point commun qui nous réunit tous dans cette tour de Babel est la pauvreté pour ne pas dire la misère.

Ma mère se renseigne auprès d'une femme qui tente de consoler son plus jeune qu'elle tient dans ses bras, en dansant d'un pied sur l'autre :

– *Qu'est-ce que vous attendez ici ?*

– *Mon tour, comme tout le monde.*

– *Ce n'est pas ce que je veux dire. Pourquoi faut-il attendre ?*

La femme répond à la question par une autre question :

– *C'est la première fois que vous venez ?*

– *Oui.*

– *Et ben, il faut d'abord vous inscrire. Vous avez des photos ?*

– *Même pour la figuration, ils ont besoin de photos ?*

– *Dame non, mais des fois qu'il y aurait un petit rôle, c'est toujours bon d'avoir des photos.*

– *Et puis, une fois qu'on est inscrit ?*

– *Ah ben là, ils vous écrivent s'ils ont besoin de vous. Mais faut pas compter dessus, ils disent toujours ça, mais ils n'écrivent jamais. Quand on a du boulot, c'est au jour le jour. Ils nous disent s'il y a un studio qui a besoin de figurants et ils nous donnent une carte pour y aller. C'est pour ça qu'on vient ici faire la queue et qu'on attend. On passe un par un et ils choisissent.*

Ma mère a une moue dubitative que je lui connais bien. Elle se tourne vers moi :

– *Je ne sais pas si on va rester.*

Elle questionne encore une fois :

– *En général, il y a du travail ?*

– *Ça dépend des jours et ça dépend pour qui. C'est comme partout, il y a des passe-droits. Il y en a qui ne veulent pas s'emmerder à venir ici, alors ils prennent des risques et ils vont directement à la porte des studios. Des fois, ils ont la chance de se faire piger par un régisseur. Mais ils sont cons, parce que nous, avec notre carte, si on est là, on passe avant. Et puis, ils savent où il y a du boulot. Ça évite de courir. Moi, avec mes gosses, je ne peux pas cavaler à droite et à gauche. Seulement, voilà, la merde c'est qu'il faut attendre. Remarquez, ce n'est pas garanti non plus. Ça dépend de la gueule que vous avez et puis comment ils sont lunés.*

– *Combien de temps vous croyez que ça va prendre avant qu'on passe ?*

– *Oh là, là ! Il y en a pour jusqu'à midi, des fois pour la journée entière. Vous avez apporté de quoi manger ? Parce que, si vous sortez pour aller manger, vous perdez votre tour. Il y a personne qui vous garde votre place ici. Faut refaire la queue !*

Vers une heure de l'après midi, on est rendus au deuxième étage. Assis sur les marches des escaliers, je mâche lentement le sandwich que ma mère m'a envoyé chercher dans le quartier pour moi seul, car sinon, on n'aurait pas eu assez d'argent pour reprendre le métro.

Bien des visages sont soucieux et silencieux, d'autres râlent contre les enfants qui pleurent ou s'amusent bruyamment. On a encore deux étages à conquérir, Heure par heure, marche par marche, on monte lentement à l'assaut. À trois heures, le palier du quatrième est conquis. On entend maintenant distinctement la voix derrière une porte qui crie toutes les quatre ou cinq minutes :

– *Suivant !*

À quatre heures, le vestibule est vaincu. Nous aussi on est à présent tassés les coudes au corps contre la porte mystérieuse par laquelle ressortent, la majorité du temps, des dos courbés et des expressions déçues.

Mon voisin sent la sueur et il m'écrase. La dame qui a répondu aux questions de ma mère réapparaît le visage en larmes en tirant ses trois enfants derrière elle. La porte se referme. Ça va être notre tour :

– *Suivant !*

Je me réjouis de pouvoir enfin ressortir bientôt.

Face à nous derrière son bureau, un homme rondouillard derrière ses lunettes. Il est en train de fouiller dans de la paperasse. Sans lever les yeux, il demande :

– *Vous êtes inscrits ?*

– *Non justement…*

Ma mère se pose sur la chaise sans qu'on l'y invite et je m'assieds sur ses genoux tellement je suis crevé.

– *Vous avez des photos ?*

– *Non,*

– Il faudra revenir avec des photos.

Ma mère proteste :

– Vous vous moquez de moi ! On a mis sept heures pour monter quatre étages et vous voulez que je revienne avec des photos pour les mettre dans un tiroir ? C'est de la figuration qu'on veut faire et pour ça, je sais que vous n'avez pas besoin de photos. Inscrivez-nous pour de la figuration, c'est tout ce que je demande et vous nous rendrez vraiment service.

Cette fois l'homme nous regarde. Il relève ses lunettes qui demeurent accrochées à son front sans cheveux et me dévisage :

– C'est un garçon ou une fille ?

Cette question, je me la suis tellement entendue poser que je me suis forgé une réponse toute faite, et je la crois intelligente :

– Je suis un trombone à coulisse !

Imperturbable, l'homme dodu rétorque :

– Quand on n'a que des âneries à répondre, vaut mieux fermer sa gueule et passer pour un con que de l'ouvrir et effacer tous les doutes. Bon maintenant que tu m'as montré que tu savais dire des conneries, mets-toi de bout.

Je me lève et je n'en mène pas large de m'être fait ramasser, mais j'ai retenu la leçon. Il s'adresse à ma mère qui est toute rouge :

– Quel âge a-t-il ?

– Sept ans et demi.

– Il est vraiment grand pour son âge, on lui donnerait plus.

Sans attendre de commentaire à sa remarque, l'homme sort de derrière son bureau et nous dit :

– Attendez-moi un moment.

Il revient accompagné d'un autre homme jeune et élégant qui a un sourire sympathique. Il fait un petit signe de tête à ma mère, et se met à m'examiner, puis me questionne :

– Comment t'appelles-tu ?

– Gérard Gervais

– Ça sonne bien.

– Il se met à rire et se tourne vers son collègue :

– C'est vrai qu'il a une belle petite gueule, toutefois, il fait un peu jeune pour le rôle du film, mais je pense à autre chose.

Il s'adresse à moi :

– Dis-moi, as-tu déjà joué au théâtre ?

Ma mère se précipite, volubile :

– Oui… Oui… Il a joué « Les oiseaux dans le soir » une pièce pour enfants. Il avait le premier rôle. Il jouait l'amoureux d'une jeune fille, il faisait une libellule et…

Le sourire sympathique se transforme en grimace. Ma mère se fait interrompre :

– *C'est vraiment dommage, il n'y a rien de mieux pour pourrir le talent naturel d'un enfant que de lui faire interpréter des rôles d'adulte. De toute façon c'est lui que j'interroge, laissez-le répondre.*

Ma mère se renfrogne sur sa chaise :

– *Alors, Gérard,* continue l'homme bien habillé qui ne sourit plus, *est-ce que tu sais dire quelque chose par cœur ?*

Ma mère ne peut se retenir :

– *Récite ta fable du…*

– *Madame ! Vous n'imaginez pas le tort que vous lui faites en lui demandant de réciter. Un comédien qui récite est un mauvais comédien. Alors, je vous en prie, taisez-vous.*

Elle capitule :

– *Excusez-moi, je ne dis plus rien.*

Je réfléchis :

– *Je connais plusieurs fables :*

– *Alors, dis celle que tu préfères.*

– *Je n'en préfère aucune.*

– *Est-ce que tu connais autre chose que des fables que tu aimerais nous faire entendre ?*

– *Il y a un poème que j'ai lu, je ne le connais pas encore par cœur, mais je peux vous raconter l'histoire parce que ma mère, pour me faire comprendre les poèmes, elle me fait d'abord retenir l'histoire.*

– *Bon, et bien raconte-nous ton histoire, on t'écoute.*

Pendant un instant, je cherche à retrouver les mots exacts qui étaient écrits dans le poème, mais il ne me revient que les images que je me suis forgées avec mes propres mots et que ma mère n'aime pas que j'utilise, mais je le fais quand même, sans ça je vais hésiter et m'empêtrer.

– *Ça s'appelle « Monsieur le curé de Langrune sur mer ». Le type qui a écrit ça, c'est Paul Fort. Alors voilà, c'est un gros curé avec une grosse bedaine et un nez tout rouge parce que… parce qu'il picole trop. Dans la journée, il se promène au bord de la mer avec ses grandes tatanes et il se la coule douce. Il a un petit bouquin où il apprend la messe par cœur. Il a aussi un chapeau grand comme une tarte pour ne pas en prendre un coup sur la cafetière à cause du cagnard.*

Je me reprends :

– *À cause du soleil qui cogne. Et puis quand la nuit tombe et qu'il n'y a personne qui le voit, il balance son chapeau et le bouquin dans l'herbe, il tend les bras et il fonce vers la mer. Vous savez pourquoi ?*

Je regarde chacun des deux hommes qui font non de la tête :

– *Parce qu'il aime tellement la mer que toute sa vie, il a regretté de ne pas être marin. Moi aussi j'ai vu la mer un jour en Bretagne et je préférerais être marin que cureton.*

– *Ah ! Et pourquoi ça, tu n'aimes pas les curés ?*

196

– *Ma mère dit toujours que ce sont des salauds qui font les poches des pauvres à la quête le dimanche matin pour s'en mettre plein la...*

J'hésite parce que les seuls mots qui me viennent sont ceux de ma mère : la gueule, la tronche... L'homme élégant me vient en aide :

– *La margoulette ?*

– *C'est ça, plein la margoulette le dimanche soir.*

Ma mère secoue tristement la tête d'une façon qui signifie que tout est raté et que ce soir je vais prendre une dérouillée. L'homme élégant me fait signe de me taire et conclut :

– *Disons que c'est une façon de voir les choses.*

Puis il sort ma mère de son accablement en prononçant l'inattendu :

– *Votre fils a peut-être une mince chance de débuter, mais ça ne dépend pas de moi. Allez ce soir même présenter votre fils de ma part à Pierre Fresnay au théâtre de la Michodière. Il cherche une doublure pour le jeune comédien qui tient un beau petit rôle dans sa nouvelle pièce : « Auprès de ma blonde » de Marcel Achard. Si votre fils a l'occasion de remplacer ce gamin ne serait-ce qu'une seule fois, ce sera un début, surtout s'il s'en tire bien. En attendant, comme doublure, c'est assez bien payé. Attention, ne croyez pas que c'est fait, il n'y a rien de sûr. C'est Pierre Fresnay qui décide.*

Ma mère est tout yeux, toute ouïe, toute reconnaissante.

– *Autre chose, le gamin qui a été engagé a douze ans. Votre fils n'en a pas huit. C'est possible que Fresnay le trouve un peu jeune, mais dites-lui qu'il grandit très vite. Je crois qu'il pense à emmener la pièce en tournée l'année prochaine et l'autre enfant sera alors trop vieux pour le rôle. Ne lui dites pas ça, mais arrangez-vous intelligemment pour qu'il y pense.*

Ma mère fait une mimique entendue afin de rassurer sur son intelligence, tandis qu'elle remercie avec effusion.

– *Une dernière chose : ne lui faites pas réciter de fable. Fresnay a horreur de ça. Et surtout ne parlez pas de vos oiseaux dans le soir du théâtre du petit monde, vous feriez tout rater. Le petit n'est jamais monté sur une scène, il est vierge !*

– *Vierge...* balbutie ma mère en acquiesçant.

– *Bon maintenant allez-y, je vais prévenir le théâtre que vous vous présentez ce soir.*

L'homme élégant et de nouveau souriant nous laisse son nom et son numéro de téléphone sur une carte de visite et nous pousse dehors.

– *Donnez-moi des nouvelles.*

Ma mère sort à reculons en s'inclinant plusieurs fois. Je ne l'ai jamais vu faire ça. Dehors, elle répète hypnotisée :

– *Pierre Fresnay... Pierre Fresnay... tu te rends compte, on va rencontrer Pierre Fresnay !*

Tout d'un coup, elle revient à la réalité :

– Merde, il nous reste juste assez d'argent pour deux tickets de métro. On mangera ce soir en rentrant à la maison. Il faut qu'on trouve ce théâtre de la Michodière, on va y aller à pied. En attendant je vais te faire répéter un poème. Si on te demande de réciter, enfin... de dire quelque chose, dis ton poème de Victor Hugo. Tu te souviens ? Le crapaud ?

– Oui je m'en souviens.

On trouve un square, et ma mère s'assied tandis que debout devant elle, je sauve le crapaud blessé de l'ornière où la roue de la charrette détournée par la volonté de l'âne l'a épargné malgré les coups de fouet.

Ma mère n'est pas bête. Elle a compris d'un seul coup, d'après ce que lui a expliqué l'homme bien mis et souriant, que tout le maniérisme que m'avait enseigné la brave Madame Gaucher, ça ne vaut pas cher dans le théâtre professionnel, et qu'il faut raconter les choses le plus simplement possible en ressentant ce qu'on dit, comme si on le vivait dans la réalité.

Elle essaye de me faire comprendre tout ça en quelques minutes en s'énervant, mais moi, je comprends que j'ai faim, que je suis fatigué et que c'est cela ma réalité en ce moment. De toute façon, il est bientôt l'heure, on nous a dit de nous rendre au théâtre pour huit heures et demie.

CHAPITRE V

Rue de la Michodière… Théâtre de la Michodière… Entrée des artistes. Ma mère marque une pause avant de se décider à pousser la porte, ce qu'elle fait timidement en passant la tête avec prudence, histoire de vérifier ce qu'il y a derrière. On pénètre avec la même hésitation que s'il y avait peint en grosses lettres sur l'entrée : « DANGER ».

L'escalier est étroit, haut et raide, recouvert d'un vieux tapis rouge foncé et usé. On monte chaque marche avec la sensation que tout à coup on va entendre quelqu'un nous crier « Voulez-vous me foutre le camp d'ici ». Notre progression est stoppée sur le palier. Une porte monte la garde, armée d'un grand écriteau où est inscrit noir sur blanc : « ADMINISTRATION ». Ma mère frappe ou plutôt tapote légèrement la porte, mais on l'a entendue :

– *Entrez !* fait une voix.

L'homme qui nous regarde est âgé. Tout de noir vêtu, il porte des lunettes à grosse monture. Il n'a pas l'air aimable, en tout cas, il n'est pas souriant. Ma mère s'exprime rapidement de peur qu'on ne lui laisse pas le temps de finir :

– *Nous venons voir Monsieur Fresnay, pour présenter le petit… Un Monsieur vous a téléphoné…*

– *Je vais vous accompagner.*

L'homme en noir nous tourne le dos et, voûté, se met en marche, ce qui nous invite à le suivre plutôt qu'à ce qu'il nous accompagne. Il ne prononce plus un mot et progresse à pas lents et, semble-t-il, douloureux. Un couloir, encore des tapis rouges, des portes ouvertes sur des miroirs encadrés d'ampoules allumées, d'autres portes fermées. Ce sont des loges d'artiste. On talonne en silence l'homme vêtu de tristesse. Escalier tournant, deuxième étage, couloir, tapis, encore des loges et enfin, cette porte entrouverte d'où filtre une lumière intense.

Nous nous arrêtons, ma mère et moi, quelques pas en arrière. Toc-toc de l'homme, maintenant essoufflé, et le couloir s'inonde de clarté. Quelques mots prononcés à voix basse où je comprends « Le petit avec sa mère… pour la doublure… ».

Nous nous approchons. Là, à un mètre de nous, sous nos yeux, assis devant un miroir auréolé de lumière brillante, un coin de serviette blanche enfoncé derrière le col de chemise comme s'il était attablé, c'est lui… menton tendu… en train de se maquiller.

Pierre Fresnay pivote sur sa chaise, se lève, nous sourit chaleureusement et salue respectueusement ma mère. Puis avec cette voix chantante au timbre musical unique, il dit ces simples mots :

— *Excusez-moi de vous recevoir si mal, mais nous en sommes aux dernières répétitions et je n'ai que peu de temps.*

Sa loge est très petite, du moins la partie réservée au maquillage, et nous restons sur le pas de la porte.

Il me regarde dans les yeux, intensément, mais avec une grande douceur. Lorsqu'il me dit « Bonsoir mon garçon » de sa voix hypnotique, je reste muet. Je n'ai pas conscience de la notoriété de l'acteur, sauf pour ce que ma mère m'en a dit, mais ce n'est pas ça qui m'intimide. Ce qui me fascine, c'est l'homme, avec sa voix, sa douceur, sa distinction, son magnétisme.

— *Est-ce que je te fais peur ?*

— *Non M'sieur.*

— *Allons bon, tu as retrouvé ta langue.*

Il se rassoit et s'adresse à ma mère par le truchement du miroir tout en continuant à se maquiller.

— *C'est votre fils Madame ?*

Il n'a pas vraiment posé la question. Il a l'air de réfléchir. Sans attendre la réponse, il pose une deuxième question à laquelle ma mère ne s'attendait pas.

— *Pourquoi voulez-vous lui faire faire ce métier ?*

Je la vois embarrassée pour répondre :

— *C'est une dame qui s'occupe d'enfants…*

Mais elle se rattrape aussitôt :

Elle enseigne le piano à mon fils et aussi à l'occasion des poèmes, des petites choses… elle pense qu'il a du talent. C'est elle qui m'a conseillé de…

— *Et bien si tu sais dire quelque chose, vas-y, je t'écoute.*

Je n'ai jamais compris pourquoi de toute ma vie, à cet instant, perdant tous mes moyens, j'ai prononcé ces paroles suicidaires, en nommant l'auteur, comme Madame Gaucher m'avait enseigné à le faire :

— *La cigale et la fourmi, de Jean de la Fontaine.*

Après trois vers, Pierre Fresnay m'interrompt. Ma mère intervient :

— *Il peut faire beaucoup mieux que ça ! Ce soir, je ne sais pas ce qu'il a. On a couru toute la journée, il doit être fatigué, mais il est intelligent, il peut faire tout ce qu'on lui demande.*

Pierre Fresnay demeure silencieux un moment, puis remarque avec réserve :

— *Il a un physique de théâtre et peut-être aussi de l'étoffe. Quel âge a-t-il huit ans environ ?*

— *Bientôt Monsieur Fresnay.*

— *Il est jeune, ça m'ennuie un peu. C'est toujours difficile avec les enfants. Le garçon qui joue le rôle est un peu trop vieux, et lui, un peu trop jeune.*

Ma mère s'empresse :

– Il grandit très vite vous savez, Il pousse comme une asperge. En trois mois, il a pris plusieurs centimètres !

Pierre Fresnay qui n'est pas dupe réplique avec humour :

– S'il grandit aussi vite que vous le dites, dans quinze jours, il sera trop vieux pour le rôle !

Puis il reprend, cette fois sérieusement :

– Je ne sais pas. Laissez-moi y penser quelques jours.

Il me regarde encore une fois et il ajoute :

– J'aimerais quand même le voir sur scène. En sortant, demandez à Monsieur Frémo, le Monsieur qui vous a accompagné, de vous donner un texte de la pièce et faites apprendre à votre fils le dialogue de Sébastien, seulement celui du cinquième acte. Mais ne le faites surtout pas travailler avec qui que ce soit. Je veux qu'il apprenne la scène simplement par cœur. Revenez après demain à deux heures, nous verrons...

Il désigne mon ventre :

– Nous verrons ce qu'il y a là-dedans.

Ma mère prend le même air qu'elle avait devant le directeur du pensionnat et dans le bureau de la rue Taitbout : humble, soumise, effacée, courbée, un peu comme les mendiants dans les couloirs du métro, et elle remercie avec profusion. Je déteste lorsqu'elle a cette attitude qui ne lui ressemble pas au naturel.

Avant de partir, Pierre Fresnay me fait cette réflexion sous forme d'un fin jeu de mots :

– Mon petit, si tu veux réussir dans ce métier souviens-toi : au théâtre, il faut travailler pour ne rien faire...

Il m'explique :

– Lorsque tu bouges ou que tu parles sur une scène de théâtre, il faut le faire aussi naturellement que dans la vie. Il ne faut pas en faire trop, ne pas exagérer, ne pas charger. C'est difficile au début, mais ça s'apprend. Voilà ce que veut dire : travailler pour ne rien faire.

En sortant, ma mère explose. Elle est furieuse :

– Mais quel con tu fais ! Qu'est-ce qui t'a pris d'aller lui sortir une fable au lieu de lui faire le crapaud. Après tout ce que je t'ai dit. Mais tu es complètement taré ! Tu as entendu ce qu'il t'a dit : tu charges, t'en fais trop, t'es nul ! Je te l'avais dit. Nom de Dieu ! C'est raté ! Ça, tu peux être sûr que c'est raté. Tu peux être fier de toi !

Je risque :

– Pourquoi est-ce qu'il nous a dit de revenir ? Pourquoi est-ce qu'il veut que j'apprenne le texte ? Ce n'est peut-être pas raté, dis maman ?

Dans le métro qui nous ramène, je somnole pendant qu'elle coche les répliques de Sébastien. Quelque chose me vient à l'esprit qui, malgré moi, me porte à juger ma mère. Elle a des attitudes différentes selon les personnes et les circonstances. En général, elle est dédaigneuse, dure et agressive avec les gens qu'elle méprise et elle s'humilie exagérément devant ceux qu'elle juge supérieurs ou qui peuvent lui rapporter quelque chose. Lorsqu'elle agit de cette manière, dans l'un ou l'autre cas, je me sens très mal à l'aise. On dirait que j'ai honte et je ne sais pas pourquoi. J'aimerais bien lui en faire la remarque, mais je n'oserai jamais.

CHAPITRE VI

Le surlendemain, je connais tout le rôle de Sébastien : le cinquième acte, comme l'a demandé Pierre Fresnay, ainsi que le premier comme l'a exigé ma mère.

À deux heures trébuchantes on s'assied dans le fond du théâtre, près d'une sortie, et on attend sagement que quelqu'un s'intéresse à nous. Ça ne traîne pas.

Une salle de théâtre, pendant les répétitions est un sanctuaire. Les artistes sont toujours sur le qui-vive lorsqu'ils travaillent. Ils n'aiment pas être dérangés. Mais par-dessus tout, ils craignent les critiques prématurées de la presse et tout visage inconnu dans une salle de répétition est suspect. Il arrive même que des intrus se faufilent dans le théâtre et se cachent à plat ventre dans une rangée de fauteuils du balcon, mais ils se font quand même repérer tôt ou tard.

Pierre Fresnay est assis en arrière des premiers rangs d'orchestre, assez loin de la scène. Quelqu'un se penche à son oreille et nous désigne. Il se retourne. Presque aussitôt, une douzaine de têtes se tournent aussi, c'est-à-dire l'ensemble de la troupe, y compris le garçon qui joue le rôle de Sébastien. C'est intimidant. Le jeune homme qui nous avait repérés vient vers nous. Il me fait signe :

– *Viens, Monsieur Fresnay veut te voir.*

Ma mère se lève aussi.

– *Non, pas vous Madame, vous pouvez attendre ici.*

J'ai une impression bizarre. C'est la deuxième fois que ma mère se fait « *asseoir* » si je peux dire. D'abord, il y a deux jours, dans le bureau de la rue Taitbout, puis maintenant. On dirait que les gens de ce milieu ignorent ma mère et qu'au contraire c'est moi qui retiens l'intérêt. J'ai soudain l'impression de prendre de l'importance et c'est pour moi une découverte, mais aussi je le pressens, une sorte de responsabilité.

– *Monte sur scène,* me dit Pierre Fresnay.

Je gravis les quelques marches du petit escalier placé à l'extrémité de l'estrade et je me retrouve face à la salle, les bras ballants.

– *Envoyez la rampe et les deux kilos !*

J'entends les formidables « clac » des projecteurs qu'on allume et le soleil s'installe sur scène. Cette sensation d'euphorie qui envahit le corps et l'esprit lorsque la scène, sombre et sans vie, devient brusquement inondée de lumière éblouissante est inexprimable. On a l'impression de changer de pays. C'est quelque chose qui transforme et que l'on ressent de l'intérieur.

Malgré l'aveuglement passager, je distingue la silhouette d'une grande femme, en tailleur noir à jupe longue et chapeau noir immense, qui fait son entrée dans la salle et descend l'allée centrale de l'orchestre en tenant dans ses bras deux chiens minuscules décorés d'énormes rubans roses.

Pierre Fresnay est debout près de l'estrade, à quelques mètres de moi. Elle s'approche de lui. Je n'ai jamais vu autant de bracelets briller autour d'un seul poignet. Ce qui me frappe le plus c'est son visage. Elle est maquillée de tant de couleurs qu'elle ressemble à une prairie en fleurs. C'est Madame Yvonne Printemps.

Ils sont assez proches de moi pour que je puisse distinguer nettement ce qu'ils disent :

– *Hein, qu'est-ce que tu en penses ?* demande Pierre Fresnay.

En me voyant les chiens se mettent à japper. Yvonne Printemps me détaille :

– *Et bien quoi, il est charmant, mais il est beaucoup trop jeune !*

De la façon dont elle a appuyé sur le « beaucoup », ma mère avait raison, c'est foutu. Les chiens aboient encore plus fort et se débattent. Leur maîtresse s'énerve bourgeoisement :

– *Allons mes amours, calmez-vous. Ce n'est pas leur faute, ils n'aiment pas les enfants ces trésors. Je vais les remonter parce que maintenant les voilà contrariés.*

Avant de reprendre l'allée, elle me regarde encore, puis, avec une moue, lorsqu'elle arrive au fond de la salle, au moment de sortir, elle articule à voix haute :

– *Il n'a pas l'air bien portant cet enfant. Regardez-le, il est chétif et tout blanc. On dirait un petit navet !*

Il s'établit un long silence. Pierre Fresnay fait les cent pas. Je perçois qu'il y a un malaise.

Je sens ma culotte courte me glisser sur les hanches. Pour la remettre en place, je fais ce dont j'ai l'habitude, c'est-à-dire que je place mon poignet droit sous ma ceinture, en avant, et mon gauche, en arrière, sur mes reins. Et je remonte le tout en position avec un mouvement des genoux comme j'ai vu faire Gandubert. J'entends des rires dans la salle. Pierre Fresnay stoppe son va-et-vient et me lance :

– *Tu es un rigolo toi, hein ?*

Je ne réponds pas et je me demande ce que j'ai bien pu faire pour qu'il me dise ça. Ma mère ne va pas être contente après moi qu'il m'ait appelé « rigolo ». Elle veut que je sois tout sauf un clown et je pense à ce que je vais me prendre en sortant.

– *Tu connais ton texte ?*

– *Oui Monsieur.*

Pierre Fresnay demande à une jeune femme de monter sur scène et de s'asseoir à un petit guéridon sur la droite du décor. Puis il m'explique :

– *Tu vas entrer par la porte du fond à ta droite en lançant ta première phrase. Ensuite tu courras à la table où est assise mademoiselle. Là, tu continueras ton texte et elle te donnera la réplique. Allez, vas prendre ta place, resserre ta ceinture d'un cran pour ne pas perdre ta culotte en route et attends que je te dise d'entrer.*

Je me retourne, face au décor. Il m'a dit la porte du fond à ma droite. Effectivement, il y a deux portes. Mais celle qui était à ma droite avant que je ne me retourne est à ma gauche maintenant. A-t-il voulu parler de ma droite de tout à l'heure ou de celle de maintenant ? Logiquement ça devrait être celle d'avant lorsque j'étais face à lui. Je suis vraiment embêté et je ne veux pas me tromper dès le début. Alors je demande :

– *C'est bien cette porte-là ?*

– *Mais oui, je viens de te le dire !*

Il y a de l'agacement dans la voix. Ça me vexe un peu parce que je veux tellement bien faire et je viens de perdre des points dans sa considération.

Me voici derrière le décor. Il n'y a presque pas de lumière. C'est incroyable comme tous ces grands panneaux qui paraissent être de vrais murs, vus de la salle, ne sont que des toiles tendues sur des cadres de bois, et ça sent la peinture fraîche. Il y a des traverses, des entretoises, des étrésillons cloués un peu partout dans le chemin pour soutenir les décors.

Si on ne fait pas très attention, on se prend les pieds dedans et… patatras. Le bruit se répercute jusque dans le fond de la salle. J'ai frôlé la catastrophe mais je me suis rattrapé à temps. Néanmoins on a compris dans la salle ce qui venait de m'arriver et j'entends :

– *Rien de cassé ? Bon, silence complet partout !*

Ce silence, lorsqu'il s'installe, est le signal que l'attention du public est soudainement concentrée sur scène et ça me fait revivre en dix fois pis le trac que j'avais ressenti devant les petits vieux de l'hospice. J'entends mon cœur taper dans ma poitrine. On me crie :

– *Vas-y, entre !*

Mince, j'allais oublier de resserrer ma ceinture. C'est bien vrai que je risque de la perdre ma culotte si je ne la serre pas. Je n'arrive pas à défaire la boucle dont la tige est coincée dans le cuir, et je m'énerve.

– *Et bien vas-y entre !*

Tant pis j'y vais. J'ouvre la porte et j'envoie le texte « Dis donc Véronique, tu vas me laisser longtemps m'encroûter tout seul là-dedans ? » puis je cavale vers la table en traversant la scène les jambes serrées comme si j'avais la crotte aux fesses. Pierre Fresnay m'arrête :

– *Ça ne va pas non ! Qu'est-ce qui te prends de courir de cette façon-là ?*

– *C'est ma culotte, je n'arrive pas à défaire la boucle de ma ceinture.*

J'entends des rires étouffés. Moi ça ne me fait pas rire du tout. Je viens enfin à bout de ma ceinture et je suis prêt.

– *Bon, alors, ça y est maintenant, elle tient ta culotte ?*

– *Oui Monsieur.*

– Alors, on recommence. Parle plus fort, moins vite et articule. On ne comprend pas ce que tu dis. Et cours normalement cette fois.

Bon sang, ça en fait des trucs à se souvenir ! Derrière la porte j'attends qu'on me dise d'entrer, mais rien ne vient alors, je ne bouge pas.

– Et bien qu'est-ce que tu attends pour entrer ?

Je crie derrière la toile :

– Que vous me le disiez !

– Entre !

J'ouvre la porte et je démarre « *Dis donc Véronique, tu vas me laisser longtemps…*

– Arrête, ce n'est pas bon, tu vas trop vite, tu boules ton texte. Articule. Et puis ne parle pas de la gorge en grasseyant tes mots avec un accent faubourien. Tu appartiens à une famille bourgeoise, tu ne parles pas comme un parigot vu ?

– Oui Monsieur.

– Alors recommence.

Cette fois je n'attends pas le signal, je me concentre et j'y vais. Je suis tout étonné de me retrouver près du guéridon sans avoir été stoppé. La jeune fille me donne la réplique « Sébastien, sois poli ! » J'enchaîne « Mais dis donc t'a pleuré toi ? »

– Arrête, ce n'est pas bon. Tu prends un temps avant de dire ça, Comment tu sais qu'elle a pleuré, en regardant ses yeux non ? Alors prends le temps de les regarder. Penche-toi un peu. Penche-toi un peu et redresse-toi tout de suite. Ne te mets pas de dos au public, tu la caches. Arrête-toi juste au coin de la table et tourne-toi légèrement vers la salle. Il faut que tu nous fasses croire que tu la regardes, mais en réalité, tu ne la vois pas vraiment. Triche un peu. Mets-toi de trois quarts… encore un peu… comme ça. Prends un repère pour te placer, t'as compris ? Et puis demande-lui ça d'un air un peu espiègle.

– Espiègle, qu'est-ce que ça veut dire ?

– Que tu constates qu'elle a pleuré et que tu te moques un peu d'elle, pas trop, juste un peu.

Je me dis que ce n'est pas possible, qu'il y a trop de choses à se rappeler à la fois, je n'y arriverai pas.

– Oui Monsieur j'ai compris.

– Alors recommence.

Je recommence. À peine entré :

– Arrête, tu boules ton texte !

Je remets ça :

– Recommence tu cours trop vite

J'y retourne :

– Stop ! Voilà que tu marches maintenant. Il ne faut pas que tu coures trop vite, mais il ne faut pas que tu marches non plus. Allez recommence.

J'ai les yeux embués de larmes et je me sens devenir enragé de me débrouiller si mal. Je respire un grand coup, je rassemble mes forces et je pars à l'attaque. J'entre « Dis donc Véronique… ». Je ne grasseye pas, je cours lentement à la table, je regarde la fille mais je ne la vois pas, je lui dis qu'elle a pleuré le sourire aux lèvres, on s'échange quatre ou cinq répliques et je suis tellement surpris de ne pas avoir entendu le fameux « *Arrête* » que je m'arrête tout seul.

— *Et bien pourquoi tu t'arrêtes, tu as oublié ton texte ?*

— *Non Monsieur.*

— *Alors pourquoi tu t'arrêtes. Tu fais un blanc si tu t'arrêtes. Ça fout tout par terre. Toute cette scène doit être filée, tu dois le sentir ça. Il faut que les répliques s'enchaînent. Allez recommence depuis le début.*

Je retourne en place et je repars à l'assaut. Arrivé près du guéridon, j'échange quelques répliques et il se passe quelque chose. Je suis déconcentré, je n'aime pas ce que je fais. Je m'arrête tout net, je repars en courant vers la porte d'où je dois sortir, en criant :

— *Ça ne va pas, je recommence !*

Personne n'a dit un mot. J'ai chaud de la tête aux pieds. Je fais le point. Je sens que c'est la minute de vérité. Si je n'y arrive pas, je sais que je serai refusé. J'oublie la salle, les décors, les lumières, ma trouille. Je me concentre sur ce que je vais dire à cette fille qui m'a laissé enfermé tout l'après-midi dans la bibliothèque et vers qui je dois courir normalement pour le lui dire. Je lui en veux et je suis content qu'elle ait pleuré.

Alors, j'ouvre la porte, je file la scène d'un bout à l'autre et dans le silence qui suit, j'attends le verdict. Il tombe :

— *Vous me préparerez un contrat pour le petit navet, je l'engage comme doublure. Si le costume ne lui va pas, vous lui en ferez faire un autre. Monsieur Lajarrige, vous lui ferez répéter ses entrées et la mise en scène les après-midi, dès que la pièce sera commencée.*

Je descends de scène rejoindre ma mère, et Pierre Fresnay pose sa main sur mon épaule :

— *Au théâtre, il n'y a pas de droite ni de gauche sur une scène. Tu entres côté cour ou côté jardin. Pour t'en souvenir, mets-toi face à la scène et tu écris dans ta tête : Jésus Christ. Le « J » est à gauche, c'est le côté Jardin, donc par ici. Le « C » est à droite, c'est le côté cour donc par là. Tu as compris ?*

— *Oui Monsieur.*

Puis il va rejoindre ma mère qui n'a pas bougé de son fauteuil dans le fond de la salle :

— *Je voudrais que vous assistiez avec votre fils dès demain aux dernières répétitions afin qu'il voie travailler le petit Jean-Paul dont il est la doublure. Aujourd'hui, ce n'est pas nécessaire, nous faisons des mises au point d'éclairage. Venez voir aussi la pièce tous les soirs pendant une semaine. Il faut qu'il comprenne le rapport qui existe entre la scène et le public lorsque la pièce roule. Pour son contrat, voyez Monsieur Frémo demain avant la répétition.*

Ma mère est en train de fondre :

– *Merci Monsieur Fresnay, merci infiniment...*

– *Ne me remerciez pas Madame, c'est lui qu'il faut remercier, il a tenu le coup et il a l'étoffe d'un comédien.*

Dehors, ma mère est silencieuse en fixant le trottoir. Je lui tiens la main et je saute d'un pied sur l'autre. Je suis heureux. Pas elle. Elle me secoue le poignet.

– *Arrête de faire ça, marche convenablement. Qu'est-ce que tu t'imagines, que c'est arrivé ? Si tu avais vu la gueule que tu avais sur scène avec ton air et ta culotte pendante ! À ne rien comprendre de ce qu'on te disait ! Il t'a jugé va ! Un rigolo ! Voilà ce que tu es : un petit rigolo frisotté, une amusette, une bille de clown ! On a de la chance que Pierre Fresnay soit un brave homme. Il a compris qu'on était dans le besoin, c'est pour ça qu'il t'a engagé...*

Mon enthousiasme vient de passer sous la douche écossaise et je me recroqueville, rabaissé, démoli. J'ai l'impression d'être vidé de l'intérieur et je marche sans plus aucune énergie à côté de ma mère, comme si elle traînait un légume, un navet.

CHAPITRE VII

Et bien voilà, maintenant vous pouvez dire que c'est dans la poche, dit Monsieur Frémo en tendant le contrat signé à ma mère.

– *Dans la poche ?*

L'administrateur explique :

– *Dans ce métier, une promesse n'est jamais une certitude. Tant que le contrat n'est pas plié en quatre dans votre poche, tout peut être remis en question, de la veille au lendemain ou même d'une heure à l'autre. Mais quand c'est dans la poche, là c'est sûr. Un contrat est un contrat. À présent, je vais vous conduire à la loge du petit Jean-Paul. En même temps, votre fils essayera le costume.*

Jean-Paul de Stratford vit seul avec sa grand-mère rue de Rivoli dans un somptueux appartement que je vais bientôt découvrir. D'origine anglaise, grand, l'air un peu traînant qu'on nomme « lymphatique », des lèvres rouge vif très ourlées sous des yeux bleu pâle presque cachés par une ample et longue mèche de fine chevelure blonde, il me tend une main indolente et un peu humide.

La grand-mère est élégante, aimable et porte sobre. Ce sont des gens, comme dirait ma mère, qui font rupin toute la semaine.

La grand-mère avoue :

– *Jean-Paul fait du théâtre parce que ça le distrait, il s'ennuie à Paris.*

Dans la loge, on nous met dos à dos. Il faudra faire faire un autre costume. Jean-Paul me rend plusieurs centimètres, même si je fais asperge pour mon âge.

– *En scène pour le un... ! En scène pour le un... !*

C'est le régisseur Lajarrige qui passe dans les couloirs. La répétition va commencer.

Il paraît qu'à compter d'aujourd'hui, ils vont filer la pièce tous les jours d'un bout à l'autre. Cette fois, ma mère et moi, on s'enhardit et on s'installe au milieu de la salle. Après tout, nous aussi on fait partie de la troupe, puisque c'est dans la poche depuis une demi-heure.

Je m'assieds sur le bout de mon fauteuil et je m'accoude sur le dossier de celui de devant. Tout se passe comme s'il y avait du public dans la salle. Dans la coulisse, derrière le rideau, on frappe les douze coups de ce qu'on nomme « la volée » avec un gros bâton à poignée de velours rouge clouté appelé « le brigadier ». Je viens d'apprendre tout cela. Enfin les trois coups, lentement, et... le rideau s'ouvre, ou s'élève dans les cintres, ça dépend des théâtres.

Pour moi aussi le rideau se lève sur une vie nouvelle, un monde inconnu, palpitant. Je retiens les gestes, les attitudes, les démarches, les tons de voix de chaque acteur dans son rôle. Les répliques s'impriment dans ma mémoire, je suis totalement absorbé par tout ce qui est en train de se vivre dans ce décor, je suis fasciné. Par la suite, j'aurai beau voir cette pièce ou une autre des centaines de fois jusqu'à les connaître par cœur, j'éprouverai toute ma vie cette même passion pour le théâtre.

Jean-Paul vient de faire son entrée du premier acte. Je m'attache à son jeu. Je ressens quelque chose qui me dit que je jouerais cette scène autrement. Ce n'est pas une critique ou un jugement sur la personne. C'est tout simplement ma propre personnalité qui cherche à s'exprimer. Il parle lentement et on comprend ce qu'il dit certes, mais je le trouve sans conviction. Quand il pleure, j'ai l'impression qu'il se force et je n'y crois pas. Il y a également des comédiens qui me semblent « jouer » la comédie, en revanche, Gabriel Gobin, Bernard Blier, Yvonne Printemps et Pierre Fresnay, avec eux, on est vraiment dans le coup.

Après la répétition, ma mère qui veut bien faire, me dit d'aller voir Pierre Fresnay dans sa loge pour faire remarquer ma présence. Je n'en ai pas envie. Je ne saurais pas quoi lui dire, mais elle me pousse :

– *Mais si vas-y, va lui dire bonjour, montre-lui que tu t'intéresses ! Vas-y tout seul, je t'attends ici.*

J'y vais à contrecœur, ça me gène franchement. Je passe devant la loge d'Yvonne Printemps dont la porte est grande ouverte et je n'en crois pas mes yeux : un vrai salon illuminé de grande dame, comme on en voit au cinéma. Julia, son habilleuse, en tablier blanc à dentelle et coiffe assortie, est une grande femme maigre, âgée, au faciès chevalin. Elle s'affaire à mettre de l'ordre sur la *vanité* de Madame Printemps, ou était-ce une *psyché ?* Les chiens se sont multipliés. Il y en a plein la loge. Décidément ils ne m'ont pas à la bonne, ils grognent sur mon passage. Pierre Fresnay est en train de se démaquiller dans son petit atelier lorsque je me présente devant lui. Son habilleuse est l'antithèse de celle de Madame Printemps : minuscule dans son tablier bleu, le regard baissé derrière ses petites lunettes cerclées de fer, elle est effacée, muette, voire absente…

– *Bonjour Monsieur Fresnay.*

– *Ah te voilà toi. Alors, tu as vu ce qu'il fallait faire.*

– *C'est ça qu'il faut faire, vraiment ?*

– *Ça vient de m'échapper. La question a l'air de le surprendre et la tête que je fais aussi, je me mordrais bien la langue.*

– *Qu'est-ce qui ne va pas ?*

J'hésite.

– *Et bien explique !*

Au point où j'en suis, je ne peux plus reculer. Je lui raconte tout ce que j'ai aimé et aussi tout ce que j'ai remarqué. Il me regarde par le biais de son miroir et il n'a pas l'air content.

– *Alors tu ne perds pas de temps pour devenir cabotin !*

– *Qu'est-ce que ça veut dire ?*

Tu as déjà vu les petits chiens dans les cirques, assis sur leur derrière qui font le beau pour avoir un sucre ?

– *Oui...*

– *C'est ça un cabotin ou un cabot, comme tu veux, Et c'est ce que tu es en train de faire. C'est ta mère qui t'envoie me raconter tout ça ?*

– *Non Monsieur, c'est moi seul, je voulais dire ce que je pensais.*

– *C'est bien ce que je te disais, tu es un petit cabot. Si tu penses pouvoir faire mieux que Jean-Paul, et bien contente-toi de le penser seulement, jusqu'au jour où tu auras peut-être l'occasion de le prouver. Quoi qu'il en soit, tu ne joueras jamais comme lui, parce que tu n'es pas lui. Chacun a sa personnalité. C'est clair ?*

– *Oui Monsieur.*

– *Maintenant bonsoir, rentre chez toi.*

Comme j'hésite à me retirer, il me dit amicalement :

– *Allez, fous le camp.*

Je rejoins ma mère, j'ai la mine basse :

– *Alors, qu'est-ce qu'il t'a dit ?*

– *Il m'a traité de petit cabotin et il m'a dit de foutre le camp.*

Je n'ajoute rien de plus.

Tandis qu'on se dirige vers le métro, elle est peu causante. Je ne cherche pas à la tirer de sa mauvaise humeur. En la laissant sur une mauvaise impression de ma visite à Pierre Fresnay alors que c'est elle qui m'a poussé à y aller, je cherche à la faire douter de l'autorité de ses décisions. J'essaye de saisir des occasions d'affaiblir son gant de fer.

Chapitre VIII

Les cachets de ma doublure nous donneront bientôt de quoi manger tous les jours. En attendant que la pièce décolle, on est toujours sans le sou. Alors, le matin de bonne heure, on fait la rue Taitbout dans l'espoir d'accrocher une figuration. Le soir on va à la Michodière.

Maintenant que la générale approche, les répétitions sont doublées : une l'après-midi et une le soir. Pendant ce temps-là, l'école souffre de mes absences et ma mère utilise toutes les excuses possibles pour les justifier.

Un matin, ma mère décroche deux figurations de plusieurs jours. L'une dans « Macadam » avec Françoise Rosay et Paul Meurisse, et l'autre dans « Kermesse rouge » de Paul Mesnier avec Albert Préjean.

Elle ne pourra pas m'accompagner au théâtre. Elle demande à la grand-mère de Jean-Paul si elle peut s'occuper de moi entre les deux répétitions :

– *Bien sûr, il viendra à la maison avec mon petit-fils dans l'après-midi et vous pourrez le reprendre le soir au théâtre. Je les ferai souper ne vous inquiétez pas.*

Ce jour-là un autre rideau se lève pour moi sur un phénomène de la vie que j'ignorais encore. D'abord, je prends le métro pour la première fois, tout seul comme un grand, et je ressens un certain bien-être à me balader libre dans Paris, libre de mes pensées, libre de mes gestes, libre du gant de fer. Je me rends au théâtre sans problème. Je commence à connaître le chemin. Lorsque la première répétition est terminée, je rejoins Jean-Paul dans sa loge et dix minutes plus tard, nous sommes en route, direction chez la grand-mère, en taxi s'il vous plaît. On descend devant le jardin des Tuileries, sous les arcades de la rue de Rivoli. On grimpe au deuxième. Ce n'est pas un appartement que je découvre, mais un château. Les tapis sont épais comme des édredons et les murs sont couverts de tapisseries figurant des scènes de chasse ou des divertissements champêtres. C'est rempli de meubles de style qui ont les pattes arquées de Louis XV, comme explique Jean-Paul qui s'amuse de mon émerveillement. Il me fait faire le tour de ce musée où j'observe cette particularité que dans chaque pièce, il y a une horloge de facture différente sur chaque commode. J'en fais la remarque à Jean-Paul qui me révèle que dans sa famille on collectionne les horloges depuis plusieurs générations. Je me dis qu'avec ça, il n'y a pas de danger qu'il soit en retard au théâtre et rate son entrée du premier acte. J'ai bien peu de chance de pouvoir un jour le remplacer.

On a droit au lunch, pas un casse-croûte de chômeur. Grand-mère Stratford amène des œufs, du jambon, des gâteaux, du lait, de la salade, et tout cela est servi sur la grande table de l'immense salon. Elle s'assied et nous regarde. Je mange aussi vite que je peux, j'ai peur qu'elle ne remmène tout. Après tout ce que je viens de gloutonner, elle me demande si j'en veux encore. Alors là, ça me la coupe !

Jean-Paul sort de table pour aller épouser un fauteuil sur lequel il se love en anguille et me raconte des tas de choses sur l'Angleterre qui ne m'intéresse guère, mais je l'écoute par politesse à cause du décor qui m'impressionne. Grand-mère Stratford nous avertit qu'elle doit aller faire des courses. Elle nous recommande d'être bien sages et de nous amuser gentiment, sans préciser comment. Voilà tout à coup l'anguille réveillée dès que la grand-mère est sortie :

– *Viens voir ma collection de timbres dans ma chambre !*

À chacun sa collection… mais je n'ai que huit ans et je donne encore dans le naïf. Sur le secrétaire de sa chambre relativement petite eu égard au reste de l'appartement, il y a un pèse-lettre qui m'intéresse plus que la collection de timbres et je m'amuse à peser tout ce qui me tombe sous la main. C'est à ce moment que Jean-Paul décide de partager ses secrets intimes :

– *Tu sais, il y a des soirs où je vais me coucher dans le même lit que ma grand-mère parce qu'elle a froid.*

– *Moi aussi des fois, je couche avec ma mère.*

– *Et qu'est-ce que tu fais ?*

– *Comment ça ?*

– *Ma grand-mère, quand elle est endormie, je lui mets tout doucement la main entre les cuisses et je rentre mon doigt dans le trou de la touffe.*

– *Dans le trou de la touffe ?*

– *Oui.*

– *T'y mets le doigt ?*

– *Oui.*

– *Comment tu sais qu'elle dort ?*

– *Elle ronfle !*

Je réfléchis un moment et j'essaye de me représenter la scène.

– *Moi, je ne pourrais pas faire ça à ma mère.*

– *Pourquoi ?*

– *Elle ne ronfle pas. Et puis elle me tuerait si elle se réveillait.*

– *T'as déjà senti ?*

– *Quoi ?*

– *Les femmes. Ça sent comme nous.*

– *Ah oui ?*

– *Pendant que je sens mon doigt, je me branle.*

– *Qu'est-ce que ça veut dire ?*

– *Tiens regarde.*

Il fait tomber son pantalon long. Il baisse son slip et me fait une démonstration. C'est là que je remarque qu'il ravale tout le temps sa salive.

– *Ça fait du bien,* qu'il me dit.

À le voir, c'est vrai qu'il a l'air d'aimer ça.

– *Tu t'es jamais branlé ?*

– *Non.*

– *Je vais te le faire, tu vas voir. Au bout d'un moment, ça va te chatouiller et ça va te faire du bien.*

Je me laisse faire et je l'observe. Ses lèvres sont encore plus rouges que d'habitude, il salive abondamment et ses yeux bougent beaucoup. Je lui avoue que ça ne me chatouille pas du tout.

– *Attends, je vais te faire quelque chose de meilleur que ça. Allonge-toi sur le lit.*

– *Pourquoi faire ?*

– *Tu vas voir. C'est vraiment bon. Fais-moi pipi dans la bouche, je vais te sucer. Laisse-toi faire.*

J'ai beau essayer de faire pipi, je n'y arrive pas et je n'apprécie pas tellement ce qu'il est en train de me faire d'autant moins qu'il y met une telle ardeur qu'il me racle le zizi et me fait mal. J'interromps l'initiation et je me reculotte.

– *Vous vous êtes bien amusés ?* demande la grand-mère Stratford lorsqu'elle revient.

Je n'ose pas la regarder en face. Dans le taxi qui nous ramène au théâtre, je comprends maintenant ce que ma mère insinuait quand elle m'accusait de me toucher. Je n'envisage aucune solution pour lui expliquer que pendant deux ans elle s'est trompée. À la répétition du soir, Jean-Paul n'est pas dans sa meilleure forme. Il se fait même engueuler par Pierre Fresnay.

– *Tu ne sens pas ton texte mon petit vieux ! Tu bêles comme un mouton ou tu pleures comme un veau. Ça sonne faux. Sanglote juste un peu, c'est tout ce qu'on te demande. Et ne te traîne pas comme un mollasson à travers la scène, mets-y un peu de nerf que diable !*

Il le fait recommencer trois fois. À tel point qu'il se fâche pour de bon. Sa voix roule dans le théâtre comme le tonnerre et ce qu'il dit est grave :

– *Écoute mon petit vieux, tu interromps la répétition et tu nous fais perdre notre temps. Si ça ne te plaît pas de jouer la comédie, dis-le tout de suite et je te fais remplacer.*

Et voilà Jean-Paul qui fond en larmes. Je me ratatine sur mon fauteuil, je suis gagné par la peur. Yvonne Printemps s'en mêle en faveur de Jean-Paul.

– *Voyons, il ne sait plus où il en est ce gamin. Depuis que tu lui as trouvé cette petite doublure, tu le martyrises !*

Pierre Fresnay réplique glacial :

– *Si ça continue, je ne sais pas lequel servira de doublure à l'autre !*

Je comprends sans ambiguïté qu'il y a une friction entre ces deux grands acteurs à propos du choix de mon engagement, ce qui explique la mauvaise humeur de Pierre Fresnay. Il m'a imposé à sa femme à qui je ne plais pas et elle le lui fait savoir.

CHAPITRE IX

La pièce roule depuis déjà un mois. Ma mère se débrouille pour faire de la figuration de temps en temps. Dans la journée, je suis à l'école et le soir, on va signer la feuille de présence au théâtre vers les huit heures. Nous sommes toujours en avance. En attendant l'arrivée de Jean-Paul et sa grand-mère, on discute avec une autre doublure, un grand jeune homme blond, Michel, qui est sympathique et toujours bien renseigné sur ce qui se prépare dans le milieu du spectacle comme films ou pièces de théâtre, puis on rentre chez nous. C'est assez monotone, mais on mange tous les jours.

Un soir on est assis dans la loge à attendre comme d'habitude et je regarde nos deux costumes suspendus côte à côte sur le mur. Celui de Jean-Paul paraît déjà usé et porte d'épaisses traces de maquillage sur le col. Le mien est désespérément neuf. Les acteurs vont et viennent dans le couloir en discutant. Lajarrige, le régisseur, *passe et repasse* comme les républiques sur les affiches publicitaires des *peintures* « Soudée » dans le métro, qui, elles au contraire, *restent*... C'est l'ambiance des préparatifs pour le spectacle.

Ma mère sort de sa poche la vieille montre ronde en argent que lui a léguée son père et remarque simplement :

– *Il est neuf heures moins vingt-cinq.*

Il est déjà arrivé que Jean-Paul ne soit pas là avant moins vingt-cinq, Mais chaque fois c'est la même chose, l'espoir de jouer se réveille et se rendort, car il est toujours fidèle au rendez-vous. Avec ma mère on rêve tout haut :

– *Et s'il lui était arrivé quelque chose pour de vrai ?*

Il ne lui arrive jamais rien, ils sont un peu en retard, c'est tout.

Des fois, pour rigoler, on imagine des traquenards pour l'empêcher de venir au théâtre. Le pauvre Jean-Paul ne se doute pas que dans notre imaginaire, on l'a déjà envoyé plusieurs fois à l'hôpital ou au cimetière.

Il est moins vingt. Je m'attends à les voir déboucher d'une seconde à l'autre dans le couloir, la grand-mère essoufflée poussant Jean-Paul dans le dos comme je l'ai déjà vu faire. Trois minutes passent encore sur la vieille montre. Je me lève et je deviens nerveux. Je marche de long en large. Non, ce n'est pas possible, s'il était malade, ils auraient téléphoné, non, il est simplement en retard.

La première sonnerie retentit et signifie que dans dix minutes, les acteurs qui sont du premier acte doivent être sur le plateau. Je n'y tiens plus. Je fonce dans le couloir, je dégringole les escaliers et je sors sur le trottoir. Rien en vue. Je remonte à toute vitesse et je trouve Lajarrige en train de dire à ma mère :

– *Si dans cinq minutes, il n'est pas là, vous préparez le petit.*

Je regarde mon costume. Chaque minute qui s'écoule maintenant est une torture. Ça me travaille tellement que j'ai envie de faire caca. Ma mère a son tic. Elle fait craquer ses cheveux sur son front.

Monsieur Frémo entre dans la loge :

– *Habillez-le !*

Ma mère questionne :

– *Ils ont téléphoné ?*

– *Non, mais on ne peut pas prendre de risques. Habillez-le et maquillez-le tout de suite.*

Je n'ai pas le temps d'être déshabillé que je suis déjà dans le costume. Ma mère s'assied face à moi et comme le lui a enseigné l'habilleuse de Pierre Fresnay, elle me met un léger fond de teint et me tamponne la figure avec sa houppette à poudre. Elle m'étale deux pastilles de rouge à lèvres sur les pommettes. Elle m'en met aussi sur la bouche.

La sonnerie de moins cinq grelotte à travers tout le théâtre. Je devrais être en bas. Lorsque je me regarde dans la glace, je ressemble à une grande poupée de bazar. Je m'énerve :

– *T'as mis trop de rouge, j'ai l'air d'un clown.*

Je suis tout étonné d'avoir osé lui dire ça sans qu'elle se fâche. Au contraire, elle lève les sourcils et me demande :

– *Tu crois ?*

– *J'en suis sûr, fais voir ton mouchoir !*

Tandis que je fais disparaître le trop de rouge dans le mouchoir, je vois jaillir dans la glace, la grand-mère hors d'haleine poussant le Jean-Paul devant elle. Ça doit faire le même effet lorsqu'on se fait assommer par-derrière.

Ma mère a un réflexe animal. Elle me catapulte hors de la loge en me pinçant le bras.

– *Vas-y, puisque tu es prêt, vas-y !*

Dans le couloir Monsieur Frémo m'arrête :

– *Attends…*

Il se tient à l'entrée de la loge, il regarde sa montre :

– *Je crois qu'il a encore le temps, il n'est pas du début.*

J'ai la gorge serrée et je m'étouffe à retenir mes larmes.

On libère la loge pour céder la place à Jean-Paul et sa grand-mère et je m'adosse au mur du couloir devant la porte ouverte. Je regarde Jean-Paul qui cafouille pour enfiler son costume pendant que mon rêve s'évanouit.

Dans la loge vide, je me déshabille lentement. Je n'arrive toujours pas à prononcer une parole, je n'arrive toujours pas à chialer, c'est pire que ça.

CHAPITRE X

Depuis que j'ai failli le remplacer, Jean-Paul est toujours à l'heure. Avec le temps, ma mère s'est arrangée pour qu'on n'aille pas signer tous les soirs. Elle a donné le téléphone de Madame Gaucher et s'il devait se présenter un problème, Jean-Paul préviendrait à temps. On ne va plus guère au théâtre qu'une fois tous les quinze jours pour toucher la paye. Lorsqu'on y va, ma mère converse un moment dans la loge avec la grand-mère tandis que Jean-Paul en profite pour m'entraîner dans le haut de l'escalier en colimaçon qui mène vers les combles. Je lui avoue qu'à force d'essayer, je commence à avoir des sensations, et, dans le noir, il déboutonne ma braguette et me demande invariablement de lui faire pipi dans la bouche. Ce qu'il me fait est plus agréable depuis qu'il s'y prend plus doucement. Pendant ce temps-là, il se masturbe et il a une grande sensation, c'est ce qu'il appelle jouir. Moi, ça ne va pas jusque-là, et quand il a joui, il me dit de refermer ma braguette, puis il descend l'escalier en courant. Une fois ma mère a failli nous surprendre. Elle montait en douceur l'escalier, mais on l'a vu venir et on l'a échappé belle.

– *Mais qu'est-ce que vous faites là tous les deux ?*

Elle a prononcé ça sur un ton accusateur qui m'a glacé et je me croyais perdu, mais Jean-Paul a dit que de là où on était, on pouvait entendre tout ce qui se disait dans les loges et que c'est ce qu'on faisait, mais qu'il ne fallait en parler à personne. Ma mère a marché. Elle a même essayé de savoir ce qu'on avait entendu. J'ai inventé des banalités.

Les semaines passent, les mois aussi. Ma mère revoit Dolly bien qu'elle ait juré ses grands dieux qu'on n'y remettrait jamais les pieds. Mais les gens changent et c'est tant mieux. Un après midi, on est chez elle en visite. Maintenant qu'on n'en a plus besoin, Dolly nous demande volontiers de rester pour souper. Aujourd'hui Dolly insiste pour qu'on reste, et ma mère insiste pour dire non. Pourquoi ? Sans aucune raison, parce que c'est ma mère.

Si elle avait dit oui, on n'aurait jamais trouvé à temps un papier coincé dans l'encoignure de notre porte, disant de téléphoner d'urgence à Madame Gaucher. C'est souligné trois fois et c'est signé Mademoiselle Bedu. On se rend chez le commerçant des temps héroïques, du jambon et du crédit, et ma mère lui demande si elle peut emprunter son téléphone. Bedu est au courant, je crois que tout le quartier l'est aussi. On se demande bien comment Bedu est mêlé à tout cela. La réalité c'est que Madame Gaucher avait envoyé sa bonne pour nous prévenir, mais que n'ayant trouvé personne et ne sachant pas écrire, brave personne, elle a eu recours au commerçant le plus proche. Madame Gaucher toute énervée, au téléphone, confirme :

– *Jean-Paul est malade. Il a mangé une boîte entière de lait concentré. Il fait une crise de foie. Gérard doit le remplacer ce soir, allez-y tout de suite.*

Il est sept heures, on a juste le temps. Avant de raccrocher, Madame Gaucher qui a le réflexe bourgeois, conseille à ma mère d'offrir des fleurs à Mademoiselle Bedu pour son dérangement. Ma mère dont c'est le moindre des soucis réfléchit à voix haute tout en reposant le combiné :

– *Pour les fleurs on verra ça plus tard.*

Ma mère veut à tout prix me faire manger avant de partir. Je refuse catégoriquement. Une chose me tracasse. Pourvu qu'il n'ait pas récupéré depuis cet après-midi et qu'il ne se pointe pas à la dernière minute ! Il est déjà huit heures moins le quart et on n'est pas encore parti. Il a fallu me laver, me coiffer aller acheter du maquillage. Ma mère n'en finit pas. Elle tourne en rond. Je m'énerve franchement :

– *On va être en retard ! Une demi-heure pour aller au terminus, une demi-heure de métro, je te jure qu'on va être en retard.*

– *On va prendre un taxi.*

Il n'y a pas de taxi à la place des rigolos, mais l'autobus arrive. Rendus au Château de Vincennes, on trouve un taxi. Dans la voiture, ma mère se fait du souci. Elle est aux petits soins avec moi :

– *Ça fait des mois que tu n'as pas répété ton texte. Tu te souviens de ton texte ?*

– *Oui.*

Elle tient le manuscrit de la pièce roulé dans ses mains.

– *Tu veux repasser ton texte avec moi ?*

– *Non.*

Elle veut me maquiller tout de suite.

– *Pourquoi, tu n'attends pas qu'on soit dans la loge ?*

– *On n'aura peut-être pas le temps !*

– *Mais si, mais si.*

– *Chauffeur, est-ce que vous pourriez rouler plus vite ? Mon fils doit jouer au théâtre à neuf heures, on va être en retard !*

L'homme nous jette un coup d'œil dans le rétroviseur, mais la requête de ma mère ne change rien à sa façon de conduire. Le chauffeur ne répond pas et on ne va pas plus vite non plus. Elle s'énerve :

– *Il n'avance pas. Regarde cette andouille, il aurait pu dépasser. Il le fait exprès.*

Elle n'aurait pas dû dire ça. Ça fait des histoires pour rien. Le chauffeur se range le long du trottoir :

– *Madame, si vous n'êtes pas contente, la course s'arrête là, vous descendez !*

– *Mais non, mais non, je n'ai pas voulu dire ça, Excusez-moi, continuez, je vous en supplie.*

Le taxi redémarre. Elle se tourne vers moi et c'est à moi qu'elle dit :

– *Ne t'énerve pas, on va y arriver…*

Tout ce qui me préoccupe, c'est la crainte de trouver Jean-Paul en entrant dans sa loge.

– *T'es sûre qu'il a mangé toute la boîte ?*

– *C'est sans doute pour cela qu'il est malade.*

Je me mets à rire :

– *Tu vois, comme ça, on n'aura pas besoin de l'empoisonner, il s'empoisonne tout seul !*

En arrivant au théâtre, je suis rassuré. Monsieur Frémo confirme que Jean-Paul est bel et bien malade :

– *Le docteur a dit qu'il en a pour trois jours. Demain, tu devras le remplacer en matinée et en soirée.*

Il n'y a plus de doute. C'est seulement à cet instant que je me demande si je me souviens bien de mon texte. Je suis habillé et maquillé. Je voudrais à présent que le temps passe moins vite. J'ai la trouille tout d'un coup et la présence de ma mère m'énerve. La sonnette de moins cinq me flanque presque la panique. Il faut que je descende. Ma mère me dit alors :

– *Je vais avec toi dans les coulisses.*

Je me sens réticent. C'est comme si elle voulait aller jouer avec moi sur scène.

Quelque chose se passe dans mon for intérieur. J'ai découvert, sur ces quelques mètres carrés de surface que constitue la scène, que j'ai ma propre importance, et que je lui arrache des moments de liberté qui me sont entièrement personnels. Là, elle ne peut me cerner, me poursuivre, m'atteindre ni me soumettre, je ne lui appartiens plus. En voulant s'imposer à côté de moi en coulisses, j'ai l'impression que ces quelques minutes d'évasion, elle va me les supprimer. Pour les défendre, je profite de la situation où je me sens en position de force à quelques instants de descendre sur le plateau et je m'affirme ouvertement. Pour la première fois, je défie ma mère :

– *Non, va dans la salle. Je veux être tout seul. Laisse-moi tranquille.*

– *Dis donc Gérard qu'est-ce qui te prend de me parler sur ce ton ?*

Je m'emporte :

– *Maman, je préfère que tu ailles dans la salle, je te le dis, je veux être seul…* pour me concentrer. *Si tu me regardes dans la salle, je ne serai pas seul mais ce ne sera pas pareil. S'il te plaît…*

Sur le plateau, je retrouve des odeurs et des sons qui me plaisent. Les senteurs du bois et de la toile peinte. La magie de la volée, frappée sur le plancher avec « le brigadier ». Et puis les trois coups… dont le dernier fait lever le rideau comme le coq le soleil. J'entends la lourde tenture glisser vers les cintres… Et ça démarre sec.

C'est une tout autre impression d'assister à la pièce, en aveugle, en coulisse. On devine le mouvement et le jeu des acteurs. On entend le public gronder par vagues sourdes lorsqu'il apprécie, ou éclater brusquement de rire pour s'apaiser aussitôt. Les artistes se faufilent, silhouettes silencieuses derrière le décor, qui se mettent en place pour leur entrée. Tout s'enchaîne dans un minutage calculé. Les répliques tombent, roulent, déferlent, pendant que machinistes et éclairagistes œuvrent dans l'anonymat pour que l'action batte comme un cœur dans cette mécanique de précision que représente une pièce de théâtre.

L'une de ces silhouettes est celle de Bernard Blier. La main agrippant le bouton de porte, tendu, ramassé tel un ours prêt à surgir, il attend son entrée. Soudain, la bête jaillit hors de nos ténèbres et sa voix emplit le théâtre. Lorsqu'il quitte la scène en claquant la porte, faisant trembler la toile qui sert de mur, il s'immobilise une seconde, courbé sur le seuil obscur pour ne pas accrocher une traverse, il attend.

On applaudit sa sortie. Il murmure :

– *Je les ai eus…*

Il se redresse, s'évanouit le long du décor et quitte la coulisse sur la pointe des pieds. Le temps passe vite et dévore la pièce, scène après scène. Bientôt, ça va être à moi. Dans cet acte, j'entre avec ma gouvernante. Elle me suit, couronnée de son petit chapeau marron de gouvernante anglaise. Je ne connais pas cette comédienne, qui était je crois « Tatia Chauvin », mais la femme qui est derrière moi pose sa main sur mon épaule et colle ses lèvres à mon oreille.

Je te ferai signe quand ce sera à toi.

– *J'ai pas besoin !*

Elle retire sa main. P… que j'ai le trac ! Une ombre passe et me chuchote :

– *Je te dis merde ! Au théâtre, ça veut dire Bonne chance, alors, je te dis merde !*

Je lui réponds pour être poli :

– *Moi aussi, je vous dis merde !* Je réalise ce que je viens de dire : j'espère qu'il ne l'a pas mal pris.

Encore une réplique, une autre, puis une autre… C'est à moi. Je fais mon entrée. Il n'y a rien qui compte que mon personnage. Je ne reconnais plus Pierre Fresnay. Il est mon grand père Toussaint Lespare. Et je pleure vraiment quand je dois pleurer parce que l'émotion de jouer après sept mois d'attente me fait éclater en sanglots.

Lorsque je sors de scène, je suis surpris que ce soit déjà fini. J'ai mon autre entrée au cinquième acte et, en attendant, je remonte dans ma loge. Je n'ai pas le temps de prononcer une parole que ma mère me frappe du revers de la main d'une baffe douloureuse :

– Maintenant, excuse-toi à genoux.

– Je te demande pardon maman.

Je tente d'expliquer mon attitude de tout à l'heure avec franchise, mais elle me coupe la parole. Pour elle, les gifles suffisent à régler les problèmes de mes comportements. Elle ne veut pas en entendre davantage. Mais ce qui m'étonne, c'est ce qu'elle me dit ensuite :

– Bon, on n'en parlera plus pour cette fois.

Ce n'est pas dans ses habitudes de me laisser m'en tirer à si bon compte. C'est peut-être à cause du cinquième acte. Elle doit avoir peur que je me sauve si elle me menace de représailles en fin de soirée. Elle ne sait pas que rien ne pourrait m'empêcher de faire ma deuxième entrée. Comme elle est calmée, je lui demande de me faire repasser la scène du cinq qui est la plus longue.

Même enfermé dans une loge, on n'est pas étranger à ce qui se passe dans la fosse au lion. Le haut-parleur du couloir donne le pouls de la salle « Tiens, c'est la sortie de Pierre Fresnay qu'on applaudit, maintenant c'est celle de Bernard Blier. Il les a encore eus ». L'entracte n'en finit pas. J'ai hâte de retrouver le plateau. Enfin Lajarrige annonce dans les couloirs :

– En scène pour le cinq, en scène pour le cinq !

Ma mère me demande, cette fois sans conviction, si je ne veux pas qu'elle aille avec moi dans les coulisses. J'aurais presque envie de lui dire oui, mais je me retiens. Maman, en bas tu gênerais, je t'assure, mais de la salle, tu peux me dire comme c'était, hein ?

Elle fait :

– Bon, enfin...

Elle s'éloigne avec un air de mère souffrante et sacrifiée. Je me sens coupable.

Lajarrige repasse dans le couloir :

– En scène pour le cinq, en scène pour le cinq !

CHAPITRE XI

En tombant sur le cinquième acte, le rideau vient de se refermer sur mes premiers instants de comédien. Le venin est entré en une seule piqûre : le public a applaudi ma sortie.

Pendant que j'enlève mon maquillage avec de la vaseline et une petite serviette, un couple âgé s'arrête à la porte de ma loge restée ouverte. Ce sont des spectateurs qui viennent féliciter les comédiens.

– *Ah c'est le petit Sébastien... Bonsoir Madame, bonsoir jeune homme, nous sommes des amis de Monsieur Fresnay.*

Ces gens ont l'air encore plus timides que nous. Ils sont tout sourire.

– *C'est votre fils ? Félicitations, il est formidable, très amusant !*

Ils me regardent avec une sorte d'admiration figée. On dirait qu'ils attendent quelque chose, alors ma mère remercie :

– *Merci, merci beaucoup...*

Et j'apprends à dire en souriant :

– *Merci... Merci beaucoup...*

La première fois, c'est gênant, puis on s'y fait et un beau jour, ça devient un besoin.

Dimanche soir est arrivé trop vite. Ce soir était mon dernier remplacement. Toutes mes sorties ont été applaudies et je ne suis pas peu fier. Mais demain c'est relâche, et Jean-Paul reprend mardi. Je raccroche mon costume à côté de celui de Jean-Paul. Sur le mien aussi, il y a maintenant des traces de maquillage au col. Je me demande s'il n'y en aura jamais d'autres. Je remets ma culotte courte, mon teint pâle et je redescends sur terre.

Au moment de quitter le théâtre, le régisseur nous prévient que Pierre Fresnay veut nous voir. Les acteurs sont presque tous partis et il n'y a plus d'admirateurs dans les couloirs.

Le dimanche soir, ça ne traîne pas, l'ambiance s'éteint de bonne heure. En chemin nous croisons Bernard Blier qui se dirige vers la sortie. Il s'arrête une seconde pour faire part de son opinion à ma mère :

– *Pas mal le petit, mais si j'ai un conseil à vous donner, ne le laissez pas continuer ce métier. Je ne le ferais jamais faire à mes gosses ! Allez bonsoir.*

Il avait raison, mais à l'époque comment aurions-nous pu comprendre ou admettre toute la sagesse de ces paroles. Au contraire, nous avons pensé sur le moment que Bernard Blier était un aigri et un oiseau de mauvais augure. Ma mère l'a pris en grippe.

En approchant des loges d'Yvonne Printemps et de Pierre Fresnay, on perçoit des éclats de voix. Ma mère saisit mon poignet et m'immobilise. On n'ose plus avancer.

– *Je sais ! Je sais !* est en train de s'emporter Pierre Fresnay, *il est trop jeune, c'est un gosse de la rue, il n'a pas de classe et c'est un petit cabot. Il y a une chose qui t'échappe, c'est qu'il a du talent ! Il est même précoce !*

– *Ah ça, pour le petit cabot, vous pouvez dire que vous vous ressemblez !*

Il me passe un frisson. Me mettre sur un pied d'égalité avec Pierre Fresnay même si c'est pour être traité de cabotin, c'est inespéré. J'en éprouve comme un sentiment d'appartenance, de protection. Yvonne Printemps continue :

– *Du talent, du talent, mais mon pauvre ami, tous les enfants ont du talent à son âge !*

Elle sort de sa loge avec plusieurs petits chiens en laisse et nous découvre, ma mère et moi, pétrifiés dans le couloir, tandis que les chiens font un concert d'aboiements. Elle s'adresse à ma mère :

– *Il ne faut pas m'en vouloir Madame, ce n'est pas après vous que j'en ai.*

Et elle ajoute tout gentiment en plissant le nez, souriante et déconcertante :

– *Bon – sôar… !*

Je m'aplatis contre le mur pour laisser passer les chiens qui ne m'inspirent pas confiance, et nous regardons Madame Printemps s'éloigner, trottinant de concert avec sa meute miniature dont les jappements s'échappent avec leur maîtresse par l'escalier de la sortie des artistes.

On aborde Pierre Fresnay qui semble calme. Mais un certain mouvement qu'il fait de la tête pour se grandir le cou signifie qu'il n'est pas de bonne humeur. Il paraît pressé. Il s'adresse à ma mère, parle vite, haut et fort.

– *Madame, je voudrais votre parole que l'entretien que nous allons avoir restera confidentiel.*

– *Certainement, Monsieur Fresnay, vous avez ma parole.*

– *Êtes-vous libre de voyager avec votre fils ?*

– *Entièrement libre,* répond ma mère sans hésiter, tandis que moi-même j'en oublie l'école.

– *Voulez-vous faire la tournée cet automne avec la pièce, votre fils reprendra le rôle : Suisse, Belgique, France…*

– *C'est tout simplement merveilleux et inattendu, je ne sais comment vous remercier…*

– *En me disant si vous aimeriez faire du théâtre ?*

– *Moi ?*

Ça, c'est ce qu'on appelle un coup de théâtre. Où veut-il en venir ?

– *Puisque vous devez accompagner votre fils de toute façon, j'ai pensé que vous pourriez peut-être jouer le rôle de la gouvernante. Tout ce que vous avez à dire c'est « Bien Madame »* lorsque l'enfant est en pleurs et qu'on vous dit « Emmenez-le ! ». *Vous toucherez vos deux cachets et vos deux défraiements. Alors ?*

– *Si vous pensez que... Mais oui... Certainement... Bien sûr, j'accepte avec joie !*

– *Passez dans la semaine, nous réglerons les conditions avec Monsieur Frémo. Le plus ennuyeux, c'est qu'il devra manquer l'école. Vous pourrez le faire travailler vous-même dans la journée en suivant le programme scolaire.*

Il s'adresse à moi :

– *C'est important les études dans la vie, mon garçon. Les études sont le piédestal de la vie. Il ne faut pas les négliger. Alors, tu es content ?*

Je ne sais pas comment lui dire que je suis fou de joie, mais ça doit se voir sur ma figure, car il se met à sourire et me dit :

– *Va vite te coucher blé en herbe !*

Dans la rue, je demande à ma mère ce que signifie « blé en herbe ».

– *Ça veut dire que tu es un petit navet pas encore mûr.*

Je me contente de ça sans trop comprendre. Ma mère est de bonne humeur, c'est le principal. Elle saute d'un pied sur l'autre sur le trottoir. Alors je lui dis en la narguant :

– *Arrête de faire ça ! Marche convenablement ! Qu'est-ce que tu t'imagines, que c'est arrivé ? Si tu avais vu la tête que tu as faite quand Pierre Fresnay t'a demandé si tu voulais faire du théâtre ? T'avais l'air de rien comprendre !*

Ma mère me regarde surprise, mais ne peut s'empêcher de rire tandis que je m'échappe de quelques pas :

– *Attends que je te rattrape petit cabotin, tu n'as pas honte de te moquer de ta mère !*

Et elle me fait la course jusqu'à la bouche de métro. On est heureux.

Chapitre XII

Ce sont les dernières représentations de « Auprès de ma blonde » au théâtre de la Michodière qui va fermer pendant l'été.

La dernière fois qu'on va toucher notre quinzaine, il nous arrive un coup de chance invraisemblable. Nous rencontrons Michel, le grand blond qui est également doublure. Il dit à ma mère qu'il a tuyau pour nous :

– Le metteur en scène Serge de Poligny cherche un garçon de l'âge de votre fils pour jouer le rôle de Georges Marchal enfant, dans son film « Torrents *». Il en a déjà vu plusieurs, mais ça n'a pas l'air de coller.*

Ma mère ouvre de grands yeux :

– Ah bon, qu'est-ce qu'il faut faire ?

– Il faut faire vite parce que ces occasions ne traînent pas longtemps.

– Vous savez où se trouve la production ?

– Ce n'est jamais bon d'aller à la production. Vous allez passer par une douzaine d'intermédiaires avant de voir le metteur en scène. Et s'il y a quelqu'un qui a un gosse à placer, sans compter les impresarios, Serge de Poligny n'aura jamais l'occasion de voir votre fils ou même sa photo. C'est une véritable maffia. Le mieux, ce serait d'aller le trouver chez lui.

– Ça me paraît difficile, se décourage ma mère.

– Oui, c'est difficile. Je sais qu'il a une villa à Neuilly, mais l'adresse exacte ou le téléphone, il faudrait les trouver dans l'annuaire des artistes ou le bottin mondain.

On n'a pas ça chez nous et rares sont ceux qui en possèdent.

Ma mère a le réflexe de foncer chez Madame Gaucher qui n'est plus « la mère Gaucher » depuis un certain temps déjà. Avec ses relations, elle doit pouvoir mettre la main sur un annuaire des artistes ou un Bottin mondain. Suzanne Gaucher fait mieux que ça. Non seulement elle obtient le numéro de téléphone et l'adresse du metteur en scène, mais elle téléphone elle-même à Serge de Poligny et avec son parler bourgeois, elle le décide à nous recevoir. On a rendez-vous le lendemain chez lui, un dimanche par-dessus le marché !

Rendus à Neuilly, on monte dans un trolleybus. Je ne savais pas qu'ils existaient. Ça me rappelle tout d'un coup les tramways qui ont disparu de notre quartier il y a quelques années. Seuls les rails sont demeurés enfouis dans la chaussée, toujours prêts à piéger la roue d'un cycliste. Ils étaient ma hantise quand je descendais l'avenue de la République en vélo avec mes kilos de sucre en travers de mon guidon.

Neuilly sur Seine, c'est l'antipode de Fontenay sous Bois. Je n'ai jamais vu d'aussi belles maisons, même au bois de Vincennes. Bon, voilà le trolley en panne. Je descends comme le font quelques-unes des passagers pour voir. L'une des deux branches sur le toit de l'autobus se balade de gauche à droite dans les airs comme les mâts des petits bateaux ballottés par la mer en Bretagne. La roulette a perdu le contact avec le réseau électrique et le chauffeur tire sur le grand fil qui va de la roulette à la bobine fixée à l'arrière du bus afin de la ramener à sa place. Je lui demande :

– *Pourquoi est-ce qu'elle se décroche la roulette ?*

– *Parce que le fil se coince dans la bobine*

– *Pourquoi est-ce qu'il se coince ?*

– *Parce que c'est mal foutu.*

– *Pourquoi c'est mal foutu ?*

– *J'en sais rien moi, t'as qu'à leur demander toi-même !*

– *À qui ?*

– *Au Pape !*

On est reparti. Des avenues immenses bordées d'arbres. Je crois que ma mère est aussi impressionnée que moi :

– *T'as vu ces belles propriétés ? Ça fait rêver.*

On est arrivé, et dans l'avenue déserte, on cherche le numéro. C'est ici. Une dame âgée nous reçoit. Elle nous apprend qu'elle est la mère du metteur en scène. Elle se montre tout ce qu'il y a de gentil, surtout lorsqu'elle dit :

– *Regardez-moi ces beaux cheveux bouclés, comme il est mignon ! Il a un visage si pur qu'on lui donnerait le Bon Dieu sans confession.*

– *Heureusement que cette dame ne t'a pas huit jours en garde, elle changerait vite d'avis*, me glisse ma mère à l'oreille tandis qu'on gravit un large escalier de pierres.

Je regarde autour de moi. Encore un château !

Ma mère, qui a retenu la leçon de Madame Gaucher, prend bien soin de s'asseoir dans le fond du fauteuil qu'on lui désigne.

– *Mon fils sera là dans quelques minutes. Voulez-vous prendre quelque chose ?*

– *Volontiers*, acquiesce-t-elle comme une grande dame, en croisant les jambes qu'elle décroise aussitôt.

Suzanne Gaucher nous a bien avertis que dans son milieu, on n'offre jamais rien à ceux qui en ont besoin :

– *Vous devrez donc faire bonne impression. Si on vous offre quelque chose, acceptez ! Il n'y a que les gens de condition inférieure qui refusent parce qu'ils n'osent pas. Et là, on sait tout de suite à qui on a affaire.*

Moi, je me dis que Madame Gaucher a bien raison. Lorsqu'on t'offre quelque chose, il ne faut jamais refuser parce qu'après, on passe son temps à regretter. Entre Serge de Poligny. Il est en bottes et culotte à grandes joues.

Madame Gaucher a bien recommandé à ma mère de ne pas se lever de son siège, de tendre la main la première, puis de donner à baiser comme ceci…

Ma mère se lève d'un bond, se rassoit aussitôt dans le fond du fauteuil, et tend sa main maladroitement. Il y a faute et il n'y a donc pas baisemain.

Serge de Poligny me détaille quelques secondes et fait non de la tête tout en répétant :

– *C'est tout à fait ça… C'est tout à fait ça, mais en blond.*

– *En blond ?*

– *Oui, Georges Marchal est blond. C'est pour le représenter enfant. Il faut absolument qu'il soit blond.*

– *S'il n'y a que ça, je vais le teindre,* s'empresse ma mère.

Je m'imagine en train de bouillir dans une eau noire et fumante pendant que ma mère me remue avec une cuiller en bois comme je l'ai déjà vu faire avec de vieux habits. Je dois avoir une drôle d'expression sur le visage parce que la mère du metteur en scène me questionne :

– *Il y a quelque chose qui ne va pas ?*

– *Non Madame, j'essaye d'imaginer. J'ai déjà vu ma mère teindre son vieux manteau tout troué dans la lessiveuse sur le gaz et j'ai pas envie qu'elle m'en fasse autant !*

Les yeux qu'elle me fait ma mère ! J'ai encore dû faire une bévue. Elle, que je n'ai encore jamais vue aussi cramoisie, bredouille avec un petit rire nerveux en quittant le fond de sa chaise :

– *Je ne sais pas où il va chercher ça… vraiment…*

La vieille dame tousse deux petites fois et dit :

– *Il est charmant, il est… spontané.*

– *Très naturel en effet,* ajoute *Serge de Poligny.* Et il me rassure aussitôt :

– *Il ne s'agit pas de te teindre, mais de te décolorer avec un peu de coton et de l'eau oxygénée. Ça pique un petit peu mais pas autant que st tu avais des poux.*

– *Ah, mais les poux, je connais… j'en ai déjà eu ! Et ma mère a un ami qui en avait aussi… Le comte de Courtaine !*

Serge de Poligny sourit franchement :

– *Dans ce cas-là c'est différent, les poux d'aristocrates ne sont pas les mêmes, ce sont des poux distingués.*

Puis il questionne :

– *Est-ce qu'il a déjà fait de l'équitation ?*

Ma mère, soulagée que l'on ait changé de sujet mais pas plus à l'aise pour autant, avoue :

– *Ah ça… Non… Jamais… Il ne sait pas.*

Serge de Poligny me demande si j'aimerais apprendre à monter à cheval. Je louche vers ma mère. Elle sourit, alors il faut que je dise oui.

Pour le metteur en scène, le fait que j'ai déjà travaillé avec Pierre Fresnay est une référence. Il ne voit pas qu'il y ait de problème pour me diriger. Il examine brièvement les petites photos d'amateur que ma mère a apportées et il me trouve « photogénique ». Il m'explique que ce n'est pas une maladie, mais que je rends bien en photo et qu'il n'y aura donc pas besoin de bout d'essai. Et tout d'un coup il se décide :

– *En ce qui me concerne, il fait l'affaire. Rendez-vous demain matin à la production à dix heures. Voici l'adresse. Je vais téléphoner à Monsieur Frappin, le producteur. Gérard devra apprendre à monter à cheval. La production paiera les leçons.*

Ma mère n'en revient tellement pas qu'elle prend son air humble et elle insiste :

– *Alors c'est sûr... Je peux compter dessus ?*

– *Est-ce que votre fils a un impresario ?*

– *Non, il n'en a pas.*

– *Dans ce cas, je ne vois pas de difficultés à ce que vous vous entendiez avec le producteur pour les conditions de son cachet. Nous faisons les intérieurs au studio de Billancourt et les extérieurs dans la région de Grenoble. Aucun empêchement ?*

– *Aucun*

– *Je ne sais comment vous remercier Monsieur de Po...*

– *Ne me remerciez pas, votre fils est mon personnage.*

– *Mais j'y tiens Monsieur de Poly...*

– *Au revoir Madame.*

– *Au revoir Monsieur de Poligny.*

Ma mère a finalement réussi à prononcer son nom en entier. Cela me fait penser à la publicité qui défile dans le tunnel du métro : Dubo... Dubon... Dubonnet. Nous remercions aussi la maman du metteur en scène qui nous raccompagne à la grille.

En sortant je n'y coupe pas. Ma mère attend que l'on soit suffisamment éloigné de la propriété pour être hors de la portée des regards et des oreilles et elle pique une colère :

– *Tu ne peux pas la fermer ta gueule, dis, tu ne peux pas la fermer ta sale gueule ! Pour qui est-ce que tu me fais passer, hein ! J'ai l'air de quoi moi vis-à-vis de ces gens-là ! Hein !*

Elle lève la main pour me frapper, mais je m'esquive et je trouve la hardiesse d'essayer de faire du chantage :

– *Si tu me tapes, tu vas abîmer mon photogénique et on ne voudra pas de moi !*

Je n'aurais pas dû avoir cette audace, parce que là, je me prends une vraie dérouillée en pleine rue :

— *Et par-dessus le marché tu me réponds ! Tiens, voilà ce que j'en fais de ton photogénique !*

Et ça pleut. Je hurle, mais elle ne se retient pas. Ça ne doit pas être le style du quartier de corriger les enfants à coups de tartes, parce qu'une voiture s'arrête à notre hauteur et une dame sort la tête de la portière en apostrophant ma mère :

— *Qu'est-ce qui vous prend, vous voulez que j'appelle la police !*

Ma mère ne réplique pas, mais elle s'interrompt et je suis épargné. On se rend à l'arrêt du trolleybus. Elle ne m'adresse pas la parole de tout le trajet. À la sortie du métro, on passe par le bois, on longe les rails du chemin de fer jusqu'au petit pont qui mène chez nous, mais je m'aperçois qu'on ne le traverse pas. Je comprends qu'on va annoncer la bonne nouvelle à Madame Gaucher. Tant mieux, peut-être que ça va changer les idées à ma mère.

— *Si tu dis un mot de travers, je te colle une correction en rentrant, t'as compris ?*

J'ai compris. La bonne vient nous ouvrir et nous introduit au salon. Bien qu'elle soit dévorée de curiosité, Suzanne Gaucher ne fait pas craquer le vernis. Elle attend qu'on soit assis pour y aller de son :

— *Alors, racontez-moi.*

Monsieur Gaucher est là aussi. Il se joint à nous. Ma mère qui commence à avoir du vocabulaire technique déclare :

— *Ce n'est pas dans la poche mais presque.*

Elle raconte l'entrevue, amputée bien sûr de l'histoire des poux et de la teinture du vieux manteau. À chaque détail, Madame Gaucher ponctue par un :

— *Voilà... C'est ça... Vous voyez, je vous l'avais dit.*

Finalement, ma mère annonce qu'elle va discuter le contrat demain chez le producteur. Vu qu'on parle argent, Suzanne Gaucher s'en mêle et entend démontrer qu'elle s'y entend :

— *Il lui faut un impresario. Vous ne pouvez pas discuter affaire toute seule. N'est-ce pas Louis ?*

Monsieur Gaucher acquiesce :

— *Ah ça ! Une femme seule, vous allez vous faire rouler !*

— *Monsieur de Poligny a dit que si le petit n'avait pas d'impresario, ça irait tout seul.*

Louis Gaucher fait rire son ventre.

— *Évidemment ! Que vous êtes naïve ! Les producteurs savent que les impresarios touchent 10 %. Ces gens-là vivent là-dessus et ils s'y connaissent pour obtenir le maximum. Non... Si vous pensez que de Poligny tient à votre fils pour le rôle, il faut demander gros. Mais toute seule, vous allez vous faire avoir. Comme dit ma femme, il vous faut un impresario.*

Ma mère est réticente et elle prétexte qu'il est trop tard pour en trouver un.

C'est alors que Madame Gaucher s'offre :

– *Voulez-vous que j'aille avec vous. J'agirai comme son impresario. Rassurez-vous, je ne vous demanderai pas 10 %.*

Elle ajoute en souriant de toutes ses dents :

– *Pour le prochain film, je ne dis pas...*

– *Si le metteur en scène a prévenu le producteur qu'il n'y avait pas d'impresario, peut-être que ça peut nous faire du tort ?*

– *Rassurez-vous, laissez-moi faire. Je m'y connais.*

Comme ma mère hésite toujours, Dame Gaucher lui fournit une preuve incontournable de son talent de négociatrice :

– *Est-ce que vous avez l'intention d'emmener Gérard demain à la production ?*

– *Bien sûr !*

– *Grossière erreur, j'en étais certaine.*

– *Pourquoi,* demande ma mère, intriguée.

– *C'est très simple. Vous vous imaginez bien que tous ces gens de la production vont être frustrés de découvrir que le metteur en scène a trouvé son gamin lui-même et que l'affaire leur passe sous le nez. Que pensez-vous qu'ils vont faire ? Critiquer son choix naturellement. Or, tous les hommes sont influençables. De Poligny pourrait même aller jusqu'à changer d'idée. Si personne ne voit l'enfant, ils ne peuvent pas le critiquer. Vous comprenez ?*

Ma mère est vaincue et convaincue.

– *J'avoue que je n'avais pas pensé à ça.*

– *Naturellement, alors c'est entendu. Demain nous y allons toutes les deux, et comptez sur moi, ça se passera très bien. Monsieur Gaucher nous accompagnera en voiture. Voilà... C'est ça...*

On a compris. On prend congé comme il se doit. Je suis tout content de moi, Je n'ai pas dit de conneries et la trempe n'aura pas lieu.

Confiante, le soir même ma mère prend les devants. On ressort de la pharmacie avec une bouteille d'eau oxygénée à vingt volumes, du coton et des bâtonnets. Dès qu'on entre dans l'appartement, elle se met à l'œuvre :

– *Je vais te décolorer maintenant.*

– *Ça va faire mal ?*

– *Tu le verras bien.*

Tout ce que je vois c'est que j'ai la tête qui me brûle :

– *Je ne veux plus faire de cinéma !*

– *Ah non ?*

– *Ça brûle, ça pique les yeux, ça pue !*

– *Tu préfères retourner en pension ?*

– *Non, maman.*

– *Alors ça brûle ?*

– *Non, maman.*

– *Ça pique les yeux ?*

– *Non, maman.*

– *Ça pue ?*

– *Non, maman.*

– *Alors ferme-là, il faut que tu endures cinq minutes.*

Je repense aux lavements et aux cataplasmes.

– *J'espère que j'en ai pas trop mis,* qu'elle dit tout haut.

– *Si.*

– *Quoi ? Si...*

– *T'en as trop mis.*

– *Fais voir. Ouais... Je pense que ça suffit. Viens, je vais te rincer.*

Je monte sur le petit banc et je penche la tête dans l'évier. Après quatre ou cinq casseroles d'eau froide qui apaisent les picotements, je relève la tête et je ne crois pas ce que je vois dans la glace.

Ma mère se met à rire, et moi, je suis tellement surpris que j'ai envie de chialer. J'ai les cheveux jaunes et blancs. J'ai l'air d'un œuf sur le plat. Ma mère se tord de rire. Elle ne peut pas s'arrêter. Alors au lieu de pleurer, je me mets à rire aussi. Et on rigole... Et on rigole... Chaque fois qu'elle essaye de reprendre son sérieux, elle remet ça. On ne s'est jamais tant marrés. J'en ai des crampes d'estomac et j'ai du mal à reprendre mon souffle. Elle finit par dire :

– *Oh mince alors, qu'est-ce qu'on va faire ? Après demain, on ira chez le coiffeur, j'espère qu'il pourra rattraper ça.*

– *Qu'est-ce qu'ils vont dire les voisins ?*

Je n'aurais pas dû poser cette question. Elle n'a plus envie de rire.

– *Tu parles, qu'est-ce qu'on en a à foutre de ce que pensent les voisins ! Quand on m'a rasée, j'en n'ai rien eu à foutre des voisins. On les emmerde les voisins, c'est pas eux qui nous donnent à bouffer les voisins !*

– *Dis maman, je ne vais pas aller à l'école comme ça ?*

Elle se remet à rire puis elle avoue quand même :

– *Non tu resteras à la maison jusqu'à ce que le coiffeur t'ait arrangé ça.*

Ma mère n'a pas besoin de m'enfermer à clef le lendemain matin, elle peut être sûre que je ne mettrai pas le nez dehors.

J'entends claquer la portière de la traction avant de Louis Gaucher. Quelques secondes plus tard, ma mère est dans les escaliers. Je vais au-devant d'elle lui ouvrir la porte.

Elle n'a pas l'air normale. Elle entre et se met à faire les cent pas dans notre entrée sans prononcer une parole. Elle pose un pied devant l'autre sur la même lame de parquet.

Elle regarde si je la regarde. J'ai compris. Elle est en train de me faire le grand jeu. Elle doit avoir le contrat. Je lui dis :

– *Alors ?*

Elle agite la main comme si elle chassait une mouche et me dit d'une voix sourde :

– *Arrière jaune d'œuf !*

– *Alors tu l'as eu ?*

Elle continue d'aller et venir, et cette fois me lance un œil noir.

– *Silence petite chiure, rognure, vermisseau, petit bâtard, ne m'adressez pas la parole !*

Le « petit bâtard » me colle un doute et le vouvoiement aussi, parce que c'est ce qu'elle me sert parfois lorsqu'elle est vraiment en colère contre moi. Puis elle redresse le menton, avance en tortillant le derrière, un avant-bras relevé, le poignet cassé et la main flottante. Elle appuie sur les mots.

– *Je suis une grande bourgeoise moi, et je sais négocier !* Comme elle ne rigole pas, là, je me dis qu'elle en a après les Gaucher et je commence à penser que je me suis trompé, qu'elle n'a pas eu le contrat, que tout est raté, ou alors, qu'elle a fondu les plombs.

– *Dis maman, t'es sûre que ça va ?*

– *Vous n'êtes qu'un enfant buté et mal élevé, un petit cabotin.*

Je n'ai plus du tout envie de rire. Je commence à avoir la gorge serrée :

– *Dis maman, qu'est-ce que t'as ?*

Elle se met à faire de petites grimaces :

– *J'ai que… Je bouillonne du couvercle… Je yoyote de la touffe… Je suis brindezingue !*

Puis elle se met à danser en chantant :

– *La digue du cul… La digue du cul… Je vous emmerde… La digue du cul… vous êtes aussi cons que mon cul !*

Cette fois, je sais. Elle est sous le coup d'une émotion forte, mais c'est la joie, parce que lorsqu'elle déraille à ce point-là, c'est qu'elle est vachement contente. Elle entrebâille la grande poche carrée de son vieux tailleur de velours vert qui fait encore son effet :

– *Voulez-vous glisser vos petits doigts d'artiste dans l'ouverture que voilà ?*

– *Oh là, là !*

– *Que sentez-vous là ?*

– *Un papelard !*

– *Soyez poli Monseigneur, dites un papier.*

– *Soit, donc, un papier.*

– *Qu'est-ce que c'est que ce papier ?*

– *C'est le contrat !*

– *Où est-il ?*

– *Dans la poche ! Dans la poche ! Dans la poche !*

236

– Oui, mon petit navet, il est dans la poche !

Elle me soulève de terre, me serre dans ses bras à m'étouffer et me fait faire l'avion… une fois seulement.

Mes pieds heurtent à toute volée le tuyau de poêle qui se démanche du plafond et nous voilà transformés en charbonniers une fois de plus. Elle s'arrête net, constate les dégâts sans émotion et déclare :

– Et quel contrat !

– C'est vrai ?

Madame Gaucher s'est vraiment bien débrouillée. Tout à l'heure, je vais te montrer ça.

Auparavant, ma mère ôte sa veste verte qui n'est plus verte, débarrasse ses cheveux du plus gros de la suie, me fait déshabiller et m'entraîne dans la cuisine où je note dans la glace, que de statut de poussin, je suis passé à celui d'Africain.

– Alors raconte, comment ça s'est déroulé chez le producteur ?

– J'ai bien cru un moment qu'elle allait tout faire rater. Elle m'a fait un coup d'œil et on a fait semblant de vouloir partir en lui disant qu'on ne faisait pas la mendicité. Tu parles, j'aurais accepté la moitié de ce qu'il offrait, oui ! Pas elle mon vieux ! Elle a tenu le coup. Il nous a rappelées alors qu'on était presque dehors et il a cédé. Elle est quand même forte. J'avoue qu'elle m'a donné une leçon. La prochaine fois, je saurai quoi faire.

Elle me regarde et ses yeux brillent :

– J'ai une idée. On va trouver un bonnet pour te couvrir la tête et on va aller fêter ça dans un restaurant à Paris. Après, on ira au cinéma.

Elle déménage tout un placard, mais elle ne trouve rien qui ressemble à un bonnet. Elle tient un foulard à la main et elle me fixe pendant que j'attends tout nu dans la cuisine l'eau qui chauffe pour me nettoyer. Elle me fixe :

– Et si je te déguisais en fille ? Fais voir ?

– Oh oui maman, déguise-moi en fille !

Elle hésite, puis :

– Non, mes jupes sont trop grandes, il va falloir tout ajuster. Ça va être trop compliqué. Tu sais quoi ? J'ai une autre idée. On va essayer encore une fois.

– Pas la décoloration ?

– Si ! Allez viens, quand ce sera fini, je te ferai ta toilette. D'abord je vais te laver les cheveux et on les séchera au-dessus du gaz.

Le coup de la toilette, ça passe un nuage sous le soleil et comme d'habitude, je perds mon entrain, je vais avoir droit à la séance de la toilette qui devient de plus en plus inquisitrice.

Cette fois la décoloration est réussie. Elle y a mis le temps, mais on croirait presque que c'est naturel.

Mais voilà qu'en me séchant les cheveux, elle rapproche ma tête trop près du gaz et tout d'un coup, ça sent nettement le poulet déplumé qu'on passe au-dessus de la flamme pour enlever les picots :

– *Merde, t'es en train de prendre feu !*

Pour réparer, elle s'empare d'une paire de ciseaux et me coupe une mèche, puis une autre, puis une autre, et finit par admettre :

– *Il faut absolument qu'on aille chez le coiffeur, parce que ça frise la catastrophe !*

De mauvaise humeur, elle se met en devoir de me laver et je grimpe sur la pierre à évier. Ma tête touche au plafond.

– *T'en fais une tête ?*

– *Moi ?*

– *Oui, toi ?*

– *J'ai peut-être faim...*

– *Pourquoi, t'en n'es pas sûr ?*

– *Si.*

– *Alors, pourquoi tu dis peut-être ?*

J'essaye de prendre un air dégagé, je ris faux :

– *Je ne sais pas, je dis ça comme ça.*

– *Oh toi, tu as quelque chose à te reprocher !*

– *Non, je t'assure. Pourquoi veux-tu que j'aie quelque chose à me reprocher ?*

– *Et bien on va voir ça. Fais voir un peu !*

– *La sueur dégouline sous mes aisselles.*

– *Ah bah dis donc, je comprends... Tu as vu dans quel état tu es ?*

– *Elle se met en colère et elle voit... rouge...*

– *Tu t'es tripoté pendant que j'étais partie ?*

– *Non, maman, je t'assure !*

– *Ne dis pas non, tu me prends pour une imbécile !*

– *Non, maman.*

– *Avoue que tu t'es tripoté !*

– *Peut-être un petit peu, comme ça, en allant faire pipi... sans le faire exprès...*

– *Montre-moi comment tu fais quand tu ne le fais pas exprès. Allez, montre !*

Je ne bouge pas.

– *Tu fais comme ça hein ?*

Et elle me manipule quelques secondes comme avait fait Jean-Paul. Je me sens rougir jusqu'aux oreilles, jusqu'à en devenir écarlate.

– *Hein, c'est ça que tu fais !*

Je n'arrive plus à articuler.

– *Non, maman.*

– *Mais si maman ! Pourquoi tu rougis ? Regarde-toi dans la glace comme tu rougis, regarde, je te dis !*

Je suis écarlate. Elle crie :

– *Alors, c'est ça que tu fais quand je ne suis pas la ? Tu sais comment ça s'appelle ce que tu fais ?*

– *Non, maman.*

– *Alors tu vois que tu avoues que tu le fais !*

Je ne réponds plus.

– *De la masturbation ! C'est comme ça que ça s'appelle. Tu te masturbes ! Tu sais où ça conduit ? À la folie, tu vas devenir fou !*

Je me sens tellement honteux de la façon dont elle me torture que j'étouffe.

– *Maman, est-ce que je peux descendre, je ne me sens pas bien.*

– *Attends, je n'ai pas fini les pieds.*

– *J'ai le vertige, je pense que je vais m'évanouir.*

– *Et bien continue à penser et ne t'évanouis pas. Si t'es assez grand pour te toucher la bite, t'es assez grand pour rester debout.*

Elle se tait un moment et je me calme un peu.

– *Voilà, descends et viens avec moi, je vais te montrer quelque chose.*

Elle sort du placard secret le vieux livre des maladies de la femme où j'avais déjà vu la gravure d'un zizi sans poil.

– *C'est un livre de médecine. Écoute ce qui arrive quand on se masturbe.*

Elle lit et je retiens par bribes : « hasard malheureux… perfides conseils… confidences pernicieuses d'un camarade… attouchements criminels d'un domestique… organes sexuels rouges… tuméfiés… honteuse passion… affaiblissement de la mémoire… absences… idiotisme… aliénation mentale… affaiblissement de la vue… surdité… tuberculose… odieuse pratique… dépravation originelle… les filles sur ce rapport, sont plus ingénieuses que les garçons… »

– *T'as compris ?*

Je ne savais pas que les filles le faisaient aussi et je me demande comment.

– *Maintenant, je vais te lire le traitement.*

J'écoute encore « Examiner les parties génitales… admonitions sévères… punitions rigoureuses… les châtiments corporels auront bientôt fait justice de cette fâcheuse tendance… enfants… chemises très longues non fendues… maintenir les bras dans une camisole qui se ferme dans le dos et dont les poignets liés ensemble sont attachés… hideuse passion. »

Elle continue, et il est question d'une petite fille de cinq ans à qui l'ingénieux docteur Charrière a fabriqué une ceinture de chasteté et passé un anneau dans les grandes lèvres à l'orifice du vagin, parce qu'elle pratique une masturbation acharnée, incessante, s'exerçant la nuit et le jour, par tous les moyens imaginables. Son intelligence est altérée et sa mémoire affaiblie. Elle a des absences, des hallucinations, du délire érotique. Elle adresse à ses organes génitaux des paroles passionnées, leur donnant les noms les plus doux, les plus tendres. « Mon petit Jacques, mon petit chat », et à force de ruse, elle parvient à tourner les obstacles de la camisole de force et de l'anneau en se masturbant avec son gros orteil.

– *T'as vu qui a écrit ça, c'est un docteur !*

Elle me montre la première page. Je vois écrit : Docteur E. Jozan. Garnier Frères Éditeurs. Paris 1877.*

Nous ne sommes pas allés au restaurant ni au cinéma ce soir-là. Ma mémoire ne s'est pas affaiblie. C'est peut-être parce que je n'ai pas réussi à utiliser mon gros orteil. Finalement, elle ne m'a jamais fait lire le contrat qu'elle a enfermé dans le placard secret, mais elle m'affirme qu'avec mon cachet et les défraiements, si nous faisons attention, on pourra vivre sans travailler pendant au moins six mois. Je la crois sur parole.

La première fois qu'on va au manège Wallet à Neuilly, là où la production m'a envoyé apprendre à monter à cheval, nous nous présentons à l'improviste. Je me rends tout de suite compte qu'on fait miteux au milieu de tous ces gens bien nippés.

À l'entrée, nous sommes reçus ou plutôt interceptés par une jeune femme en veste noire cintrée et lavallière blanche, culotte bouffante, bottes de cheval reluisantes aux éperons non moins brillants, le casque noir qu'on nomme une bombe, haut sur la tête, le sourire aux lèvres et la cravache à la main.

Nous lui faisons bravement face, ma mère et moi.

D'abord ma mère, avec son petit foulard de soie, décoloré par l'usage, ébouriffé dans l'encolure de son increvable tailleur de velours vert réchappé à la brosse en chiendent de la poussière de charbon. Le traitement a gravement effiloché le bout des manches qu'il a fallu couper au ciseau, ce qui les a passablement raccourcies. Le col élimé de la veste est maintenu relevé pour se donner un petit genre bal musette, tandis que les chaussettes blanches, roulées très bas sur les chevilles, attirent l'œil sur les talons usés à l'extérieur.

Je complète le tableau avec ma culotte courte et mes chaussures éculées qui n'on rien à voir avec un petit Monsieur qui se mêle de vouloir faire de l'équitation. On a l'air de culs-terreux égarés dans une salle d'opéra. La dame donne un petit coup de cravache nerveux dans la paume de sa main et nous dit en faisant l'effort d'ouvrir la bouche aussi peu que possible :

– *Attendez ici.*

C'est à peine si on a compris.

Autour de nous, tous ces gens n'ont pas l'air avenant et ils nous lorgnent de haut. Des enfants, vêtus en cavaliers, nous observent et se parlent entre eux à voix basse. Décidément on sème la honte partout où l'on va. L'entraîneur nous rejoint. Il est au courant, mais nous n'avons pas pris rendez-vous et ça passe mal.

C'est un homme d'âge moyen qui doit se lever de bonne heure et se raser deux fois par jour car il est dix heures du matin et il a déjà de la repousse. Pull épais,

---

* Note de l'auteur (authentique et vérifiable)

240

beige clair à col roulé, casquette molle en suédine, bottes luisantes, fouet au poing. Chez lui tout est carré : le front, le menton, les épaules, les mains, les manières et la parole. IL va droit aux reproches avec un accent parisien appuyé qui jure un peu avec les apparences de la petite société au sein de laquelle il a l'air de faire autorité.

– *Mon horaire est complet aujourd'hui et il ne peut pas faire de l'équitation dans cette tenue. Qu'est-ce que vous croyez ? Il va s'arracher la peau des genoux et ses pieds vont passer au travers des étriers. Et quand il va tomber, sa tête ne sera pas protégée, il risque de se casser le cou. Revenez demain à huit heures et qu'il ait une tenue convenable, au moins un pantalon long épais et des bottines.*

Ma mère, insensible aux arguments de l'entraîneur, le retient par le bras. Elle se fait insistante, voire suppliante. Elle revendique le peu de temps que nous avons pour faire de moi un cavalier accompli. Elle plaide que l'on vient de l'autre côté de Paris, que ça prend deux heures de transport, qu'elle n'était pas au courant des exigences de l'équitation, que la production a demandé que je commence aujourd'hui, que c'est écrit dans le contrat et que si le contrat n'est pas respecté… L'entraîneur n'a pas de temps à perdre.

– *Madame, je vous aurai prévenue. Vous prenez vos responsabilités. Pour aujourd'hui, ça passe, on va lui donner une heure. Par contre, si demain, il n'a pas un minimum d'équipement vestimentaire pour qu'on puisse travailler, je le refuse. Je vais voir si on peut lui trouver une bombe.* Ma mère, satisfaite d'avoir gain de cause, me pousse dans le dos :

– *Vas-y, vas-y !*

J'y vais en effet, et là où je vais, elle n'a pas accès. Je me trouve dans une allée centrale de l'écurie et je colle aux bottes de l'entraîneur. Il a trouvé à me prêter une vieille bombe dont le velours usé laisse voir le métal. Elle est trop grande pour ma petite tête, malgré les cheveux, et elle s'appuie sur mes oreilles pliées à angle droit.

Je n'ai jamais vu de chevaux de si près, même pas ceux de la voiture du laitier de notre quartier. L'encolure tendue par-dessus la courte porte des boxes, ils me reniflent au passage et je n'en mène pas large. Tous les chevaux ont leur stalle particulière et leur nom est inscrit sur la porte du box. La plupart des noms sont anglais. Malgré mon appréhension, j'en retiens quelques-uns en français qui me frappent le plus : Bucéphale, Nabuchodonosor, Sauterelle, Pégase, Épinard, puis la famille royale, c'est-à-dire Le Vizir, Prince, Princesse, Altesse. Celui qui m'est destiné s'appelle Mammouth ! C'est un très grand… non, plus grand que ça encore… C'est un immense cheval gris ardoise avec un gros ventre et de larges sabots qui ressemblent, il est vrai, à des pattes d'éléphant. Il a une tête énorme avec un œil tout rond, tout gros, tout écarquillé qui semble ne rien voir.

Avant de sortir le Mammouth de son box, l'entraîneur me fait ses recommandations sur un ton malcommode et pressé :

– *Écoute bien ce que je vais te dire car je ne le répéterai pas deux fois. Tu ne dois jamais te tenir derrière un cheval ou passer derrière lui si tu n'es pas sûr de bien le connaître, il peut lancer une ruade et te tuer. Tu ne dois jamais te tenir trop près d'un cheval quand tu lui cures les sabots ou il peut te marcher dessus. Tu ne dois jamais te tenir de dos au cheval quand tu es près de sa tête, il peut te mordre.*

Tout ce que j'ai retenu depuis tout à l'heure, c'est que je vais d'abord m'écorcher les genoux contre les sangles. Comme je n'ai pas idée de la gravité qu'il y aurait à ce que je me casse le cou, j'appréhende tout simplement d'avoir mal lorsque je vais tomber, puisqu'on m'a promis que c'est ce qui allait m'arriver.

Et puis, avec ce qu'il vient de me dire, je n'ai pas du tout envie de m'approcher de ce cheval que je ne connais pas et que je n'ai pas envie de connaître.

La sortie de l'écurie donne sur le manège. Ce dernier est en plein air. C'est un grand enclos protégé par une palissade de bois à laquelle sont accrochés de jeunes snobs qui se pavanent en ricanant, des observateurs sceptiques, des connaisseurs muets et… ma mère.

Au centre, il y a une sorte de cratère de boue. Les chevaux tournent en rond dans le sens contraire des aiguilles d'une montre. Certains vont au pas, d'autres trottent, d'autres galopent. Les cavaliers suivent le trafic et se dépassent comme sur la route.

Pour ma première leçon, l'entraîneur longe le Mammouth, c'est-à-dire qu'il lui attache une longue corde appelée longe au licol, puis il va se placer au centre, les bottes dans la boue, et il fait tourner le cheval au pas, avec moi dessus.

Il m'a fait la courte échelle et je suis parvenu à me hisser sur cette montagne en me tenant à la crinière. J'ai le vertige. Le dos de l'animal est tellement large que je suis presque en position de grand écart pour rejoindre les étriers.

L'entraîneur est intransigeant :

– *Lâche la crinière, ne te tiens pas après les rênes, tu lui scies la bouche. Tu tires dessus seulement pour t'arrêter.*

– *Après quoi je me tiens ?*

– *Après rien. Appuie-toi sur tes étriers, tiens-toi droit, serre les cuisses, les mains basses sur l'encolure, c'est le talon avant du pied qui s'appuie sur l'étrier, pas le talon arrière. Baisse les talons arrière, les pointes de pied en dedans. Est-ce que tu écoutes ce que je te dis ou tu le fais exprès ? Surveille ton assiette ! On va accélérer l'allure.*

Non, je ne le fais pas exprès. Tout va trop vite et ça se mélange dans ma tête.

J'ai l'intérieur des cuisses en feu à cause du mouvement de va-et-vient de ma peau nue sur les sangles. Mes pieds passent au travers des étriers et j'ai un mal fou à garder l'équilibre. Ma bombe qui a vaincu mes oreilles, s'enfonce, et je ne vois plus clair que d'un œil. Je commence à pleurer. Et qu'est-ce qu'il veut dire avec son assiette ? Est-ce que je suis trop gros ? C'est le cheval qui devrait surveiller son assiette !

L'entraîneur fait un bruit bizarre avec la bouche comme s'il essayait de se nettoyer les dents en même temps qu'il s'approche de l'arrière-train de ma monture en agitant son fouet. Voilà le Mammouth qui se met à trottiner, ce qui me paraît à moi être le train d'enfer d'une locomotive lancée à toute vapeur, et je me mets à hurler :

– *Non ! Non ! S'il vous plaît ne faites pas ça, vous lui faites peur, il fait des sauts de carpe !*

Il n'a suffi que de quelques pas allongés du Mammouth pour que, dansant et sautant de-ci de-là sur la selle, je perde l'équilibre et que, le pied coincé dans l'étrier, ma tête rebondisse quelques fois sur le sol où je tombe finalement en entier grâce à ma chaussure qui, tout comme la bombe, m'a abandonné pour ne pas dire qu'elle m'a laissé tomber… ! Je me relève. Quelle drôle de sensation, j'ai les jambes toutes molles. Je me dis que je dois en avoir terminé pour aujourd'hui et je cherche ma mère des yeux. L'entraîneur s'approche :

– *Rien de cassé ? Alors on remonte tout de suite.*

– *Maintenant ?*

– *Tout de suite. C'est maintenant ou tu ne remonteras jamais à cheval de ta vie, tu auras toujours peur. Allez, en selle !*

Je ne suis pas convaincu et je n'ai pas envie de remonter…

– *Je ne tiens plus debout…*

– *C'est une bonne raison pour t'asseoir. Allez, remonte !*

Je suis encore réticent, mais c'est ma mère qui a le dernier mot de l'autre côté de la barrière :

– *Le Monsieur a dit que si tu ne remontais pas tout de suite, tu aurais toujours peur, demain, après-demain et tous les jours de ta vie. Ça veut dire aussi que tu ne pourras pas faire le film !*

De retour sur le sommet de ma montagne, je reçois de nouvelles instructions :

– *Je vais enlever la longe, tu vas apprendre à diriger ton cheval tout seul. Garde l'équilibre sur ta selle en serrant les genoux. Pour avancer tu donnes un petit coup de reins dans la selle et tu fais claquer ta langue. Quand tu avances, tiens tes poings l'un contre l'autre et fais les reposer sur le cou. Ne tire pas sur les rênes mais garde-les tendues le long de l'encolure sans tirer sur la bouche. Pour tourner à gauche, tu éloignes ton poing gauche de l'encolure en même temps que tu chasses ton pied à droite le long de son flanc et que tu tires légèrement sur la bouche, et pour tourner à droite c'est le contraire, tu saisis ?*

Je fais l'effort de mémoriser autant que je peux. J'ai peur. Alors, je donne un coup de rein et je claque des dents sans pouvoir claquer de la langue.

J'essaye de me dominer, je me risque même à dire « Hue ! », ce qui me vaut une avalanche de reproches de l'entraîneur, parce que j'insulte un cheval de selle, qui n'est pas un animal de trait, mais le miracle s'opère néanmoins, il avance.

Il faut dire que oui, il avance, gentiment, sans se presser, sans faire d'histoires, un amour de Mammouth qui me redonne confiance et qui se dirige droit au centre du manège en baissant la tête et qui brusquement, au milieu du tas de boue, plie les genoux, me fait basculer par-dessus son encolure et m'envoie à plat ventre dans la gadoue, tandis qu'il s'y roule à côté de moi avec fringance.

243

Les paroles de l'entraîneur furent vaines :

– *Relève-lui la tête, il va se rouler, relève lui la tête, il va…*

Elles deviennent maintenant alarmantes :

– *Relève-toi tout de suite où il va se rouler sur toi !*

J'ai du mal à m'extirper de la bourbe qui m'aspire comme de la colle et j'y laisse chaussures et chaussettes.

La leçon d'équitation est terminée pour aujourd'hui, mais il va me falloir revenir tous les jours pendant trois semaines pour apprendre à monter à cheval au manège Wallet.

Les jours suivants, un peu mieux équipé, je fais quelques petits progrès en équitation, sauf que, si ma peur diminue légèrement lorsque je suis sur le cheval, elle augmente quand je suis au sol à côté de lui. Car il me faut à chaque fois, après la leçon, « panser » ce pachyderme, c'est-à-dire l'étriller, le brosser et lui curer les sabots, ce qui signifie lui faire plier chacune de ses énormes pattes et les maintenir levées tour à tour dans une main, pendant que de l'autre, je décrotte la corne.

Pour les pattes de devant, ça ne va pas trop mal, à part le risque de me faire marcher dessus parce qu'il faut que je me colle contre lui, mais pour celles de derrière, il est réticent et il faut lui tirer fermement sur la patte pour qu'il l'allonge vers l'arrière, et là le risque de coup de sabot est réel.

Chaque fois que je sors de l'écurie, j'ai les jambes qui flageolent et je m'estime heureux d'être encore vivant mais fier d'être passé au travers de ce que je juge une épreuve épuisante.

Lorsque les trois semaines de cours sont terminées, je suis loin d'être un cavalier accompli. C'est à peine si j'arrive par hasard à pousser le cheval au galop quelques foulées sans me casser la figure et je suis loin de pouvoir le diriger. Enfin, je tiens dessus vaille que vaille, suffisamment pour faire illusion. C'est simple, je crois que je ne suis pas doué.

Peu avant le début du tournage des intérieurs en studio à Paris, je fais la connaissance de la petite demoiselle qui va être ma partenaire dans le film, Lucie Valnor.

Dans le scénario de ce film « Torrents », on est deux gosses de riches qui font des randonnées à cheval sur les terres du château de Brignoud, qui échangeons les secrets de notre imagination et partageons aussi nos premières affections. Histoire de se connaître un peu avant de faire tous ces trucs-là devant la caméra, on est invités, ma mère et moi, à passer l'après-midi chez Lucie.

244

Un trois pièces assez étriqué de la rue Blanche où il y a néanmoins le téléphone, ce qui nous étonne grandement, parce que c'est un luxe réservé à des privilégiés prioritaires. Ma mère a fait néanmoins une demande, mais ça prend un minimum de deux ans d'attente, et encore, si on veut bien nous l'accorder… !

On découvre un étrange noyau de vie. Lucie n'est pas une petite fille simple de huit ans, aux longs cheveux blonds, aux yeux bleus et mignonne à regarder. Elle est élevée par un trio qui semble échappé d'un conte fantastique pour enfants.

À l'âge de trois sans, Lucie a été tirée de l'Assistance publique par ce couple d'ex-chiffonniers marseillais déjà âgés, originaire d'Afrique du Nord : les Jamin. Ils ont une fille à eux, Jeannine, dans la trentaine.

Jeannine, fine couturière, parle du nez et a de la difficulté à articuler clairement ses mots. Un peu sourde, un peu défavorisée au physique, elle mange allongée sur le côté droit pour digérer et n'a pas droit à la parole.

Le vieux Jamin, nettement plus âgé que sa femme, a le visage cendré et s'assied plus souvent qu'il ne se tient debout parce qu'il est vite essoufflé. Il possède un sérieux embonpoint et un petit atelier d'imprimerie.

Ma mère finira par le soupçonner d'imprimer des emblèmes plus lucratifs que des en-têtes de papier à lettres, à cause des dépenses exorbitantes qui entourent le train d'activités de la petite Lucie.

Vêtue pratiquement de haillons sombres et flottants sous lesquels elle dissimule une triste poitrine et un ventre lourd, voûtée, un chignon maigre, aplati et mal retenu au sommet du crâne, Madame Jamin, que ma mère a tôt fait de dénommer « la grand-mère » ou « la mère Jamin » ou pis encore, « la vieille », est le cerveau de l'organisation.

Un œil noir et pénétrant brille dans l'orbite sombre et profonde sous le front ridé de Madame Jamin. Elle ne sourit jamais. Sa parole est sèche et brève malgré l'accent marseillais et elle retient, par un pli qui déforme sa bouche à l'une des commissures, un filet de salive qui essaye constamment de s'en échapper et qu'elle ravale bruyamment. Toujours debout, elle va et vient sans repos et s'illumine en parlant de Lucie, ce qu'elle fait sans relâche.

À peine venons-nous d'entrer qu'elle nous entreprend :

– *C'est une enfant prodige la petite, vous savez ? Elle va devenir une grande vedette internationale ! Attendez, je vais vous faire voir.*

S'adressant à sa propre fille, elle lui aboie son commandement :

– *Va me chercher les photos de Lucie !*

Jeannine quitte sa machine à coudre et détale en animal battu pour revenir aussitôt avec une pile d'albums de photos que la grand-mère commente :

– *Regardez, la voilà dans « L'homme au chapeau rond », le film qu'elle a tourné avec Raimu. Elle faisait Lisa.*

Et Jeannine, suspendue aux lèvres de sa mère, de répéter avec difficulté en penchant la tête :

– Oui, elle faisait Lisa. Voyez comme elle pleure sur la photo devant le pendu !
C'est une grande actrice...

Madame Jamin la renvoie rudement à sa machine à coudre en parlant fort :

– Laisse-nous tranquille. Je n'ai pas besoin de toi !

Et elle continue de commenter :

– Ici, c'est elle à cheval. Elle a appris à faire de l'équitation avec le professeur Mondor. C'est le meilleur de France. Elle monte en amazone comme une grande écuyère. Là, tenez, elle fait du patin à glace. Ici, c'est au studio de danse, regardez comme elle est inspirée... Là, elle apprend le piano. Elle sera aussi une grande musicienne. Ici, c'est une réception que j'ai donnée pour son anniversaire. Il y avait soixante personnes et des photographes. Il y avait aussi des célébrités qui admirent Lucie : Jules Berry et Gaby Morlay. On a été obligés de laisser les portes de l'appartement ouvertes, les gens se bousculaient sur le palier et jusque dans les escaliers pour voir Lucie. Regardez, ici, c'est elle avec son professeur particulier.

Ma mère s'étonne :

– Elle ne va pas à l'école ?

– La petite ne peut pas aller à l'école, elle apprend trop vite. Il lui faut un précepteur. Regardez, ici, elle donne un grand gala pour une œuvre de charité. D'ailleurs, on prépare une grande tournée pour les États-Unis, elle va être connue dans toute l'Amérique.

Ma mère questionne :

– Elle chante aussi ?

– Mais non, Madame Gervais, elle déclame ! Elle étudie l'art dramatique depuis trois ans. Elle connaît toutes les tirades des grandes tragédies classiques : Andromaque, Phèdre, Athalie, L'Aiglon. La petite, c'est une réincarnation de Sarah Bernard, je vous dis ! Plus tard, elle sera à la Comédie-Française. Tenez, venez voir ses costumes.

On pénètre dans une chambre où tout un mur est flanqué d'un placard qui contient, serrés étroitement, des douzaines de répliques pour enfant de costumes de théâtre, confectionnés par la talentueuse Jeannine.

– Vous allez voir, la petite va vous réciter quelque chose. Lucie, mets ton costume et récite ta tirade d'Athalie !

L'ordre est tombé et son exécution est indiscutable. Instantanément, c'est le silence.

Le vieux Monsieur Jamin s'enfonce un peu plus profondément dans son fauteuil, l'air absent, la machine à coudre fige son aiguille dans un volant de tulle.

Jeannine couturière, touchée par la grâce, prend un air béat et Madame Jamin darde son œil sur Lucie qui vient de se changer pour la circonstance. Ma mère et moi, on retient notre souffle. Lucie me regarde et je ne sais ce qui se passe dans sa tête. Peut-être a-t-elle brièvement conscience, d'un enfant à l'autre, que cette mascarade est une lubie d'adulte, mais c'est en pouffant de rire qu'elle termine le premier vers de sa déclamation.

La vieille Madame Jamin ne pardonne pas. Je ne sais d'où elle a tiré cet instrument aussi soudainement, mais elle brandit dans son poing une cravache comme j'en ai vu au manège Wallet et s'écrie menaçante :

– *Lucie, tu veux que je te fasse rire, moi !*

Je regarde la vieille dame et son expression me donne des frissons dans les reins. Lucie n'a plus envie de rire. Les ficelles sont tirées et la marionnette se met en mouvement. Petite poupée électronique, mémoire encyclopédique, gestes automatiques, articulation mécanique. Lucie mâche comme du pain sec, morceau par morceau, la lourde tirade de la tragédie de Racine. Lorsqu'elle a terminé, je me sens libéré et je m'aperçois que je respire à nouveau.

Après cette démonstration, Madame Jamin se rengorge et le peu qu'on lui raconte à notre sujet ne l'intéresse pas. C'est à peine si elle m'accorde le regard compatissant réservé aux insignifiants. Elle hoche la tête avec un air de doute profond et elle a un rictus :

– *Ah… Vous voulez qu'il fasse le comédien…*

Quand on sort de là, j'ai un peu peur que ma mère n'ait été trop impressionnée par l'exhibition de Lucie. Je ne me trompe pas. Elle s'exclame :

– *Tu te rends compte de tout ce qu'elle sait à son âge ! Et toi qui ne connais rien et qui perds ton temps !*

Elle prend un instant de réflexion pour ajouter :

– *Mais je me demande où la mère Jamin trouve le pognon pour lui faire faire tout ça ! Les professeurs, les réceptions, la tournée en Amérique. Ce n'est pas avec ce que la petite a touché en tournant un seul film qu'elle peut se permettre toutes ces dépenses, et ce n'est pas non plus avec ce que gagne le vieux. Pour moi, ils ont un truc. Dis donc, à part ses chiffons, il a une imprimerie ; c'est bien ce qu'elle a dit la mère Jamin non ?*

– *Oui.*

Ma mère fait fonctionner son imagination

Bon, alors, moi je te dis qu'ils ont un truc, ce n'est pas possible autrement. Je te parie qu'ils fabriquent des faux billets.

On est enfin à la veille du premier jour de tournage de « Torrents ». Demain, je dois être aux studios de Billancourt à neuf heures.

Depuis quelques jours, je ne tiens plus en place, j'y pense sans arrêt. Cet après-midi, je suis encore plus énervé que d'habitude et je voudrais que les aiguilles du gros réveil se mettent à avaler le temps.

Cependant, il y a quelque chose qui cloche : le bulletin de notes de la semaine que je ramène de l'école. J'ai zéro de conduite, deux sur dix en calcul, et trois sur dix en français. J'ai beaucoup manqué l'école pour apprendre à faire du cheval et je vais encore manquer pour tourner. Ça explique peut-être les baignoires que je fais déborder dans mes problèmes d'arithmétique et les fautes d'accord sur les participes passés, mais aux yeux de ma mère, ça ne justifie pas le zéro de conduite que j'ai attrapé aujourd'hui même, ni le mot du directeur qui m'a mis à la porte avant la fin de la journée.

Depuis que je suis retourné à l'école, décoloré en blond, j'en vois de toutes les couleurs… ! Tous les mômes se foutent de moi et certains me traitent de « gonzesse ». Ce midi, après la cantine, dans les rangs, il y a un grand, un redoublant qui m'a sorti :

– *Eh la fille ! Ça ne suffit pas que ta mère fasse la putain, toi aussi tu te fais enculer ?*

D'abord, je n'ai pas réagi parce qu'on entrait en classe et que je n'osais rien faire devant la maîtresse, mais ça m'a tellement travaillé qu'au bout d'un moment, pendant qu'elle était en train d'écrire au tableau, j'ai bondi jusqu'au bureau et j'ai saisi la grosse règle en fer. Un élève a crié :

– *Mademoiselle ! Mademoiselle !*

C'était trop tard, j'étais déjà sur le grand redoublant et j'essayais de lui taper dessus. Toutefois je n'ai pas réussi à lui faire mal. Plusieurs élèves s'en sont mêlés, quel cirque dans la classe !

Je marche lentement pour rentrer chez moi. Mon gros cartable au bout du bras me semble plus lourd que d'habitude. Sur le palier, ça sent le linge qu'on repasse. Quand c'est ma mère qui fait le lavage et le repassage, elle est toujours de mauvaise humeur. Ça tombe mal :

– *Qu'est-ce que tu fais ici de si bonne heure ?*

– *Je me suis fait renvoyer parce que je me suis battu.*

Je lui raconte ce qui s'est passé pour essayer de bénéficier des circonstances atténuantes avant qu'elle ne se mette en colère, puis je lui tends le carnet de notes avec le mot du directeur.

Dans sa lettre le directeur lui demande de venir le rencontrer immédiatement et sans moi. La tête qu'elle fait ma mère ! Jusqu'ici, il n'y a quand même pas trop de casse. Elle est simplement froide à mon égard et enquiquinée de devoir se déranger. Elle pose le fer brûlant debout sur la planche :

– *Continue le repassage.*

Elle sort en claquant la porte.

Pendant qu'elle est partie, je mange un peu de ce qui traîne et je vais dans ma chambre. Toutes mes affaires sont prêtes et bien rangées dans une valise posée sur mon lit pour le lendemain matin : ma culotte de cheval qui me serre trop les mollets et ma chemise à grand col. Mes bottes neuves sont si reluisantes que je n'ose pas y toucher.

Je connais bien mon texte des scènes de demain et je me plais à imaginer ce décor d'intérieur qui est celui d'une cabane de montagne reconstituée en studio avec de gros rondins en bois. Il paraît qu'elle existe vraiment quelque part dans la région de Grenoble et que je vais la voir bientôt lorsqu'on ira en extérieurs. Une heure plus tard, ma mère est de retour et j'apprends que je dérange toute l'école par mon comportement qui n'est pas celui de tout le monde. Ça se gâte tout de suite. J'ai droit à l'instant de réflexion qui précède la tempête, le tic des cheveux écrasés sur le front, le regard acide, la torture des questions et au châtiment, deux…

– *T'as bougé, ça fera quatre.*

J'ai bougé.

– *Ça fera huit.*

J'ai encore bougé.

– *Ça fera seize.*

À la moitié du compte, je commence à sangloter.

– *Ça fera trente-deux.*

Le plus douloureux, c'est que ça recommence toujours à zéro. Dépendant du moment où je réagis j'ai déjà reçu un certain nombre de claques et comme ça repart du début, il arrive que j'en prenne une quarantaine avant de ne plus rien sentir et que la tête me bourdonne.

Je me souviens particulièrement de cette correction-là parce que c'était la veille du tournage et aussi parce que ce fut la plus dure que j'aie jamais encaissée. Ça a pris une partie de la soirée. Lorsque je ramasse la dernière gifle, ma tête pèse cent kilos et je hurle cette parole malheureuse :

– *Un jour je te tuerai !*

Je l'ai sentie se ramasser pour bondir. En deux pas, je suis à la porte d'entrée et je dévale les escaliers. J'entends ma mère courir derrière moi :

– *Gérard ! Reviens ici ! Attends ! Gérard ! Je t'en supplie, reviens !*

Lorsque j'entends « Je t'en supplie », une fraction de seconde j'ai envie de m'arrêter, mais je n'ai pas confiance et je continue ma course. Dans la rue, elle reste sur mes talons quelques instants, puis sa voix se fait plus distante. Elle crie :

– *Arrêtez-le ! Arrêtez-le ! Au voleur !*

Il y a un homme sur le trottoir qui s'immobilise, indécis. Je fais un crochet pour l'éviter et je m'enfonce dans la nuit.

Je tourne en rond dans le quartier pendant un moment. Je ne sais vraiment pas où aller, mais j'ai une idée fixe, m'éloigner le plus possible de la maison. On verra après. Je n'ai pas un sou en poche, mais il me vient à l'esprit de prendre l'autobus pour gagner de la distance en essayant de ne pas payer ma place.

Du côté de chez la tante Germaine, c'est un peu la campagne, et c'est par là que je décide d'aller. Lorsque je monte dans le bus avec quelques autres personnes, je ne reste pas sur la plate-forme où se tient le receveur. Je vais complètement à l'avant du véhicule.

Le cordon tiré, le bus démarre, et le temps que le receveur donne le petit coup de manivelle au moulin accroché à sa ceinture pour marquer les tickets des nouveaux passagers, on s'est déplacé d'un arrêt. Quand il arrive à moi, je fouille dans mes poches, et même dans mes chaussettes, ça gagne du temps.

– *Attendez, je suis sûr de les avoir mes tickets.*

Le bus s'est arrêté. Je fais semblant de continuer à chercher pendant que le receveur retourne à l'arrière faire « cling » pour qu'on reparte. Cette fois je me rends à l'évidence.

– *Excusez-moi, je les ai perdus.*

Et je prends un air consterné en jetant un coup d'œil de biais aux passagers des fois que l'un d'eux aurait la bonté de me payer la place. Mais personne ne se laisse attendrir.

– *Tu descendras au prochain arrêt.*

– *Oui M'sieur, merci M'sieur.*

Ça fait deux arrêts de gagnés.

Tandis que le bus s'éloigne, j'attends le suivant et je recommence le même manège jusqu'au terminus. Aux limites de la cité, les rues sont de plus en plus désertes et je trouve la campagne bien noire. C'est égal. J'ai décidé pour l'instant que je ne retournerai plus jamais chez moi et j'avance. J'essaye d'oublier les lumières chaudes de la ville à laquelle je tourne le dos et je finis par adopter cette obscure clarté qui tombe de la lune et couvre de froideur tout le paysage. Il ne faut pas que je reste dans les rues. Je risque de me faire repérer par une patrouille de police. Je ne sais pas si c'est exactement à cet instant que je pense au cimetière où est enterrée ma grand-mère, mais c'est là que je songe à aller me cacher. Seulement c'est à Montreuil, dans une autre direction et c'est à une bonne heure de marche d'où je suis. Il y a bien un autre cimetière plus près, mais ces morts-là, je ne les connais pas et je ne me sens pas assez brave pour aller me réfugier chez des inconnus.

Lorsque j'atteins la petite rue où je reconnais l'atelier du marbrier ainsi que les boutiques qui vendent des couronnes et des pots de géraniums le dimanche, je suis crevé et j'ai froid. Au bout de la petite rue, j'ai une vilaine surprise : la grille du cimetière est fermée et je n'avais jamais prêté attention à la maisonnette qui garde l'entrée. Il y a de la lumière. Je sais que tout à fait de l'autre côté du terrain, là où le cimetière s'agrandit, il n'y a pas de mur. Je fais le tour en suivant les murailles, je pénètre dans le petit-bois et finalement je débouche dans la terre glaise épaisse et collante, parsemée de trous rectangulaires.

Dans les allées, le seul bruit du crissement de mes pas sur le gravier qui monte à mes oreilles, est loin de me rassurer. J'ai l'impression d'ameuter tout l'ossuaire. Je marche sur la pointe des pieds et je retrouve la tombe de ma grand-mère. Je fais un signe de croix comme j'ai l'habitude et je m'assieds sur la pierre du caveau. Je me répète cent fois que je n'ai pas peur, mais je sais que je me raconte des histoires car je suis dévoré par la trouille. Pourtant c'est peut-être idiot à penser, mais j'ai l'impression que près de ma grand-mère, je ne me sens pas tout à fait seul. J'hésite à m'éloigner de cette présence qui n'existe peut-être que dans mon imagination, mais il faut pourtant que je me trouve un abri.

Je suis venu au cimetière avec l'idée que je pourrais dormir dans une de ces petites chapelles érigées au-dessus des caveaux de famille et c'est finalement ce que je me décide à chercher. En m'approchant de la première porte en fer forgé qui protège un vitrail de couleur, je suis paralysé par le froid et la peur de ce que je vais découvrir à l'intérieur. J'essaye de pousser la porte, mais elle est verrouillée. J'en essaye une deuxième, une troisième et encore une autre, elles sont toutes fermées à clef… je suis confus et désemparé.

Ça me rassure presque au début d'avoir ce prétexte pour ne pas être confronté avec ma peur, puis je finis par éprouver du ressentiment contre toutes ces grilles qui résistent et j'oublie momentanément mes frayeurs. J'essaye chaque porte systématiquement et c'est au moment où je m'y attends le moins que l'une d'elles cède sous la pression et s'entrebâille dans un grincement qui me surprend et me pétrifie. Je fixe le noir entrebâillement et je me surprends à questionner tout haut :

– *Il n'y a personne ?*

Seul mon esprit surexcité me répond que je devrais aller au diable et que je n'ai pas le droit d'entrer ici. Je m'éloigne de la chapelle et je trouve ce que je cherchais : un morceau de branche d'arbre avec lequel je pousse la porte à distance pour l'ouvrir toute grande parce que je n'ose plus m'en approcher.

La lune inonde de toute sa clarté l'intérieur de la petite chapelle. Il n'y a pas de squelette ricanant enveloppé d'une cape noire et armé d'une faux comme j'ai vu une illustration de la fable « La mort et le bûcheron ». Je découvre simplement un petit autel recouvert d'une longue nappe en velours rouge surmonté d'un portrait de la Vierge dans un cadre ovale et qui exprime une grande douceur. À terre, un prie-Dieu avec un gros coussin. Sur l'autel, des photos de vieilles gens, des cierges et des allumettes.

J'hésite sur le seuil un instant, mais le visage de la Vierge a l'air si rassurant sous le reflet des rayons de la lune que j'entre prudemment, un pas suivant l'autre, lentement.

Ma première action est d'allumer les cierges. Cette nouvelle clarté me révèle la dalle qui ferme le sol et l'anneau de fer pour la soulever. C'est là qu'ils sont. Je ne peux me retenir d'articuler à voix basse :

– *Excusez-moi de vous déranger, je me suis sauvé de chez moi et je voudrais simplement dormir un peu. Après je m'en irai. Si vous le permettez, je vais dire une petite prière pour vous et aussi pour ma grand-mère qui est juste un peu plus loin.*

Je m'agenouille sur le prie-Dieu et je retrouve le « Notre Père » et le « Je vous salue Marie » que ma mère m'avait appris lorsqu'elle a décidé de me faire baptiser il y a deux ans.

Je m'accroche au regard de la Vierge qui me donne l'impression de s'animer dans la lueur des cierges et, m'adressant à elle avec ferveur, je prie et je lui demande à voix haute de m'aider et de me protéger.

Rassuré par ma confession et ma dévotion, je me sens soudainement à l'aise. Que pourrait-il m'arriver maintenant que je suis en règle avec le Bon Dieu ?

Je déplace les chandeliers et les portraits des vieilles gens en les assurant que je remettrai le tout en place, je ferme la grille qui ne grince plus, je m'enroule dans le drap de velours rouge, et me servant du coussin comme oreiller, je m'allonge sur la dalle, l'esprit apaisé et m'endors instantanément.

Je me réveille en sursaut. Dehors, il fait jour. Je réalise toute la stupidité de mon équipée alors que je m'écrie :

– *Nom de Dieu, le studio !*

Je m'élance d'abord hors de mon refuge, puis je me ravise et remets en place à la hâte le tapis rouge, les chandeliers dont les cierges sont entièrement consumés, les portraits des vieilles gens, et je remercie tout le monde de leur hospitalité en fermant la grille tant bien que mal.

Je fonce à la barrière d'entrée. Elle est encore fermée. À quelques mètres, je repère une pierre tombale avec une haute croix ornementale pratiquement adossée au mur d'enceinte. Je grimpe sur la tombe, me hisse sur les bras de la croix et quitte le cimetière en voltigeur. À toutes jambes, je refais en sens inverse le chemin parcouru dans la nuit, jusqu'au terminus des autobus. Des ouvriers en musette et en casquette font la queue. Je me mets en bout de file et j'interpelle l'homme qui est devant moi en train de faire fondre sa cigarette dont la fumée lui fait cligner un œil :

– *Excusez-moi M'sieur, quelle heure est-il ?*

– *Six heures.*

Je m'enhardis :

– *Je suis embêté de vous demander ça M'sieur, mais je me suis sauvé de chez moi hier soir. J'ai passé la nuit dans un cimetière et je veux rentrer à la maison. J'ai pas de tickets. Ma mère doit être folle d'inquiétude.*

Il me dévisage une seconde et la réponse est directe, chaude, sans commentaire :

– *Il t'en faut combien ?*

– *Six !*

– *Tiens les voilà.*

El l'homme se retourne sans poser de question et sans rien ajouter.

Dans le bus, on se retrouve côte à côte sur la plate-forme. Il y a foule, on est tassés.

Le receveur tend les bras au-dessus des têtes pour récolter les tickets et il ne regarde même pas qui les lui présente. Il est obligé de jouer des coudes pour aller à l'intérieur. Il ne m'a rien demandé, alors je ne lui ai rien donné. Après une ou deux stations, l'homme qui m'a passé les tickets se penche vers moi et me demande :

– *T'as faim ?*

Je lui dis oui parce que c'est vrai. Avec une poussée du dos, il arrive à se faire assez de place pour décoincer sa musette qu'il ramène sur son ventre. Il en tire, enveloppé dans du papier gris, un grand casse-croûte au jambon saucisson qu'il partage en deux. Il m'en tend une moitié et replie soigneusement l'autre dans le papier, puis referme sa musette. Il tire sur son mégot pendant tout le trajet, l'air absent devant les immeubles qui défilent le long des pavés de l'avenue de la République.

Avant de descendre, je tire sur sa manche et lui rends les tickets que le receveur ne m'a pas demandés :

– *J'en n'ai pas eu besoin...*

Il hoche la tête sans un mot et l'autobus emporte cet homme, sa casquette, sa musette, son bout de mégot, sa façon de partager sans poser de question, cet homme que je n'ai jamais oublié.

Lorsque j'arrive devant la maison, la concierge est en train de rentrer les poubelles.

Je ne crois pas que ma mère va me tomber dessus à deux heures de partir pour le studio. Je grimpe les escaliers doucement. Je frappe et je prends un peu de recul, néanmoins prêt à remettre ça si je juge au premier coup d'œil qu'elle a l'air menaçant.

Elle ouvre et me considère presque sans surprise. Elle a l'air triste et fatigué. Elle n'a pas dû se coucher de la nuit :

– *Entre, n'aie pas peur, je suis contente que tu sois là. Je savais que tu reviendrais.*

– *Tu vas me battre ?*

– *Entre, je te dis, je ne te toucherai pas.*

Je passe la porte, prêt à lever les bras pour me protéger. Je n'y peux rien, je me méfie d'elle malgré ce qu'elle dit.

– *Chez qui tu as été, je t'ai cherché partout ?*

– *Dans le cimetière où est enterrée grand-mère.*

Ça la surprend et pas qu'un peu. Elle est incrédule :

– *Dans le cimetière, où ça dans le cimetière ? Tu me racontes des histoires.*

– *Dans une chapelle, chez des vieux morts.*

– *Des vieux morts ? Comment ça des vieux morts ?*

– *Oui, j'ai vu leur photo, c'était des vieux.*

Elle secoue la tête et me lorgne un peu de travers. Je ne sais si elle veut faire de l'humour, mais elle conclut :

– Coucher dans une tombe avec des morts ! Et bien, tu n'as que ce que tu mérites, ça t'apprendra à vivre !

Elle tient absolument à ce que je dorme une heure avant de partir. C'est l'erreur. Je me réveille complètement abruti. Dans le métro, je n'arrive pas à me sortir du cirage, et c'est dans un état comateux que je fais mon entrée au studio.

On nous donne une loge. Je m'habille et je vais à la salle de maquillage, suivi de ma mère. Au cinéma, il n'est pas question de se faire une Joconde tout seul comme au théâtre. Il faut passer par le peintre. Le maquilleur est volubile et zozote légèrement. Il explique, l'éponge à la main, les avant-bras levés et les poignets cassés avec des petites manières :

– La photo, ça ne rigole pas. Une légère différence dans le ton du maquillage et tu transformes un Scandinave aux yeux bleus en émigré sénégalais. Il y a même une chance qu'il attrape l'accent.

Je m'enfonce dans le fauteuil et quand je vois ma tête dans la glace, je ne suis pas le seul à me trouver blême, blême comme un navet.

Le maquilleur fait alors cette remarque qui n'a de valeur que dans l'à-propos des circonstances :

– Tu as vraiment une sale mine mon coco, est-ce que tu sors de l'hôpital ?

Et ma mère, pince-sans-rire :

– Non, du cimetière !

Ça jette un froid. Le maquilleur qui n'a forcément rien compris, se renfrogne et s'occupe silencieusement de me refaire la pêche d'un môme qui vient de passer six mois à la campagne.

Je cherche le plateau « A », ma mère suit. On découvre Lucie qui est passée chez le coiffeur avant le petit-déjeuner et qui, la cravache à la main, cingle ses bottes nerveusement. Madame Jamin est là naturellement, en robe noire à fleurs blanches. On n'entend plus qu'elle. Elle a mobilisé les assistants, les régisseurs, la script-girl, les électriciens, le cameraman et jusqu'aux machinistes qui s'interrompent de mettre les derniers clous à la cabane. L'accent marseillais roule et rebondit dans le décor.

– C'est une petite orpheline, vous savez, je l'ai recueillie à l'Assistance publique quand elle avait trois ans. Son père était un alcoolique, vous savez ! Mais c'est une enfant prodige la petite ! Elle fera la Comédie-Française plus tard ! C'est une grande actrice ! Vous allez voir. Lucie, dis ta tirade de l'Aiglon pour ces messieurs Dames !

Le régisseur intervient poliment :

– On n'a pas le temps Madame, le metteur en scène va bientôt arriver et il faut qu'on soit prêts à tourner, le studio coûte très cher.

Madame Jamin ne manquent pas d'aplomb. Péremptoire et le verbe haut, elle n'en démord pas.

– Il y en a juste pour une minute. Je veux que vous entendiez la petite comme elle déclame ! Vas-y Lucie ! Dépêche-toi ! Ces messieurs Dames attendent.

Et petite Lucie, petite chienne savante, découvre les dents, fige son expression et clame à pleine voix la tragédie du Duc de Reichstadt qui se meurt tuberculeux en évoquant les faits glorieux de son père Napoléon.

Lorsque Lucie s'écroule dans un fauteuil de plateau, simulant l'épuisement et murmurant « Des drapeaux ! Des drapeaux ! Des drapeaux ! », certaines personnes hochent la tête. On entend des « c'est bien… c'est bien… ». Il y a des sourires gênés et les coups de marteaux reprennent pendant que le chef électricien demande d'allumer un cinq kilos sur la passerelle et de *le « serrer »* sur un endroit précis du sol de la cabane.

Le tournage débute vers onze heures. Je suis du premier plan avec Lucie. Serge de Poligny nous explique en détail ce qu'on doit faire dans cette séquence et la répétition commence.

Dans *Torrents*, la cabane, c'est la cachette où on se retrouve ma partenaire et moi pour nos jeux et nos rêves de mômes. C'est là aussi qu'on a caché notre trésor, « le trésor » !, un grand sac à pommes de terre, bourré d'objets « hétéroclites » (comme c'est écrit dans le scénario). De vieilles lampes en cuivre, un pistolet ancien, un couteau, des bibelots… Pour cette scène, nous sommes face à la caméra. Il y a un dialogue assez long pendant lequel je retourne la toile brune en vidant le sac de son trésor devant nous.

Le metteur en scène m'a demandé de jeter le sac à ma droite en passant mon bras devant Lucie, puis d'enchaîner la fin de la scène. On répète sans les éclairages. Ça ne se passe pas trop mal, sauf que par deux fois, j'ai posé le sac à ma gauche dans un mouvement qui me vient naturellement.

Serge de Poligny nous dit :

– Tout cela n'est pas mauvais du tout.

Et à moi :

– Pense simplement à jeter le sac à droite, autrement, il sort du champ de la caméra.

Il se tourne vers son équipe et annonce :

– Bon, on va l'essayer !

Cette simple phrase déclenche une activité fébrile. Quelqu'un crie d'envoyer le jus, c'est-à-dire l'éclairage. Les projecteurs s'allument un à un comme autant de petits soleils aveuglants et le « grand arc », dans un long sifflement, inonde le décor de sa lumière bleue pour simuler le jour. En quelques secondes, Lucie et moi sommes dans un brasier ardent. L'ingénieur des éclairages trouve que « ça claque » quelque part et demande un « diffuseur » sur le quatre, un « volet » sur le trois, de serrer ou d'élargir tel ou tel projecteur. Le cameraman déroule un long ruban à partir de l'imposante caméra noire, surmontée de deux grands rouleaux dans lesquels se dévide la pellicule, et nous l'amène jusque sur le bout du nez. Le perchman prend position. Il tient à bout de bras une longue tige métallique d'où pend le micro comme un gros champignon au-dessus de nos têtes. Une voix derrière le décor dit que c'est bon pour le son.

Le clapman identifie à la craie la désignation de la séquence et le numéro de la prise de vue sur son « clap », une sorte d'ardoise noire qui porte le titre du film et servira au montage à synchroniser le son et l'image au moment où on met toutes les séquences dans l'ordre de l'histoire. Autant de termes et d'activités techniques qui me font découvrir un monde à la fois réel et merveilleusement fabuleux, un univers attachant dans lequel nous allons vivre une histoire qui n'existe pas, afin de la présenter à des spectateurs qui croiront pendant un moment qu'elle existe… le cinéma ! Le cinéma où l'imaginaire n'a pas de frontières ! Le cinéma qui hypnotise la pensée humaine, la fait rêver et fantasmer !

La script-girl est assise à côté de la caméra, son découpage sur ses genoux croisés. Un chronomètre pend à son cou au bout d'un lacet noir. De l'autre côté de la caméra, le metteur en scène, dans son fauteuil dont le dossier est marqué à son nom, attend. J'observe et j'essaye de tout comprendre, je suis fasciné.

Soudain tout est paré. Machinistes et techniciens s'effacent du champ de la caméra. Il ne reste plus que Lucie et moi dans le décor ruisselant de lumière. Le metteur en scène réclame le silence. Les assistants transmettent :

– *Silence partout ! Silence complet !*

La consigne se répercute de bouche en bouche dans tous les coins du plateau comme un écho. Les coups de marteau cessent. On ne parle plus, on ne bouge plus, on ne pense plus, on observe, tout est figé dans l'attente. Puis, tout se passe très vite, il faut économiser la coûteuse gélatine. C'est le signal d'une série d'ordres qui vont s'enchaîner, rapides, systématiques, impressionnants, émouvants :

– *Mettez le rouge !*

– *Le rouge est mis !*

Lorsque l'ampoule écarlate brille sur le plateau, le lieu devient sanctuaire. Quiconque tenterait maintenant d'entrer ou sortir serait foudroyé.

– *Tout le monde en place !*

Ma gorge commence à se nouer tranquillement, j'ai le trac.

– *Annonce !*

Le clapman, un machiniste, présente le clap à l'objectif de l'appareil. Dans sa main droite, il laisse pendre une sorte de latte articulée au talon de l'ardoise comme une mâchoire ouverte et il attend. Ce n'est plus qu'une question de secondes. C'est toujours le moment que le maquilleur choisit pour bondir dans la zone interdite et tamponner d'un peu de poudre un front ou un nez luisant de sueur sous la chaleur des projecteurs. Puis il disparaît aussi vite, parfois en se faisant engueuler.

Le metteur en scène annonce :

– *Moteur !*

Le cameraman répond :

– *Ça tourne !*

Le clapman annonce :

– *Torrents, 215 Première !*

Le clap fait « clac ». L'atmosphère est dense, l'instant est intense. C'est le moment de vérité. Je perçois dans ce néant le doux et lointain ronronnement de l'énorme mécanisme de la caméra dans laquelle circule la pellicule. Puis je n'entends plus que mon cœur dans ma poitrine. J'ai un trac fou.

L'ordre suprême tombe et c'est la mise à feu :

– *Partez !*

Je suis incapable de penser à ce que je fais. Je rabâche les mêmes gestes qu'à la répétition et je débite mon texte comme un automate. Lorsqu'arrive le moment de jeter le sac à droite, ça ne loupe pas, je le dépose à gauche, hors champ :

– *Coupez !*

Je n'ai pas besoin d'explications. On a coupé par ma faute et ça m'embarrasse terriblement. Le metteur en scène ne perd pas de temps :

– *On la refait tout de suite. Tout le monde en place. Moteur !*

– *Ça tourne !*

– *Annonce !*

– *Torrents 215 Deuxième !*

– *Partez !*

Et le sac retombe encore à gauche. Serge de Poligny garde son calme :

– *Allons-y pendant que c'est chaud, on la refait !*

En général une séquence dépasse rarement les trois prises. Après, ça commence à coûter cher en temps de personnel, en location de plateau et en pellicule.

Lorsque le sac retombe à gauche pour la troisième fois, il y a un murmure autour de la caméra. Serge de Poligny se lève :

– *Coupez le rouge, on fait une pose.*

Tous les projecteurs s'éteignent en même temps et j'ai l'impression de changer de saison. Lucie rejoint sa grand-mère derrière la caméra, moi je n'ose pas bouger de place, j'ai honte. Je ne tiens pas non plus à entendre ce que ma mère doit avoir envie de me dire. Le metteur en scène s'approche et me demande gentiment :

– *Ôte-moi d'un doute, est-ce que tu connais bien ta gauche de ta droite ?*

– *Oui M'sieur.*

– *Comment se fait-il que tu ne penses pas à jeter ce sac où il faut.*

– *Je ne comprends pas, ça vient tout seul, excusez-moi.*

– Ce n'est rien, on va simplement répéter le passage où tu jettes le sac.

Lucie revient. On envoie quelques répliques et le sac va à la bonne place. Et tout recommence :

– *Partez !*

On est à peine rendus au milieu du dialogue qu'on est coupé. Cette fois il s'agit de Lucie :

– *Tu récites petite, tout à l'heure, c'était meilleur.*

On recommence et on est encore interrompus à la même place :

– *Ah non ! Ça ne va plus du tout Lucie, qu'est-ce qui te prends ? Joue-le voyons ! Pense ce que tu dis. Allez, on reprend.*

Madame Jamin s'avance dans le champ, l'œil sévère et menace :

– *Lucie ! Fais attention, ça va aller mal !* et elle lève une main qu'elle agite.

Le metteur en scène intervient fermement :

– *Je vous en prie Madame, ne vous en mêlez pas. On a assez de mal comme cela !*

La grand-mère rentre dans l'ombre mais trouve le moyen d'envenimer un peu à mon sujet :

– *Ce n'est pas sa faute à la petite ! Elle n'a pas l'habitude de jouer avec des amateurs et de recommencer tout le temps comme ça ! Elle est fatiguée la petite !*

Le clapman trace un gros « 6 » sur l'ardoise et le sac… retombe à gauche ! Je ne trouve aucune excuse, je suis totalement abruti, incapable de me concentrer et au bord des larmes. Dès que je m'absorbe dans la scène par le jeu et le texte, le geste devient automatique et je dépose le foutu sac à gauche.

J'ai peine à y croire mais…, à la douzième reprise, le sac n'est pas encore tombé à sa place. Ça se gâte sur le plateau. Tout le monde est énervé et le metteur en scène perd patience. De toute mon existence de comédien je n'ai pas souvenir d'avoir jamais fait preuve d'un tel appesantissement mental. La situation se détériore de minute en minute.

Devant mon entêtement inexplicable, le metteur en scène songe d'abord à faire vider le sac par Lucie. Puis quelqu'un suggère, qu'après tout, c'est un geste beaucoup plus naturel de poser le sac à gauche plutôt que de le jeter à droite en passant le bras devant Lucie, ce qui est moins esthétique. Mais pour garder le sac dans le champ, il faut changer la caméra de place.

Finalement Serge de Poligny décide de changer l'angle du plan de la scène et fait déplacer la caméra. Il faut recommencer tous les réglages. Distances, éclairages, son… Ça prend une bonne demi-heure. On est enfin prêt. Je poserai donc le sac à gauche comme je me suis entêté à le faire depuis le début.

– *Silence partout !*

– *Moteur !*

– *Ça tourne !*

Pas longtemps. Il n'y a plus de pellicule dans l'appareil. Douze prises ont été gâchées et la treizième incomplète. Le cameraman annonce :

– *On recharge !*

Les lumières s'éteignent à nouveau. Pendant les dix ou quinze minutes qui sont nécessaires à recharger la caméra, personne ne parle. L'ambiance est lourde, c'est une sensation voisine de l'angoisse. Je n'ose plus penser. Je n'ose regarder personne en face non plus. Les yeux me brûlent. Je suis épuisé et écœuré de moi-même. Et puis à nouveau tout est paré. Les consignes s'enchaînent sur un ton fatigué.

– *Annonce !*

– *Torrents 215 Quatorzième. Clap !*

– *Partez !*

La scène file bon train. Tout va bien, je secoue la toile de son trésor qui se répand devant nous, je me redresse, j'hésite et que tous me pardonnent… je jette le sac à droite ! Comme j'aurais dû toujours le faire. C'est un Oh ! d'indignation générale qui coupe la prise. Serge de Poligny, qui d'habitude est un homme réservé et poli s'écrie en tournant sur lui-même les bras dans les airs :

– *Et merde, de merde, de merde, de chiasse ! Ce n'est pas vrai je n'y crois pas. Qu'est-ce qui m'a foutu un con pareil !*

La quinzième c'est la bonne. Comme ils disent « Elle est dans la boîte ». Tout le monde a congé pour aller déjeuner. Je quitte le plateau, la tête basse, humilié déshonoré. Je croise Lucie et sa grand-mère en conversation avec des gens de la production. Madame Jamin s'interrompt de parler, hoche la tête sur mon passage en me souriant d'un air charitable, tandis que Lucie me dit à voix haute en riant à pleines dents :

– *Et bien mon vieux, tu nous en as fait voir !*

Je comprends. Elles pensent que je suis un minable, et c'est ce que je pense aussi. Ma mère est en train de parlementer avec le metteur en scène. Je sors et je vais prendre l'air dans la cour du studio. Il est trois heures de l'après-midi. Normalement, il est prévu qu'on fasse deux autres plans dans la journée moi et Lucie. De Poligny qui est maintenant au courant de mon escapade de la veille a décidé de les remettre au lendemain.

Ma mère me rejoint dans la cour et c'est presque en m'arrachant le bras qu'elle me conduit vers la sortie. Je ne suis pas démaquillé. Dans la rue, elle crache à plusieurs reprises sur un mouchoir et à chaque fois m'essuie brutalement la figure. Je reste avec l'odeur de la salive dans les narines et ça me donne la nausée.

On n'a pas mangé. Au coin de la rue, après l'arrêt de l'autobus, on entre dans un petit restaurant et ma mère commande un repas pour elle seule.

Elle mange pendant que je l'observe, silencieux.

– *Qu'est-ce que t'as à me regarder ?*

– *Rien maman, c'est parce que j'ai faim…*

– *T'as pas gagné le droit de bouffer !*

Je dois avoir encore des auréoles jaunes sur la figure parce que, dans le métro, on me dévisage.

Ma mère ne m'a plus adressé la parole depuis le restaurant. Même si elle pense me mettre une trempe en rentrant, je m'en fous, je suis vidé, vaincu. À la maison, au lieu de la dérouillée, je vais illico au lit. Je ne me réveille que le lendemain matin pour repartir au studio. J'ai récupéré.

Ce jour-là et les suivants, je n'adresse la parole à personne. Je réponds simplement « Bonjour, oui M'sieur, non M'sieur » et je fais mon travail comme on me le demande. Je fais tout pour me racheter. Je ne rate pas une seule prise. S'il survient des difficultés dans le tournage, cette fois, ce n'est plus moi qui trinque, c'est Lucie. Elle accumule les rappels à l'ordre. Le metteur en scène lui reproche souvent, soit de réciter, de faire des manières avec sa bouche, soit d'en faire trop et de ne pas jouer naturel. Pendant qu'elle retient l'attention, de mon côté, j'essaye de me faire oublier. J'y parviens et je le dois à ma mère. Elle a beau être dure, elle est clairvoyante, en fait elle comprend vite. Elle a compris que chez les gens du spectacle, la mère qui pousse son môme en avant pour le faire reluire, c'est mal vu. Alors, elle s'efface et m'aide à distance. « Il faut bosser et laisser venir » qu'elle me dit.

Pour ce qui est de mon jeu, elle me fait répéter mon texte, mais ne m'impose rien. Elle me laisse faire et critique en simple spectatrice. « C'était bon » ou « C'était moins naturel », « c'était meilleur », et elle ajoute toujours : « je crois », et ça s'arrête là.

De cette façon, elle m'aide vraiment parce qu'elle suggère sans imposer quoi faire. Et ça marche. Du coup je me concentre et je travaille encore plus dur. Dans ces moments-là, on est copains et j'adore ma mère. À la fin de la semaine son système a porté ses fruits. Serge de Poligny m'attrape dans un coin du plateau :

– *Qu'est-ce qu'il y a qui ne va pas ?*

Il n'y a rien M'sieur, ça va.

– *Tu as toujours l'air de mauvaise humeur.*

– *Non M'sieur, je vous assure, je ne suis pas de mauvaise humeur.*

– *Tu n'es pas heureux ? Tu n'aimes pas faire ce métier ?*

– *Alors là, si M'sieur, je vous assure… C'est simplement que…*

– *Que quoi ?*

– *Et bien le premier jour, ça n'a pas marché. Enfin, je ne suis pas fier de moi…*

– *Tu penses encore à ça ?*

– *Oui M'sieur.*

– *Mais il y a longtemps que c'est oublié. Et veux-tu que je te dise… Je suis très content de toi. Tu travailles bien. Tu as gagné la considération de toute l'équipe et si tu continues comme ça tu iras loin. Ça te fait plaisir ?*

Il peut être sûr que ça me fait plaisir ! Je n'attends pas une minute pour aller répéter ça à ma mère mot pour mot. Je suis si content que je la prends par le cou et que je l'embrasse de force, ce qui n'arrive pas souvent.

Un mois plus tard, après quelques heures de train, je découvre Grenoble et sa campagne. Pour tourner les extérieurs, on nous a nichés avec une partie de l'équipe de tournage dans une petite auberge isolée, à l'angle d'un petit pont. Une route dissimulée sous le feuillage des arbres passe à côté. Autour, ce sont des champs et des bois. L'équipe doit faire des prises de vues tandis que Lucie et moi allons nous entraîner à cheval. C'est principalement pour cette raison qu'on est là une huitaine de jours avant le tournage.

Notre chambre est belle, propre et le grand lit accueillant. Lorsque ma mère a fini de défaire ses valises, la nuit est tombée, fraîche. On descend à la soupe. La salle à manger paraît toute petite avec la bonne chaleur de son feu de cheminée et le sourire de la jeune serveuse. Elle nous parle gentiment. Ce n'est pas comme dans les restaurants à Paris où on te flanque l'assiette sous le nez avec un air pas commode comme si on te soupçonnait d'emblée de partir sans payer.

À part l'équipe de tournage, les gens qui occupent l'auberge sont des voyageurs de passage. Tout le monde s'amuse et se parle d'une table à l'autre. À la fin du repas, ça rit et ça chante. Nous, on tire la bobine à notre petite table pour deux, parce que ma mère ne veut pas avoir l'air de s'imposer. Elle veut faire « Bon genre, bien élevé », alors on ne parle à personne. Les patrons de l'auberge viennent pourtant nous voir et entament un bout de causette. Ils offrent le digestif à ma mère qui ne le refuse pas. Ils sont tout sympas et ils ont cet air déférent et un peu soumis des admirateurs qui viennent voir les artistes après le spectacle. Je réalise que l'on porte cette auréole qui entoure les gens de cinéma. Je commence à me sensibiliser à l'admiration, ou plutôt, je ne suis pas indifférent à ce poison qui s'insinue petit à petit dans mon Ego. De la manière dont ma mère réagit aux belles façons de ces gens simples et charmants, je suis sûr qu'elle aussi, à son tour, donne un peu dans le cabotinage.

Pendant que tout le monde s'amuse en bas, je grimpe les escaliers à regret et on se couche. Le lendemain matin, un long « cocorico » pas du tout enroué par les fumées d'Aubervilliers me réveille gaillardement. L'emblème français réitère son coup de clairon, comme si on n'avait pas entendu, et ce sont tous les coqs des environs qui répondent en fanfare. Impossible de rester au lit. Je pousse les volets de bois brun de la fenêtre. Le jour est à peine levé. Deux femmes à genoux sont déjà en train de laver du linge à la rivière, juste en dessous. Il y a quelque chose dans cette auberge, ce soleil, cette rivière, ce paysage tranquille qui fait que j'aimerais rester ici pour toujours. Je me sens heureux comme je ne l'ai jamais été.

Dans la matinée arrivent Madame Jamin, sa fille Jeannine et Lucie. Elles sont accompagnées de nombreuses valises boursouflées, et la grand-mère mène déjà grand tapage en bas dans la salle d'accueil. Il nous prend, à ma mère et moi, l'idée espiègle et saugrenue de parier sur le temps que ça va prendre à Madame Jamin pour qu'elle raconte au personnel de l'auberge l'histoire de la petite orpheline, et qu'elle oblige Lucie à déclamer une tirade. Je dis que ce sera à midi pour le déjeuner, ma mère croit que ce sera pour le souper. Vu qu'il n'y a pas de cinéma dans le coin, on parie pour le plaisir de rire. Décidé à emporter cette gageure, je triche. Sous le prétexte d'aller me promener un peu autour de l'auberge pendant que ma mère s'oblige à écrire des cartes postales, je passe à la réception et je demande la patronne.

– *Dites Madame, est-ce que vous saviez que Lucie Valnor est une grande actrice qui a tourné avec Raimu dans «L'homme au chapeau rond » et qu'elle va faire une tournée de six mois en Amérique ?*

– *Non, je ne savais pas.*

– *Et bien, si vous voulez vraiment faire plaisir à la vieille dame, dites-lui à midi que vous avez déjà entendu parler de Lucie, elle sera contente. Vous comprenez, c'est une petite orpheline que la grand-mère a recueillie à l'Assistance publique parce que son père était alcoolique.*

La dame un peu décontenancée se demande visiblement pourquoi je lui demande ça avec tant d'ardeur, mais elle me répond poliment qu'elle lui en parlera.

– *N'oubliez surtout pas, à midi !*

Satisfait de ma manœuvre, je vais faire mon tour, et je me dis qu'avec la distance entre les tables, ma mère ne fera pas attention à ce que la patronne va raconter à Madame Jamin, mais elle, par contre, on l'entendra, c'est sûr.

Lorsqu'on se présente à la salle à manger pour le déjeuner, vilaine surprise ! Nous ne reprenons pas notre table de la veille, parce qu'on nous a placés avec les Jamin autour d'une table ronde. Vers la fin du repas, la patronne s'approche de nous. Ma digestion s'arrête pendant qu'elle sort très affable :

– *Ce jeune homme a eu la gentillesse de nous dire que votre petite fille était déjà connue dans le cinéma. Il m'a dit aussi que c'était une petite orpheline que vous aviez eu la bonté de recueillir à l'Assistance publique parce que son père...*

Et là elle hésite :

– *Parce que son père était... enfin une petite fille pour qui vous vous donnez beaucoup de mal.*

Les petits yeux perçants de Madame Jamin se vrillent sur moi du fond des ténèbres. Elle répond modestement à la patronne avec un sourire embarrassé.

– *Oui... Oui... C'est vrai...*

Et elle s'arrête là. Elle est furieuse. Je ne sais plus où me mettre. Ma mère me murmure entre les dents :

– *Sale petit faut jeton. On va régler ça tout à l'heure.*

La patronne se retire et Madame Jamin m'engueule franchement en me conseillant de me mêler de mes affaires sur un ton si menaçant que j'en ai la chair de poule. Jeannine la sourde intervient à voix haute :

– *Qu'est-ce qu'il a dit Gérard de Lucie ?*

Les gens se retournent.

– *Tais-toi !* ordonne la grand-mère en lui donnant une bourrade.

Ma mère prend ma défense pour la forme :

– *Il a cru bien faire. Je ne vois pas pourquoi ça vous fâche...*

L'accent marseillais déferle et là, toutes les tables sont de la fête :

– Je le connais votre fils ! Il est jaloux de Lucie ! Ça s'est bien vu au studio ! Il taquinait la petite sans arrêt pour qu'elle fasse des erreurs dans ses scènes. Elle me l'a dit la petite qu'il l'embêtait tout le temps !

Ce qu'elle dit est faux et injuste. Je m'insurge :

– Ça, c'est pas vrai ! Elle vous a dit ça pour ne pas se faire disputer ! Pour pas que vous lui tapiez dessus avec votre cravache !

Elle explose :

– Je te conseille de ne pas faire le malin avec moi ! On ne rigole pas avec moi ! Si ta mère ne sait pas t'élever, c'est moi qui vais te corriger, tu m'entends !

Ma mère m'enfonce ses ongles dans le bras et articule doucement :

– Tu vas t'excuser tout de suite.

Il n'y a plus un bruit dans la salle. Tout le monde nous regarde :

– Excusez-moi Madame Jamin.

Ma mère m'a lâché le bras. On se lève et on quitte la table pour monter dans la chambre. Je me suis excusé, mais ça ne change rien. On redescend. Ma mère a caché la cravache d'équitation qui est à la mode pour les corrections, sous sa veste, et on s'éloigne à grands pas dans la campagne. Une demi-heure plus tard justice est rendue et j'ai les cuisses plus que brûlantes. Sur le chemin du retour, ma mère me fait un long sermon sur l'honnêteté dans le jeu, les paris, la parole d'honneur, le vice et la vertu.

À cause de moi, nous sommes maintenant en froid avec les Jamin. Ça commence mal.

Le lendemain de bonne heure, un homme botté, assez âgé, descend d'un camion qui tire une remorque avec un toit rond.

– Maman, les chevaux sont arrivés, viens voir !

On se penche à la fenêtre et j'interpelle le vieil homme :

– Ce sont nos chevaux ?

– Venez-vous en avec la petite Mam'zelle su'lchamp qui est à main droite le long de la route à un quart de lieue. Je vous attends là-bas.

Il pointe du doigt dans la direction. Un quart de lieue, qu'est-ce que ça peut bien vouloir dire ? Je me dépêche d'enfiler bottes et culotte, dans l'ordre inverse naturellement, et je fais la grimace parce que ma peau n'a pas encore oublié les morsures de la cravache. Heureusement que ma culotte de cheval est large, ce qui me fait repenser à une remarque que ma mère fait souvent lorsqu'elle observe un homme mal habillé marcher dans la rue : « Plus le pantalon est large, plus l'homme est fort ». Alors je me dis que je dois être très fort.

– Ça te fait encore mal ? demande ma mère sur un ton compatissant.

Je n'ose pas vraiment dire oui, alors je baisse la tête.

– Viens, j'ai de la crème contre les coups de soleil, ça va te soulager.

Effectivement au bout d'un moment je sens moins les brûlures. Je me demande si c'est par hasard qu'elle a cette crème ou si elle avait prévu… Mais je ne me risque pas à le lui demander.

Je répugne à prendre la cravache avec moi, d'abord parce que je n'ai pas appris à monter en tapant sur le cheval et que j'ai une aversion pour cet instrument depuis que ma mère a décidé de l'utiliser à son usage personnel sur mon postérieur. Je suis impatient. On dirait toujours que lorsque ma mère va quelque part, elle s'apprête comme pour une expédition. Il faut qu'elle se maquille pour aller aux champs !

– *Maman, le bonhomme nous attend…*

– *J'en ai pour une minute. Va prévenir la mère Jamin.*

– *Avec ce qui s'est passé hier, je vais me faire mal recevoir.*

– *C'est ton affaire, fais ce que je te dis.*

C'est Lucie qui m'ouvre. Je lui répète ce qu'a dit le vieil homme aux bottes :

– *Les chevaux sont arrivés, ils nous attendent dans un pré, à un quart de lieue à main droite le long de la route.*

Lucie me claque la porte au nez. Quelques moments plus tard, Madame Jamin vient se plaindre à ma mère qui n'a pas encore terminé de se préparer, que je me moque de Lucie et que je la nargue en lui donnant exprès des indications incompréhensibles. À moi elle m'agite un doigt menaçant sous le nez :

– *Qu'est ce que tu lui as dit,* demande ma mère ?

Je répète mot pour mot ce que m'a dit le bonhomme. Ma mère confirme que ce sont bien les indications qu'elle a entendues. Madame Jamin n'est pas convaincue. Elle s'éloigne de la chambre en maugréant :

– *Allez, allez, ne me faites pas rire… Un quart de lieue à main droite… vous vous foutez de moi, dites ! Vous le soutenez votre gamin Oh ! Ou alors, si vous vous croyez au Moyen Âge, vous êtes fada !*

Cette fois c'est ma mère qui claque la porte. Sur la route, les trois Jamin sont en avant de nous et forcent l'allure. Environ un kilomètre plus loin les chevaux sont là. Ce sont de superbes « pur-sang » arabes, pas très grands, un blanc et un noir. Rien à voir avec Mammouth, quel soulagement ! Je suis émerveillé, mais un peu craintif aussi.

Je comprends pourquoi les femmes nous précédaient si vivement. Sur place, Lucie s'approprie d'autorité le cheval de son choix, le noir. Elle l'essaye, puis change d'avis, elle préfère le blanc. Je la regarde faire, elle m'impressionne. Elle monte bien mieux que moi.

Que s'est-il passé dans les deux jours qui ont suivi ? Son cheval blanc et courageux est mort sous elle, comme dans le poème de Paul Fort. Lucie est décontenancée, les Jamin sont vexés. De mauvaises langues disent que le cheval a été poussé à l'écume du matin au soir et qu'il en est crevé. D'autres disent que le petit cheval n'était pas aussi fort que dans le poème de Paul Fort.

Le tournage débute huit jours plus tard. La caméra et les réflecteurs de soleil se promènent tout autour du château de Brignoud et les plans se succèdent sans embûches jusqu'au moment où j'ai un problème.

Il me faut effectuer un parcours à cheval, torse nu, avec un énorme maillet de bois sur ma frêle épaule gauche. Pour tenir mon maillet sur l'épaule, j'ai besoin d'une main, et pour tenir mon cheval à l'anglaise, comme j'ai appris, je me sers de deux mains. Il me manque donc une main et je suis bien embêté. Pendant que les préparatifs techniques ont lieu, George Marchal règle le problème en me montrant qu'il existe plus d'une technique pour guider un cheval. En quelques minutes, s'écroule tout ce qu'on m'a enseigné au manège Wallet à Neuilly.

– *Laisse tomber l'anglaise et tiens ton cheval à la « western », c'est-à-dire comme un cow-boy. Les deux rênes dans une seule main en les remontant sur l'encolure et en les inclinant du côté que tu veux tourner. Ça laisse une main libre pour travailler ou pour tirer du revolver. Je vais te faire voir.*

Il décolle du sol à pieds joints, et hop ! D'un bon, le voilà en selle. Il ne chausse même pas les étriers. Ses longues jambes traînent presque au ras du sol. Il fait immense sur ce petit cheval. On dirait Don Quichotte sur l'âne de Sancho Pança. Je me demande si mon cheval ne va pas se casser en deux. Mais non, Georges Marchal détale facile, puis il décide que le harnachement n'a rien à faire sur le cheval. Il déboucle tout. Plus de selle !

Le voilà reparti de plus belle, cette fois à l'indienne. Cow-boys, indiens, c'est l'Amérique ! Pour lui, c'est aussi simple que pour moi de faire du vélo. Je suis ébahi, admiratif, mais également enthousiasmé.

– *Tu as compris comment il faut faire ? Tu veux essayer ?*

Georges Marchal est terriblement sympathique, communicatif et charismatique. Il a également parfois un langage vigoureux. Impossible de lui dire non. En outre j'ai vraiment envie d'essayer.

– *Ne te sers pas de tes mollets, mais de tes genoux, et tu ne te casseras pas la gueule. Assieds-toi plus en arrière, près de la croupe pour ne pas t'écraser les couilles ! Si ça t'arrive de te déstabiliser, sers-toi de la crinière pour reprendre ton équilibre. Allez, fais voir.*

– *Comment je grimpe ?*

– *Mets tes rênes sur le garrot, tiens-toi à la crinière, prends un élan et saute.*

La première fois, je me retrouve à plat ventre en travers du cheval.

– *Un peu de souplesse, voyons ! Ne reste pas comme ça le cul en l'air !*

Je recommence et cette fois J'ai pris un tel élan que je passe de l'autre côté de cheval. Je ne me suis pas fait mal et ça fait rire tout le monde. La troisième fois, je parviens à m'asseoir. Serrer les genoux, c'est le seul moyen de garder l'équilibre et ça vient tout seul, c'est comme instinctif et… rassurant.

J'ai l'impression de repartir à zéro comme le premier jour au manège. Je me trompe. J'ai les cuisses écartelées, mais je tiens à cheval, sans selle, et j'éprouve une immense joie intérieure de mener mon cheval où je veux et à l'allure que je veux. Georges Marchal vient de m'apprendre à maîtriser et... à aimer le cheval, plus encore, les chevaux. Il m'a fait part d'une vérité qui a fait toute la différence.

– *Les chevaux, qu'ils soient petits ou grands, obéissent tous de la même manière, la grosseur n'a rien à voir, et ce sont eux qui nous craignent. Et le grand secret : quand tu les aimes, ils t'aiment, alors tu peux en faire ce que tu veux.*

Envolée la peur ! Je me sens à l'aise et l'idée de tomber ne m'inquiète pas, je n'y pense plus. Le metteur en scène n'est pas d'accord que je monte sans selle, ça désavantage Lucie. On remet donc la selle et mon assurance n'en est que plus grande.

Cependant, ce qui ne va pas, c'est la robe noire du cheval qui contraste avec la blancheur de ma peau. Il va falloir me maquiller le torse, et peut-être échanger ma monture avec le nouveau cheval blanc de Lucie, car Serge de Poligny fait cette remarque que j'ai encore du mal à croire avoir entendue :

– *Tu as l'air d'une endive !*

Pourquoi pas un navet ? La coïncidence est trop forte, Yvonne Printemps a dû me jeter un sort. Néanmoins, je conserve mon cheval noir qui fait... plus masculin... d'après les avis. On m'apporte le maillet. J'ai de la difficulté à le soulever de terre à deux mains, mais lorsqu'on me le met sur l'épaule, j'ai la sensation de m'enfoncer dans le cheval.

– *Silence partout ! On la répète*, annonce le metteur en scène.

On n'aurait jamais dû la répéter, mais essayer de la tourner du premier coup, car la répétition était bonne mais ma clavicule n'a enduré le trajet qu'une seule fois. Ce qu'annonce la suite, c'est de la torture.

– *Bon, on va la tourner !*

– *Moteur !*

– *Ça tourne !*

– *Annonce !*

– *Coupez !*

Les petits oiseaux qui étaient en plein concert il y a une minute se sont fermés le bec pour respecter les consignes et on coupe une première fois parce que, justement, leur gazouillis était prévu dans le fond sonore. Une fois qu'ils sont revenus, c'est reparti, mais on coupe une deuxième fois parce qu'un nuage passe lentement dans le soleil. Ça y est, ça gazouille et c'est bon pour la lumière. La caméra est loin en haut sur la colline que je dois gravir au galop, maintenant pour la troisième fois, le maillet sur l'épaule. Ce sont des machinistes, hors champ qui se relaient les signaux pour m'indiquer que ça tourne. Dans le lointain, j'entends quand même :

– *Partez !*

J'avale la colline au galop. À chaque foulée du cheval, la mailloche saute sur mon épaule et me pilonne la clavicule. Il paraît que je fais une tête de martyr et que je me tiens tout tordu.

À la deuxième prise c'est de la torture et mon expression faciale s'aggrave avec la douleur. On fait une pause. George Marchal suggère que je tienne le maillet par le manche et que je le laisse pendre le long du corps. Le metteur en scène s'y oppose. Ce n'est pas possible parce que le maillet a une grande importance. C'est avec ce « marteau » que les enfants vont casser le trésor. Il faut qu'il apparaisse bien en évidence sur l'épaule ou bien la signification de la séquence est perdue. Georges Marchal est têtu et veut se rendre compte par lui-même. Il enlève sa chemise, enfourche mon cheval et fait l'aller-retour du trajet, l'assommoir au creux de l'épaule. Bâti comme il est, ça ne doit pas le déranger beaucoup. Pourtant il dit :

– *C'est beaucoup trop lourd pour un gosse, je comprends que ça lui fasse mal.*

Serge de Poligny est irréductible. Ce sera sur l'épaule ou on coupe la scène. Agacé, il ironise :

– *Et pourquoi ne pas couper le film pendant qu'on y est !*

L'idée que cette scène puisse être coupée me redonne du courage et j'insiste pour qu'on recommence. Je promets de faire tout mon possible. George Marchal me conseille de tenir la tête du maillet plus près de la nuque de façon à ce qu'il pèse moins lourd et que je saisisse également le manche plus près de la tête en l'appuyant là où il y a un peu de viande sur l'épaule pour qu'il rebondisse moins.

J'arrive en haut de la colline les larmes aux yeux et le sourire aux lèvres, mais la stratégie a fonctionné, la douleur était supportable et la prise est bonne du premier coup. Le soir j'ai droit à un massage professionnel d'un thérapeute venu exprès de Grenoble.

Ma mère ne partage pas mon admiration pour Georges Marchal. Elle affirme qu'il doit mener les femmes comme les chevaux. J'insiste :

– *Tu ne trouves pas qu'il est gentil ? Il a été vachement sympa avec moi !*

Elle néglige totalement mes impressions personnelles pour m'imposer des sentiments qui la concernent et qui sont hors de propos, sans se rendre compte que même si je ne comprends pas la valeur de l'expression qu'elle emploie, le ton de mépris seul me blesse intérieurement :

– *Il ne m'attire pas du tout.* dit-elle. *De toute manière, il a des petits yeux en trou de bite.*

Et elle persévère :

– *Une sale gueule avec des petits yeux en trou de bite.*

Comme il n'y a que ses opinions à elle qui comptent, je remballe mes sentiments spontanés pour Georges Marchal et j'essaye d'imaginer ce que signifie « avoir des yeux en trou de bite ».

Chapitre XIII

Trois semaines plus tard, on plie bagages. Ma mère décide alors qu'avant de rentrer à Paris pour préparer la tournée de « Auprès de ma blonde » avec Pierre Fresnay et Yvonne Printemps, vers la Suisse et la Belgique, on va aller à Saint Gervais faire connaissance avec le ski.

On y passe une matinée, les fesses dans la neige ou à se râper douloureusement le postérieur sur la glace, et quinze jours à regarder descendre de trop nombreux skieurs sur des brancards, une jambe ou un pied fracturés et le visage crispé par la souffrance.

Ce n'est pas encourageant, et ma mère juge plus prudent de ne pas me faire donner de leçons, ni d'en prendre elle-même. Nous avons besoin de tous nos membres pour la tournée.

À la façon dont elle aime lier conversation avec les gens qui paraissent bien nantis, je commence à réaliser que même si elle critique parfois les snobs, ma mère les envie.

Pendant la journée, elle soigne son bronzage et moi, je m'ennuie. J'ai hâte de rentrer pour repartir.

CHAPITRE XIV

Quelques jours de répétitions au théâtre de la Michodière, et, au revoir Paris… au revoir l'école, on va vivre dans nos valises pendant plusieurs mois ! On part en tournée !

La tournée, organisée par « Les Galas Karsenty », a été prévue en cinq étapes : Suisse, Belgique, Alsace, retour à Paris pour une huitaine, en dernier, la Côte d'Azur.

Le train roule vers Lausanne. Il n'y a personne de la troupe dans notre wagon. Ils sont tous en tête de train. Est-ce un hasard ou n'ont-ils pas voulu s'embarrasser de la mère et de son gosse pendant le voyage ?

Dans le compartiment à huit places, psychologiquement divisé quatre à quatre par des appuie-tête, nous sommes huit, plutôt serrés. Les voyageurs ont presque tous l'air triste ou mécontent et le compartiment est aussi silencieux que minuscule. On n'entend que le bruit rythmé des roues qui culbutent régulièrement d'un rail sur l'autre comme un battement de cœur.

Ma mère a 35 ans. Elle porte son long indéfrisable auburn, ses grands yeux verts, son maquillage soigné, le col échancré d'un tailleur neuf dont la jupe étroite s'arrête au-dessus du genou et découvre beaucoup plus haut que la simple jambe à travers le fin bas de soie à peine perceptible. Sac à main griffé, chaussures à talons hauts et gants sont assortis. La bride indisciplinée de la sacoche glisse périodiquement de son épaule.

Les doigts noirs de cuir fin des deux gants rassemblés dans le poing émergent de ses mains auxquelles ils donnent une contenance. L'une de ses chaussures, un peu trop grande, se détache de son pied et pend, accrochée aux orteils.

Un jour qu'elle était de bonne humeur et qu'elle chantait en se pinçant le nez et en traînant sur les mots avec un accent parisien forcé « Quand je vois une jolie jambe, je sens mon petit cœur qui bat, Hope là ! Hope là ! », chanson attribuée aux histoires drôles de Toto, ma mère m'a expliqué ce qu'était une belle jambe :

– *Pour qu'une jambe soit jolie, il faut que la cheville soit fine, le muscle légèrement galbé, mais pas ratatiné en mollet de coq. Le genou ne doit pas être anguleux, la jambe doit être longue et la cuisse plutôt courte sans pour autant s'élargir trop vite en entonnoir sur un fessier important, ce qui fait pute…*

J'ai déjà vu des caricatures de cette description dans « Ici Paris ». J'ai retenu et j'ai souvent l'occasion de faire des évaluations étant donné que depuis la fin de la guerre, les jupes ont raccourci, mais… pas pour tout le monde. La jupe de la dame sur la banquette en face et de biais à moi descend jusqu'à la pointe de ses bottines, et le reste des vêtements qui enserrent le haut de cette personne opulente ne laisse rien voir non plus de l'épiderme. Un chapeau encombré d'oiseaux et de fleurs artificielles, d'où pend une voilette noire de crêpe, dissimule un peu la lourdeur des traits de son visage, sauf pour les yeux dont on suit très bien la mobilité derrière le quadrillage du voile. Cette dame éponge régulièrement l'écoulement de sa rhinite à l'aide d'un tout petit mouchoir brodé et orné de dentelle, qu'elle tire de son sac et qu'elle y replace tout aussi régulièrement.

Moi, je suis habillé d'une culotte courte, noire, et d'une très longue et ample veste de velours brillant, bleu foncé, bien au-dessus de ma taille dans laquelle je nage. Ma mère l'a achetée d'occasion, avec une chemise à grand col ouvert, chez un fripier, près des puces de Saint-Ouen. Elle est convaincue qu'en retroussant largement les manches, ce qui est fait, la veste, malgré la doublure qui apparaît décolorée et décousue par endroits, fera encore son temps, vu que je grandis si vite.

Mes socquettes blanches, détendues par mon pied qui s'allonge, ne grandissent pourtant pas aussi vite que mon gros orteil qui ronge périodiquement l'embout du textile et gratte le cuir de mes chaussures. Mais ma mère a prévu. Depuis longtemps, elle m'a appris à repriser mes chaussettes avec du fil spécial et l'œuf en bois, ainsi que le fil à repriser, font partie de mon bagage. Par ailleurs, ces mêmes socquettes, rendues trop molles sur la cheville, à cause des nombreux lavages, émergent en accordéon de mes nouvelles chaussures noires à semelles beiges de latex coagulé. Cependant, elles vont « ensemble », comme le prétend ma mère, avec mon immense écharpe blanche terminée par des franges qui descend jusqu'à ma braguette, comme une étole de curé. D'ailleurs, elle pense que mon accoutrement me donne l'air « artiste ».

Ma mère est obsédée par les passeports. Elle les a changés plusieurs fois de place. Elle a fini par me les faire porter dans la poche intérieure de ma nouvelle veste dont elle a cousu l'ouverture.

– *Si je te vois ôter ta veste une seule fois, je te mets une correction dont tu te souviendras !!!*

Comme si je ne me souvenais pas des précédentes.

Directement face à moi, est assis un homme ganté, en costume sombre, rayé de fines lignes rouges, cravate et chapeau, brodequin blanc sur chaussure noire, qui se veut élégant.

Il est à l'étroit contre une vieille dame, pas spécialement menue, tout de sombre revêtue et coiffant fichu, laquelle refuse obstinément de se départir de son gros cabas qu'elle serre sous son bras en comprimant l'espace vital voisin, bien que le gentleman tiré à quatre épingles lui ait proposé deux fois sur un ton insistant, de placer lui-même le sac encombrant dans le filet à bagages.

Le gentilhomme rabroué, les coudes collés au corps, se met alors à feuilleter ostensiblement un quotidien en le fermant et en l'ouvrant largement, de manière à ce que, lorsqu'il change de page, la feuille du journal à nouveau grand ouvert, vienne se coller, peut s'en faut, sur le nez de la vieille dame.

Excédée, elle descend la mâchoire où subsistent quelques dents, comme pour protester, mais se contente de donner une vigoureuse tape de la main dans la feuille de papier, chaque fois qu'elle la voit s'approcher de son visage, ce que ne semble pas du tout émouvoir le Monsieur distingué.

Mais le manège prend maintenant une autre tournure. Le personnage ne feuillette plus sa gazette qu'il tient à demi fermée, mais semble désormais absorbé dans la lecture d'un article.

Ce n'est pourtant pas le cas, car, à intervalles réguliers, le journal s'abaisse et découvre les yeux de l'homme dont le regard fixe sans ambiguïté les jambes de ma mère. Les mains gantées finissent par replier soigneusement le journal. L'homme regarde un moment avec indifférence défiler la campagne par la fenêtre du compartiment, mais ses yeux reviennent inévitablement et de plus en plus fréquemment se river sur le centre d'intérêt qui est le leur. Ma mère croise et décroise nerveusement les jambes tandis que le Monsieur commence à s'agiter sur son siège autant que le peu d'espace le lui permet.

Soudain ma mère passe à l'attaque :

– *Est-ce que vous voulez des jumelles ?*

– *Je vous demande pardon ?*

Vous dévisagez mes jambes depuis tout à l'heure, vous croyez que je ne vous vois pas ?

– *Madame, j'admire les choses que le hasard a la bienveillance de porter à mes regards et lorsqu'elles m'apparaissent comme des merveilles, vous me pardonnerez si je ne puis en détacher les yeux,* réplique l'homme, pas le moins du monde intimidé.

– *Tout de même, je vous trouve grossier*, proteste ma mère, *vous m'embarrassez, alors s'il vous plaît, regardez ailleurs.*

Elle a dit cela sans emportement, sur un ton presque courtois, ce qui m'indique qu'elle n'est pas vraiment fâchée. Mais, la dame à la voilette s'offusque brusquement contre ma mère en sortant nerveusement son mouchoir :

– *Pour quelqu'un qui manque de pudeur, vous ne manquez pas de toupet ! Si vous ne voulez pas qu'on regarde vos cuisses, ne vous promenez pas toute nue !*

Ma mère allait répondre quelque chose, mais le gentleman ne lui en laisse pas le temps. Il ironise flegmatique :

– *Je me demande pourquoi certaines femmes qui possèdent un appendice nasal bien plus fort que celui des hommes se mouchent dans de ridicules petites pochettes ? Probablement pour faire coquettes !*

La dame à la rhinite, qui vient de se faire *moucher*, se pince sans riposter et le gandin qui ne manque toujours pas d'aplomb tend sa carte de visite à ma mère qui l'accepte :

– *Permettez-moi de me présenter.*

On peut lire sur la carte : Georges Dewailly, Ingénieur et Médecin radiologue. Puis il offre une cigarette à ma mère qui ne la refuse pas.

Dans la moitié du compartiment qui se situe près de la porte, un homme fume le cigare et son voisin la pipe. L'atmosphère devient irrespirable.

– Maman, est-ce que je peux aller dans le couloir ?

J'en ai l'autorisation. J'accroche quelques pieds au passage en demandant pardon, ce qui ne m'est pas accordé, vu l'air renfrogné dont on me gratifie. Dans le couloir, je m'accoude à la rampe de cuivre pour voir la campagne pluvieuse se précipiter à gauche et disparaître lentement à droite. Dans le compartiment voisin, les gens rient, parlent fort et s'amusent, ce qui me fait supposer que le monde est divisé en deux groupes : l'un où les gens rigolent et l'autre où les gens font la gueule.

Pendant que j'y suis, je fais des associations sur la base de ce que ma mère m'a dit un jour « Qui se ressemble s'assemble. Pourquoi ? » ai-je questionné. Elle m'a répondu que c'était la volonté divine.

Pour m'amuser, j'imagine une besace, comme dans la fable. Dans la poche de devant, je place les gens qui me plaisent, c'est-à-dire ceux qui se divertissent, ont l'air content d'eux, s'intéressent aux autres et sont aimables. Puis, dans celle de derrière, je balance les visages que je n'aime pas voir : ceux qui ont l'air grave, hargneux, mécontents et qui semblent s'ennuyer avec eux mêmes, comme avec les autres.

Si, comme dit ma mère, c'est la volonté divine qui les attire et les rassemble ainsi que des aimants, ce n'est donc pas le hasard qui a divisé ces deux compartiments en Jean qui pleure et Jean qui rit.

Alors je me dis que je vais ajouter quelque chose à la formule de ma mère « Qui se ressemble, s'assemble, en s'attirant par la volonté du ciel. » Puisque c'est écrit dans le ciel, alors ça veut dire qu'on ne peut rien y changer. Assez content de ma trouvaille, je décide d'aller aux W-C, mais il faut que je demande la permission. J'ouvre la porte du compartiment et je découvre que le Monsieur distingué s'est assis à ma place, à côté de ma mère et qu'il est en grande conversation avec elle :

– Maman, est-ce que je peux aller aux vatères ?

Je lui fais signe que c'est pour la grosse commission. Ma mère me reprend devant tout le monde :

– Gérard, on ne dit pas les vatères, mais les ouatères... ça s'écrit avec un « W » !

– Alors pourquoi on dit les V.C. ? Là aussi, ça s'écrit avec un « W » ?

Ah ! que ma mère n'aime pas être mise dans l'embarras de cette manière. C'est sa faute, elle n'avait qu'à pas me reprendre devant tout le monde. Elle hausse le ton, elle n'est pas contente :

– Parce que c'est comme ça !

Georges Dewailly s'en mêle :

– Tout peut se dire : ouatères, vatères, V.C., double V C., c'est une traduction de l'anglais : water-closet... Mon nom s'écrit avec un double V et pourtant se

prononce « Devailly », alors la prochaine fois, demande si tu peux aller aux « Cabinets » *et restons français !*

Assis sur la lunette du siège, j'appuie sur la pédale qui commande le levier d'évacuation de la cuvette. Le clapet tombe et m'envoie soudainement le bruit amplifié des essieux qui franchissent les joints d'acier : clac-clac, clac-clac, clac-clac…, en même temps que je sens un formidable courant d'air au milieu des fesses.

Je me retourne pour regarder. Par le trou, les traverses défilent si rapidement qu'il est impossible de les compter. Elles passent si proches que j'ai l'impression de courir dessus à toute vitesse. C'est fascinant.

Ensuite, le signal d'alarme retient mon attention, voire mon intérêt. Il m'en impose avec ses interdictions en français et en étranger. Sournoisement, cette poignée qui me tend la main fait germer une idée, l'idée défendue de tirer dessus. « Qu'est-ce qui se passerait si je tirais dessus ? Est-ce qu'on saurait que c'est moi ? Des signaux d'alarme, il y en a partout, on ne pourrait pas savoir que c'est moi ! »

Plus je la regarde, plus le désir monte. Je ne me rends pas compte que je viens de prendre une décision. Je me reculotte et je me dis « Je compte jusqu'à trois ». Je sais que je vais faire une bêtise terrible, mais c'est irrésistible. Je compte « un…, deux… » J'hésite et je me ravise un bref instant, mais je recommence à compter, cette fois à toute vitesse. « Un, deux, trois ! » Je tire et je reste tout penaud.

La poignée est à peine descendue d'un ou deux centimètres et rien ne se passe. Alors je tire de toutes mes forces. C'est instantané. Une forte secousse et on ne roule plus ; on glisse dans un interminable grincement insupportable.

Zut, la poignée reste pendante. On va s'apercevoir que ça vient d'ici. Le temps que je sorte des W-C le train s'est immobilisé en pleine nature. D'abord, c'est le silence, le calme lourd, inattendu qui succède au vacarme de la ferraille torturée. La locomotive rend un son haletant et rythmé qui seul trouble la quiétude de la campagne. Les vitres s'abaissent dans les couloirs et des têtes se penchent à l'extérieur. Dehors, il bruine légèrement. Un cheminot encharbonné se déplace le long du train en direction de la queue. Il interpelle les voyageurs pour savoir qui a tiré la sonnette d'alarme. Plusieurs personnes descendent des voitures et se répandent le long de la voie.

Je suis tellement mal à l'aise que je me sens le visage rouge et je descends aussi pour prendre un peu d'air.

Les réflexions circulent d'un bout à l'autre du convoi. Brusquement des éclats de voix :

– *Venez voir ! C'est terrible ! Il y a un corps sur les rails !*

Je suis les personnes qui courent vers l'arrière, et à une centaine de mètres, je me mêle au groupe qui fait le cercle autour des restes sanguinolents d'un corps de femme écrasé.

C'est horrible. Il n'y a plus de visage mais des cheveux blonds collés sur l'acier, des morceaux d'étoffe, de chair et de membres ensanglantés de chaque côté du rail, une immense tache de sang, et là, une jambe unique à la peau blanche, entre deux traverses.

J'ai terriblement chaud malgré la grisaille. J'enlève ma veste pour me rafraîchir au contact de la bruine et je m'éloigne de cette scène angoissante en remontant le convoi jusqu'à mon wagon.

Je suis tellement perplexe que j'arrive difficilement à penser et l'émotion me suffoque. Se peut-il que j'aie tiré l'alarme pratiquement en même temps que cette personne était en train de se faire broyer par le train ? J'ai froid tout à coup, envie de vomir et je remets ma veste. Ma mère m'a aperçu. Elle est penchée à la fenêtre avec Monsieur Dewailly. Elle a dû me chercher. Lorsque j'arrive à sa hauteur le reproche ne se fait pas attendre :

– *Où étais-tu ? Pourquoi as-tu ôté ta veste ? Je t'avais dit de ne le faire sous aucun prétexte !*

Je ne sais pas quoi répondre sauf que je suis allé voir. Je remonte dans le train, puis je regagne mon compartiment suivi de ma mère et de sa nouvelle connaissance. Je raconte ce que j'ai vu aux oreilles curieuses et aux yeux ébahis, et quelques minutes plus tard, je vomis entre mes genoux. Ma mère se charge d'éponger les dégâts avec une serviette tirée de sa valise et elle m'emmène aux W-C, ceux-là même où la poignée est encore pendante.

– *Tiens, dit-elle, on dirait que c'est d'ici qu'on a tiré la sonnette d'alarme.*

Sa remarque n'arrange pas mon estomac et je me remets à rendre. Ma mère me dit que c'est bien fait pour moi et que je n'avais pas à aller mettre mon nez là-bas. J'ai laissé une odeur fétide dans le compartiment, et la dame à la voilette s'asperge d'un lourd parfum pour la chasser, ce qui est encore plus incommodant que la fumée de cigarette. Des échos nous parviennent par les voyageurs qui font la gazette d'un bout à l'autre du train. On sait maintenant que l'alarme a été tirée dans notre wagon et les hypothèses oscillent entre le suicide et le crime. Puis l'intérêt tombe graduellement. Il y a plus d'une heure que nous sommes à l'arrêt et les gens commencent à en avoir assez d'attendre que le train reparte.

La pitié et la consternation qui régnaient à l'endroit de la malheureuse font tranquillement place à l'agressivité. Un homme en colère dans notre compartiment va jusqu'à dire :

– *Il y en a vraiment qui sont sans gêne. Aller se foutre sous un train pour enquiquiner tout le monde ! Elle n'aurait pas pu faire ça ailleurs non !*

À mon avis, Georges Dewailly ne semble pas apprécier et décoche avec sarcasme :

– *Vous avez raison ! Il aurait mieux valu la supprimer ailleurs pour ne pas être embêté ici... On tue ou on sauve, ça dépend où la mouche se pose !*

C'est à ce moment qu'un uniforme de la police suisse se présente dans l'encadrement de la porte. Il tient entre le pouce et l'index un passeport bleu qu'il agite tout en interrogeant avec un accent typique dont je saurai désormais qu'il est suisse :

– *Nous essayons d'établir l'identité d'une femme accidentée. Est-ce que quelqu'un connaît ici Simone Gervais, née Lambrechts ?*

Ma main remonte automatiquement vers le haut de ma veste. La poche est molle. Les passeports n'y sont plus. En s'entendant nommer, ma mère sursaute :

– *C'est moi, Simone Gervais, c'est moi !*

– *C'est vous ?*

Le policier feuillette le document, s'arrête à la première page, puis il regarde ma mère.

– *Qu'est-ce que faisait votre passeport derrière le train près de la personne accidentée ?*

– *Je n'en sais rien, mais Simone Gervais, née Lambrechts, c'est moi.*

Ma mère se tourne vers moi et ses yeux fixent ma veste comme pour s'assurer que je l'ai bien sur le dos. J'ai déjà changé de couleur depuis longtemps quand je lui dis :

– *Je n'y comprends rien, mais je ne les ai plus.*

– *Et le garçon c'est votre fils ? Je peux voir son passeport ?*

Ma mère entrouvre ma veste et elle constate. La poche n'est pas décousue, mais elle est bel et bien vide, les passeports ont disparu. Ma mère pense vite. Elle ordonne :

– *Lève-toi et défais ta veste !*

Elle chiffonne ma veste dans tous les coins exhibant la doublure décolorée, rapiécée et… décousue. Dans le bas du dos, elle a mis la main sur du dur :

– *En voici un !*

Elle cherche le trou dans le bas de la veste, le trouve en même temps que la solution du mystère. La poche intérieure a cédé et les passeports ont glissé dans la doublure. Celui de ma mère est tombé quand j'ai cavalé le long du train, c'est ce que j'explique au policier qui n'a pas l'air de se satisfaire d'une histoire aussi simple et qui, pour se donner une contenance, demande la date de naissance de ma mère :

– *Quoi, ma date de naissance ? Vous avez la photo, je vous ai dit mon nom, vous voyez bien que c'est moi !*

– *Non Madame, c'est moi qui vous ai dit un nom et vous n'avez fait que le répéter. Quelle est votre date de naissance ?*

Ma mère est offusquée. Elle n'a pas envie de dire son âge et elle essaye de prendre le compartiment à témoin, mais les bonnes gens sont hermétiques. Ils épient. Eux aussi veulent savoir. Ma mère se rebiffe :

– *Devant tout le monde ! Mais enfin vous êtes discourtois au possible ! Vous manquez du tact le plus élémentaire ! Vous êtes un grossier personnage, un mufle !*

Sans paraître s'énerver le moins du monde, le gendarme avertit ma mère sur un ton traînant :

– *Si vous continuez, vous allez devoir descendre du train et m'accompagner. Donnez-moi votre date de naissance et je vous donne votre passeport.*

Ma mère a un sursaut :

– *Ah, vous voyez bien que c'est le mien ! Vous venez de dire « votre passeport », alors qu'est-ce que vous attendez pour me le rendre !*

– *Que vous me donniez votre date de naissance, c'est la dernière fois que je vous le demande.*

Georges Dewailly essaye de sauver la situation en plaisantant :

– *Monsieur l'officier de police a été patient. Nous allons tous nous boucher les oreilles et vous pourrez lui donner votre date de naissance, autrement je crois que ça risque de mal tourner pour vous. S'il vous plaît...*

Ma mère ne se rend qu'à moitié :

– *22 décembre... Est-ce que ça vous suffit ?*

– *Non Madame.*

– *Il vous faut le cru, le millésime ?*

– *Un mot de plus Madame, et je vous fais descendre du train.*

– *D'accord*, dit ma mère, *je vais le dire à vous seul dans le couloir.*

– *Non Madame.*

Ma mère capitule et c'est en larmes qu'elle articule à peine « 22 décembre 1911 »

Le policer répète à haute voix :

– *22 décembre 1911. Vous voyez c'était si simple.*

Il est souriant, détendu et tend le livret bleu à ma mère.

– *Voici votre passeport, et bienvenue en Suisse.*

Les voisins du compartiment baissent les yeux. Ils sont occupés à soustraire. Je repère celui qui est le plus rapide en calcul mental à ce qu'il jette un coup d'œil vers ma mère et se renverse contre le dossier de sa banquette, satisfait. Ma mère est blessée dans son orgueil et demeure muette.

Le train s'ébranle enfin. Le cahotement des roues sur les rails brise le silence qui faisait adhérer les esprits dans une même gêne et replonge chacun dans son intimité.

Je suis obsédé par l'idée que si je n'avais pas hésité à tirer la poignée, la dame ne serait peut-être pas morte.

On se rend au wagon-restaurant. Monsieur Dewailly propose de nous y accompagner. Ma mère s'y refuse, elle désire me parler seule. De l'autre côté de la table, devant l'ordinaire, elle reste longtemps silencieuse en me fixant par-dessus son assiette. Puis elle me demande avec une sorte d'indifférence :

– *Ce ne serait pas toi par hasard... ?*

Elle n'attend pas la réponse :

– *Dans un sens c'est dommage...*

– *Quoi ?*

– *On ne dit pas « Quoi… ? » Dans un sens c'est dommage que ce signal n'ait pas été donné plus tôt, une vie aurait pu être sauvée.*

Devant mon mutisme, elle enchaîne :

– *Ne me raconte pas de salades, ça me met encore plus en rogne que tes conneries, parce que ça me prouve que tu me prends pour une idiote. Je préfère qu'on en discute en copains et je ne t'engueulerai pas si tu me dis la vérité.*

C'est nouveau pour moi et suspect, mais ça prend quand même, on ne sait jamais.

– *Oui c'est moi.*

– *Effectivement, ça ne pouvait être que toi. Pourquoi t'as fait ça ?*

– *Je ne sais pas, j'ai eu envie de le faire.*

– *Puisque tu n'avais aucune raison de le faire, tu as eu gravement tort. Il va falloir que tu apprennes une fois pour toutes à contrôler tes impulsions où ça te jouera un sale tour. Tu ne sais pas discipliner tes envies, tu commences à m'inquiéter. J'ai même peur pour toi, pour ce qui pourrait t'arriver plus tard.*

Et on se met à parler, comme elle dit, en copains.

En Suisse française, les gens aiment s'amuser et la pièce a du succès. Toutes les sorties de scène sont applaudies. Après le spectacle, les admirateurs font la queue aux loges. Il y a même des jeunes qui, par grappes, coincent l'entrée des artistes pour faire autographier des programmes ou n'importe quoi qui retient l'encre. Je griffonne comme un grand, et non sans une certaine satisfaction, mon petit bout de signature sur tous ces papiers qu'on agite autour de moi. Tous les soirs j'ai mon quart d'heure d'adulation éphémère dont je ne me rends pas encore compte qu'il effrite tranquillement l'humilité au profit de l'orgueil et qu'il confère un pouvoir illusoire, celui de se considérer d'abord à part des autres, puis différent des autres et enfin au-dessus des autres.

Un soir à Lausanne, après la tombée du rideau, un couple suisse dans la quarantaine vient nous saluer dans la loge. Elle aussi ronde et joufflue que lui grand et sec. Que c'est banal de dire en parlant de Suisses, qu'ils sont « fondus » d'admiration, mais ces deux personnes-là le sont. Ils s'attardent dans la loge. On lie connaissance et ils nous invitent à déjeuner avec eux dans un restaurant le lendemain. Ils sont sympathiques, ma mère accepte. Finalement, pendant toute la semaine que nous sommes à l'affiche, les Giroux, car c'est leur nom, nous font visiter la ville et nous invitent partout.

Ce n'est pas qu'ils soient riches, ils sont simplement à l'aise. Ils vivent dans un modeste appartement, au 13 du Chemin des Aubépines à Lausanne. Ce sont de braves gens passionnés de théâtre et ils adorent les Français. Madame Giroux est privée d'enfants et elle s'attache à moi en quelques jours. À tel point, que lorsqu'arrive le moment de plier tréteaux et décors, elle a les larmes aux yeux et arrache à ma mère la promesse de m'envoyer un jour passer des vacances chez eux, au bon air de la Suisse, afin de me redonner des couleurs. Ma mère multiplie les « bien sûr » en agitant son mouchoir sur le quai de la gare, sans penser une seconde ce qu'elle dit, car une fois les Giroux rapetissés dans la perspective créée par le train qui s'éloigne, elle lâche :

– *Ah ! Ils sont bien gentils, mais ce qu'ils peuvent être collants !*

Puis, nous pénétrons plus profondément dans la Suisse. De ville en ville, de chambre en chambre, il nous arrive d'ouvrir les valises qu'au moment d'en tirer un pyjama, parce qu'il nous faut repartir le lendemain matin. L'enthousiasme des premiers jours fait place à la routine. La fatigue commence à s'insinuer chez tout le monde malgré le confort des chambres à double porte capitonnée des hôtels, ce qui est particulier à la Suisse allemande, et l'habitude que l'on goûte vite d'être toujours servis.

Ma mère a des aptitudes pour la grande vie. Si un hôtel n'est pas aussi confortable que le précédent, elle commence à critiquer.

À mesure qu'on s'enfonce dans la Suisse allemande, le public devient si froid que ma mère attrape une sinusite aiguë, doublée d'une bronchite, du moins c'est la cause qu'elle invoque. Elle a une toux caverneuse et elle peste contre la Suisse, parce qu'elle ne trouve pas dans les pharmacies, comme en France, son décongestionnant favori le « Balsofumine », mais du « Pérubore » en comprimés, ce qui est à peu près la même chose lui affirme l'apothicaire, mais pas pour ma mère. En outre, elle traîne une de ses fameuses cystites depuis Paris. Elle a besoin d'uriner fréquemment et impérativement, et les W-C publics sont introuvables pour les touristes, ce qui aggrave son humeur.

Le soir, on se rend au théâtre dans les tempêtes de neige et le blizzard. La plupart du temps on marche, parce que ma mère qui dépense beaucoup pour acheter des bricoles et des valises pour les contenir, se rattrape sur les taxis qui sont d'ailleurs difficiles à trouver. Si on y parvient, on passe plus de temps à se faire comprendre du chauffeur que de faire la route à pied.

En rentrant, ma mère fait bouillir de l'eau sur un réchaud. On l'avait amené de Paris dans l'intention oubliée de faire des économies sur les repas au restaurant. Pour se soigner, ma mère s'adonne à la fumigation. Dans un bol d'eau fumante, elle dépose son comprimé de *Pérubore* et coiffe le bol d'un cornet de papier qu'elle confectionne et à l'extrémité duquel elle découpe un trou minuscule pour laisser passer la vapeur.

Elle s'enfonce le cône de papier dans la narine jusqu'à l'œil qu'on ne ferme pas de la nuit parce qu'elle souffre, et qu'à deux heures du matin, elle soigne l'autre narine, puis se met des cataplasmes pour sa bronchite. Elle renifle bruyamment, à petits coups jusqu'à ce que son nez se débouche, ce qui peut prendre une bonne demi-heure et elle essaye de tousser ses mucosités, ce qui prend beaucoup plus de temps. Les lendemains ne sont pas marrants, nous avons peu dormi et elle est d'une humeur de chien.

Le public ne comprend pas grand-chose à l'humour de Marcel Achard et nous faisons un bide tous les jours. Le moral des comédiens chute au rythme du thermomètre. Lorsqu'il sort de scène, Bernard Blier, comme d'habitude, marque un temps d'arrêt dans l'ombre du décor, se penche, à l'affût ne serait-ce que d'un rire ou même d'une main qui applaudirait sans l'autre, mais rien ne vient rompre ce silence ingrat ; alors il s'éloigne en maugréant des mots défendus à l'école.

Fini les admirateurs. Sauf une fois une dame âgée, tristement vêtue, qui nous a fait don d'une photo d'elle à ses dix-huit ans lorsqu'elle était écuyère dans un cirque. Elle était venue chercher un peu du réconfort chez les gens du spectacle, espérant que nous saurions comprendre ce qu'elle avait été autrefois. C'était émouvant d'entendre cette vielle dame nous décrire dans un français difficile, les regrets de sa gloire d'antan. Elle nous a quittés les yeux plein de larmes en nous remerciant de l'avoir écoutée et confiante que nous l'ayons appréciée.

Désormais nous faisons route en autocar et la promiscuité entre comédiens est inévitable. Avec son petit rôle de gouvernante, on pourrait croire que ma mère va essayer de faire un peu partie de la troupe. Bernard Blier, Jacques Müller, Christiane Barry, Lolita de Sylva (qui fut la maîtresse du regretté Lucien Goëdel), Sylver (un copain de Bernard Blier), Yves Massard, Jacques Dynam et d'autres font équipe, mais ma mère non ! Elle fait encore bande à part, le menton levé et le regard lointain. Elle critique tout le monde. Elle trouve que l'un a le front trop large, que l'autre est un pédant pète-sec, que celui-ci est une pâte molle, que celui-là est un lèche-cul, que celle-ci est une chipie dragueuse, que celle-là est une pimbêche. Elle les a étiquetés et ils sont gâtés :

– *Tous des cons, des ratés, des minables !*

C'est intenable. Avec cette attitude, nous sommes frappés d'ostracisme, le fils aussi bien que la mère. Tous les soirs, elle s'accroche avec l'un ou l'autre des comédiens et le lendemain dans l'autocar qui nous fait traverser montagnes et campagnes, on écope des représailles de la veille, en général sous forme de boniments acides. Je trouve cela vraiment pénible qu'on se mette tous les gens à dos de cette façon.

Pour user le siège du bus, ma mère a choisi de ranger son tailleur neuf dans sa valise et de ressortir les habits que je connais depuis des années, des vieilleries qui ne l'avantagent pas, ainsi que ses talons plats.

Elle a acheté deux grosses écharpes chaudes. La sienne n'améliore pas sa toux, mais la mienne remplace mon étole blanche à franges. Je fais moins « artiste » et j'ai moins froid, ce qui me convient parfaitement.

Aujourd'hui, excepté Pierre Fresnay et Yvonne Printemps qui voyagent toujours par leurs propres moyens, la troupe a décidé de faire cause commune pour mortifier ma mère. Le premier incident a lieu dans la matinée. Quelqu'un propose de jouer au jeu des personnages. Depuis le début de la tournée, c'est un passe-temps favori et tout le monde participe, sauf bien sûr ma mère qui, renfrognée dans son coin, ne s'en est jamais mêlée. Moi, le môme, encore moins.

Il s'agit pour un joueur sortant, de deviner le nom d'un personnage choisi par le reste des joueurs. Le personnage peut être célèbre ou tout simplement connu des participants. Celui qui essaye de deviner devra poser dix questions du genre « Si c'était un animal, si c'était une fleur, si c'était un roman, un vêtement, etc. ? » Les réponses, sans être évidentes ou tarabiscotées, doivent correspondre aux caractéristiques connues du personnage à deviner, à sa personnalité, son œuvre et ainsi de suite. Personnellement, je m'amuse bien à les écouter et j'apprends pas mal de choses aussi.

Ça fait un moment que le jeu a débuté. Après deux ou trois personnages du style : Voltaire, Chopin ou Staline, ça tourne autour des acteurs connus : Jean Gabin, Fernandel, Pierre Fresnay, également Yvonne Printemps qui a droit à quelques égratignures. Puis c'est au tour de Bernard Blier de deviner. Il s'assied sur une valise dans le couloir central, près du chauffeur, et fait face au groupe. Grand conciliabule et beaucoup de rires parmi les autres joueurs.

Le groupe : *Ça y est, on est prêt !*

Bernard Blier a un petit sourire qui exprime un doute :

– *Ce n'est pas une connerie au moins ?*

Le groupe : *Non, non, ne t'en fais pas, tu vas trouver facilement !*

– *Bon. Homme ou femme ?*

Le groupe : *Femme.*

– *Célèbre ?*

Le groupe : *Totalement obscure.*

– Vivante ou morte ?

Le groupe : *un peu moribonde. Elle respire, mais les poumons sont atteints. Peut-être la tuberculose.*

– *Si c'était un instrument de musique ?*

Le groupe : *Le violon paraît-il, enfin le crincrin. Certainement pas du classique, mais du bois scié dans les cours, la mendicité quoi...*

Je jette un œil vers ma mère. Elle a compris, moi aussi. Les femmes sont acharnées. Ce sont elles qui répondent en majorité. Bernard Blier continue mais ne s'amuse pas.

– *Si c'était une maison de couture ?*

Le groupe : *Le tablier. Il n'y a rien à ajouter, même pas une dentelle !*

Tous rigolent ou presque.

– *Si c'était un restaurant ?*

Le groupe : *Le ragoût populaire. Le gourbi. La soupe aux choux. Le bistrot du coin.*

– *Si c'était un livre ?*

Le groupe : *Nous deux, un feuilleton à l'eau de rose. Les affiches du métro. Les regrets d'une fille mère. Les graffitis dans les cabinets.*

Les rires des messieurs cautionnent les médisances et les vipères excitées continuent de siffler et persifler.

– *Si c'était un musée ?*

Le groupe : *Le musée Grévin. Ça fait huit questions*

– *Si c'était un animal ?*

Le groupe : *Un chat de gouttière.*

– *Si c'était une plante ?*

Le groupe : *peut-être la mandragore pour le corps ou alors l'ortie, il paraît que c'est diurétique, idéal pour les cystites !*

Avec cette dernière trouvaille, la rigolade n'en finit pas. Bernard Blier, lui, ne rit pas. Quand tous se sont calmés, il fait la moue :

– *Je ne vois personne que je connaisse à qui ça puisse correspondre. Et puis j'en ai marre, j'arrête.*

Une des femmes ne peut s'empêcher de préciser à mi-voix, mais on l'a bien entendue :

– *Mais c'est la mère du gosse, voyons !*

Le deuxième incident a lieu dans l'après midi. Les trajets en autocar durent toute la journée et, de temps à autre, le chauffeur fait une halte de quelques minutes pour que chacun aille soulager ses besoins dans la nature puisqu'il n'y a pas de commodités dans le car, et de surcroît on gèle, ce qui augmente la tendance à avoir besoin d'uriner. D'habitude les comédiens se concertent pour décider du moment opportun qui arrangera chacun. Pour ma mère, avec sa cystite, devoir attendre les arrêts concertés, c'est déjà insupportable, mais là, nous roulons depuis longtemps et personne, curieusement, ne se soucie de demander qu'on s'arrête.

Ma mère ne tient plus. Elle va voir le chauffeur et lui demande discrètement de s'arrêter au premier endroit propice. Le conducteur lui oppose qu'il y a trop de virages serrés et qu'il ne peut pas s'arrêter. Dix bonnes minutes se passent et le car qui serpente avec lenteur dans le vallon ne semble jamais vouloir faire une pause, même si depuis un moment, la route le permettrait. Ma mère commence à souffrir. Elle lance de son siège :

– *Chauffeur, pouvez-vous vous arrêter une minute s'il vous plaît ?*

Une voix enchaîne aussitôt :

– *On ne va pas s'arrêter maintenant, on vient à peine de démarrer. Est-ce que quelqu'un a envie de descendre ?*

Et tous en chœur de répondre :

– *Non, non, pas du tout ! Continuez chauffeur, nous nous arrêterons plus tard.*

C'est le complot et le chauffeur est dans le coup. Ma mère murmure :

– *Les salauds…*

Elle laisse passer quelques kilomètres et s'agite sur son siège, visiblement très mal à l'aise. Elle se lève à moitié de son fauteuil et crie :

– *Écoutez chauffeur, Je vous en prie, arrêtez-vous c'est urgent !*

Le conducteur n'entend pas et les quolibets fusent de la part des femmes :

– *A-t-on idée de voyager en car quand on a la vessie faible !*

– *Elle est peut-être enceinte ?*

– *Mais de qui, de Quasimodo ? Autrement je ne vois pas.*

– *Enfin, retenez-vous un peu, vous n'êtes pas une petite fille.*

– *J'avais une chienne qui était faible de la vessie, il a fallu que je la fasse piquer, elle urinait partout, même dans la voiture. C'était dégoûtant !*

Des rires d'homme fusent ici et là.

Ma mère a le visage congestionné par la colère, et c'est peut-être le dernier boniment entendu qui l'a inspirée : encore assise sur son siège, elle lève les genoux, ôte prestement sa culotte, se lève, passe devant moi, et tout debout, en plein milieu du couloir central du car, entre les sièges, relève haut sa jupe, écarte les jambes et… pousse un ah ! appuyé et intentionnel de satisfaction tandis qu'elle n'en finit plus de se soulager et d'éclabousser autour d'elle. Puis elle s'écrie avec un rire forcé et sonore :

– *Je vous emmerde ! Mieux que ça, je vous empisse ! Ah ! Ah ! Ah !*

La réaction est inattendue. Toute la troupe éclate de rire et se met à applaudir alors qu'un des hommes entonne sur un air connu :

– *Elle a très bien pissé ! Elle a très bien pissé !*

Bernard Blier se lève brusquement et s'adressant au groupe :

– *Bon, maintenant, ça suffit, ça va trop loin, je crois qu'on a assez rigolé comme ça, fini les conneries, tout le monde est d'accord ?*

Depuis ce jour-là, ce n'est pas le grand amour, mais certains comédiens adressent la parole à ma mère qui finit par se détendre. Du coup elle a remis son tailleur neuf, ses chaussures à talons hauts et s'est acheté un petit manteau de secours. Elle va mieux, elle est de bien meilleure humeur et apprécie la cour que lui fait Sylver, tout en me disant qu'il ne l'attire pas le moins du monde.

Les paysages, les villes, les monuments, la tête des gens défilent devant mes yeux comme un film accéléré. J'en vois trop à la fois et parfois mon intérêt fait relâche. Pourtant deux villes me laissent des images inoubliables : Colmar, accueillante, séduisante, intime, attachante. Agglomération médiévale où les maisons semblent se serrer affectueusement les unes contre les autres, toits pentus, pignons avancés, encorbellements saillants, bruns colombages, murs blanchis de crépi, balcons fleuris et rues tortueuses se rassemblant toujours autour d'une jolie fontaine de pierre ou de bronze. On se croirait dans un conte de fées. Dans cette gravure du Moyen Âge, on a savouré des saucisses et de la tarte au fromage.

L'autre ville tout aussi fascinante : Strasbourg la fluviale, la majestueuse, l'architecturale, avec sa cathédrale qui inspire la foi, avec ses palais somptueux qui inspirent le respect, avec son pittoresque quartier français qui inspire le passé. Ce dernier fut le quartier des abattoirs, des tanneurs, des meuniers et des pêcheurs. Bâti en plein milieu d'un évasement de la rivière de l'Ill, j'apprends que ces îlots furent nommés Petite-France parce qu'un hôpital y fut installé pour soigner les soldats du roi François 1er, atteints du « mal français », soit la petite vérole, que nous français appelons « le mal de Naples ». Toutefois, le dictionnaire médical met tout le monde d'accord, c'est la syphilis.

En remontant sur la Belgique, le public se réchauffe. Pourtant, c'est le moment que ma mère choisit pour s'acheter un manteau de fourrure d'opossum argenté et un grand chapeau marron à larges bords d'où pendent des pompons comme des poires à filoches après les rideaux. Elle dit que le chapeau va avec son tailleur neuf. La montre, elle l'avait déjà achetée en Suisse, une montre d'homme qui me servira plus tard lorsque je serai grand… assure-t-elle.

Alors, on court après les boucles d'oreille, les bagues, la gourmette, les robes, les dessous, les chaussures pointues, les sacs en croco. Les valises ne suffisent plus. On expédie des malles à Paris.

J'ai quand même droit à une culotte plus longue bien que très courte du style « bermuda » et à deux paires de chaussettes prévues pour durer longtemps. Je dois replier le bout de la chaussette dans la chaussure ou bien le talon me remonte aux mollets.

– *Te voilà habillé,* dit ma mère !

La Belgique, pour mes huit ans aveugles, ce sont les patates frites, les moules à la sauce blanche, la douzaine de croissants à « nonante sous », cette dame encombrée de paquets devant l'hôtel qui me demande si « je sais une fois ouvrir une porte pour elle. »

À Bruxelles, c'est la Grand-Place et l'inoubliable Manneken-Pis de cinquante centimètres dont tout le monde parle, comme s'il faisait deux mètres de haut, mais qui m'impressionne tout de même de pouvoir changer de costume tous les jours de l'année sans jamais s'arrêter de pisser.

On rentre à Paris, le temps d'enlever les toiles d'araignées et d'aérer un peu l'appartement, et nous filons vers la Côte d'Azur. La tournée est prévue se terminer dans les grandes villes du sud de la France.

Nous zigzaguons d'est en ouest dans les paysages de la Côte d'Azur et de la Provence qui sont nouveaux pour moi et m'émerveillent.

La Côte d'Azur ! Ma mère m'en a tant parlé, mais je n'avais jamais rien imaginé de tel : la mer ! Le sable fin !

L'ambiance des troquets sur des ports minuscules où se côtoient les petits bateaux de pêche et les yachts des milliardaires ! La beauté des maisons à flanc de montagne, d'un style si particulier dans le sud, villas sises dans des parcs de verdure protégés par des enceintes de pierre à colonnes derrières lesquelles d'immenses palmiers penchent la tête par-dessus les murs ! Demeures inaccessibles, impénétrables et mystérieuses, nichées dans une végétation luxuriante qui les rend parfois invisibles.

Ma mère est obsédée par les riches villas. À tous les coins de rue, on s'arrête devant presque toutes les maisons et ma mère s'exalte :

– *Regarde comme c'est beau ! Imagine-toi vivre là-dedans ! Je donnerais dix ans de ma vie pour avoir une maison comme celle-ci ! Quand tu auras fini tes études et que tu seras médecin, on viendra vivre ici. Il va falloir que tu travailles dur pour nous offrir ça. Tu t'installeras par ici avec ta petite maman chérie et tu te souviendras de tous les sacrifices que j'aurai faits pour toi. S'il fallait un jour que tu en fasses profiter une pouffiasse, je ne te le pardonnerais jamais, je te tuerais plutôt.*

Je me souviens d'un jour où elle était en colère, ma mère, et qu'elle a levé sur moi son poing armé d'un couteau de cuisine comme elle l'avait fait avec la travailleuse sociale et il me passe un frisson.

Ces avertissements de mort et ces images de couteaux menaçants m'inquiètent au point que je me promets que dès que je serai un peu plus vieux, je partirai de la maison aussi loin d'elle que je le pourrai.

Pour le moment, je la tranquillise et je lui fais tous les serments qu'elle désire entendre. Lorsque je l'ai rassurée, elle est plus calme et elle continue de s'extasier. Pendant un mois, on passe nos après-midi à arpenter les rues de Cannes, Juan les Pins, Antibes, Saint-Tropez, Monaco… et à envier le bien des autres.

Au début, je me contentais d'admettre que ces propriétés étaient tout simplement là en bordure de rue et ça ne me dérangeait nullement. Petit à petit, avec l'insistance continuelle de ma mère, je finis par envier ce qu'elle envie, mais tout ce que je peux faire, c'est rêver. Ce qu'elle demande est si loin dans le temps que je me sens complètement impuissant. Pourtant ma mère m'impose immédiatement cette responsabilité présente et à venir, cette obligation, ce besoin pressant d'accumuler du prestige et des richesses sans lesquels, selon elle, la vie ne vaut pas la peine d'être vécue.

Je n'ai connu que le désordre d'une existence bohème et le quignon de pain glané au jour le jour. Il est vrai que depuis quelque temps mes cachets semblent nous faire vivre sans souci, mais je n'ai aucune conception des moyens, du temps ou de la persévérance qui pourraient matérialiser une telle ambition. Comment posséder de tels paradis, que faut-il faire pour être aussi riche ? Je n'en ai pas la moindre idée et je me demande vraiment s'il suffit d'être un médecin, vivant avec sa mère, pour s'offrir un tel luxe, mais puisqu'elle l'affirme !

À Monte-Carlo, je découvre le casino dans lequel il m'est interdit d'entrer, et je fais le poireau sur les marches, pendant plusieurs heures. Elle m'a raconté maintes et maintes fois comment, dans ce palace, en 1935, le rouge était sorti suffisamment de fois pour lui permettre de rester un mois de plus en vacances.

La voici enfin ! Je n'ai pas l'impression que le rouge soit sorti trop souvent aujourd'hui parce qu'elle a plutôt l'air de broyer du noir !

Je demande quand même :

– *Et puis ?*

– *Il va falloir que je demande une avance sur nos cachets.*

Le terminus de la tournée, c'est Marseille au Théâtre du Gymnase. C'est là que ça finit mal pour ma mère et moi.

À Marseille, Georges Dewailly, dont ma mère avait fait la connaissance dans le train en route vers la Suisse, est venu nous retrouver. Il conduit une Delahaye 135 et s'affiche toujours aussi élégant.

L'avant-dernière représentation est en matinée, et la dernière en soirée. Ce jour-là, tout arrive en même temps. Comme nous l'avons appris plus tard, l'événement a d'abord été arrosé le midi par les comédiens. Nous n'y étions pas puisque ma mère tenait à déjeuner plus intimement avec son soupirant. Nous nous sommes de fait égarés dans les rues du port à la recherche d'un bon restaurant où le service a été plutôt lent et, malgré la conduite automobile sportive du chevalier de ma mère, nous avons manqué notre entrée en scène de quelques minutes.

Au deuxième acte, nouvel incident. La toile de fond du décor est l'unique mince rempart qui dissimule, à un mètre de distance, les trois étages de loges qui donnent sur la scène et dont les fenêtres sont ouvertes. Dans ce mince couloir, les comédiens qui entrent en scène ou en sortent, ainsi que le régisseur, circulent à pas feutrés et parlent sur le souffle, c'est-à-dire sans pratiquement se faire entendre. Or, Bernard Blier dont l'entrée est imminente n'est pas encore descendu de sa loge et « Dalton », le régisseur s'alarme.

Mais, ni Dalton qui met ses mains en porte-voix laquelle monte jusqu'aux fenêtres du troisième « Blier ! Ton entrée ! », ni Bernard Blier qui lui répond en criant « Je ne peux pas, je suis à poil ! » ne réalisent que toute la salle les a distinctement entendus. Et c'est le rire général tandis qu'Yvonne Printemps et Pierre Fresnay achèvent une scène des plus sérieuses.

Mais ce n'est pas tout. Au cinquième acte, la grande Yvonne Printemps s'écroule plus ou moins inerte en scène. D'après le médecin qui viendra la voir un peu plus tard, elle est victime d'une réaction à l'ingestion de mélanges solides et liquides incompatibles qui lui ont occasionné, ce qu'on nomme chez les célébrités : un malaise hépatique et chez le commun des mortels : une méchante biture. Pierre Fresnay la relève péniblement et, en la tenant dans ses bras, sort de scène juste devant moi qui attendais mon entrée. Retrouvant brusquement ses esprits dans la coulisse, la comédienne se remet sur pied d'un bond et lance à voix forte derrière la toile du décor :

— *Sale petit con, un jour tu me feras crever !*

Elle ne s'adressait pas à moi.

À ma sortie de scène, profitant de la confusion, je me glisse dans la caverne déserte d'Ali Baba, c'est-à-dire la salle des accessoires, et j'empoche ce qui depuis plusieurs jours faisait l'objet de ma convoitise : un petit pistolet tout ce qu'il y a d'authentique, mais avec lequel on assassine les gens à blanc sur scène.

Il me fallait ce jouet comme il m'avait fallu le pistolet à bouchons deux années auparavant. En revanche celui-ci n'est pas un jouet et je viens de me créer un vilain problème. Je serai certainement soupçonné car l'accessoiriste, un Marseillais âgé, m'a déjà vu manipuler l'objet et il n'aura pas de mal à identifier le chapardeur. Pourtant cette idée n'a pas retenu mon geste. Je grimpe en vitesse à la loge et j'essaye de maquiller mon larcin en utilisant ma mère comme complice. Je lui colle le revolver dans les mains et je parle vite :

— *Cache ça tout de suite ! C'est l'accessoiriste qui me l'a donné pour toi parce que je lui ai dit que tu étais toute seule pour m'élever et qu'on devait souvent traverser le bois de Vincennes le soir et que tu t'étais déjà fait attaquer. C'est pour te protéger. Mais surtout, il m'a dit de ne jamais avouer que c'était lui qui te l'avait donné, autrement, il se ferait mettre à la porte.*

Ma mère hésite plutôt incrédule :

— *Tu es sûr qu'il te l'a donné ?*

Je prends un air agacé de ne pas être cru.

— *Puisque je te le dis ! Regarde, c'est un vrai, mais il y a des balles à blanc dans le barillet. C'est juste pour faire peur. Si tu tires, il n'y a aucun danger. C'est pour toi. Il est sympa l'accessoiriste, non ?*

Je ne sais si je dois à mon pouvoir de persuasion de rendre ma mère aussi naïve ou si elle saisit tout simplement l'occasion, mais l'argument doit avoir quelque valeur parce qu'elle enroule le pistolet dans une bande « Velpeau », le place au fond de sa mallette à maquillage et on quitte le théâtre pour se rendre à l'hôtel où elle lui trouve une cachette.

Chez l'enfant que je suis, la tendance au plaisir est totalement indisciplinée. J'agis sous l'impulsion du désir, sans réfléchir et je mens pour me couvrir. À chaque fois j'ai payé le prix, mais ça ne m'a pas guéri. C'est un comportement qui me prendra plusieurs années à corriger définitivement, non par les multiples punitions qu'il m'occasionnera, mais à travers le mûrissement des expériences vécues, en les soumettant à la pleine conscience de mes réflexions et à la méditation sur mes attitudes.

Vers huit heures, on retourne au théâtre en compagnie de Georges Dewailly pour la deuxième soirée de la pièce. En passant par le foyer des artistes, on s'aperçoit qu'on est les seuls à être réprimandés au tableau de service pour avoir raté notre entrée, et que nous sommes à l'amende. Peut-être parce que ma mère se sent soutenue par l'homme qui l'accompagne, elle se met en colère à voix haute, avec son humour habituel, sans se gêner :

– *Après tout ce qui a été de travers sur scène cet après-midi parce qu'ils ont trop bu, c'est nous qui trinquons !*

Elle a dit ça plus poliment qu'elle ne l'aurait fait si son ami n'avait pas été présent. Lui, s'attarde sur le texte affiché au tableau et y découvre une faute de français qu'il souligne trois fois avec son stylo à encre, en notant dans la marge que l'élève devra recopier vingt fois la faute et présenter son devoir corrigé. Une demi-heure plus tard, le bulletin de service a disparu, mais pas les ennuis.

Pendant qu'on se prépare dans notre loge perchée au dernier étage et mal éclairée, un homme passablement âgé, aux cheveux blancs, au visage digne et au ventre respectable, se présente. Il demande à parler à ma mère en ma seule présence.

C'est le directeur du théâtre. Dewailly se retire et, poliment mais sans préambule, je suis mis en cause :

– *Madame, nous avons tout lieu de croire que votre fils a dérobé un revolver à la salle des accessoires et je viens le reprendre.*

Ma mère hésite avant de répondre, mais elle gagne du temps avec des allégations douteuses :

– *Puisque j'en ai l'occasion, je ne vous félicite pas pour le choix de la loge qui nous a été attribuée. Perchés ici, on n'entend pas la sonnerie des levées de rideau, il n'y a pas de haut-parleur, et à cause de cela nous avons raté notre entrée cet après-midi. En outre, c'est ridiculement étroit, sale et la moitié des ampoules sont grillées comme vous pouvez le constater.*

Le vieil homme réplique imperturbable :

– *Plaignez-vous auprès de vos organisateurs. Ce sont eux qui distribuent les loges.*

– *Ce ne sont pas eux qui installent les sonnettes et les ampoules, je suppose ?*

– *Je ne suis pas venu pour discuter de cela, Madame. Votre fils détient une arme dangereuse que je viens reprendre.*

– *Mon fils ne détient rien du tout. Je suis au courant. C'est votre accessoiriste qui lui en a fait cadeau à mon intention pour ma protection.*

– *Vous m'étonnez, Madame, c'est lui-même qui a déclaré sa disparition en disant qu'il avait vu votre fils jouer avec. De toute manière l'accessoiriste sait parfaitement qu'il n'a aucun droit légal de disposer d'une arme à feu.*

Ma mère me fixe un bref instant. Si je dis un mot, je suis cuit. Si je commence à me défendre, ma mère pensera que mon histoire était bidon. Alors je reste obstinément muet en la regardant d'un air tranquille tout en me sentant complètement décomposé intérieurement par l'angoisse.

– *Je ne vois pas pourquoi mon fils m'aurait remis cette arme de lui-même s'il l'avait volée. Est-ce que votre accessoiriste vous a dit être au courant que nous traversions une partie du bois de Vincennes à la sortie du métro pour rentrer chez nous ?*

– *Effectivement et votre fils a mentionné que ce pistolet vous serait utile pour vous protéger.*

Ma mère lui coupe la parole :

– *Donc vous admettez que c'est dans le domaine du possible que votre homme ait eu ce geste par bonté et que maintenant, peut-être, il le regrette ?*

– *C'est également possible que votre fils ait imaginé que l'accessoiriste ne la lui refuserait pas et qu'il l'ait prise. Quoi qu'il en soit, cette arme appartient au théâtre et je vous demande de me la rendre.*

– *Monsieur, je connais mon fils, s'il avait pris ce revolver, il l'aurait fait pour s'amuser avec. Non je crois plutôt que votre homme a changé d'avis. Il regrette son geste et il accuse le petit pour se disculper. Cette histoire est confuse, avouez-le et j'ai autant de raisons de croire mon fils que vous, votre accessoiriste. Quoi qu'il en soit, je suis bien désolée, mais je n'ai plus ce revolver. Cet après-midi, après réflexion, je m'en suis débarrassée. Il est quelque part au fond du port.*

– *Vous plaisantez !*

Ma mère se fait convaincante :

– *Croyez bien que je le regrette. Je n'ai rien d'une Mata Hari. Cet engin me faisait peur, je l'ai tout simplement jeté à l'eau.*

Lorsqu'on n'entend plus les pas du directeur dans l'escalier raide, un nouvel incident vient me tirer momentanément du tourment dans lequel je me suis plongé encore une fois par mes impulsions incontrôlables.

Ma mère se lève soudainement. Elle fait le tour de la loge plusieurs fois, soulève une chose et une autre, en proie à une rageuse agitation et elle éclate :

– *Mon chapeau de scène, c'est dramatique, je ne trouve plus mon chapeau de scène !*

Elle dévale deux étages et court après une habilleuse, on l'entend :

– *Vous n'auriez pas vu mon chapeau de scène ? Je ne trouve plus mon chapeau de scène, vous savez mon petit chapeau marron ? Je l'ai laissé dans la loge après la matinée. Il a disparu !*

Curieusement, plusieurs comédiens, les uns à demi maquillés, les autres à moitié habillés, sortent simultanément de leur loge et entourent ma mère comme s'ils étaient vraiment touchés de ce qui lui arrive :

– *Vous ne pouvez pas entrer sur scène sans chapeau, ce serait mal vu pour une gouvernante...*

Quelqu'un suggère :

— Vous n'en n'avez pas un autre ? Mais si, un grand chic, en feutre, celui que vous portez à la ville. Si vous l'avez avec vous, il fera l'affaire.

Bien sûr qu'elle l'a avec elle. Elle ne s'en sépare plus depuis la Belgique, même à deux heures de l'après-midi par soleil ardent. Tout le monde le sait. Elle proteste sans conviction :

— Mais il est trop grand, ça ne va pas avec le personnage.

Tous s'en mêlent :

— Ça ne fait rien, le public ne fera pas attention à ça. Le principal, c'est de ne pas entrer en scène sans chapeau. Déjà que vous avez loupé votre entrée en matinée, Fresnay ne vous le pardonnerait jamais.

— Vous croyez ? dit ma mère.

— Faites ce que vous voulez, mais c'est un conseil !

Ma mère arrime avec de longues épingles, son chapeau à larges bords, orné de petites poires filoches qui dansent lorsqu'elle se déplace. Elle pivote devant la glace et se console :

— C'est un peu voyant, mais après tout ça ne va pas si mal avec la robe.

Lorsqu'on fait notre entrée du premier acte, ma mère et moi, au son de la marche nuptiale, comme le veut la pièce, la presque totalité des comédiens est sur scène. Il y a une sorte de temps mort pendant lequel Yvonne Printemps et Pierre Fresnay qui célèbrent leurs noces d'or, descendent le grand escalier, en musique, bras dessus, bras dessous et vont s'installer en avant-scène sur une causeuse, face au public. C'est ce moment-là que choisit l'un des comédiens pour prononcer distinctement afin qu'il soit entendu sur scène et non dans la salle :

— Chapeau !

Ma mère est loin de faire gouvernante anglaise effacée avec cet immense plateau de figues pendouillantes, enfoncé jusqu'aux yeux.

Sur scène, c'est comme à l'église, l'interdiction de rire le provoque pour la moindre chose mais dans la circonstance, ma mère a vraiment l'air déplacé. Sauf pour le couple Printemps - Fresnay qui ne la voit pas parce qu'il est de dos, tous les comédiens se contorsionnent et se retiennent comme ils peuvent. Certains craquent. Des sortes de grognements fusent et se transforment en quintes de toux. D'autres ont le visage tout rouge et les joues boursouflées ou se mordent les lèvres jusqu'aux larmes en fixant obstinément un point à terre, puis se tournent de trois quarts pour échapper à l'œil du public, ce qui fait que les quelque douze comédiens qui sont en scène se retrouvent tous en même temps pratiquement de dos au public, les épaules secouées par des spasmes.

Je m'aperçois que ma mère est touchée par la contagion. Elle vient de réaliser tout le ridicule de la scène. Elle essaye de se retenir de rire mais elle aussi est parcourue de soubresauts, ce qui fait danser les pompons et attise l'envie de rire. C'est triste. Ils l'ont bien eue avec le coup du chapeau.

La musique s'interrompt et les premières répliques sortent avec difficulté. Je joue ma scène qui se termine par des sanglots. C'est à cet instant que Madame

Printemps doit se retourner vers la gouvernante, donc ma mère, et lui dire : « Emmenez-le ». Mais Yvonne Printemps se retourne et reste muette. Alors Pierre Fresnay se retourne aussi, découvre ma mère et hurle « Emmenez-le ! ». Mais ma mère qui a cent fois répété la même réplique à Yvonne Printemps pendant trois mois, répond par automatisme à Pierre Fresnay :

– *Bien Madame !*

C'est le comble ! Si tous les comédiens y compris les spectateurs ont le fou rire, Pierre Fresnay lui est fou furieux. Il n'a guère envie de plaisanter et il reprend vite le contrôle de la scène et de la salle.

Les actes défilent et je reste dans l'ombre jusqu'au cinquième. Je ne veux pas risquer de rencontrer l'accessoiriste. Les minutes durent des heures. C'est un « Ouf » général qui suit le dernier rappel de rideau.

Nous montons nous démaquiller et ramasser nos affaires dans la loge pendant que Georges Dewailly attend ma mère dans le foyer des artistes.

Puisque c'était la dernière, et que l'heure est venue pour la troupe de se désintégrer, ma mère tient à aller saluer Pierre Fresnay et s'excuser pour notre entrée ratée en matinée, sans compter l'incident du chapeau. Il est sur le point de quitter sa loge avec sa femme. C'est rapide et tranchant :

– *Madame, je n'accepte pas vos excuses, ni pour avoir raté votre entrée ni pour avoir porté ce chapeau ridicule sans mon consentement. Permettez-moi de vous dire que vous élevez votre fils de façon irresponsable en lui montrant le mauvais exemple. Vous lui sabotez son métier. Si la tournée n'était pas finie, je vous mettrais à la porte. Quoi qu'il en soit, ni vous ni lui ne remettrez les pieds dans mon théâtre. J'ai bien l'honneur Madame !*

Trois ans plus tard, Pierre Fresnay m'avait heureusement pardonné.

Nous retrouvons Georges Dewailly dans le foyer des artistes déjà vidé de ses admirateurs. Pendant que nous le traversons pour nous diriger vers la sortie, je suis témoin d'une scène qui me bouleverse. Le directeur du théâtre est assis sur le canapé, torse renversé contre le dossier de cuir. Je vois l'accessoiriste, dans son bleu de travail usé, ôter son béret, s'agenouiller devant le vieil homme à la tête blanche et lui baiser la main. Il demeure dans cette attitude, humilié, à genoux et, lorsque nous passons à sa hauteur, j'entends l'homme pleurer et supplier :

– *Maître, je vous le jure, cet enfant a menti...*

Nous nous éloignons de la ruelle du théâtre du Gymnase. Ma mère raconte l'incident du chapeau à son ami Georges et nous retrouvons sans nous presser la Delahaye, quelques rues plus loin. Au moment de monter en voiture, je n'y tiens plus. J'échappe à la main de ma mère et je crie en retournant sur mes pas et en courant :

– *J'ai oublié quelque chose au théâtre, je reviens tout de suite !*

J'ai pris ma décision, je ne peux pas laisser l'accessoiriste être injustement accusé. Je vais tout avouer au directeur et j'ai hâte de le faire. Je remonte la ruelle, pénètre dans le théâtre jusqu'au foyer des artistes et là, je suis déconcerté, interdit, il n'y a plus personne. L'accessoiriste n'est plus là, le canapé noir est vide. C'est le silence. Il ne subsiste pour toute lumière qu'une veilleuse au plafond, Même la petite ampoule de la boîte du bulletin de service est éteinte. Tout est désert et me semble lugubre, soudainement inhospitalier et inquiétant…

Je me suis enfui… Plus tard, j'ai essayé de ne plus penser à l'image de cet homme agenouillé, pleurant et suppliant par ma faute, je n'y suis jamais parvenu.

– *Qu'est-ce que tu avais oublié ?* demande ma mère.

– *Mon mouchoir.*

CHAPITRE XV

À la gare de Marseille, ma mère prend congé de Georges Dewailly à qui elle refuse que nous rentrions avec lui en voiture à Paris parce que, affirme-t-elle, elle a quelque chose à régler à Cannes. Dans l'émotion des effusions du départ, elle promet de le revoir bientôt.

Je demande :

– *Qu'est-ce qu'on va faire à Cannes ?*

– *Tu le verras bien.*

Quelques heures plus tard, on traîne nos lourdes valises dans une rue de Cannes plus facile à descendre qu'à monter. On déniche une modeste pension de famille. On n'a pas l'eau courante, mais l'ordinaire est agréable.

Le lendemain matin, ma mère passe un coup de téléphone mystérieux. On ne connaît personne ici et ça m'intrigue. Elle n'a pas l'habitude de me faire des secrets mais là, elle refuse de parler. Au contraire, je la sens distante et affairée. Elle m'habille, me déshabille et me rhabille. Je ne suis pas du tout à son goût parce qu'elle s'énerve :

– *Ça ne va pas, t'as l'air de rien du tout ! Viens, on va te trouver quelque chose.*

On cavale dans la rue d'Antibes. On ressort d'un magasin pour garçonnets avec une chemisette neuve, une culotte neuve, des sandales et des chaussettes neuves qui me vont ! Il y a vraiment quelque chose de mystérieux dans l'air car j'ai toujours eu l'habitude d'être habillé épisodiquement par morceaux, mais jamais des pieds à la tête en une seule fois et à ma taille ! Et ça se termine chez le coiffeur ! On remonte à la chambre.

– *Maintenant tourne-toi, je vais m'habiller.*

Sur le mur, il y a une glace ovale dans un cadre doré et je peux admirer ma mère à loisir. Ça me gène un peu, mais je le fais quand même. Je songe que c'est quand même drôle que l'on se mette à poil lorsqu'on dit qu'on s'habille.

– *Tu peux te retourner, j'ai fini.*

Je me mets à rire et j'essaye, comme elle dit souvent, de ne rien lui cacher :

– *Ce n'était pas la peine que je me retourne, j'ai tout vu dans la glace !*

– Vlan ! La gifle me saisit et me fait regretter ma franchise.

– *Tu n'as pas honte ? Et qu'est-ce que tu as vu dans la glace ?*

– *Rien...*

– Alors si tu n'as rien vu c'est que tu es aveugle, ou que tu es un faux jeton comme tous les hommes. Qu'est-ce que tu t'imagines, que je suis fendue en travers ?

Je me pose des questions et j'essaye de me faire des images. Au bout d'un moment pendant qu'elle se maquille, je risque :

– Dis, est-ce que ça existe ?

– Quoi ?

– Fendue en travers…

– Ma parole, mais tu ne penses qu'à ça ! Non ça n'existe pas.

Il faut croire qu'on est en retard. On court tellement dans les rues de Cannes qu'on se met en nage. D'un seul coup, on brise l'allure à l'angle d'un pâté de maisons et on tourne le coin comme des promeneurs oisifs.

Il paraît qu'on doit donner l'impression de ne pas être pressés. On s'installe à la terrasse d'un café, face au vieux port. On reste là à regarder passer le temps et les gens. Ma mère consulte souvent sa grosse montre ronde suisse dont j'hériterai un jour… Elle balaye le port du regard en allers-retours, avec l'air de ne pas en avoir l'air, tout en faisant des ronds avec la pointe du pied, visiblement énervée, mais silencieuse. Je n'ai plus besoin d'un dessin. On attend quelqu'un et on a dû arriver trop tôt.

Brusquement, il est là. Plutôt grand, brun frisé, les yeux pétillants, le sourire chaleureux, il n'a pas trente ans. Il n'a ni l'étalage des comédiens, ni l'allure des ouvriers. Ce jeune homme a quelque chose de distingué, de réservé et sa présence est magnétique. Ma mère le vouvoie.

– Puisque vous êtes d'accord, nous pouvons le lui dire.

Mais ils ne me disent rien du tout. Ils demeurent là tous deux à m'observer. Et puis :

– Gérard, je te présente ton père… Ton vrai père.

C'est l'homme des lettres du placard secret !

Durant neuf jours, je n'ai d'yeux que pour lui. J'oublie mon passé et je vis le présent avec lui. Il est là, souriant, merveilleux, affectueux. Je suis près de lui et je me réchauffe de neuf années d'attente. Sur ses genoux, je tiens le volant de son petit cabriolet Rosengart et on sillonne la croisette. Je le suis partout. Il veut savoir des tas de choses : comment on vit avec ma mère, le milieu du spectacle, l'école, surtout l'école…

Il parle librement. Ses questions sont sans détour. Avec lui, je n'ai pas envie de tricher, j'ai confiance. Je me confie comme je ne l'ai jamais fait avec personne. Je m'attache rapidement et profondément. Au bout d'une semaine j'ai besoin de lui.

On part le matin de bonne heure et je l'attends dans la voiture pendant qu'il fait ses visites. Il arrête sa petite voiture dans une côte, devant la porte d'un couvent, et c'est le plus naturellement du monde qu'il me dit :

– Ne bouge pas d'ici, il faut que j'aille voir le cul d'une bonne sœur !

Je l'attends des demi-heures, parfois plus, mais je m'en fous, je ne m'ennuie pas. Lorsqu'il revient, je suis heureux de le revoir, sa trousse à la main, toujours pressé mais toujours de bonne humeur et toujours affectueux.

Un matin, il m'emmène chez lui. Sur la porte d'entrée massive au 81 de la rue d'Antibes, une plaque de cuivre indique : Docteur Léo Dénéréaz, médecine générale, accouchements et encore autre chose. Tout à coup, je réalise que je ne connaissais même pas son nom.

Pendant le déjeuner, sa femme Annette, une jeune femme blonde bien comme il faut, agite de temps à autre une clochette pour appeler la bonne. Elle me rappelle un peu le ton bourgeois de Madame Gaucher.

Elle est institutrice, alors elle me fait passer le troisième degré sur l'histoire de France et remarque sur un ton détaché que j'ai des lacunes dans ma culture, ce qui est exact, mais me rend mal à l'aise. Lorsque le dernier coup de clochette invite la bonne à table, bien évidemment pour la débarrasser, on passe au salon où je fais l'objet d'un examen approfondi sur la morphologie de mon crâne, la petite bosse sur le nez, la forme du lobe des oreilles et autres particularités ethniques. De l'avis général, il s'avère que je peux fort bien être un bâtard Dénéréaz, alors on me permet d'aller faire la sieste dans une chambre attenante au salon. Je n'ai jamais fait la sieste de ma vie, pourtant je m'abandonne au sommeil. Je suis réveillé par une douleur d'abord lancinante puis intolérable dans l'oreille gauche qui m'amène au bord des larmes. Je n'ose alerter personne, c'est Annette qui me surprend :

– *Qu'est-ce que tu as ?*

– *J'ai mal dans cette oreille, c'est dingue.*

– *Tu as bien choisi ton endroit pour tomber malade !*

Ça me fait tout drôle de découvrir mon père en blouse blanche avec son air professionnel, au milieu de tous ces instruments médicaux qui m'avaient toujours paru hostiles. Ils le sont moins depuis quelques instants puisqu'ils lui appartiennent. Et quel privilège de passer avant tous les malades du salon d'attente !

– *Fais-moi voir ça.*

Même si j'ai l'impression d'avoir moins mal depuis qu'il m'examine, lorsque je le vois remplir une énorme seringue dans je ne sais quelle intention, père ou pas père, la panique m'envahit.

– *Qu'est-ce que c'est que ça ?*

– *Ce n'est que de l'eau tiède. Est-ce que tu serais douillet par hasard ?*

– *Moi douillet ? Pas du t… Oui !*

Ça le fait bien rire. Après trois injections, il me retire un gros bouchon de cire qui me bloquait le tympan.

– *Est-ce que tu te nettoies souvent les oreilles ?*

– *Ma mère me les décrotte tous les jours à fond avec une épingle à cheveux.*

– *Parfois être trop propre, ça nuit ! Tu lui diras qu'elle ne te les nettoie plus et surtout pas avec une épingle à cheveux !*

Un père comme celui-là qui ne veut pas qu'on se lave les oreilles, c'est un cadeau du ciel.

– *Tu as encore mal ?*

– *Non, plus du tout.*

Pour moi, mon père, c'est un magicien

– *Merci papa.* Le mot est sorti spontanément. Il ne m'a pas gêné. Je sens que c'est une habitude que je pourrais prendre vite et dont je ne voudrais plus me débarrasser.

Sur le quai de la petite gare de Cannes, le lundi soir, je comprends que tout est fini. Il est venu nous accompagner et, sur le marchepied du wagon, il enlace ma mère.

– *Depuis que je t'ai revue, je vis un enfer. Toute la nuit j'ai réfléchi pour savoir si je devais quitter ma femme, tout plaquer et partir m'installer à Paris.*

– *Et alors ?*

Il baisse la tête :

– *Je n'ai pas pu me décider à briser mon foyer.*

– *Il n'est pas question de moi Léo. Depuis le temps, j'ai perdu toute illusion. Il s'agit du petit. Maintenant que tu connais ton fils, est-ce que tu peux faire quelque chose pour lui ?*

– *Veux-tu que je t'envoie de l'argent ?*

– *Ce n'est pas cela dont il a besoin. Peux-tu… je ne sais pas moi… le prendre en vacances à Noël ou l'été ?*

– *Écoute, je ne crois pas que tu acceptes, mais Annette a perdu son enfant à la naissance et elle a proposé quelque chose : que tu nous abandonnes le petit complètement. C'est-à-dire qu'on est prêt à s'occuper de lui, à l'élever, mais il faudrait que tu ne le revoies jamais plus…*

Ma mère le regarde un instant et le repousse doucement :

– *Adieu Léo, maintenant laisse-nous.*

Il s'évanouit dans la foule, dans la nuit, aussi soudainement qu'il a surgi du néant, en plein soleil à la terrasse du vieux port. Mais ce n'est pas si simple. Je n'aurais jamais dû le connaître. Il est entré dans ma vie au fer rouge. La blessure ne s'est jamais cicatrisée, ni avec le temps ni avec la raison. Je l'ai toujours aimé, je l'aime encore et je n'ai jamais cessé d'avoir besoin de lui. Ça, il n'a jamais su ou voulu le comprendre pendant de nombreuses années, alors que je cherchais son amitié.

Il m'a tour à tour accueilli et rejeté, en manipulant mes sentiments et ma sensibilité avec la plus insouciante cruauté, jusqu'à me dire un jour qu'il était un peu gris, que pour lui « je n'avais jamais été qu'un coup de queue ». Mais ce ne serait pas lui rendre justice de dire que nous en sommes restés là. Vingt ans plus tard nous avons refait connaissance, il m'a offert de porter son nom et nous avons entretenu depuis une merveilleuse relation qui dure toujours.

CHAPITRE XVI

On voit toujours les « petites Liszt », Rounia et Adèle, les deux jeunes femmes juives avec qui ma mère partageait de temps à autre un sandwich au jambon saucisson dans le grenier où Dolly les cachait pendant la guerre. Lorsqu'on est à Paris, on va souvent leur dire bonjour. Ma mère s'entend bien avec Rounia la plus jeune, qui a un tempérament artiste et bohème comme elle. Rounia, malgré son asthme qui la fait grimacer pour aller jusqu'au bout de son inspiration et lui donne une respiration sifflante permanente, fume deux paquets de gauloises dans sa journée, et… elle connaît « Olga Lancement ».

Ce hasard ouvre une nouvelle porte pour moi dans le métier. Olga porte une gigantesque paire de lunettes pour sa myopie, ce qui lui donne une allure de grande star, mais autour d'elle on l'appelle « Olga grosses lunettes ».

C'est elle qui fait la pluie et le beau temps dans les studios de la radiodiffusion française, rue du Bac. J'ai la chance de lui plaire et c'est l'époque des séries d'émissions de la célèbre Marianne Oswald qui vient de rentrer d'Amérique. Sa voix chaude et sa personnalité torride ravissent les auditeurs. Avec elle, il y a du travail pour les jeunes. Pendant cette période, je fais de la radio presque tous les jours du matin au soir. Lorsque les pièces dans lesquelles je joue passent en différé sur les ondes, ma mère et moi, on approche deux chaises de l'antique TSF Philips à lampes qui tient autant de place qu'un vaisselier normand et, comme deux petits vieux, on se penche, tendus, et on écoute.

Parfois, il faut donner un coup de poing sur le poste pour que revienne le son qui n'est pas toujours stable, mais quelle joie simple et quelle récompense lorsqu'une fois le son retrouvé, il nous remet en contact avec notre imaginaire ! Les premières fois, j'ai du mal à reconnaître ma voix. Je trouve que je parle du nez et ça m'agace. Je me dis toujours « La prochaine fois, il faudra que je fasse attention ». J'ai beau faire attention, ça ne change rien. Ça tourne à l'obsession, au point qu'avant chaque enregistrement, je me mouche jusqu'à me congestionner le nez et c'est encore pire.

Ma mère a laissé tomber la figuration qui est une vraie cavale misère pour reprendre ses fleurs artificielles à domicile. Elle ne gagne pas des mille et des cents, mais ça allonge ce que je rapporte avec mes cachets qui sont assez nombreux.

Dans le quartier, de plus en plus souvent, les gens nous accostent dans la rue et disent qu'ils m'ont entendu à la radio. Ma mère se rengorge un peu tout en ayant l'air modeste, mais ça lui fait rudement plaisir. À cause de ses fleurs, elle ne m'accompagne plus aussi souvent au studio, mais elle pointe mes heures de départ et d'arrivée comme celles d'un ouvrier d'usine. Si les enregistrements finissent parfois plus tard que prévu, le lendemain, elle appelle le réalisateur pour contrôler mes dires. Malgré cela, j'arrive à trouver le moyen de faire des bêtises. Au studio, je rencontre d'autres jeunes que je ne reverrai jamais ou au contraire qui se taillent un joli nom, comme Georges Poujouly, et on fait des conneries… Avec l'argent que ma mère m'a donné pour le casse-croûte du midi, j'achète un lance-pierres et on s'exerce sur les carreaux des hautes fenêtres des maisons bourgeoises, ce avec quoi Poujouly n'est pas d'accord parce qu'il dit que ce sont les chambres des bonnes et que leurs patrons les emmerdent assez comme ça et que ce n'est pas la peine d'en rajouter. Et puis un matin, ça va trop loin. Dans le petit jardin broussailleux du studio de la rue du Bac, il y a des statues de plâtre. L'une d'elles n'a plus de bras et a été particulièrement écorchée par les intempéries… sauf peut-être le visage. Gamins ignorants à l'esprit vandale, nous décidons de guillotiner cette « vieillerie » au nom de la république, et comme nous ne possédons pas le couperet biseauté du docteur Guillotin, elle sera décapitée avec un pavé. Sitôt dit, sitôt fait. Je suis plus que dans le coup puisque c'est moi qui lance le pavé fatal. Quelques minutes plus tard, le réalisateur me fait asseoir dans la cabine de son. Il tient dans sa main un gros morceau de la tête brisée. Il commence par me dire sèchement :

– *C'est tout le respect que tu as pour les œuvres d'art ?*

Je n'en mène pas large et je ne sais quoi répondre. Il me tend le lourd morceau de plâtre que je dépose sur mes genoux et il me dit :

– *Sais-tu de quelle statue il s'agit ?*

– *Non m'sieur.*

– *Il est temps alors que quelqu'un fasse ton éducation. Tu connais le musée du Louvre ?*

– *Non m'sieur.*

– *J'en étais sûr. Tu as de l'argent sur toi ?*

Je sors les deux cents francs habituels que ma mère me donne pour le déjeuner et les cent francs que j'ai grattés sur la journée d'hier.

– *Parfait. Au musée du Louvre, il y a une statue identique à celle que tu viens de démolir. Elle s'appelle « la Vénus de Milo ». Je pourrai me passer de toi cet après-midi parce que je réalise des plans d'ambiance et les autres suffiront. Tu vas te rendre au musée, demander le directeur. Tu lui montreras le morceau que tu tiens en lui expliquant ce que tu as fait et tu lui demanderas de te vendre La Vénus de Milo. Ensuite tu la ramèneras ici pour remplacer celle que tu as brisée. Je veux te voir de retour dans deux heures ici, pas une minute de plus, et avec la statue, autrement je vais appeler ta mère et tout lui raconter.*

Je me dis que si je peux éviter que ma mère soit prévenue, je m'estimerai heureux de m'en tirer à si bon compte, et je suis tout disposé à aller à ce musée du Louvre acheter la Vénus de Milo avec l'argent de mon casse-croûte.

— *Et si j'ai pas assez pour payer ?*

— *Débrouille-toi, tu es fautif, c'est ta responsabilité de remplacer la statue.*

— *Et si c'est trop lourd pour la ramener ?*

— *Je ne veux pas le savoir, tu te feras aider.*

— *Le musée du Louvre, c'est où ?*

— *Trouve-le !*

Dénicher le musée, ça n'a pas été si difficile. Mais ce que je commence à trouver vraiment pénible, c'est de porter mon plâtre dans le métro. D'abord tout le monde me regarde, puis ça devient si lourd que je dois m'arrêter souvent dans les couloirs pour poser ma tête tellement elle me pèse sur les bras.

Lorsque je pénètre dans le Louvre et que je m'adresse à un gardien en uniforme pour demander le directeur, je regarde autour de moi. Je commence à me sentir assez mal à l'aise quant à l'issue de ma mission. Je me dis que mes trois cents balles vont sûrement y passer et peut-être plus… Ça ne fait rien, je leur demanderai de me faire crédit, j'ai l'habitude

— *Pourquoi veux-tu voir le directeur ?*

— *C'est pour une statue.*

Le gardien me considère des pieds à la tête.

— *Tu as rendez-vous ?*

— *Non, mais c'est très important, c'est en rapport avec la Vénus de Milo.*

— *L'homme en uniforme se met à fixer ce que je serre dans mes bras.*

— *Qu'est-ce que c'est que ça ?*

— *Un morceau de la tête.*

Il ouvre des yeux tout ronds, le gardien, et il en appelle un autre, un jeune moustachu.

— *Viens voir, il paraît que c'est un morceau de la tête de la Vénus.*

L'autre examine mon plâtre et moi avec, puis ils se mettent à rigoler.

— *On va tout de même voir* dit le plus vieux.

On y va tous les trois. En passant à travers les salles, j'écarquille les yeux et je suis de plus en plus impressionné et je commence à trouver quelque chose d'invraisemblable à ma mission. Arrivés devant la Vénus, j'ai comme un soulagement et j'admets en connaisseur ;

— *Oui c'est bien celle-là, c'est bien la même que dans le jardin. Maintenant, il faut que je voie le directeur.*

— *Qu'est-ce que tu lui veux au directeur ?*

— *Je sors mes trois cents balles et c'est d'un ton mal assuré que je demande :*

— *Je voudrais acheter la statue…*

Il y a une sorte de temps mort et j'ajoute :

— *Si ça ne suffit pas, vous croyez qu'il me fera crédit ?*

301

Les deux gardiens me regardent encore quelques secondes en silence et celui dont le visage est glabre se fâche :

– *Ou tu es complètement idiot ou tu es en train de te foutre de nous ! Non, mais où tu te crois ici ? Au marché aux puces ? Il n'y a rien à vendre ici, tu nous fais perdre notre temps. Allez, on a assez ri, fiche le camp ! Allez, dehors !*

De retour au studio avec ma tête qui pèse à présent cent kilos, je ne suis pas fier et je suis en retard. Je n'ose regarder aucun des comédiens ni des techniciens qui sont tordus de rire. Le réalisateur garde son sérieux et me dit :

– *Alors cette statue ?*

– *Elle n'est pas à vendre.*

– *Et la mienne n'était pas à saccager. Est-ce que tu as compris maintenant ?*

Pour ça oui, j'avais compris et la leçon s'est prolongée, je devrais dire propagée, quelques mois.

Je fais maintenant de la radio dans plusieurs studios disséminés dans Paris et à cause de cette histoire, lorsque j'arrive dans l'un d'eux pour une émission, certains comédiens m'accueillent avec un :

– *Salut Vénus !*

Ou si je croise un autre moqueur dans la rue :

– *Où tu vas ? Au Louvre ?*

Il y a aussi des moments privilégiés où je rencontre des acteurs célèbres qui sont des monstres de gentillesse et de sympathie comme Jean Marais, certainement le plus bel homme de France à l'époque, avec qui je suis en train d'enregistrer l'Arlésienne en pièce radiophonique depuis trois jours.

Je connais l'intrigue par cœur à force d'assister aux répétitions.

Pendant la pause de midi, le dernier jour, nous sommes assis sur un banc public au bord d'un boulevard assez tranquille pour l'heure, en compagnie de son chien Moulouk avec qui nous partageons nos sandwiches. Jean Marais a la grande humilité de confier à mes neuf ans débutants, comme si j'étais son égal, qu'il a de la difficulté dans une réplique où il doit simplement s'écrier avec désespoir « Grand-père ! » Il dit et redit « Grand-père ! » sur le banc, et sur tous les tons, en appuyant et en allongeant chaque mot, surtout celui de *« père »*, sur lequel il met l'emphase et remonte la voix en cherchant l'intonation juste sans jamais être satisfait de la trouver.

C'est alors qu'ignorant, effronté et prenant au sérieux ma promotion de camarade comédien, je lui dis :

Si c'était moi, je prononcerais ça très court et très sec en mettant l'accent sur le « Grand » et en descendant la voix sur le *père*. C'est tout aussi intense et dramatique, c'est Pierre Fresnay qui me l'a dit dans « Auprès de ma blonde » quand je devais dire les mêmes mots et éclater en sanglots.

Et Jean Marais avec la plus grande simplicité du monde se remet à travailler son « Grand-père » à contre sens. Soudain ravi de trouver cette nouvelle intonation à son goût, il me dit :

– Rentrons vite au studio, il ne faut pas que je la perde ! Grand ! Père ! Grand-père ! Grand-père !

Et nous courûmes : Jean Marais comme une statue en mouvement, son chien Moulouk comme un loup et moi comme un navet, dans la salle de théâtre où s'enregistrait la pièce. À ma grande fierté Jean Marais a enregistré sa réplique à sa satisfaction. J'avais l'impression d'y être pour quelque chose. Je n'ai jamais eu l'occasion de le recroiser par la suite, mais j'ai gardé un merveilleux souvenir de ces trois jours passés en sa compagnie.

Lorsque j'ai raconté cet incident à ma mère, elle m'a traité de cabotin et m'a conseillé de ne jamais recommencer cela. Elle avait raison.

Chapitre XVII

Dans le quartier, depuis que *Torrents* est sorti, c'est l'événement. Les voisins s'effacent en souriant dans les escaliers pour nous laisser passer, les commerçants insistent presque pour nous approvisionner à crédit, à présent qu'on n'en a plus besoin. Nous avons des places gratuites dans les cinémas du quartier, et dans la rue, des gens qu'on ne connaissait pas nous saluent, d'autres nous empruntent trois minutes de conversation sur le trottoir avec un air aimable, humble et presque serviteur.

Ça commence toujours par les mêmes banalités :

– *Ce qu'il a grandi le petit ! Il faudrait lui mettre une ficelle… un poids sur la tête… Il doit avoir froid là-haut…*

Et ça oblique tout de suite vers le mystère qui excite leur curiosité

– *On l'a encore entendu à la radio hier soir. Il est lancé maintenant ! Quand est-ce qu'il va faire un autre film ?*

Ma mère répond avec complaisance. Il est vrai que depuis qu'elle a commencé à collectionner des articles de presse et de magazines qui parlent de moi, elle apprend à soigner le public. Elle renseigne avec une certaine condescendance et parfois se prend au jeu, anticipe sans savoir, ce qui est presque mentir, mais disons que dans son cas, c'est intuitif :

– *Il commence à tourner la semaine prochaine.*

Un nouveau coup de chance va transformer son intuition en réalité. Ce jour-là, j'accompagne ma mère pour livrer ses fleurs. Ensuite, nous rendons inopinément visite à Madame Jamin, la grand-mère de Lucie Valnor :

– *Ah, vous tombez bien Madame Gervais, j'ai une bonne nouvelle à vous annoncer.*

Avec ma mère, les bonnes nouvelles ne sont pas toujours signe de réjouissance, surtout si elles concernent les autres. Madame Jamin nous annonce que Lucie va tourner dans le prochain film de Roger Leenhardt « Les dernières vacances. »

Lorsque ma mère me propulse devant le bureau du producteur, je suis assez surpris d'apprendre qu'il a déjà entendu parler de moi. Une heure plus tard nous ressortons avec le contrat dans la poche. Encore une fois, Lucie sera ma partenaire. Le cachet n'est pas celui qui nous fera changer de quartier, mais il est assez rondelet pour être digne de respect.

Ce film a failli ne jamais voir la fin de son tournage à cause de moi, mais était-ce vraiment à cause de moi ?

Pour commencer, c'est encore un voyage en perspective puisque les extérieurs se feront dans la patrie d'Alphonse Daudet, c'est-à-dire dans la région de Nîmes. En attendant, les intérieurs ont lieu aux studios de cinéma de Saint-Maurice, à Joinville pas si loin de chez nous.

À côté de Pierre Dux, Odile Versois, Berthe Bovy, Renée Devillers, Michel François, Christiane Barry avec qui on a fait la tournée et plusieurs enfants, il y a une lourde contribution d'autres comédiens dans ce film. Notamment une personne que je dénommerai « MR » pour Monsieur Respectable, étant donné son âge et les événements qui vont suivre. Il adore les enfants et, peut-être plus particulièrement, les petits garçons.

Nous sommes si nombreux qu'il n'y a pas suffisamment de loges d'artiste pour tout le monde et je dois partager la mienne avec d'autres jeunes. Au bout de quelques jours, ma mère ne trouve donc rien d'anormal à ce que MR qui admire mes cheveux bouclés et s'intéresse également à ma santé lui offre sur un ton de bienveillante bonhomie :

– *Envoyez-le se reposer dans ma loge quand il ne tourne pas. C'est éprouvant pour un enfant de passer la journée sous les projecteurs, enfermé dans la poussière...*

Ma mère est touchée des égards du Maître pour moi :

– *Vous êtes vraiment trop aimable, je ne voudrais pas abuser.*

Ce ne fut pas ma mère qui abusa.

Le Maître est persuasif :

– *Ça ne me dérange pas du tout ! Un petit peu de sommeil par-ci par-là ne peut lui faire que du bien. Il faut qu'il en profite, je sais ce que c'est que les enfants.*

Le surlendemain, je crois, ma mère ne m'accompagne pas au studio, mais elle me recommande de ne pas aller vagabonder sur l'autre plateau comme j'ai l'habitude de le faire pour aller regarder le petit Claude Bertin tourner « Si jeunesse savait ».

Trop jeune d'un an et trop naïf, j'ai raté le rôle en faisant rire tout le monde à l'audition lorsqu'au lieu de lire dans le texte « C'est la baisse » à propos de la Bourse, j'ai prononcé « C'est la baise ! ».

Ma mère me fait promettre également d'aller faire la sieste chez MR.

– *Je te préviens, je le lui demanderai.*

À la pause de midi, moi et quatre autres jeunes, allons rendre visite à Odile Versois dans sa loge spacieuse, comme ça, pour lui dire Bonjour. Elle nous reçoit gentiment et elle discute avec nous, sympa, comme si on était des grands. Aux yeux éblouis de mes neuf ans, Odile Versois qui a dix-sept ans est la plus belle du monde. C'est vrai que j'en rêve tout seul dans ma petite tête. Le soir avant de m'endormir, je pense à elle et je l'aime. Oh bien naïvement. Je ne vois que son visage. J'imagine qu'elle est en danger dans un château perdu en forêt et je viens la secourir. Alors, elle pose sa tête sur mes genoux, je caresse ses cheveux et je m'endors.

Pendant qu'elle bavarde avec les copains, je la regarde et je revis presque mes rêves. Après quelques minutes, elle nous a assez endurés. Elle veut être seule. La bande se retire sauf moi. Je me suis caché derrière un fauteuil. La loge est silencieuse depuis quelques instants, mais elle se décide :

– *Gérard, sors de là, je t'ai vu te cacher.*

Je me découvre et je reste planté là devant elle.

– *Va-t'en maintenant, j'ai besoin de me reposer.*

Je baisse les yeux, mais je ne bouge pas. Elle a une nuance d'agacement dans la voix.

– *Alors, qu'est-ce que tu attends, qu'est-ce que tu veux ?*

– *Que tu m'embrasses.*

Elle réplique sur ce ton assez aigu et nuancé qui est caractéristique de la voix des filles Poliakoff, autrement dit Marina Vladi, Hélène Vallier, Odile Versois et Olga Baïdar-Poliakoff, qu'on appelait dans le milieu les trois « V » et l'autre…

– *Et bien toi, tu n'as pas froid aux yeux. Sais-tu que tu es effronté ?*

– *Tu es en colère ?*

– *Non, je ne suis pas en colère et ce n'est pas la peine de faire cette tête-là. Allez, fous le camp !*

– *Puisque tu n'es pas en colère, tu ne veux pas m'embrasser ?*

– *Cette fois, elle se fâche pour de bon.*

– *Veux-tu t'en aller à la fin !*

Je referme la porte, un peu vexé, un peu meurtri et songeur. Elle se montrait plus douce dans mes rêveries. Mon beau roman d'amour est compromis. Je me demande comment il va se terminer…

Je vais à la loge de MR, il faut que je fasse cette foutue sieste. MR me fait entrer, légèrement voûté et tout miel. Il a la voix un peu trébuchante des personnes âgées.

– *Ah, te voilà.*

Il s'affaire près d'un petit bureau et me tend un « Bibi Fricotin. »

– *Tu veux lire un illustré ?*

Je m'attendais à dormir, pas à bouquiner, mais ce n'est pas pour me déplaire.

– *Allonge-toi sur le lit, tu seras mieux. Mets-toi à l'aise.*

J'enlève simplement mes chaussures et je me tourne vers le mur en m'appuyant sur un coude pour feuilleter. MR s'installe dans son fauteuil, mais il a la bougeotte. Il va et vient, ne tient pas en place. Finalement, il s'arrête près de la porte et je l'entends donner un coup de clef dans la serrure. Il me chevrote :

– *Je crois que je vais faire aussi un peu de sieste. Ça ne t'ennuie pas de me faire un peu de place ?*

J'avoue que ça me surprend et l'idée m'incommode un peu, mais je ne saurais pas quoi dire pour refuser. Quoi qu'il en soit, il n'attend pas ma réponse pour s'allonger à côté de moi ou plutôt pour se coller contre moi. Il se penche par-dessus mon épaule.

– *Moi aussi j'aime les illustrés. Ça ne t'embête pas que je lise avec toi.*

Ce n'est pas exactement une question. Sa tête est si près de la mienne que je perçois sa respiration essoufflée contre mon oreille. Je me sens mal à l'aise, mais je n'ai pas réellement de raison valable pour me lever d'un bond, tourner la clef dans la serrure et fuir. Lorsqu'il pose sa main sur ma cuisse à la lisière de ma culotte courte, j'éprouve de la réticence et je me raidis. Il enlève sa main et me murmure presque :

– *Tu sais, j'aime beaucoup les petits garçons. Je ne te fais pas peur j'espère ?*

C'est moi que j'essaye de rassurer en le rassurant.

– *Non... Non...*

Il repose sa main et glisse le bout de ses doigts sous ma jambe de culotte, imperceptiblement. Est-ce vraiment intentionnel ? Jusqu'où ira-t-il, j'hésite je ne sais plus.

– *Ça ne t'ennuie pas que je sois vieux ? Dis, tu ne me détestes pas parce que je suis vieux ? Hein ?*

– *Non...*

J'essaye de fixer mon livre, mais la suite des images commence à perdre son sens. Mon esprit se fige totalement lorsque sa main rampe vers mes parties génitales. Je voudrais me rebiffer, le repousser brutalement, m'enfuir, mais j'ai peur. Peur de cette porte fermée à clef, peur de ce grand corps rivé au mien, peur de ma mère, peur des conséquences. Je me sens déjà coupable de l'avoir laissé aller trop loin sans vraiment le réaliser. Je ne peux plus revenir en arrière et je le laisse faire.

Il me déboutonne, se penche sur ma verge et me suce brutalement pendant qu'il se masturbe. Il me revient des images de Jean-Paul chez sa grand-mère et j'essaye de me rassurer, voire me consoler en me disant que peut-être je ne trouverai pas ça désagréable malgré l'aversion que j'éprouve pour cet inconnu âgé et brutal.

Mais rien de cela ne se produit. J'observe froidement cette tête aux cheveux décolorés qui tangue et qui roule sur mon pubis et je me dégoûte. Il me fait mal et je ne dis rien. Il abandonne mes parties pour approcher son visage du mien et il m'embrasse sur la bouche en forçant sa langue entre mes dents.

Puis il se redresse haletant, me serre la poitrine entre ses genoux, approche son sexe de ma figure et tout en crispant sa main sur ma nuque, il éjacule avec des soubresauts sur ma bouche. Je ferme les yeux. Lorsque je les ouvre à nouveau. Il me fixe intensément en silence. Il reste agenouillé par-dessus moi. Avec l'air qu'il a, la peur me paralyse.

– *Vous me faites mal, j'étouffe.*

Il ne bouge pas. Du revers de la main j'essuie mon visage gluant et j'essaye de le repousser en lui disant sur un ton que je m'efforce de rendre naturel.

– *J'ai envie de faire pipi, vous voudriez pas être gentil de vous ôter ?*

Ça rétablit un contact.

– *Tu ne répéteras jamais ça à personne, n'est-ce pas ?*

– *Bien sûr que non !*

– *À personne au monde, tu me le jures ?*

– *Je vous le jure, je n'ai pas envie de le répéter !*

– *Ça t'a fait plaisir ?*

Mon instinct me dicte qu'il faut être affirmatif sans trop en mettre et qu'il faut continuer à discuter comme si de rien n'était.

– *Vous m'avez un peu mordu, la prochaine fois il faudra faire plus doucement.*

Il redevient un brave pépé tout en sucre.

– *Alors tu reviendras me voir ?*

– *Oui, est-ce que je peux aller faire pipi maintenant ?*

– *Avant donne-moi un petit baiser.*

Cette fois j'y mets de la bonne volonté tellement je veux le rassurer, mais je voudrais pouvoir lui arracher cette langue épaisse qu'il m'enfonce jusque dans la gorge.

– *Et maintenant, je peux y aller ?*

– *Fais dans le lavabo, il n'y a pas de W-C ici.*

Il dégage enfin son poids de sur ma poitrine. Je n'ai pas du tout envie de faire pipi, mais j'essaye de faire semblant. Le lavabo est près de la porte et je suis à côté de la serrure. Il me rejoint et entreprend lui de se laver le pénis et d'uriner. Je ne me sens pas encore libéré du piège et je me demande si je continue à user de patience ou si je tente de me ruer dans le couloir. À ce moment précis, on frappe à la porte.

MR me fait signe de ne pas bouger, un doigt sur les lèvres. On frappe de nouveau et une voix jeune que je reconnais crie dans le couloir :

– *Gérard, ta mère te demande au téléphone !*

Il ne termine pas sa phrase que je réponds aussitôt :

– *Attends-moi, je sors tout de suite*

Et je donne un coup de clé dans la serrure. Pendant que je tire la porte pour sortir, le garçon la pousse pour entrer et il tombe sur le spectacle de MR en train de finir d'uriner et moi de me reculotter.

Ce garçon, c'est Raymond Farge. Il peut avoir dans les douze ou treize ans, le type même du garçon sérieux et réfléchi. Je respire. Il reste sur le pas de la porte et il a une expression fermée et tellement désapprobatrice en nous observant que tout à coup, je me sens terriblement coupable et complice. J'allais oublier mes chaussures. Il me commande sèchement :

– *Allez, dépêche-toi, ta mère t'attend au téléphone !*

Un peu plus loin dans le couloir, sa question a un ton de reproche non déguisé :

– *Qu'est-ce que tu faisais avec le vieux dans sa loge ?*

– *Rien, je faisais la sieste.*

J'ai trouvé tous les prétextes pour ne jamais me retrouver dans la loge de MR et d'ailleurs ma prestation pour les séquences d'intérieur de ce film s'achevait.

Peu de temps après, sur la route qui nous conduit au tournage des extérieurs, tout éclate de manière imprévue.

On voyage en autocar depuis Paris. À l'heure du déjeuner, on fait halte dans un petit patelin, du côté de Montélimar et on descend tous pour manger un morceau dans un bistrot. Il fait un temps superbe. En sortant du troquet, MR nous rattrape ma mère et moi, sur le trottoir et, sans se démonter, il demande à ma mère s'il peut m'emprunter quelques minutes pour aller m'acheter du nougat :

– *Nous vous retrouverons à l'autocar !*

On traverse un petit pont qui enjambe une rivière, Le Roussillon, et on fait quelques centaines de mètres pour trouver une boutique où acheter du nougat. En revenant, il me tient par la main. Au lieu de remonter directement sur le pont, nous descendons un talus broussailleux et il m'entraîne vers la berge de la rivière sous les arcades du pont.

– *On va aller regarder les poissons deux minutes.*

Je ne veux pas faire d'histoires et je suis peut-être vraiment puéril, mais je le crois. Que pourrait-il se passer en plein air à proximité du car garé de l'autre côté du pont où tout le monde nous attend ?

– *C'est là qu'on les trouve souvent*, affirme-t il, *sous les arches des ponts. On doit pouvoir les voir.*

Il tient toujours ma main qu'il serre de plus en plus fort et dès qu'on se trouve entre les piliers, je comprends que le poisson c'est moi. Il se déboutonne et m'annonce qu'on va s'amuser un peu. Cette fois, je suis bien décidé à ne pas me laisser faire. Il commence à se masturber. Tant qu'il retient mon poignet dans son étau, je ne bouge pas et il continue. Il s'excite de plus en plus et m'attire contre lui. Il veut d'abord que je le touche, puis il me demande de le sucer. Il m'agenouille en forçant sur mon poignet avec une vigueur que je ne lui soupçonnais pas pour son âge. La fraction de seconde qu'il me lâche et veut saisir ma tête par les cheveux, je m'esquive et je cavale de toutes mes forces pour remonter le talus. En haut de la butte, je me trouve nez à nez avec ma mère. Elle me scrute alarmée.

– *Qu'est-ce qui se passe, tu en as une tête ? Tu as l'air tout retourné.*

MR apparaît, en contrebas non loin derrière moi, il crie :

– *Attendez-moi ! Attendez-moi !*

Je jette à ma mère :

– *Ne dis rien tout de suite, je vais t'expliquer après quand on sera tout seuls.*

MR nous a rejoints, hors d'haleine :

– *On a été voir les poissons !*

On regagne le véhicule en silence et on reprend nos places. MR est assis une rangée de sièges en arrière de nous et il essaye quelques plaisanteries désinvoltes pendant que ma mère m'observe sans arrêt. Je ne dois pas être dans mon assiette, car elle s'inquiète :

– *Tu ne te sens pas bien ?*

MR chantonne en se levant et en se penchant par-dessus le dossier de mon siège :

– *C'est le nougat ! C'est sûrement le nougat !*

Le car vient de redémarrer et pendant que le bruit du moteur couvre nos voix, je raconte ce qui vient de se passer à ma mère parce que je n'ai pas d'issue. Tout est trop évident. Cependant j'omets l'épisode du studio et si je le pouvais, je me tairais complètement tellement je me sens coupable et honteux, tellement j'ai peur de ma mère, de ses réactions imprévisibles, de ses jugements, de ses colères, de ses crises. Le soir même à Nîmes, MR est arrêté et mis en examen. C'est le scandale. Avant d'aller à la police, ma mère, hésitante, a demandé conseil à Madame Jamin qui l'a poussée avec autorité dans les locaux de la gendarmerie, sinon elle n'aurait peut-être pas porté plainte. Les policiers m'ont interrogé longuement avant d'appréhender MR. Il a nié tout en bloc. Ils l'ont quand même gardé.

Le tournage est en panne. Rien ne va plus tant que cette histoire n'aura pas un dénouement juridique maintenant que la police s'en mêle.

En sortant du commissariat, ma popularité a franchement dégringolé parmi les comédiens. Ils sont en colère et se soutiennent en bloc. Ma mère et moi sommes ciblés.

– *Il est malade ce gosse, il a tout simplement inventé ça pour se faire remarquer.*

– *C'est lui qu'on devrait enfermer ! Comme si MR était capable d'une chose pareille !*

– *Et à son âge !*

– *Même si c'était vrai, c'est sûrement le gosse qui l'a cherché et après il joue les oies blanches effarouchées !*

Ma mère trinque aussi :

– *C'est votre faute, vous n'aviez qu'à le surveiller votre moutard ! Quoi qu'il en soit, dans notre métier, on n'appelle pas les flics, on se la boucle et on règle ça entre nous ! Si vous ne comprenez pas ça, placez-vous comme bonne à tout faire et foutez votre gosse dans une crèche !*

J'en conclus sérieusement que j'ai eu bien tort de dénoncer MR et qu'à cause de ça, le pauvre vieux est une malheureuse victime d'un petit salaud comme moi qui l'a dénoncé.

Nous sommes bloqués à Nîmes depuis vingt-quatre heures. On attend le producteur. Il arrive dans la soirée et nous convoque immédiatement à son hôtel. Dans une sorte de grand bureau, je raconte encore une fois mon histoire et je réponds aux questions. Devant tous ces vissages fermés, je suis tellement mal à l'aise que j'ai l'impression d'inventer tout ce que je dis. Enfin, ils me laissent tranquille et le producteur, en homme d'affaires, résume vite la situation. Il s'adresse à ma mère :

– *Combien ?*

Ma mère met du temps à répondre :

– *Je ne saisis pas… ou plutôt, j'espère ne pas comprendre.*

– *Combien voulez-vous ? 100 000, un million, deux millions ?*

Elle suffoque :

– *Il ne s'agit pas d'argent, mon fils…*

Le producteur la coupe sèchement :

– *Pour moi, au contraire, il s'agit d'argent. Et pour votre fils, il s'agit de sa carrière. Réfléchissez Madame, MR est en prison, on ne peut pas continuer le film. Les intérieurs sont terminés. Il a un rôle trop important pour recommencer le tournage en studio. Pensez à tous les frais de déplacement qui ont été engagés. Vous me ruinez et ruinez du même coup la réputation de votre fils dans le métier. Je comprends qu'il ait été outragé et je suis prêt à vous offrir une compensation. Par contre si vous maintenez votre plainte, non seulement vous faites perdre des millions à la production, mais vous privez les acteurs, les techniciens, les machinistes de leur salaire. Eux aussi ont des familles et ne sont pas responsables de ce qui s'est produit. Malheureusement, nous sommes tous solidaires. Si vous vous vengez d'une seule personne, c'est tout le monde qui sera puni. Est-ce que vous comprenez ?*

– *J'ai de la difficulté à imaginer que ce… Monsieur ne sera pas jugé pour sa conduite.*

– *Vous pourrez toujours utiliser l'argent que je vous offre pour faire un procès quand le film sera terminé.*

Ma mère demande naïvement conseil au producteur :

– *Croyez-vous que si je retire ma plainte maintenant, je pourrai en redéposer une autre plus tard à Paris. Ça paraîtra bizarre non ?*

– *Mais non Madame, vous invoquerez les circonstances du tournage. Ce sont de bonnes raisons. Alors ?*

– *Je ne sais pas, il faut que je réfléchisse. Je suis une femme seule et je n'ai personne pour me conseiller.*

– *Mais c'est ce que nous faisons, Madame, nous vous conseillons, justement !*

Ma mère a un sursaut de révolte.

– *Je n'en suis pas certaine. C'est quand même inadmissible. Tout le monde semble nous en vouloir, être contre nous, alors que c'est mon fils qui a été souillé par cet homme !*

– Mais personne ne vous en veut personnellement Madame, il faut comprendre les gens. Si vous faites un procès ici, vous ôtez le pain de la bouche de tout le monde y compris de celle de votre fils. Vous pouvez être certaine que ça se répandra dans le milieu comme une traînée de poudre, et vous savez ce qui arrivera ?

Il prend bien son temps, appuie sur les mots en martelant le bureau du doigt :

– La carrière de votre fils s'arrêtera ici même. Il ne trouvera plus un seul cachet, pas même une figuration, parce qu'il sera sur la liste noire. Jamais, vous m'entendez, jamais il ne fera un pas de plus dans ce métier, je vous en donne ma parole !

Ma mère baisse la tête et l'homme aux millions se fait protecteur :

– Si au contraire, vous retirez votre plainte, tous compatiront avec vous et MR souffrira bien plus de son geste que s'il était jugé par un tribunal. Il sera mis à l'index dans le milieu. Alors que décidez-vous ?

– Je vais réfléchir jusqu'à demain matin.

– Bien sûr, bien sûr Madame, tout ce que je demande c'est que vous réfléchissiez.

Dans notre petite chambre d'hôtel, après avoir congédié Madame Jamin qui nous a tenu en effervescence jusqu'à une heure tardive de la nuit en conseillant à ma mère de prendre l'argent et de faire un procès à Paris parce tout le monde avait besoin de travailler et que la carrière de Lucie serait compromise si le tournage était interrompu, ma mère fait les cent pas. Elle parle toute seule et tout haut. Moi, je me suis couché, mais je ne dors pas. Je ne peux pas me le permettre parce qu'elle ne serait pas contente de parler tout haut sans que je l'écoute.

– Si j'accepte l'argent, ils sont capables de dire qu'on a manigancé tout ça pour faire du fric. Pourtant deux millions, ça nous arrangerait bien. Imagine ce qu'on pourrait faire avec cet argent ! Quand j'y pense, le vieux salaud, s'en prendre à un gosse, quelle ordure ! Il mériterait qu'on le pende par les couilles ! C'est incroyable quand même, un vieux de cet âge-là !

Elle s'adresse à moi :

– Tu veux des allumettes ?

– Pour quoi faire ?

– Pour te tenir les yeux ouverts. Tu crois que j'ai envie de dormir moi ?

Elle se remet en rogne après MR. Cette fois, ça semble décisif :

– Et comment qu'il va faire de la tôle ! Ils peuvent se les fourrer où je pense leurs millions. De la tôle qu'il va faire, le grand-père ! Et il n'est pas prêt d'en ressortir !

Le lendemain matin, un peu avant midi, ma mère retire sa plainte en alléguant qu'elle en redéposera une à Paris afin de ne pas nuire à la conclusion du tournage du film. Mais la police ne voit pas les choses de la même façon. Pour qu'elle accepte de relâcher MR, il faut que je me rétracte et admette auprès des inspecteurs qui m'ont questionné la veille que j'ai menti, ce qui n'accordera pas grande crédibilité à une future plainte comme l'explique le gendarme.

313

À un âge ou les adultes soupçonnent toujours un enfant d'affirmer de fausses vérités pour protéger un mensonge, je ne connais rien de plus dur que de passer pour un menteur afin de protéger la vérité.

Je dois à présent mentir ou faire semblant d'avoir menti à tous ces regards surpris qui fixent le sol et me jugent comme un fabulateur.

En me rétractant aujourd'hui, j'ai honte d'avoir dit la vérité hier.

MR est libéré. Nous nous trouvons cette fois ma mère et moi, le producteur, MR, Roger Leenhardt ainsi qu'un avocat, dans la même salle de conférences de l'hôtel, où nous étions la veille. Ma mère refuse avec grande dignité, en invoquant son honneur, l'argent offert par le producteur qui n'insiste pas. Puis, en présence de ces gens, nous recevons les excuses de MR. À genoux, voûté, avec beaucoup d'humilité et des sanglots dans la voix, il avoue avoir perdu la tête, il demande à être pardonné pour son geste, à cause de son âge et de son égarement, puis il se met à pleurer.

Le producteur fait « Bon ! », le metteur en scène fait « Bon ! », et ma mère fait « Bon ! ».

Puisque tout est dit, ma mère signe une décharge de responsabilité en faveur de la production ainsi qu'une promesse de ne pas porter une nouvelle plainte durant le cours du tournage. Incorruptible, elle me prend la main pour sortir, mais au moment de franchir la porte, elle se ravise, va droit vers MR qui est remis sur ses jambes et se plante devant lui :

– *Regardez-moi dans les yeux !*

Lorsqu'il lève la tête, elle lui décoche une solide baffe qui vient de loin. Sans s'énerver, elle déclare :

– *En voilà une qui vaut bien deux millions !*

Le film est sauf, l'honneur des adultes l'est aussi. Quant à moi, et bien… personne ne s'occupe de ce que je pense ou ressens. Je n'existe pas, c'est une affaire de grandes personnes. La porte refermée, ma mère paraît satisfaite :

– *Je crois qu'ils ont compris qu'on était des gens propres.*

Brave orgueil de mère mal placé, puisqu'il s'est trouvé des comédiens qui ne se sont pas gênés pour nous traiter moi de « petite pute » et ma mère de « maquerelle ». Il y a même un assistant dont j'enrage d'avoir oublié le nom qui me répétait chaque fois qu'il me croisait :

– *Combien tu veux pour me faire une pipe ?*

Pour parler le langage des psychologues, cette expérience ne m'a pas traumatisé que je sache, non plus qu'elle a orienté ou modifié mon comportement sexuel d'adulte. Peut-être ai-je eu tout simplement de la chance. Elle m'a simplement ouvert les yeux de bonne heure sur le monde des grandes personnes et j'ai eu par la suite d'autres préoccupations existentielles bien plus éprouvantes pour ne pas m'attarder à faire de cet événement, ou d'autres de même nature qui se sont présentés, des fixations négatives.

CHAPITRE XVIII

Les retours de voyage me font tout drôle. Le quartier, les rues, l'appartement, tout semble avoir rétréci. Les gens portent leurs mêmes vêtements usés, leur même visage fatigué ou mécontent, suivent l'itinéraire journalier de leur routine, avec leur démarche, leurs manies et leurs discours toujours les mêmes ! Lorsque je redécouvre tout cela, il me semble que je fais marche arrière dans le passé. J'ai l'impression d'avoir progressé dans le temps et qu'eux n'ont pas suivi. Dans le fond c'est moi qui change tranquillement. Avec chaque déplacement, je me déracine un peu plus du milieu qui m'était familier. Je m'adapte à l'insécurité de cette vie de nomade, à ses moments excitants. Petit à petit j'y prends goût, j'y prends besoin. C'est pour ces raisons que j'éprouve une sorte de cafard de devoir réintégrer le « tous les jours » de cette banlieue monotone et l'école en particulier.

Cependant en tournant la clef dans la serrure, sur le parquet de l'entrée, pour tout courrier attend une enveloppe dont le cachet de la poste indique qu'elle patiente depuis dix jours. Elle m'est adressée en ces termes « Voudriez-vous vous présenter le plus tôt possible au théâtre des Mathurins pour discuter d'un rôle pouvant vous intéresser… »

Nous sommes ébahis de constater que c'est la première fois que je n'ai pas à solliciter un rôle. On vient me chercher. Je ne suis qu'une petite pousse mais tout doucement je sors de terre. Ma mère ne perd pas une seconde. Elle s'exclame anxieusement :

– *Ça fait dix jours que c'est arrivé, pourvu qu'il ne soit pas trop tard !*

On abandonne les valises en plein milieu de l'entrée et, une heure de métro plus tard, nous sommes assis devant Ginette Déro, directrice du théâtre des Mathurins. Elle va droit au but :

– *Une pièce adaptée de l'américain par Jean Sylvain* « La première légion »

Tout de suite j'imagine une comédie burlesque avec des militaires dont je mélange les costumes et les époques dans mon imagination : zouaves à chéchias rouges, tirailleurs et leurs tambours, spahis sabre au clair, légionnaires en képi blanc, de la fanfare et de la grosse rigolade.

Elle continue :

– *C'est une œuvre dramatique, sombre, intense qui évolue dans un monastère.*

Elle aurait pu dire « une série noire » parce qu'il y a onze curés, tous en soutane qui défilent dans la pièce. Qu'est-ce que je viens faire là-dedans ? Elle explique :

317

– L'enfant a un rôle très lourd, très difficile. C'est un petit paralytique qui retrouve au dernier acte l'usage de ses jambes, grâce à sa foi en Dieu. Et cette immense foi, il la communique à un prêtre qui lui l'avait perdue. C'est tout le sujet de la pièce. La persuasion du public dépend de l'interprétation de l'enfant. Raymond Pellegrin jouera le prêtre.

Ginette Déro nous interroge du regard, et comme nous restons silencieux :

– Alors, ça vous intéresse ?

Si elle me demandait mon avis à moi tout seul, je lui répondrais que je n'arriverai jamais à tenir un rôle comme celui-là, parce que d'abord je n'ai pratiquement jamais mis les pieds à la messe, et que la foi en Dieu, je ne sais pas comment c'est fait. Heureusement que je n'ai rien dit, car ma mère n'aurait pas été du même avis. S'il fallait que je me fasse châtrer pour jouer un castrat, elle serait capable de dire que je fais l'affaire. Elle affirme :

– Oui ça nous intéresse, je suis persuadée qu'il peut jouer le rôle.

Ma mère est peut-être convaincue de mes possibilités, mais il faut des preuves et Ginette Déro en réclame avec beaucoup de tact :

– J'espère que vous ne vous formaliserez pas si je demande à Gérard de passer une audition dans une des scènes principales du rôle, disons pour dans trois jours.

Elle nous tend la pièce où elle a coché une longue scène au crayon bleu. Ma mère ne doute de rien :

– Demain ! qu'elle dit avec assurance.

Je lui en veux. Jamais je ne pourrai retenir tout ça pour demain. Décidément, je la connais mal. C'est non seulement la scène, mais le rôle au complet qu'elle veut que j'apprenne. Et c'est autre chose que dans « Auprès de ma blonde».

– Pour interpréter un personnage aussi important, il faut que tu comprennes la pièce à fond, c'est important, c'est essentiel !

Elle ne perd pas une minute. À peine sortis du théâtre, dans la rue des Mathurins, elle commence à me lire la scène à haute voix dans la rue. Elle continue dans le métro, poursuit en traversant le bois de Vincennes et termine en passant devant la loge de la concierge. À la maison, il n'est pas question de se déshabiller. Toute la nuit qu'on y passe ! Et quand je dis toute la nuit, c'est pas une goutte de sommeil ! Je tiens au café noir et à la tartine beurrée. On en est rendu à la scène de l'audition, certainement la plus difficile. On ne se lève pas d'un fauteuil roulant où on est resté paralysé pendant des années comme on va chercher du lait chez Bedu ! Ce n'est pas facile à jouer. Ma mère est infatigable. Quant à moi, même en admettant que j'aime le théâtre, je commence à craquer. Je chiale systématiquement toutes les cinq minutes, je suis à bout de nerfs. Elle me fait répéter devant la fenêtre face à la nuit. Lorsque je commence à voir le petit Jésus parmi les étoiles, elle me dit :

– Bon, ça vient !

C'est là que j'ai encore droit à un coup de café et à une tartine. Et on recommence jusqu'à ce que je ne voie plus rien du tout dans les étoiles parce que le jour se lève.

Lorsque j'ai atteint l'épuisement, que j'ai la tremblote à force de boire du café et que je ne me souviens plus d'un seul mot du texte, elle m'annonce :

– *On ne va pas se coucher maintenant, tu serais complètement dans le cirage au réveil. Il faut que tu tiennes le coup. Tiens, j'ai une idée. C'est l'heure du premier métro, on va aller aux Halles manger une soupe à l'oignon gratinée.*

On refait le bois de Vincennes à grands pas dans l'air vif du petit matin qui me ravigote un peu. Au Château de Vincennes, on s'immerge dans la foule des travailleurs qui fait la queue pour se rendre à l'ouvrage. En quelques secondes on est verrouillés dans la masse laborieuse. On piétine dans le long couloir et on oscille d'un pied sur l'autre et d'une épaule à l'autre pendant vingt minutes, jusqu'au trou dans le ticket. On s'arrache deux places assises réservées aux mutilés de guerre, sans scrupule, vu qu'à notre connaissance, il n'y a pas de mutilés de guerre qui vont travailler à l'usine. Le mouvement du wagon et la chaleur ont tôt fait de m'endormir. Le peu que j'ai récupéré me fait du bien et je ne me sens pas abruti.

En émergeant du souterrain quelques stations plus loin, je suis d'attaque parce que j'ai le moral, parce que ma mère se montre sympa et parce que je découvre tout à coup un univers fascinant qui happe mon attention : le marché des Halles à l'heure de la criée. Il est inimaginable de trouver au milieu d'un Paris endormi, une ruche bourdonnante, comme le carreau des Halles. Les rues entourant les Halles sont encombrées de voitures, de camions, de charrettes, du brouhaha des hommes qui s'y bousculent en s'interpellant ou en s'invectivant au milieu de légumes tombés des cageots et qui jonchent le sol. À l'intérieur des Halles, il s'y débat aux enchères les primeurs et la marée, à pleins poumons, entre grossistes et détaillants depuis trois heures du matin.

Ces arcades métalliques ouvertes à tous vents encadrent plusieurs pavillons de fer, eux-mêmes encerclés de l'autre côté de la rue par de petits restaurants pétillants de lumière qui rivalisent de soupers fins. On voit se mêler dans leurs murs, les belles de nuit qui viennent se réchauffer, les hommes forts des Halles porteurs de quartiers de bœuf, aux tabliers ensanglantés, étanchant leur soif d'un coup de blanc au comptoir sous le regard amusé des noctambules du tout-Paris gratiné, comme la soupe à l'oignon qu'ils dégustent en tenue de soirée, à leurs tables ornées de seaux de champagne argentés et perlant l'eau, sur des nappes immaculées et ciselées.

Ma mère ne manque pas de me passer une remarque sur les filles de joie :

– *Tu vois ces femmes, tu sais ce qu'elles font :*

– *Pas vraiment.*

– *Le plus beau métier du monde, elles détestent les hommes !*

D'un côté, ça ne me renseigne pas vraiment, et comme je ne me compare pas aux hommes, ça me laisse indifférent. Après attente, on nous a trouvé une petite table pour deux « Au Pied de cochon », restaurant en vogue dans le quartier. Le passage qui sépare d'environ un mètre cinquante, le comptoir de cuivre rouge, de la salle à manger, est recouvert de sciure de bois pour éponger le sang qui macule les sabots des forts des Halles. Elle retient aussi les détritus que les visiteurs importent de la rue sous leurs chaussures.

– *Regarde, maman, le type au comptoir, son tablier est plein de sang.*

J'admire ma mère qui sait en peu de mots rétablir l'équilibre des choses :

– *Ne t'en fais pas, la bonne femme à côté de toi en a autant sous sa robe du soir, mais avec son éponge à cul, ça ne se voit pas.*

On épluche le menu :

– *Et pour Monsieur et Madame ?*

Le coup du « Monsieur », ça me fait reprendre d'une seule poussée dix centimètres sur ma banquette.

Le serveur a l'air pressé, ma mère ne l'est pas. Ça prouve qu'on a les moyens de choisir. De fait, je croyais qu'on était venu pour une simple soupe à l'oignon gratinée, mais il y a progrès. J'entends : escargots, homard, vin d'Alsace, crêpes flambées et champagne ! « Une petite demi-bouteille », qu'elle dit ma mère, mais tout de même ! Le serveur n'est plus si pressé, et nous un peu moins impressionnés par les tables d'à côté, car nous aussi, on a notre seau argenté qui ruisselle sur la nappe.

Ma mère me sourit. Elle est de bonne humeur. Du coup mon texte me revient. Je lui jouerais bien la scène du paralytique au milieu des tables si elle me le demandait. En tout cas pour ce qui est de la foi, je vois le petit Jésus dans mon assiette et je me dis qu'il est bien mieux là que dans les étoiles. Le ventre plein, je m'alourdis encore une fois. Je me réveille allongé sur la banquette, la tête sur les genoux de ma mère. Le restaurant est vide et le grand jour a gommé toute l'ambiance. Devant un bol de café noir, je repasse le texte de ma scène d'audition. Ma mère est inquiète :

– *Il faut que tu le décroches, tu m'entends, on en a besoin !*

Délibérément on saute le repas de midi parce que selon les principes de ma mère, on travaille mieux quand l'estomac est creux. Ça ne me dérange pas. Tout ce qu'on a mangé ce matin n'est pas encore passé et j'ai plutôt soif que faim.

Nous sommes arrivés en avance et nous faisons le piquet devant l'entrée des artistes du théâtre des Mathurins lorsque Madame Déro, Marcel Herrand, le metteur en scène, et Raymond Pellegrin arrivent enfin. Après les présentations, ma mère s'empresse d'avertir Madame Déro que je connais tout le rôle par cœur, ce qui ne laisse pas de l'étonner, et nous attendons encore un peu dans la salle un autre groupe de personnes, des techniciens je crois.

Et tout d'un coup, on donne la rampe, la scène s'illumine. Il me prend un trac incontrôlable. Je me sens tout mou dans mon siège. J'ai une peur panique d'être

320

mauvais, de saboter mon audition. Je n'ai plus du tout confiance en moi. Je songe à m'enfuir. J'accroche ma mère par la manche :

– *Maman, je ne me sens pas bien, il faut que je sorte.*

– *Hein ? Mais tu plaisantes ? Qu'est-ce qui te prends ?*

– *Je n'y arriverai pas, j'ai peur, je veux sortir*

Ma mère regarde à droite et à gauche, puis me dévisage éberluée.

– *Mais t'es cinglé ?*

– *Je sens que je vais le rater. Je vais me casser la figure. Laisse-moi aller prendre l'air juste deux minutes.*

Elle se penche sur moi et m'enfonce ses ongles dans la peau :

– *Si tu me fais ce coup-là, en sortant d'ici, je t'emmène tout droit en maison de correction.*

– *Je peux quand même aller faire pipi ?*

– *Je t'accompagne.*

En revenant, Marcel Herrand me demande de monter sur scène. Sa voix métallique me ramène à la réalité, à l'action. Il n'est plus question de déserter. Je n'hésite plus. Perdu pour perdu, je vais faire face, je vais livrer bataille, mais avec le sentiment d'aller à la guillotine.

On improvise un fauteuil roulant, je m'assieds, le silence se fait :

– *Allez-y !*

De trois quarts, à ma droite, Raymond Pellegrin dont on dit qu'il avait la plus belle voix de France joue le prêtre qui a perdu la foi. Il a un sourire franchement sympathique et me regarde avec bienveillance, presque avec tendresse :

– *T'en fais pas, ça va bien se passer, tu vas voir.*

C'est là que je découvre sa voix magique. Si dans la pièce c'est moi qui dois lui redonner la foi, pour l'instant c'est lui qui accomplit le miracle. Sa simple présence et ces quelques mots me submergent de confiance. Puis, il ne sourit plus, il est au jeu. Il me fixe intensément pendant quelques secondes. Je reçois son regard fiévreux, ses mâchoires contractées et j'ai l'impression que tout ce qu'il ressent me passe à travers le corps. Je suis transporté. Nos répliques s'enchaînent et je me mets à vivre avec lui pendant de longues minutes cette scène sans décor. Paralysé, je me lève et je marche parce qu'il me le demande, parce que nous ne faisons qu'un, parce que nous avons la foi ensemble et parce que le monstrueux talent magnétique de Monsieur Pellegrin vient de m'éveiller à ce qu'est ce métier : se dépasser soi-même. J'ai bien joué malgré moi. Lorsque le texte s'éteint, Marcel Herrand se lève et s'écrie :

– *Ce gosse c'est une Sarah Bernard !*

Je ne sais pas encore qui est Sarah Bernard, mais sur le ton qu'il a dit ça, je ne pense pas que ce soit mauvais pour moi. Ce n'est que beaucoup plus tard que j'ai réalisé toute la valeur de cette exclamation de la part d'un homme de la réputation de Marcel Herrand. Mais en toute lucidité, sans Raymond Pellegrin, je n'aurais pas mérité le quart de cet éloge.

Cependant, si j'étais à l'aise dans la mémoire de mes répliques et dans la signification profonde du texte pour l'avoir travaillé toute la nuit, ça, je le devais à ma mère.

Ginette Déro est une femme d'affaires. Il a été difficile de lui arracher les douze cents francs de mon cachet. Elle a ses préoccupations : la distribution est lourde, le budget est mince et toujours le même argument : mon rôle est important pour ma carrière, il faut faire des sacrifices ! C'est quand même l'euphorie puisque le contrat est signé, et que pour moi, il est vrai que c'est un grand pas en avant.

Un de nos curés de « La première légion », Pierre Morin, fait beaucoup de doublage de films étrangers. En termes de métier, c'est de la synchronisation ou « synchro » pour faire court. Grâce à lui, je débute aussi dans cette branche. Pour moi, c'est la quatrième dimension qui s'ajoute au cinéma, au théâtre et à la radio. Mais, ce n'est pas aussi simple qu'on peut se l'imaginer.

Il y a deux sortes de synchro. Celle « à l'image » est la plus difficile. C'est un métier. Si le rôle est important, il faut assister à une projection complète du film en version originale pour se mettre dans l'action et dans la peau du personnage que l'on est censé doubler. Comme la plupart des films sont américains et que je ne parle pas anglais, il faut que je fasse des efforts de concentration pour essayer de comprendre ce qui se passe : quel personnage je suis à l'écran, et ce que dit mon homologue sur la toile.

En studio, c'est toujours la même chose, le temps coûte cher et il faut rater le moins possible de prises. D'abord, on ne dispose que de quelques minutes pour apprendre debout, au centre de la salle d'enregistrement, devant un pupitre auquel est arrimé un micro, un texte parfois long avant le « Take ». Ensuite on éteint le pupitre et c'est l'obscurité totale, sauf pour les images de la séquence à doubler qui sont projetées sans le son, sur écran grandeur nature.

Devant mon pupitre aux répétitions, l'œil rivé à l'écran, j'essaye de placer ma réplique et je me sens bien malhabile devant une bouche qui s'ouvre au moment où je ne m'y attendais pas et qui continue de bavarder dans le vide alors que moi j'ai fini.

Il faut tout observer rapidement et prendre des repères. Un geste de la main, un mouvement de tête, un battement de paupières, une épaule qui remonte, une expression qui change, un mouvement de caméra, n'importe quel indice peut devenir le signal de l'ouverture des lèvres ou de leur fermeture. Mais par-dessus tout il faut sentir la réplique dans sa globalité avec le personnage quand c'est l'instant de la jouer. Lorsqu'il s'agit d'un long échange de répliques, c'est toute une école de l'observation et seule la pratique et le talent confère la maîtrise. J'admire un acteur comme Jean Marchat. Avec lui, la première c'est toujours la bonne. Lorsque tu partages des scènes avec un tel professionnel, tu serres les fesses parce qu'il te fait un sale œil si tu lui fais perdre son temps.

L'autre synchro, c'est le doublage « à la bande ». Le texte, écrit à la main, défile en noir au bas de l'écran sur une large bande lumineuse dont un espace est limité entre deux baguettes noires verticales. Celle de gauche est appelée « Start ». Le texte arrive par la gauche et lorsqu'il atteint le « Start », tu commences ta réplique et tu t'arranges pour la terminer lorsque le dernier mot de la phrase atteint la baguette de droite. À première vue, ça paraît être du gâteau, mais la facilité engendrant la paresse, on est plus occupé à regarder passer le texte qu'à se mettre dans la peau des personnages, et le résultat de ce type de doublage est plus médiocre, à moins d'apprendre son texte par cœur, d'oublier le bas de l'écran et de travailler à l'image, ce que font certains comédiens chevronnés.

Quoi qu'il en soit, j'apprends et je commence à me débrouiller à l'image. Ça me fait plaisir aussi de rencontrer dans la journée des comédiens que je retrouve le soir au théâtre. C'est une vraie vie de famille.

Ma mère m'a fait faire des photos d'artiste chez Harcourt et j'ai des cartes de visite, des bristols où il est inscrit ces simples mots : Gérard Gervais Acteur. J'en ai toujours une petite quantité sur moi dans un étui en cuir. Ça me donne de l'importance.

Je reçois des lettres d'admirateurs pour la première fois. Il y en a suffisamment pour que la concierge ne les passe plus sous la porte. Elle frappe pour me remettre le paquet et ne me tutoie plus :

– *S'affez encore beaucoup de courrier aujourd'hui mon p'tit Monsieur !*

Je n'ai pas le droit de les ouvrir. Ma mère les passe d'abord à la censure. Ce sont toutes des lettres écrites par des hommes. Pour certaines, elle envoie une de mes photos que je dédicace, je ne sais jamais à qui, et elle y joint ma carte de visite. Elle déchire la plupart des autres lettres en menus morceaux et je dois les jeter dans les W.-C.

– *Pourquoi tu les déchires ?*

– *Parce qu'on n'écrit pas des poèmes à un enfant. Ce sont des malades !*

La pièce roule depuis deux mois environ, et progressivement la salle se vide. « La première légion » est un faux titre. Comme ce n'est pas quelque chose du genre « Les troufions en folie », les gens qui s'attendaient à rire sont déçus de devoir pleurer. On encaisse une première réduction de cachet et je ne toucherai plus que six cents francs. Toute la troupe se réunit et l'administratrice nous demande si nous pouvons contacter des gens qui pourraient nous faire de la publicité, notamment des journalistes, des critiques littéraires, des gens de la radio, des gens du métier qui pourraient nous donner un coup de main, faire fonctionner le bouche à oreille.

Il est donc décidé de distribuer des invitations gratuites pour emplir la salle, faire de l'ambiance, rassembler ceux qui se ressemblent et croient en la valeur de la pièce.

Depuis quelques jours, ma mère a une bronchite « carabinée », dont elle seule à le secret. L'appartement est saturé de senteurs de Balsofumine. Au lit depuis plusieurs jours avec une toux qui refuse de mûrir, la tête enturbannée de serviettes éponge, les yeux rouges et les mouchoirs accumulés dans une bassine sur le sol à côté de son pot de chambre, elle ne peut m'accompagner au théâtre. D'ailleurs, avec ses fleurs artificielles qu'elle ne lâche pas, elle ne peut pas toujours courir à mes côtés la journée dans les studios et m'accompagner le soir au théâtre.

Aujourd'hui, il s'est présenté dans ma loge une journaliste qui a passé la soirée à m'interviewer lorsque je n'étais pas sur scène et qui m'a promis qu'on allait entendre parler de moi dans son article d'ici quelques jours. Je la remercie chaleureusement et je m'empresse de me démaquiller, ce qui va très vite, parce que pour jouer ce rôle, je dois avoir l'air aussi maigrichon et cadavérique que possible, étant donné que je m'évanouis à la fin de la dernière scène. J'ai même lu dans une critique qu'il y a des personnes sensibles que ça angoisse et qui quittent la salle de peur de s'évanouir avant moi.

En passant devant la loge vide du vieux Léon Arvel, je vois traîner, sur la tablette de la psyché, un paquet de cigarettes qu'il a dû oublier et l'idée me prend tout à coup d'essayer de fumer. J'extrais une gauloise du paquet, je la mets dans ma poche avec l'intention bien arrêtée d'essayer ça tout à l'heure lorsque je traverserai le bois de Vincennes.

À la sortie du théâtre, non loin sur la rue, la chaussée est occupée par les belles de nuit qui piétinent devant un petit bar à l'éclairage tamisé. Leurs clients potentiels vont et viennent avant de se décider à négocier.

Moi aussi j'ai envie de participer à la survie de la pièce et ça me donne l'idée, comme ça, de leur offrir des places gratuites pour faire du monde.

Je me dis que plusieurs de ces femmes doivent me connaître depuis que j'arpente la rue des Mathurins, soir après soir, pour aller jouer et je pense que si je reconnais leur tête, c'est qu'elles doivent reconnaître la mienne aussi.

Mais ce n'est pas si évident de les aborder. D'abord, j'approche, je ralentis, j'hésite mais je n'ose pas et je passe. Je fais comme leurs clients. Puis je me décide et je rebrousse chemin. Elles sont trois, deux maigres et une grosse. Je m'arrête devant elles. Il y en a une qui s'éloigne, l'autre ne me regarde pas, mais la grosse me dévisage et m'adresse la parole :

– *Et bien mon biquet, t'as perdu ta mère ?*

Je lui explique que je joue au théâtre à côté, que la pièce est en train de tourner de l'œil et que j'offre des places gratuites pour gonfler la salle et faire de l'ambiance.

– Viens avec moi.

On n'a qu'à faire volte-face pour pénétrer dans le bar. À l'intérieur, elle se met à crier :

– Et Ginette ! Viens, vois ce que j'ai ramassé, un artiste !

Quelques minutes plus tard je signe la moitié de mes cartes de visites en inscrivant « Bon pour deux places » et je paraphe comme je me suis entraîné à le faire à la maison pour que ça fasse justement « artiste ! »

Au terminus du « Château de Vincennes », je sors du dernier métro. Il peut bien être une heure du matin. Ma mère doit être dans tous ses états. De ma poche, je tire la gauloise que j'étrangle dans mon poing fermé en espérant suivre quelqu'un qui jettera un mégot, car je n'ai pas d'allumettes. Pour cela, il faut que j'évite le raccourci du bois de Vincennes où il n'y a personne, en tout cas personne de fiable à cette heure-ci, et que je suive l'avenue de la Dame Blanche bordée de villas à la lisière du bois. C'est celle qu'empruntent les rares voyageurs qui sont descendus du métro en même temps que moi.

À quelques mètres en avant, un homme s'est arrêté une seconde en remontant les épaules, a penché la tête de côté sur la lueur de son briquet, puis il a levé la tête en expirant un nuage bleu et il est reparti. Je n'ose pas aller lui demander du feu. À mon âge c'est sûr qu'il va m'envoyer balader. Alors je lui emboîte le pas avec l'idée qu'à un moment donné, il va jeter son mégot. Ça va prendre un certain temps parce qu'il vient juste d'allumer. Je ne lâche pas et je traque mon clope à vingt mètres en arrière. De temps en temps, j'aperçois une tache rougeoyante dans l'obscurité et j'espionne le geste qui balancera le bout incandescent auquel je pourrai m'allumer. Au moment où je me dis que ça ne va plus tarder, je reçois en pleine figure deux phares qui viennent de déboucher d'une rue transversale. La voiture coupe l'avenue, vient droit sur moi et s'immobilise à ma hauteur.

C'est encore un vieux tacot à faire peur datant d'une autre époque, mais les deux hommes en uniforme qui sont à l'intérieur ne datent pas du muet, la preuve, ils parlent et sans tendresse :

– Viens un peu ici, toi !

Je coagule près de la portière. Depuis le jour où l'un des leurs m'a secoué brutalement, j'en ai aussi peur que des créatures fantasmagoriques du bois de Vincennes.

– Ton nom ?

– Gervais.

– T'habites ?

– Rue Pasteur, 98, à Fontenay.

– Qs'tu fais dans les rues à c't'heure-ci ?

– Je rentre chez moi, je joue dans une pièce au théâtre des Mathurins à Paris.

– Comment que ça se fait que tu te balades tout seul ? Tes parents ne t'accompagnent pas ?

– *J'ai que ma mère, elle est malade, elle est au lit.*

On ne peut pas dire, mais un flic ça à l'œil. Celui qui me questionne a remarqué mon poing fermé. Il me saisit le poignet :

– *Ouvre !*

Il découvre la cigarette détrempée et chiffonnée par la moiteur de ma main.

– *Tu fumes à ton âge ?*

Là j'invente ce que je peux :

– *Non, c'est un comédien qui me l'a donnée pour ma mère.*

Ils se regardent :

– *Qu'est-ce qu'on en fait ?*

– *On va aller vérifier, on verra bien. Allez, monte, on va chez toi !*

Je me rends compte qu'ils sont de Vincennes et qu'ils ne connaissent pas très bien le quartier où j'habite. Dans la voiture, je me détends et je reprends un peu d'assurance. Je les dirige et je les renseigne sur mon métier. Puis il me prend l'idée de leur montrer ma carte de visite. Je sens qu'ils sont convaincus. C'est là qu'il me prend l'idée...

– *Vous savez, la pièce débute et ça ne marche pas encore très fort, alors le théâtre offre des places gratuites pour lancer la pièce. Si vous voulez, je peux vous en donner tout de suite.*

– *Qu'est ce que c'est le nom de la pièce ?*

– *La première légion.*

– *La première légion ? Est-ce que c'est marrant ?*

– *Pas tout le temps, mais faut voir, je ne peux pas vous en dire plus.*

Arrivés devant la maison, ils se tâtent pour monter et j'en profite pour leur emprunter un stylo et leur signer tout ce qui me reste de cartes de visite « Bon pour deux places ». Je les encourage :

– *Donnez-en à vos collègues et amenez votre famille ! Vous promettez ?*

Ils sont un peu interloqués, mais souriants et sympas tout d'un coup.

– *Peut-être...*

– *Vous voyez la lumière au troisième ? C'est là. Ma mère m'attend, venez !*

– *Ils s'interrogent :*

– *Alors qu'est-ce qu'on fait ?*

– *On y va quand même. Et puis, la cigarette, faut vérifier.*

Dans l'escalier, l'un des deux me demande :

– *Tu rentres tous les soirs à la même heure ?*

– *D'habitude, je passe au Château vers onze heures et demi, un peu plus tard s'il y a des visites après le spectacle, mais en ce moment il y a personne. Ce soir, j'ai distribué des places gratuites dans des cafés.*

Je prends la clef sous le paillasson. Ma mère est au lit, la tête emmaillotée de ses serviettes, baignant dans sa tisane et ses fumigations. Lorsque les gendarmes découvrent le tableau, ils commencent par s'excuser de déranger :

– *On a bien vu qu'il disait la vérité, mais c'est à cause de la cigarette.*

J'interviens rapidement :

– *C'est Darney qui me l'a donnée pour toi.*

Ma mère ne me contredit pas mais, à son regard, je sens qu'il me faudra trouver une explication plus convaincante lorsque les gendarmes seront partis. Ils ont l'air embêtés.

– *C'est quand même dangereux pour un gosse d'être dans les rues à une heure pareille. Enfin on vous souhaite de vous remettre bientôt. Et c'est peut-être pas une bonne idée de fumer dans l'état où vous êtes. Bonsoir Madame, et puis excusez-nous pour le dérangement.*

Dès qu'ils sont partis, je prends les devants :

– *C'est pas Darney qui me l'a donnée la cigarette, je l'ai prise dans le paquet du vieux Arvel qui l'avait oublié dans sa loge ouverte. J'ai pensé que ça te ferait plaisir.*

– *C'est ça, avec la gorge que j'aie, tu penses que j'ai envie de fumer une gauloise. T'as pas de jugeote. Allez ! Vas te coucher !*

J'ai la tête sur l'oreiller, prêt à basculer :

– *Gérard, je ne veux pas que tu recommences ça ! C'est du vol, tu m'as comprise ?*

– *Oui maman.*

– *Autre chose, que je ne te prenne jamais à fumer, je te jure que je te le ferais regretter !*

– *Oui maman.*

Le lendemain soir en sortant du métro après le théâtre, je ne fais pas cent mètres.

– *Ta mère, ça va mieux ?*

Ce sont les gendarmes et leur tacot :

– *Non, elle est encore au lit.*

Huit jours qu'ils ont fait le taxi. Leur gentillesse me réconcilie avec l'uniforme et la moindre des choses, c'est que je leur offre encore des places gratuites.

Le premier soir du week-end qui suit, la petite salle du théâtre des Mathurins est bondée de prostituées aux bas méchés, dont les jupes n'ont pas allongé pour la circonstance, et qui partagent les meilleurs fauteuils avec des policiers, dont certains sont en uniforme. Le théâtre est tellement plein qu'il ne reste plus un siège même pour les gens qui peuvent payer, ce qui met Ginette Déro dans tous ses états.

– *Des flics et des putes ! Mais où est-ce que tu as la tête ! Et ceux qui pourraient payer leur entrée n'ont même plus de places !*

– *J'ai cru bien faire…*

– *Et bien la prochaine fois, ne fais rien du tout, ce sera mieux !*

À la fin de la représentation, une vingtaine de personnes sont compressées dans ma loge jusque dans le couloir. Les policiers sont venus me présenter leurs compliments, en même temps que les filles que je connais m'offrent une boîte de chocolats longue comme une planche à repasser, paraphée « *La marquise de Sévigné* ». Je suis ému et impressionné, et tout ce que je trouve à dire aux dames pour les remercier, Dieu me pardonne mais ma mémoire est bonne :

– *Et bien dites donc, vous vous êtes fendues…*

– *Tu ne crois pas si bien dire !*

Je ne comprends pas pourquoi ces messieurs dames sont pris d'hilarité, mais j'en profite pour offrir des chocolats à tout le monde ce qui entretient la bonne ambiance et l'un de ces messieurs suggère que c'est dommage de ne pas avoir songé à apporter du champagne. Ils ont tous acheté un programme dans lequel j'ai, bien sûr, ma photo et je signe des dédicaces. Comme je ne sais pas trop quoi dire, je demande prudemment :

– *Ça vous a plu ?*

Ce sont les filles qui répondent :

– *Ben, c'est pas marrant… marrant… Ça, on peut pas dire, tu joues bien, j'ai pas arrêté de perdre mon rimmel. Gigi, elle s'est un peu emmerdée parce qu'elle, les curés, c'est comme les condés, enfin excusez-moi, hein… je veux dire, elle ne peut pas les sentir.*

Et puis dans le cadre de porte apparaît la journaliste qui m'avait interviewé l'autre jour. Je fais les présentations : Mémaine, Gigi, Mado, Jeannine… Et mademoiselle qui est journaliste. Je lui offre un chocolat et elle refuse d'un geste de la main.

– *Non merci, ne vous dérangez pas pour moi.*

À sa façon silencieuse d'observer sans vouloir gêner, elle embarrasse tout le monde, y compris moi.

Les hommes sont déjà partis et les filles prennent congé :

– *Bon, ben, c'est pas tout ça, il faut qu'on y aille. Merci encore et à un de ces jours quand t'auras du poil au menton !*

Et elles défilent à rebours, le corsage tendu vers la sortie. La journaliste offre de me raccompagner en voiture jusqu'au métro « Palais-Royal ». Dans l'auto elle se renseigne :

– *Ces femmes qui sont venues te voir, comment tu les as connues ?*

– *Dans un bar.*

– *Et ta mère sait que tu les connais ?*

– *Non.*

– *Tu ne trouves pas qu'elles ont un drôle de genre ?*

– *Elles sont gentilles. Pourquoi, elles ne vous plaisent pas ?*

– *Et à toi elles te plaisent ?*

– *Oui, à moi, c'et mes copines.*

– *Et les policiers qui étaient là, d'où viennent-ils ?*

– *Je crois qu'ils sont de mon quartier, mais j'les connais pas.*

Pendant ce temps-là, ma mère ne se remet pas vite. Entre deux gargarismes, elle épluche, pour la critique, les quotidiens et les hebdos que je lui rapporte avec les courses du matin. Elle souligne en rouge les passages où l'on parle de moi et découpe soigneusement les articles avec photos qui vont grossir l'album.

Un matin, les cordes vocales encore cassées par l'inflammation, elle essaye de crier :

— Ah voila ! Ah voilà ce qui se passe quand je ne suis pas là pour te surveiller !

Elle me tend un magazine où il y a une photo de moi, entouré des péripatéticiennes de la rue des Mathurins, et deux pages d'interview dans lesquelles je découvre un compte rendu détaillé de mes dernières frasques au théâtre.

Je lis entre autre : ... « Heureusement pour lui, Gérard Gervais n'est pas seulement le petit paralytique qui nous y fait si bien croire et nous tire les larmes des yeux à tout moment. En coulisses, c'est un bon petit diable et il en fait voir de toutes les couleurs à ces pauvres curés.

Hier soir, il a malicieusement actionné les vasistas d'aération de tout le théâtre, ce qui a provoqué un formidable courant d'air. Le vent s'est engouffré brusquement sous les robes cléricales et ces malheureux curés, soutanes par-dessus tête, luttaient désespérément pour retrouver leur dignité pendant que le public prenait un bon moment de détente, le seul d'ailleurs qu'on lui permette dans cette pièce lugubre. À l'entracte, on le retrouve au bistrot d'en face, devant un ballon de rouge, en compagnie des autres comédiens. Là, il ne se fait pas prier pour se déguiser en chapeau mou et égayer la clientèle de ses imitations de Jules Berry, Saturnin Fabre, Jean Tissier et Pierre Fresnay.

Après le spectacle, dans sa loge, il reçoit les filles de joie de la rue des Mathurins qu'il présente comme ses copines... »

Ma mère a quelque chose à dire mais ça se perd dans une quinte de toux et elle retombe sur ses oreillers.

Trois semaines plus tard, « La première légion » commence à tourner de l'œil. Le public nous boude et nous jouons devant une salle aux trois quarts vide. Je ne touchais déjà plus que quatre cents francs par représentation, mais la quinzaine suivante, je suis tombé à deux cents francs.

Le mardi qui suit, au lever du rideau, on attaque à douze contre un. En effet il n'y a qu'un seul spectateur à l'orchestre. Désormais on joue pour rien et pour personne. C'est la guerre du vide et nous sommes encerclés par ce vide. On forme héroïquement le carré avec l'intention de résister une autre semaine. Finalement « La première légion » est obligée de se rendre.

Trois jours avant la reddition, Raymond Pellegrin qui deviendra quelques années plus tard le « *Napoléon* » de Sacha Guitry, nous réunit avec ce mot :

— Camarades, c'est le Waterloo de La première légion, nous rendrons les armes dimanche soir. Toutefois, nous voulons mourir en beauté. Essayons de remplir le

théâtre avec des invitations. On ne demandera rien à Gérard qui a déjà beaucoup contribué…

La tension qui a régné chez tous les comédiens ces dernières semaines fait place à la détente. On est content d'en finir. À la fin de la représentation de la matinée, soit le dimanche après-midi, Raymond Pellegrin vient tout juste de se changer. Comme d'habitude, je le taquine beaucoup. Non, je fais absolument tout pour l'embêter avec mes espiègleries de môme qui sait qu'on l'a à la bonne. Il m'avertit :

– *Si tu continues, je te fous une fessée !*

Et je continue :

– *N'empêche qu'avec tes grandes godasses noires, tu ressembles à Charlot !*

Attention, si t'insistes, je te jure que je te déculotte et que je te mets une dérouillée.

Je le défie :

– *T'as pas honte de jurer, curé ! Avec tes pieds plats, t'es même pas foutu de m'attraper.*

Je débouche à toute vitesse de l'entrée des artistes, mais je ris tellement que mon curé aux grands pieds me rattrape, et, en pleine rue, devant le théâtre, me déculotte et me fout une fessée à cul nu. Non seulement, je ne lui en veux pas mais je considère comme un privilège de le voir m'accorder tant d'attention, même si c'est pour me frotter le postérieur devant tout le monde. Ma mère qui a assisté à la scène trouve ça aussi amusant que moi. Comme il est d'usage au théâtre, lors de la dernière représentation, de jouer quelque diablerie à ses « fellow » comédiens, un peu comme le coup du chapeau de la gouvernante dans « Auprès de ma blonde », c'est donc avec bonne humeur qu'on se propose, ma mère et moi, d'arranger ce soir le Raymond aux petits oignons. On va sur les boulevards et dans une des baraques de farces et attrapes qui ne manquent pas dans ce coin-là, ma mère dépense quelques centaines de francs en poudre à éternuer, fluide glacial destiné à geler les fesses sur un siège et… boules puantes. Les poches gonflées par ces malins objets, nous sommes tout content de notre coup et nous nous réjouissons par anticipation, comme deux gamins, de la réaction de Raymond Pellegrin ce soir.

Pour cette dernière représentation, pour ce dernier soir, la salle est pleine d'amis des comédiens venus enterrer la pièce et présenter leurs regrets en toute collégialité. Au dernier tableau du deuxième acte, juste avant l'entracte, il y a une scène longue, difficile, laborieuse qui se déroule dans une pénombre angoissante, où le seul décor sur scène est un confessionnal dans lequel Raymond Pellegrin, en curé, est assis pour entendre la confession monotone et ennuyeuse, il faut bien le dire, d'un civil agenouillé, joué par Georges Spanelly.

Pendant le changement de décor qui a lieu pratiquement sans lumière derrière le rideau de scène, je m'insinue dans le confessionnal qui vient de descendre des cintres et je répands le fluide réfrigérant sur le coussinet que va occuper Raymond Pellegrin ainsi que sur celui où va s'agenouiller Spanelly. J'écrase également quelques boules puantes dans le confessionnal. Quelques secondes plus tard, les deux comédiens viennent prendre position dans l'obscurité. Je m'approche de Pellegrin et l'interpelle à voix couverte pour qu'il lève bien la tête :

– *Raymond !*

– *Qu'est-ce que tu veux ?*

En guise de réponse je lui souffle au nez un nuage de poudre à éternuer que j'avais préparé sur le dos de ma main, et je vide prestement le reste des autres tubes de poudre alentour. Je ne dois qu'à mon agilité d'échapper de justesse à Spanelly qui bondit pour m'attraper. Je m'esquive le long du décor par-derrière et je vais rejoindre ma mère qui m'attendait dans les coulisses, puis on va s'asseoir dans la salle.

Le rideau s'ouvre et le halo d'un projecteur démasque crûment le confessionnal sur lequel il est braqué.

Ça sent déjà l'œuf pourri dans l'orchestre. En quelques minutes, il devient évident que les deux artistes sont tellement mal à l'aise qu'ils ont du mal à jouer. C'est à peine s'ils peuvent articuler leur texte, tant ils s'emploient à renifler pour se retenir d'éternuer. Nous voyons leurs mâchoires se contracter sous l'effort et les larmes briller le long de leurs narines. Ils finissent presque par éternuer simultanément. Bientôt les éternuements se propagent aux fauteuils d'orchestre et gagnent la salle. Cette cochonnerie de poudre nous en fait voir aussi à ma mère et à moi. C'est intenable, nous devons sortir. On n'a plus du tout envie de rire.

On commence à réaliser que la farce a non seulement dépassé la rampe, mais les bornes de l'admissible. On est vraiment embêtés et ma mère s'inquiète :

– *Je crois qu'on y a été un peu fort, ils ne vont pas être contents.*

Au café d'en face, beaucoup de curés sont au comptoir, en attendant l'acte suivant, après l'entracte. Personne au café n'est au courant de ce qui se passe dans la salle. L'entracte ne va plus tarder et ce sera ensuite le dernier acte où je dois jouer avec Pellegrin cette fameuse scène du dénouement qui donne toute sa signification à la pièce. On s'installe, nous aussi sur des tabourets du bar, pas du tout à l'aise et on attend les réactions avec la venue probable de Pellegrin et Spanelly. Ça ne tarde pas. Un vent de violence pousse la porte du bistrot, c'est Spanelly. Et tout se passe très vite. Sans une parole, il s'élance et m'accroche par le col de ma veste et m'arrache littéralement de mon tabouret. D'instinct, je m'agrippe à ma mère, mais je ne retiens que la poche de son tailleur qui me reste tout entière dans la main. Je suis incapable de dire de quel côté pleuvent les coups de poings, les gifles, les coups de pieds. Le nez en sang, debout, à genoux, à terre, il ne cesse de me tabasser avec une telle furie que je ne sais plus très bien où je suis, mais je comprends vaguement que quelqu'un essaye de l'arrêter.

Je ne sais pas qui m'a relevé mais j'ai l'impression d'être sur une plaque tournante, je suis étourdi. La première phrase intelligible que je retiens, c'est celle de Raymond Pellegrin qui est en train de hurler à Spanelly :

– *Mais t'es complètement dingue, tu veux le tuer !*

Ã la seconde où les choses, les visages retrouvent leurs dimensions normales, je réagis d'instinct comme je l'ai toujours fait lorsque ma mère me dérouille, je m'enfuis. Je suis déjà dehors et je me sauve.

– *Gérard! Gérard!*

Je me retourne, ils sont derrière moi. D'un coup d'œil, je juge que c'est toute une procession de soutanes que j'ai à mes trousses. Ils cavalent en tenant dans leurs poings leurs robes relevées au-dessus de leurs chaussettes et les souliers vernis noirs luisent sous les réverbères. Je tourne sur la rue Tronchet et je croise deux policiers à pied.

Derrière on crie :

– *Arrêtez-le, arrêtez-le !*

Je traverse en zigzag entre les voitures au risque de me faire renverser et je gagne du terrain. J'entends les coups de sifflet mais je les distance. Je pénètre dans une petite rue avec un peu d'avance. Je suis hors d'haleine. Je m'accroupis et me ratatine entre deux pare-chocs. On m'a perdu de vue. Je reprends mon souffle, je me détends, je réfléchis puis je jette un œil. Les curés et les agents sont tout au bout de la rue. Ils n'ont pas exactement perdu ma trace, mais ils ne me voient pas. Ils sont incertains.

Ils ne courent plus. Les curés semblent rebrousser chemin. Tout d'un coup, je me sens bien seul sans les comédiens, sans la scène, sans le théâtre. Et le public qu'est-ce qu'il va penser ? Il attend pendant que toute la troupe me court après. Sans moi, on ne peut pas lever le rideau sur le dernier acte. Je suis indécis, allongé entre les pare-chocs, avec la trouille que si j'y retourne, je vais devoir refaire face à Spanelly.

Je ne sais d'où il sort mais brusquement Raymond est là devant moi, accroupi, et il me relève dans ses bras comme dans la scène qu'on devrait être en train de jouer depuis plusieurs minutes.

– *Je t'en prie Gérard, arrête tes conneries. Ça va dis ?*

– *Oui, ça va.*

Avec lui je reprends confiance. Il me prend par la main et on retourne vers le théâtre.

– *Et Spanelly ?*

– *N'aie pas peur, il ne te touchera plus et d'ailleurs il est déjà parti.*

– *Raymond, je te demande pardon pour tout à l'heure. Je ne pensais pas que c'était si terrible ce truc-là.*

– *N'en parlons plus. C'est oublié. Allez, grouillons-nous, autrement ils auront tous foutu le camp.*

On relève le rideau avec vingt minutes de retard et deux petites boules de coton dans mes trous de nez. J'ai un peu de mal à articuler mon texte, mais ça ne fait rien. Depuis longtemps je n'ai pas joué cet acte avec autant de conviction mais j'ai quelque chose à me faire pardonner. Comme l'a voulu Napoléon, on meurt en beauté avec douze rappels de rideau.

Pourquoi, entre-temps, ma mère a-t-elle appelé la police ? Pour une trempe sévère certes, mais tout de même méritée, ça ne valait pas le coup. À cause de cela, il s'en est fallu de peu que Dora Doll qui était venue rejoindre Raymond Pellegrin ne se crêpe le chignon avec ma mère. Dora Doll a assez de bagout pour bâillonner ma mère et les flics. C'est ce qu'elle a fait et l'histoire en est restée là. Dans le petit café, il y a une caisse de champagne qu'on ne partagera pas avec les comédiens. On s'est encore foutu tout le monde à dos, on n'a plus qu'à partir.

On quitte le bistrot, on quitte la rue des Mathurins, on quitte l'amitié des camarades.

Seuls dans la nuit, seuls comme toujours, en laissant derrière nous une autre empreinte.

CHAPITRE XIX

La première légion vient à peine d'être enterrée que je quitte le deuil. À quelques mètres du théâtre des Mathurins, et un peu en diagonale du petit café où j'ai pris ma fameuse raclée, se trouve le théâtre Michel.

C'est là que je signe devant Madame la Directrice, Marcelle Parisys, pour la pièce de Léopold Marchand « Le secret des Dieux ».

Dans cette comédie de génies en herbe, nous sommes une flopée de mômes qui possédons des talents surnaturels pour les échecs, la musique, la politique et nous créons des problèmes sans solution à nos parents déconcertés qui frisent la dépression nerveuse à chaque acte.

Je dois jouer un musicien roumain, avec l'accent naturellement. J'entre en scène, des kilos de feuilles de musique sous le bras, et j'annonce, complètement ébouriffé, ce qui n'a pas été difficile à produire avec la tignasse que je possède, l'air illuminé, la démarche légèrement ataxique, que : « Yé soui Moïse Raphalesco, composeur, et yé vais interprétiser ma valse brillante sur piano qué voilà. »

Ma mère, qui me voudrait aussi génial que mon personnage pour le moins, suggère à la directrice du théâtre que j'interprète pour de bon sur scène le morceau de musique plutôt qu'il ne passe en coulisse sur un disque comme il est prévu. « Je vous assure qu'il sait jouer », affirme-t-elle, ce qui est faux car je pianote seulement ce que Madame Gaucher m'a enseigné. Ma mère essaye de persuader Mademoiselle Parisys en disant que « ça fera plus naturel ». La directrice n'entend pas se laisser dire quoi faire et c'est assez sèchement qu'elle répond :

– *Rien chez ces enfants n'est naturel, alors n'en parlons plus !*

Mademoiselle Parisys ajoute que le piano de scène n'est qu'un coffre de bois vide avec, pour tout clavier, un grand rire muet aux dents jaunes qui ne fait qu'illusion lorsque le couvercle est levé. Pendant un certain temps, on va lire la pièce chez l'auteur. Ma mère ne m'accompagne qu'une seule fois à nos lectures. Elle sent qu'elle est de trop, et d'ailleurs elle n'a pas tellement le temps.

Le théâtre à lui seul ne représente qu'un revenu modeste et même si la radio et la synchro sont payantes, nous n'avons pas encore le téléphone et je rate des cachets. On ne me contacte que par télégramme ou par Madame Gaucher qui fait toujours courir sa bonne six bons kilomètres aller-retour pour nous prévenir. Ma mère continue donc avec ses fleurs artificielles à domicile. Elle donne aussi quelques leçons de violon à des enfants du quartier qui repartent chez eux en pleurs et qu'on ne revoit plus après qu'elle les ait accusés d'être surdoués pour scier du bois.

Je profite un peu de ma liberté relative en allant jouer au baby-foot avec les copains de la pièce après nos lectures. Par contre, lorsque je rentre à la maison, les questions de ma mère se font de plus en plus précises. Il faut que je lui raconte ma journée en détail. Si je n'ai pas grand-chose à lui dire, elle trouve ça bizarre. Elle me soupçonne. Avec elle, on dirait qu'il faut toujours que quelque chose se soit passé. Je ne peux pas lui dire que la lecture s'est terminée plus tard, d'abord elle serait capable de vérifier et puis elle trouverait ça trop banal. Elle s'est ennuyée toute la journée et elle ne peut pas se contenter des occurrences journalières normales. Elle est friande d'incidents, d'événements inhabituels, de circonstances exceptionnelles.

– *Et puis... Raconte... Et après... Comment ? C'est tout !*

Alors, je prends tranquillement l'habitude d'en rajouter. J'irais presque jusqu'à dire qu'avec sa façon d'être, elle m'encourage à user de mon imagination et là, elle trouve tout ce que j'invente plausible. Si je suis en retard, c'est systématique, elle fait la tête lorsque j'arrive à la maison et elle cultive d'emblée sa mauvaise humeur. Pour éviter ses réactions intempestives qui peuvent aller jusqu'aux coups, je fabrique des « histoires choc » afin de démobiliser son attention sur moi et la faire dérailler sur un autre sujet, ce qui inévitablement la remet de bon poil. Je vais chercher n'importe quoi : un suicide sur les rails du métro, un satyre qui m'a obligé à faire des détours pour le semer, une voiture qui m'a frôlé sur le trottoir avant de défoncer une vitrine... Là, elle trouve tout ce que je dis plausible et ça m'évite le pire tant que le hasard ne me démasque pas. Elle s'étonne avec de tels Oh ! et de tels Ah ! tout en écarquillant les yeux, que ça devient presque un plaisir de lui faire plaisir avec mes contes. L'orage passe, tout au moins sur l'instant, parce qu'il y a des fois où ça ne va pas tout seul. Par exemple, il y a quelques jours, en sortant de chez l'auteur, je suis allé comme d'habitude faire quelques parties de baby-foot avec les petits prodiges de la pièce et je suis rentré plus tard que d'habitude. Elle était donc de plus mauvais poil que d'ordinaire. Là, un peu pris de panique, j'ai sorti une histoire si abracadabrante que j'avais honte de lui faire croire un truc pareil.

J'ai commencé par lui raconter que j'avais croisé Madame Gras, une voisine de chez Dolly qui conduit un vieux triporteur à moteur, toujours accompagnée de son caniche blanc assis sur son séant dans la boîte carrée du véhicule. Jusque-là tout était vrai. Cette personne, on ne la rencontre qu'en des occasions rarissimes, ce qui donnait à mon histoire la chance de ne pas être vérifiée de sitôt ou même d'être complètement oubliée.

– *Maman, Madame Gras m'a retenu pendant une heure pour me raconter comment elle a traversé le Sahara sur son triporteur avec son caniche blanc !*

Ma mère savait Madame Gras sportive pour sa cinquantaine, mais elle n'en revenait tellement pas qu'elle m'a forcément posé des questions à n'en plus finir. Je crois que je venais tout juste de lire « Le tour du monde en quatre-vingt jours » et j'étais inspiré.

Il a vraiment fallu que je fasse travailler mes méninges pour décrire spontanément les péripéties du voyage de Madame Gras, et surtout, pour la faire traverser le détroit de Gibraltar sur son triporteur…

Par le plus accablant des hasards, précisément le lendemain matin, Madame Gras passe dans notre rue avec son triporteur et nous la croisons juste en sortant de chez nous… Catastrophe !

– *Mon fils m'a raconté votre voyage extraordinaire et votre courageuse aventure dans le Sahara… vous êtes une sacrée sportive !*

– *Quelle aventure dans le Sahara ?*

Ah ! Le désastre ! On était partis pour faire les courses, mais ma mère est remontée tout exprès en tirant mes jambes de coton derrière elle. Je me suis pris une danse à dévaliser l'imagination la plus fertile. Ma tête a refait connaissance avec le radiateur en fonte de la cuisine « pour me faire entrer du plomb dans la tête » comme dit ma mère qui mélange ses métaux.

La pièce marche bien. Elle amuse le public. Elle n'est pas près de décoller de l'affiche. Mon rôle n'est pas bien long et je ne suis pas du dernier acte, ce qui me permet de rentrer à la maison d'assez bonne heure. Le lendemain matin, il n'est pas question de manquer l'école. Je suis passablement fatigué, ce qui m'assagit depuis quelque temps.

Tout irait assez bien si je ne partageais pas une loge au théâtre avec un adolescent franchement plus costaud que moi, avec qui j'ai des problèmes depuis le début. L'inimitié est mutuelle et les choses s'enveniment de jour en jour, jusqu'au soir où nous avons un affrontement physique assez sérieux dans la loge, au cours duquel je me prends un œil au beurre noir. Le lendemain après-midi, ma mère ne trouve rien de mieux que d'aller faire des histoires au théâtre. Ça se termine par une engueulade entre elle et la directrice. Le grand a changé de loge, nous ne nous adressons plus la parole sauf sur scène et l'ordre est rétabli, excepté que Mademoiselle Parisys ne m'a pas à la bonne.

À quelque temps de là, un samedi soir, ma mère invite Dolly à souper. Non seulement Dolly est en retard, mais le souper n'est pas prêt non plus. Ce n'est pourtant pas dans les habitudes de ma mère mais depuis le début de la soirée, elle partage le vin blanc entre son verre et le civet de lapin. Je ne sais pas si le civet prend du goût, mais ma mère elle est en train de prendre une cuite.

L'heure tourne dangereusement et je commence à me faire du mouron. Pourtant ma mère insiste pour que je mange avant de partir. Elle se fâche :

– *Je ne veux pas que tu partes sans manger, c'est compris ?*

337

— Mais maman, je te jure que je vais être en retard !

— Tu jures toujours et tu mens toujours, tu n'auras qu'à courir, tu nous enquiquines...

Pour qu'elle me sorte quelque chose comme ça, c'est qu'elle n'est vraiment pas dans son état normal.

Et la Dolly, au lieu de me soutenir, trouve ça marrant. Je ne tiens plus en place. Chaque minute qui passe me rapproche du lever du rideau. J'ai de moins en moins de chance d'arriver à temps pour mon entrée en scène.

Je m'arrache de la table et je me sauve littéralement. Je choisis de ne pas aller attendre l'autobus, mais de faire confiance à mes jambes pour me taper le bois de Vincennes. Je n'ai jamais cavalé aussi vite, même pas le jour où je me suis enfui de la pension. Dans le métro, c'est la torture. Les stations défilent trop lentement et le temps passe trop vite. En arrivant au théâtre, je me bute dans le régisseur.

— T'as pas le temps de te changer ni de te maquiller. Descends en scène vite, tu vas la rater !

Pendant qu'il dit ça, j'entends la réplique qui annonce mon entrée dans le haut-parleur des loges. Et puis, c'est le blanc, le silence. Je déboule vers le plateau et je gicle sur scène, vidé et essoufflé. Au moment où je pénètre sur scène, Villebert, l'un des comédiens qui interprète le père d'un des prodiges, pensant que je n'entrerais jamais, commence à enchaîner le texte qui ne correspond pas à ma réplique et c'est la confusion.

En outre, le disque démarre en coulisses alors que je ne suis pas encore installé au piano. Pris de court, je lance quand même avec l'accent prévu :

— Moïse Raphalesco, composeur, je vais vous interprétiser ma valse brillante...

Réalisant le ridicule du déroulement de la scène, je crois avoir une trouvaille qui va sauver la situation et j'ajoute :

— Sur piano automatique que voilà...

Villebert surpris, reprend :

— Automatique ?

— Oui, chaque fois qu'un piano me voit, il se met à jouer automatiquement...

Villebert fait :

— Ah !

Et on reste tous plantés à attendre que le disque s'achève.

Le public a compris ou n'a pas compris qu'il y avait du cafouillage, mais il n'a pas ri. Ma trouvaille ne m'a pas sauvé.

Mademoiselle Parisys m'a mis à la porte le soir même. Il y avait rupture de contrat de ma part. Je n'avais aucun recours. Elle a purement et simplement coupé mon rôle, malgré les supplications de ma mère qui le lendemain s'est fait très mal recevoir.

CHAPITRE XX

À la maison, ma mère m'interdit d'uriner debout. Elle dit que j'arrose partout. Elle en a assez de me crier de viser le trou. Et puis elle trouve que de toute manière ça fait trop de bruit et que c'est indécent d'entendre un homme pisser. Alors je continue à faire pipi en fille c'est-à-dire assis. Elle ne veut plus non plus que je m'asseye sur le rond de bois sans le couvrir de papier journal ou bien alors il faut que je lève cette lunette de bois et que je m'asseye sur le bord blanc de la cuvette parce que dans son langage « depuis que je me traîne le cul sur toutes les toilettes de Paris, elle n'a pas envie d'attraper la vérole. »

Comme ça ne me dit rien de me geler le derrière sur le bord de la cuvette, d'autant plus qu'il faut que je me retienne pour ne pas sombrer dedans, je préfère au début, utiliser du papier journal. Mais l'encre du papier journal déteint sur mes fesses et ce n'est pas très confortable d'être porteur de mauvaises nouvelles à longueur de journée, car je me suis aperçu qu'il n'y avait que cela dans les journaux.

Toutefois ce matin en baissant mon pyjama, d'abord je ne m'aperçois de rien, puis brusquement je découvre… horreur ! Que mon bigoudi est aussi enflé qu'une courgette, et de plus, ithyphallique !

– *Maman ! Maman ! Vite, regarde ce qui m'arrive !*

Ma mère me fait grimper sur le grand tabouret de la cuisine et va frapper à toutes les portes des voisins. Elle ameute tout le bâtiment pour qu'on vienne voir. Voici la concierge arrachée à sa loge et qui a monté trois étages, les « Colle » qui en ont descendu trois, les « Carré » qui viennent du dessous, les « Humbert » qui viennent du dessus et les « Millanvoix » qui viennent d'à côté.

Depuis deux ans, la fille Millanvoix a encore pris du poids, mais pas son chien qu'elle tient toujours dans les bras. Elle me lorgne par en dessous. Sa mère la prend par le bras et lui fait faire demi-tour.

– *Je ne veux pas que tu voies ça, rentre à la maison.*

On attend la voisine qui habite la porte en face de l'autre côté du vide-ordures, Madame Guibé, car elle est infirmière. Comme elle est également poitrinaire, ça lui prend un peu plus de temps pour arriver vu qu'il faut la tirer de son lit qu'elle ne quitte plus depuis des mois. La voilà enfin, en robe de chambre, soutenue par son mari. Après observation, le diagnostic est inconnu, mais le traitement est appliqué :

– *Tremper dans l'eau bouillie… bien salée…* trouve-t-elle la force de dire.

Je me suis rarement senti aussi humilié, perché sur un tabouret au milieu de la cuisine, un verre d'eau bouillie presque brûlante dans une main et la didine dans le verre, devant tous ces locataires qui hochent la tête en attendant le résultat. Ça les intéresse. Après tout, le zizi d'un artiste que l'on entend à la radio et qu'on voit sur l'écran au cinéma du coin ne peut demeurer dans cet état. Il faut s'en assurer. Ma mère ajoute cette remarque mortifiante qui ne me surprend pourtant pas :

– *Ce n'est pas étonnant, il est toujours en train de se tripoter !* J'en chialerais tellement je me sens vexé. Comme c'est dimanche et que l'heure de l'apéritif est proche, ma mère pour remercier l'assistance de son aide morale offre un petit coup de blanc à tout le monde.

Les voisins sont groupés autour de moi dans la cuisine et discutent de choses et d'autres. On a chacun son verre à la main. Moi, je ne peux pas trinquer, ce serait quand même inconvenant. Au bout d'un moment, ma mère en remet un petit coup à tout le monde, y compris à moi parce que l'eau commence à refroidir.

Tandis que je ne prête plus attention à ce qui se dit autour de moi, je découvre consciemment ma première loi de physique, à savoir que mon bout, plongé dans l'eau et vu à travers un verre à moutarde, me paraît beaucoup plus gros que lorsqu'il est à l'air. Ça donne un effet de loupe. Ce qui fait qu'à chaque fois que les voisins s'intéressent au progrès du traitement, il faut que je sorte mon zizi de l'eau pour ne pas les tromper.

Je me sens tellement idiot perché depuis une bonne heure sur mon tabouret, le bigoudi dans l'eau chaude, que je finis par prendre ça à la rigolade pour ne pas pleurer d'humiliation.

Ils commentent :

– *On dirait que ça va mieux...*

– *Effectivement ça dégonfle.*

– *Ça désenfle,* rectifie l'infirmière qui a refusé l'apéritif mais n'est pas imitée par son mari qui apprécie plusieurs fois. On la félicite et elle retourne se coucher. Peu après, un Ah ! de satisfaction générale confirme que le petit oiseau de l'artiste a retrouvé ses dimensions normales. Lorsque tout le monde est parti, ma mère hoche la tête :

– *C'est pas tout ça, mais tu m'as fait perdre toute ma matinée. Qu'est-ce que tu attends pour te mettre au travail, j'ai des fleurs à faire, moi.*

Me mettre au travail signifie que je suis de corvée de lessive comme tous les dimanches en quinzaine depuis que j'ai perdu mon rôle au théâtre Michel. Le jour où ma mère a acheté un fer électrique réglable pour me faciliter la tâche, le progrès a été également l'annonce de la productivité. En m'y mettant le matin de bonne heure, avec l'habitude, je finis ma lessive en trois heures et je peux repasser humide dans la même journée. Comme ça, le dimanche suivant, ça me donne le temps de nettoyer les carreaux et de frotter le parquet à la paille de fer. Naturellement j'encaustique et je fais reluire à la main et à genoux. Ma mère dit qu'avec ces espèces de bidules à manche fabriqués exprès pour cette fonction, on n'y met pas assez de force et ça ne brille pas autant. « C'est de l'argent foutu en l'air » qu'elle dit. Aujourd'hui, il va falloir que je mette les bouchées doubles, je n'aurai pas terminé avant la nuit à cause des caprices de mon pénis. Je termine ma journée harassé et c'est avec une certaine irritabilité que j'adresse une prière fort discourtoise au Bon Dieu :

« Nom de D..., faites que je retrouve un rôle pour me libérer de ces vacheries de besognes ! »

Chapitre XXI

Le Bon Dieu est sympa. Il a ignoré mon langage blasphématoire mais a retenu ma supplique.

Au printemps, je signe un petit rôle dans mon troisième film « Fantômas contre Fantômas » de Robert Vernay avec Marcelle Chantal, Aimé Clariond, Alexandre Rignault et Odile Versois, ainsi que Berthe Bovy que j'avais connues dans « Dernières Vacances », en plus d'une trentaine de comédiens que je croise souvent à la radio ou à la synchro et que je suis content de retrouver sur un plateau de tournage. Je joue Pierre de Charras, un gosse de riche poignardé en sortant de l'école par un fou criminel créé par « Fantômas ».

J'aurais préféré me faire occire beaucoup plus tard dans le scénario, ce qui m'aurait donné un plus grand rôle et un plus gros cachet, mais j'ai quand même trouvé le moyen de mourir une bonne semaine plus tard que prévu à cause de mes chaussures.

Dans cette scène où je dois perdre la vie, je traverse la rue en courant, je me bute à un homme qui me bute et je m'écroule. On répète la scène. Au début, j'hésite un peu à me jeter sur cette lame brillante dont la pointe est dirigée vers ma poitrine. L'acteur dont le visage est couturé de cicatrices par l'habileté du maquilleur me rassure gentiment :

– *Tu vois, une seconde avant qu'on entre en collision, je retourne la lame, comme ça, à l'envers, sur le côté de ma cuisse et tu ne heurtes que mon poignet. Tu ne risques rien.*

Je lui fais confiance et je fonce. Les répétitions sont bonnes, alors le metteur en scène annonce :

– *On y va moteur !*

– *Ça tourne !*

– *Partez !*

On ne finit même pas la première prise. Je traverse le passage clouté en courant, mon sac d'école à la main. Lorsque je suis à quelques pas du tueur, le cran d'arrêt se déclenche, l'acier luit. Je fais peut-être un pas de plus et je glisse. Dans mon élan, je me cogne de travers contre lui, j'étends le bras pour me retenir et je m'accroche à ce que je peux saisir. C'est son poignet déjà retourné qui tient la lame contre lui. Nous tombons tous les deux. Je suis seul à me relever. À cause de mon geste, il s'est enfoncé le couteau dans la cuisse, sous l'aine, et il saigne abondamment. En quelques secondes son pantalon est inondé. On lui fait un pansement de fortune en attendant l'ambulance. J'ai dérapé sur le pavé humide à cause de mes semelles de cuir trop lisses. Personne ne m'en veut, c'est un accident. Pourtant on me fait la gueule. Un comédien de blessé, du temps et de l'argent de perdu, c'est suffisant pour semer la mauvaise humeur. Ma mère refuse néanmoins de m'acheter des chaussures à semelles antidérapantes :

– *On ne va pas t'acheter des chaussures neuves, rien que pour une scène, tu feras plus attention la prochaine fois.*

Cette histoire me travaille tellement que j'en fais des cauchemars. Une fois, je me réveille en sursaut, affolé. Je rêvais que je me faisais poignarder pour de bon.

Un matin enfin, l'équipe se retrouve une nouvelle fois à Neuilly pour cette fameuse scène et ma mère ne m'a pas accompagné. Je vois réapparaître le comédien dont une cicatrice au moins ne fait pas partie des effets spéciaux. Il a eu une artère de touchée mais il est à nouveau sur pied et nous sommes prêts à recommencer la séquence. Les répétitions sont lamentables. Je n'arrive pas à courir normalement, j'ai peur. Le metteur en scène propose néanmoins de risquer une prise. C'est encore pire. Je suis figé. Le temps passe et toutes les prises sont mauvaises. Les badauds de la rue qui assistent de loin au tournage doivent penser que je suis vraiment nul.

– *Coupez !* annonce Robert Vernay, *on reprendra cet après-midi, on aura peut-être plus de chance.*

Dans le restaurant où on fait la pause, je m'isole au comptoir pour mâcher mon sandwich. Et puis une main se pose sur mon épaule. C'est le comédien au couteau :

– *Qu'est-ce qui t'arrive, tu n'as plus confiance en moi, tu as peur que je te blesse ?*

– *Ce n'est pas vraiment ça, je me sens pas en sécurité dans mes chaussures, dès que je me mets à courir, j'ai l'impression de patiner, j'ai peur de glisser alors je crois que je me raidis.*

– *Moi non plus je ne suis pas très à l'aise. Mais dis-moi, on ne va pas continuer à avoir la trouille comme ça toute la journée, qu'est-ce que tu en penses ? Le metteur en scène commence à s'impatienter tu sais !*

– *Si seulement j'avais des semelles de crêpe, il me semble que je serais plus sûr de moi.*

– *Fais voir...*

Je lui montre mes semelles usées et lisses. Il se lève du comptoir :

– *Viens avec moi, on va faire vite.*

Il a une traction 11 légère qu'il pilote à toute vitesse.

Il fallait voir l'expression médusée des gens dans la boutique « top class » de Neuilly quand on s'est pointés, moi et le comédien avec sa casquette ouvrière et le visage défiguré par les cicatrices. Ils avaient visiblement la trouille et nous, on aurait pu partir avec le magasin sans qu'ils disent un mot.

Lorsqu'on revient sur le tournage, j'ai des crêpes tous neufs et mes vieilles chaussures dans du papier journal, sous le bras, comme un pain de deux livres.

La prise est bonne du premier coup. Personne n'a rien remarqué. À la fin de la journée, je prends le métro pour rentrer chez moi. En traversant le bois de Vincennes, j'hésite, puis je m'arrête sous un marronnier et je remets mes vieilles chaussures. J'abandonne mes crêpes au pied de l'arbre. Ça me fait mal au cœur, mais non décidément, je n'ai pas envie de me faire engueuler par ma mère.

CHAPITRE **XXII**

On n'en revient pas. On reste là, ma mère et moi, fascinés par l'appareil noir, son combiné, son cadran rotatif et son écouteur. Après trois ans d'attente, on a enfin le téléphone. Il paraît qu'aux États Unis, ça prend trois jours. Mais comme explique ma mère :

— *Nous, ce n'est pas la même chose, nous sommes un pays civilisé, s'il fallait que ça aille aussi vite, à quoi nous serviraient nos traditions et notre culture ?*

Nous sommes les seuls dans les immeubles alentour à posséder un téléphone et ça ne nous rend pas peu fiers. Nous avons eu droit à ce privilège, en raison de mes « activités artistiques », après cette attente relativement brève de trente-six mois, car posséder un téléphone en France, à cette époque, est un avantage accordé habituellement aux personnes possédant des prérogatives ou des entrées secrètes. Ce matin, des ouvriers ont fait un branchement à partir d'un poteau de l'EDF sur le coin de la rue et toutes les têtes sont sorties aux fenêtres pour assister à l'événement, ce qui fait que tout le quartier sait maintenant que nous sommes branchés.

Ma mère a baptisé l'appareil au féminin : « Téléphonie », parce qu'elle le considère comme le troisième membre de la famille, peut-être par nostalgie de la fille qu'elle aurait voulu avoir à ma place.

Nous traitons *Téléphonie* avec admiration, respect et ma mère munie d'une peau de chamois la bichonne constamment, en s'assurant qu'il ne subsiste aucune empreinte de doigt pouvant maculer la bakélite noire et brillante après manipulation. Notre préoccupation imminente est de choisir la première personne à qui on va annoncer la nouvelle. Chaque communication coûte de l'argent en plus d'être facturée à la minute. Alors il faut bien choisir qui vaut la peine d'être averti, le sujet de la conversation et pratiquer l'économie de vocabulaire.

— *Alors, à qui est-ce qu'on pourrait bien téléphoner ?*

On hésite et on se pousse du coude en pouffant de rire, comme des mômes qui en préparent une bien bonne. Finalement, on se décide pour Madame Gaucher. Puis on téléphone à Dolly. On ne parle pas longtemps et on raccroche tout congestionnés par l'émotion. Avec le téléphone, on a eu droit à un annuaire et on découvre qu'il existe une horloge parlante. La curiosité, plus que la nécessité, décide ma mère à dépenser une communication pour vérifier le réveil et... la montre suisse qui sont à peu près d'accord pour marquer une certaine heure à dix minutes près.

347

On compose le numéro « Odéon 8400 » et quelle surprise ! C'est la voix du Général De Gaulle qui annonce, gravement, emphatiquement, clairement et solennellement la « déclaration » des heures : au quatrième top, il sera exactement…

Et puis là, ça devient plus ou moins compréhensible et ça donne quelque chose de difficile à imiter. La voix est accentuée sur les chiffres, de telle manière qu'on entend :

– Fraisse'''eure… Trompe'''inutes… Trousse'''econdes… Top. Top. Top. Top… On comprend quand même qu'il est treize heures, trente minutes, douze secondes…

Maintenant que les pendules sont à l'heure, il faut songer aux studios pour leur donner notre numéro et leur indiquer que je suis disponible en permanence. Ma mère tient à ce que je m'en charge et elle devient très formaliste pour la circonstance. Elle me fait ses recommandations. Il faut employer certaines formules de politesse d'usage. Il paraît qu'on n'appelle pas les gens comme ça, au téléphone, sans leur dire à quel point on n'aurait pas dû les appeler ! Il faut y mettre du : désolé… avoir l'obligeance… si ça ne vous dérange pas… de vous avoir dérangé… merci… encore une fois… encore mille fois… infiniment… infiniment… infiniment…

Ce qui me paraissait facile me semble maintenant insurmontable :

– Allez, vas-y ! N'aie pas peur ! Fais comme je t'ai dit ! Qu'est-ce que tu attends ?

Au premier appel, ça ne rate pas, je bafouille tellement d'excuses que la dame au bout du fil ne comprend à peu près rien de ce que j'essaye de lui dire et ma mère gesticule à côté de moi en m'engueulant à voix basse. Lorsque je raccroche, elle éclate :

– Ce que tu peux avoir l'air con, pourquoi tu prends une petite voix ? Parle plus fort, avec assurance ! On dirait un arriéré mental ! Allez continue, et tâche d'avoir l'air plus intelligent !

Au deuxième appel, c'est pire. Je déballe mécaniquement ma salade apprise par cœur et je m'emmêle encore plus dans les salamalecs, puis je finis par m'embrouiller dans le numéro de téléphone.

Ça me serait si simple de dire « Bonjour, ici Gervais, maintenant j'ai le téléphone, mon numéro est Tremblay 31 51, au revoir et merci. »

Au troisième appel, c'est la voix étranglée par les sanglots que j'annonce à la Métro Goldwyn Mayer que j'ai le téléphone, et ça se termine par une baffe. Enfin, il fallait s'y attendre. Après tout, le téléphone chez soi, ça crée tout un émoi !

Désormais, ma mère se sent réellement au-dessus de la multitude et je remarque dans les premiers temps que parfois, elle s'exprime légèrement sur le bout des dents en relevant le menton si un locataire vient humblement frapper chez nous pour faire un appel d'urgence. Au début, il n'y avait pas grand monde qui osait venir demander à se servir du téléphone, mais les usagers sont devenus plus nombreux. Alors ma mère fait payer les communications le double de ce que ça nous coûte alléguant que ceux qui les passent n'ont pas à se déplacer à la Poste.

Et lorsque cette dernière est fermée, le tarif est quadruplé. Ce n'est pas pour le bénéfice, mais plutôt pour éloigner les gens qui commencent à prendre des habitudes. Il y a même des voisins qui donnent notre numéro pour qu'on leur fasse des messages ou pour qu'on aille les chercher.

Une fois qu'elle n'était pas insomniaque, ma mère s'est fait réveiller, vers les deux heures du matin, par un individu qui venait d'un immeuble plus loin sur la rue, dont la femme était sur le point d'accoucher et qui voulait appeler un taxi. Il n'avait pas de monnaie sur lui mais il a juré qu'il repasserait la payer. Ma mère l'a laissé appeler son taxi, mais, une fois seule, elle a fulminé « Non mais, je suis une vraie conne, je le laisse téléphoner sans qu'il paye, je ne le reverrai jamais. »

On ne l'a jamais revu. Ou plutôt si, lorsqu'on l'a croisé plusieurs jours après, ma mère lui a réclamé sa communication. Il lui a demandé en ricanant, si elle se prenait pour un bureau de poste. Désormais à qui que ce soit se présentant dans l'intention de passer un coup de fil, urgence ou pas, ma mère répond systématiquement et sèchement :

– *Je n'ai plus le téléphone.*

Une fois la porte refermée, elle maugrée :

– *Ils peuvent tous crever !*

Elle ne bichonne plus « Téléphonie » qui commence à prendre un peu de gras sur les écouteurs car mon agenda se remplit, ce qui rend ma présence beaucoup plus fréquente dans les studios et mes absences beaucoup plus nombreuses à l'école.

Chapitre XXIII

Un matin, après m'avoir fixé pendant plusieurs minutes, un mauvais pli au coin de la bouche, ma mère m'envoie un de ses compliments dont elle a la recette :

– *T'as vraiment une gueule de déterré*

Quinze jours plus tard, une lettre de six pages avec un timbre suisse disait en résumé « Oui. » La bonne Madame Giroux, celle qui se voulait ma marraine en Suisse à l'époque de la tournée de « Auprès de ma blonde », va me prendre un mois à Lausanne. Je vais m'y rendre seul. Cette idée de voyager tout seul comme un grand m'excite beaucoup, mais je n'en fais rien paraître. Avec ma mère, on ne sait jamais. Si elle me sent trop enclin à anticiper ce mois de liberté, elle pourrait changer de lune à la dernière seconde et annuler mon départ. Chaque jour qui me rapproche de ce départ réduit mes heures de sommeil.

Enfin ça y est. Dans le train, je descends la vitre du compartiment et je regarde ma mère sur le quai. Là je ne sais pas ce qui me prend. Pourtant mince ! Je la désire depuis si longtemps cette liberté et maintenant qu'elle est à portée d'un coup de sifflet, je n'en veux plus. Je regarde ma mère et j'ai la gorge au bord des yeux. Elle n'a pas son air affligé et endeuillé de la mère souffrante et sacrifiée qu'elle me joue parfois. Au contraire, elle est souriante, digne et elle a un éclat de séduisante gentillesse dans les yeux. On dirait qu'elle m'aime et qu'elle est contente pour moi. C'est justement ça qui contrarie mon désir d'indépendance.

– *Maman, je ne veux pas partir, je veux rester ici.*

– *Et bien, il ne manquerait plus que ça !*

C'est elle maintenant qui m'encourage.

– *Il faut que tu prennes des vacances. Ce n'est pas long un mois. En Suisse, il y a le bon air. Allez, ne fais pas cette tête-là. Voyons, qu'est-ce qui se passe, tu es un grand garçon, non ?*

– *Je veux rester avec toi, je m'en fous des vacances, je veux descendre !*

Il y a une secousse et le train s'ébranle lentement. Je chiale.

La bonne Madame Giroux, c'est vraiment la nounou. Elle ne sait pas quoi inventer pour me faire plaisir et me faire grossir… elle a toujours une main dans la pâte à tarte et l'autre dans le four de la cuisinière d'où ça ressort tout doré. Elle est aussi grosse que son mari peut être maigre. Son mari dit que c'est moi qui mange et que c'est elle qui prend des kilos, du moins en apparence parce que, en vérité, je les prends plus vite qu'elle. Il dit aussi autre chose qui ne plaît pas du tout à sa femme mais qui le fait bien rire lui. Il dit qu'à force d'être grosse, elle a la peau tellement tendue que lorsqu'elle ferme les yeux, elle a le trou du c... qui s'ouvre. C'est en Suisse que pour la première fois, je m'intéresse au Tour de France. À table tous les midis, l'oreille rivée aux actualités, on écoute les prouesses de Gino Bartali. Madame Giroux m'achète des livres qui me passionnent. Seul dans ma chambre, il m'arrive de lire jusqu'à deux heures du matin « Mathias Sandorf » ou « Georgio le petit Tessinois ». Je ne reste pourtant pas très longtemps à Lausanne. Les Giroux ont de la famille à la campagne dans la magnifique région montagneuse de Neuchâtel. C'est là, dans une ferme, que je vais passer la majeure partie de mes vacances.

Ils sont trois. Un couple sans enfant et une fille de ferme, Ursula, qui vient de Suisse allemande pour apprendre le français. Le patron, c'est Jean-Jean, un homme jeune au regard doux et sympathique, taillé en athlète et peu causant, dont les parents n'ont pas dû déborder d'imagination pour le prénommer. Depuis que je suis arrivé, les seules paroles qu'il m'ait adressées chaque jour se sont bornées à « Bonjour, Bonsoir ». Il inspire le calme et le respect. J'aime sa personnalité et j'ai envie de lui plaire. Sa femme est accueillante, volubile et très rieuse. Ursula est jeune, espiègle avec un franc-parler et ne perd pas de temps pour se moquer du petit citadin qui examine ses chaussures avec inquiétude lorsqu'il fait un détour pour éviter une flaque de boue et qui se bouche le nez lorsqu'il passe près du tas de fumier. Elle m'appelle affectueusement : « Gross Filou ».

J'observe les gens, les animaux et les activités. On ne me demande rien. Au début ça fait bien mon affaire de ne rien faire. Mais après un certain temps, je commence à me sentir oisif et improductif parmi ces gens qui besognent toute la journée à des travaux dont je suis ignorant et pourtant qui m'attirent. Le soir autour de la table, j'ai l'impression de ne pas avoir mérité l'abondance que ces personnes m'offrent avec tant de gentillesse.

Spontanément, j'ai envie de me rendre utile. Cependant, s'il m'est passablement facile à Paris de dialoguer avec les gens, ici je suis embarrassé de poser cette simple question où la valeur n'est pas dans les mots ni dans l'intention, mais dans l'action. Après avoir pesé mes pensées, je romps le silence que goûtent ces gens fatigués.

– *Je voudrais apprendre à traire les vaches.*

Il n'y a aucune réaction sinon un éclat de rire d'Ursula. Lorsqu'il a terminé son bol de soupe, Jean-Jean l'éloigne de lui avec le gras de son pouce, et c'est là seulement qu'il dit :

– *Vraiment ?*

– *Oui.*

– *Si tu veux traire les vaches, il faudra te lever à quatre heures du matin. Tu veux toujours traire les vaches ?*

– *Oui*

Jean-Pierre s'adresse à Ursula :

– *Demain matin, tu le réveilleras et tu le prendras avec toi, tu lui montreras.*

Nounou Giroux tente de s'interposer :

– *Il est en vacances, il a besoin de sommeil.*

Jean-Jean réplique :

– *C'est à lui de décider. On verra demain matin.*

Je dors dans une petite chambre lambrissée à l'étage du dessus. Il fait encore nuit lorsqu'Ursula entre en fanfare dans ma chambre, rejette sans ménagement draps et couvertures, ce qui m'envoie un courant d'air sur le corps plus efficace qu'un réveille-matin pour sortir du sommeil.

– *Debout Gross Filou !*

Elle disparaît en faisant claquer ses sabots dans l'escalier. Le petit-déjeuner, ce sera pour plus tard après la traite des vaches et le ravitaillement des cochons. Jean-Jean est déjà dans l'étable. Pour quelqu'un qui ne parle pas beaucoup, il chante à tue-tête une vieille chanson en patois « gruérien » qui lui a été transmise par son père, qui la tenait de son grand-père qui, lui-même, fut « armailli » (garçon vacher, bouvier) du côté de Fribourg.

Il chante afin de distraire les vaches pendant la traite, ce qui donne, paraît-il, du meilleur fromage. J'en ai retenu quelques vers et ça donne à peu près ceci :

Les Jarmailli di Colombété – Dé bon matin ché chon léva

Quand chon vigné y baché j'lvoué – tsancro lo mé, n'an pu pacha...

Ce qui veut dire en gros :

Les armaillis des Colombettes, de bon matin se sont levés.

Quand ils sont arrivés aux basses eaux, le chancre me ronge, ils n'ont pu passer...

Il s'ensuit toute une histoire assez grivoise où intervient le curé qui dira une messe en échange d'un bon fromage qu'il ira faire quérir par sa servante chez les armaillis. Cependant il ne veut pas que les armaillis abusent de la servante sans se confesser. Finalement, après un Ave Maria octroyé par l'homme d'église, le troupeau arrive à passer. Et paraît-il, la servante a fait de nombreux voyages pour transporter bien des fromages, le prélat les ayant trouvés fort à son goût dit la chanson.

Ce n'est pas si facile de traire une vache ! Il faut d'abord lui laver le pis. Rien que ça, je ne suis pas rassuré. La vache bouge tout le temps. Elle tourne la tête et me fait un drôle d'œil. Après ça, il y a une manière de faire glisser les pouces sur les trayons pour faire pisser le lait sans se laver les mains dedans.

Je passe mon temps à changer le tabouret et le seau de place. Lorsque je réussis une giclée, elle arrive rarement dans le seau. Les éclats de rire d'Ursula n'arrangent pas les choses et j'ai de telles crampes dans les doigts que je suis obligé d'arrêter. Pourtant une semaine plus tard, je réussis à traire une vache à moitié et je m'enhardis à lui mettre une demi-claque sur le train arrière en faisant la grosse voix pour la faire tenir tranquille. Je suis également capable de baratter la crème sans tomber d'épuisement au bout de cinq minutes et de déplacer un sac de farine sur dix centimètres. N'empêche que tous les jours avant l'aube, comme tout le monde, je suis debout.

Jean-Jean dit que je prends des forces et qu'il ne me manque plus que l'accent suisse pour faire un bon fermier. J'écris tout ça à ma mère mais, dans ses réponses, elle me rappelle surtout mes devoirs de vacances.

Sur la petite table carrée de ma chambre, devant la fenêtre ouverte, je feuillette alors le cahier où il y a inscrit : « Réponses », suivies de lignes noires qui se brouillent et font de l'ombre aux joies simples de la vie que je mène ici. J'en suis toujours à la même page. Lorsque Jean-Jean passe sous la fenêtre avec sa Jeep tirant sa charrette, il ralentit et lève la tête. Aussitôt le soleil efface l'ombre. Je ferme le cahier et je dégringole les escaliers qui ne prennent pas le temps de craquer. Je saute sur le siège à côté de lui et on part aux champs pour la journée. Je l'ennuie toujours avec la même question :

– *Je voudrais que tu m'apprennes à conduire la Jeep.*

Il répond toujours :

– *Vraiment ?*

– *Et bien oui vraiment, vraiment, vraiment ! Tu veux ou tu veux pas ?*

– *Tu es trop jeune.*

– *Au moins laisse-moi essayer…*

J'insiste tellement qu'un jour… qui m'en a pris une dizaine, j'arrive à conduire la Jeep sans trop zigzaguer et sans trop faire grincer les vitesses. C'est le paradis !

À propos de paradis, le premier dimanche, je n'avais pas eu envie d'aller à la messe. On n'a pas insisté et on m'a laissé à la ferme. Depuis que je fais partie de l'ambiance, j'y vais. Il fait frais dans la petite église du village. Et puis, ça ne dure pas longtemps et on mange des brioches. Rien que pour les gâteries, ça vaut le déplacement. Nounou Giroux m'apprend sérieusement toutes mes prières, mais elle m'apprend aussi à avoir le fou rire pendant la messe. Elle a toujours du mal à se retenir. Ça ne rate pas. Dès que le silence se fait et que la messe commence, elle se met à pouffer et je me demande bien pourquoi. Ça finit par me gagner de la voir se tordre. Je fais comme elle : je récite mon chapelet, je me confesse, je rigole pour rien et je deviens vite un bon chrétien. Souvent, elle et moi, on fait les quatre ou cinq kilomètres à pied jusqu'au village et on visite les vieilles gens sur notre passage. Ce qui m'intrigue, c'est que toutes les maisons ont des jardinières pleines de fleurs à leurs balcons. Ça les rend très gaies. Les vieilles personnes sont gentilles : elles m'offrent un petit sucre dans de l'eau-de-vie et des gâteaux. Parfois on croise le curé sur sa bicyclette de femme. Le guidon semble aller d'un côté et la roue avant de l'autre mais ce n'est qu'une impression car si l'homme d'église tremble un peu, il arrive néanmoins à s'arrêter à notre hauteur. On fait une minute de causette, il me pince la joue et il repart sans coincer sa soutane dans son pédalier. Ça doit être ça un miracle !

Un matin, je trouve Jean-Jean près des clapiers. Il ne s'aperçoit pas que je suis derrière lui à l'observer. Je vais pour l'interpeller, mais ce que je vois me rend muet. D'une main, il tient un lapin par les pattes, la tête en bas et son poing droit est armé d'un gourdin. Ça fait sèchement « clac » deux fois lorsque le bâton heurte la petite tête. Jean-Jean suspend le lapin à un croc de boucher qui lui traverse une patte pendant que le corps gigote encore bizarrement.

Par terre un bol. De la pointe de sa galoche, Jean-Jean le pousse juste en dessous de la tête. Puis d'un mouvement rapide et tournant, avec la pointe d'un couteau, il arrache l'œil grand ouvert. Le sang éclabousse lentement le bol blanc, un de ceux dans lesquels on prend notre petit-déjeuner. Quelques incisions, la fourrure est arrachée. Les entrailles s'échappent et pendent par le ventre ouvert. Les chats rôdent alentour et miaulent, À cet instant, Jean-Jean remarque ma présence. Je le regarde et je regarde ses mains rougies.

– *Eh ! Dis p'tit, t'en fais une tirelire ?*

Je n'ai pas pu me contenir, je suis plié en deux et je vomis. Depuis deux jours, mon attitude vis-à-vis de Jean-Jean a changé. Je lui en veux. Je boude les travaux de la ferme et le soir, si je me présente à table, je mange à peine. Je fais une espèce de grève de la faim bien involontaire parce que je ne peux vraiment rien avaler excepté de l'eau et du pain. Je n'arrive pas à me libérer l'esprit de la scène dont j'ai été témoin. J'entends encore le son du bois sur la nuque du lapin, je vois constamment cette orbite qui ne voit plus, j'entends ruisseler le sang qui éclabousse le bol. Nounou Giroux est dans tous ses états, elle fait ce qu'elle peut pour me faire changer d'humeur mais elle n'y parvient guère. Ce qui m'ennuie le plus, c'est que Jean-Jean à qui je me suis attaché soit lié avec cette image brutale qui me blesse. J'essaye de réconcilier les deux et je n'y parviens pas.

Finalement le troisième soir, Jean-Jean vient me trouver dans ma chambre, une bouteille d'eau-de-vie dans une main et… deux petits verres dans l'autre. Il claque la porte en la repoussant avec son talon, puis dépose la bouteille et les verres sur la petite table :

– *Il faut qu'on parle tous les deux.*

Il tire une chaise pour lui, une pour moi, emplit les deux verres à ma surprise et commande :

– *Assieds-toi !*

Il se passe la main dans les cheveux ce qui chez lui est une habitude que j'ai observée lorsqu'il a un problème à régler. Il prend son temps, appuie ses lèvres sur son poing, d'un air pensif, puis me regarde droit dans les yeux :

– Écoute, t'en as peut-être gros sur le cœur, mais je suis venu te voir pour qu'on s'explique entre hommes. Maintenant, je me suis peut-être trompé, t'as peut-être pas envie de discuter d'homme à homme ?

– Si.

– Alors qu'est-ce qu'il y a qui ne va pas ? Tu me détestes parce que tu m'as vu tuer un lapin ?

– Je ne te déteste pas Jean-Jean, mais le lapin... il a dû souffrir, il bougeait encore et tu lui as arraché l'œil... c'est cruel...

– Aïe, aïe, aïe ! Bois un coup parce que tu n'as pas les idées claires !

En disant cela, il lève son verre plein et le repose vide. Vu qu'on discute entre hommes, j'en fais autant, du moins j'essaye. Ma gorge devient toute petite et ma tête devient toute chaude. Ça met du temps à se replacer.

– À présent, me dit Jean-Jean, je vais te poser des questions et tu promets de répondre franchement !

Je fais signe que « oui » de la tête parce que je n'ai plus de voix pendant quelques instants.

– Bon t'as déjà mangé du bifteck ? Du jambon ? Du poulet ?

J'acquiesce.

– Tu as aimé ?

– Oui.

– Ça t'est jamais passé par la tête que c'est de la viande d'animaux qu'on doit forcément tuer pour qu'on en mange ?

– Peut-être que si, mais je ne l'ai jamais vu faire.

– C'est justement là le problème. Ça t'a fait un choc parce que c'est la première fois.

– Est-ce que tu es obligé de les tuer comme ça, avec le bâton et l'œil ?

– C'est la seule façon de ne pas le faire souffrir. Tous les fermiers s'y prennent de la même façon.

– Pourquoi, il continue à remuer ?

– Ce sont les nerfs, lui il ne sent rien, il est déjà mort. C'est ce qu'on appelle « le coup du lapin ». Et puis il faut le saigner. Tous les animaux, c'est pareil. Tu sais ce qui arriverait si on ne les saignait pas ? Leur viande t'empoisonnerait et tu en mourrais. On ne vous apprend donc rien dans les villes ?

– Si, mais pas à tuer les animaux, seulement à les manger.

– Les gens dont c'est le métier de tuer les animaux pour que tu puisses en manger, tu voudrais faire ce travail à leur place ?

– Non.

– Est-ce que tu leur en veux de le faire à la tienne ?

– Non.

– Alors, dis, est-ce que tu m'en veux de tuer un lapin à ta place pour te nourrir ?

– Non, Jean-Jean.

– Alors on fait la paix ?

C'est spontané, je lui saute au cou. Je suis soulagé qu'il m'ait expliqué tout ça avec tant de patience et de gentillesse.

– Alors, buvons un coup. Quand on fait la paix, il faut trinquer.

Il doit avoir vraiment envie de faire la paix parce que depuis qu'il est arrivé, le niveau de la bouteille a dégringolé. Cette fois, j'y vais à petites gorgées bourgeoises parce que je n'ai pas envie de repasser par la première expérience.

– Tu veux me faire plaisir Gross Filou ?

– Oui.

– Tu veux vraiment me faire plaisir ?

– Sûr !

– Tu ne diras pas non ?

– Oui.

– Pourquoi tu dis oui ?

– Parce que tu m'as dit de ne pas dire non...

– T'as faim ?

– Oui.

– Alors, on va aller goûter mon civet.

On est seuls à table, les autres sont déjà partis se coucher.

– Jean-Jean, tu es un plus Gross Filou que moi. Un jour, je suis tombé de cheval. Mon entraîneur m'a forcé à remonter dessus tout de suite pour ne pas que j'ai peur des chevaux toute ma vie. T'as voulu que je mange du lapin ce soir pour ne pas que j'en sois dégoûté pour toujours.

– Vraiment ?

– Oui, vraiment.

Il repousse son assiette vide devant lui avec le gras de son pouce et m'annonce :

– Demain, je te montrerai comment conduire le tracteur.

Les vacances s'achèvent. Je dois quitter la ferme pour rentrer à Lausanne. « On se serre la main comme des hommes », me dit Jean-Jean, des larmes plein les yeux. « Tu reviendras nous voir quand tu voudras » m'assure sa femme, « tu seras toujours le bienvenu. »

Ursula ne retient pas ses sanglots et moi je suis bien près d'en faire autant.

La veille de mon départ pour Paris, je rentre du marché avec Nounou Giroux que je taquine plus que de raison. En papillonnant autour d'elle, j'essaye d'éviter une flaque d'eau et, tout en riant à gorge déployée, je me cogne la figure sur une colonne de pierres de taille à laquelle est attachée la grille d'entrée, et... je me casse une dent, une incisive. J'ai un trou dans le sourire. La brave Madame

Giroux est consternée. Elle tient dans sa main le petit morceau de dent qu'elle a retrouvé par terre et fond en larmes.

Sur le quai de la gare, les adieux sont plus amers que tristes. Durant le trajet de retour, je passe ma langue constamment sur la base de l'émail de ma dent ébréchée. Il y a autre chose qui me tracasse. J'ai beaucoup grossi. Nounou Giroux m'a d'ailleurs acheté des vêtements à Neuchâtel car je devenais ridicule dans les miens. La dernière fois que je me suis vu dans l'armoire à glace de la chambre des Giroux, j'avais l'air du bonhomme Michelin. Je me demande comment ma mère va prendre tout ça. Je ne tarde pas à le savoir. Elle m'attend à la sortie du métro Château de Vincennes.

Lorsque j'apparais, rouge bibendum au sourire troué, mes deux petites valises à la main contenant mes vieux vêtements et mon morceau de dent enveloppé dans un mouchoir, ma mère entre dans une telle rage que j'en ai les jambes molles entre mes deux valises. Toute l'angoisse des engueulades et des trempes vient de reprendre sa place instantanément.

Son idole, boursouflée et cassée, ma mère accuse Madame Giroux en termes crus. Je n'ose pas la défendre comme je devrais. J'arrive tout de même à balbutier que c'est ma faute, mais ça ne change pas grand-chose.

Lorsque ma mère en a terminé avec moi, elle expédie le soir même vers la Suisse une lettre dans laquelle elle épuise sa fureur contre cette femme innocente par des mots irréparables. Nous n'avons plus jamais entendu parler des Giroux et je ne les ai jamais revus.

Intransigeante, ma mère m'a mis au régime selon trois principes fondamentaux « Qui dort dîne », « Celui qui ne mange pas ne grossit pas », « Qui souvent se pèse bien se connaît et qui bien se connaît, bien se porte. » Elle a lu ça sur les balances des stations de métro où on vous encourage à dépenser un franc pour se peser.

En revanche, il n'y aucune restriction sur l'eau du robinet. J'essaye de tenir le coup en chapardant des morceaux de sucre sur la plus haute tablette de la cuisine où dorment des kilos de cette denrée et en me gorgeant de l'huile de foie de morue conservée dans le garde-manger, comme toujours, au-dessus de la cuvette des W-C Pour compenser le niveau qui baisse dans la bouteille d'huile de foie de morue, je remplis avec de l'huile d'arachide de la cuisine. Au bout de quelques jours, le goût est vraiment bizarre, mais ventre affamé n'a point de papilles.

En deux semaines, j'ai retrouvé ma ligne haricot vert extra *faim !* Pour ce qui est de la dent, on a tout essayé, il n'y a rien qui tienne ou c'est tellement artificiel que ça me défigure. Ma mère a donc décidé de ne plus me regarder avec un air désespéré, et moi… et bien moi, je m'en moque, dès l'instant que ça ne m'empêche pas de manger de nouveau.

Chapitre XXIV

Nous sortons du théâtre de l'Atelier où ma mère vient de signer et moi de parapher devant André Barsacq, le contrat pour un petit rôle, le page de « Créon », mais un rôle tout de même dans la pièce « Antigone » qui va se jouer cet été dans les villes de Provence et de la Côte d'Azur.

André Barsacq nous a expliqué que Jean Anouilh a écrit cette pièce en un acte, il y a six ans, en s'inspirant d'une tragédie grecque de Sophocle, que cette pièce a eu beaucoup de succès à sa création à Paris il y a deux ans et que l'on différencie les deux « Antigone » en s'y référant par l'Antigone de Sophocle et l'Antigone d'Anouilh. Moi j'écoute, ma mère acquiesce, car nous ne savions rien de tout cela.

Nous voilà tout réjouis, et nous allons annoncer comme d'habitude la nouvelle à Madame Gaucher à qui je dois beaucoup. Ma mère commence à se sentir plus confortable dans les sièges d'époque et c'est parfaitement à l'aise qu'elle annonce :

– *Gérard va jouer en tournée dans Antigone de l'Anouilh* (ce qui sonne évidemment comme *Antigone de la nouille*), *par opposition à celle de…* et là elle hésite :

– *Ça finit comme dans… Monocle, Binocle…*

– *Sophocle,* rectifie Madame Gaucher *l'Antigone de Sophocle, l'autre, c'est l'Antigone d'Anouilh.*

– *Ah, vous êtes au courant ?* dit ma mère étonnée. *Celui-là, le… Sophocle, je le connaissais un peu moins bien…*

Dehors, ma mère est furieuse. On devait aller au restaurant fêter le contrat. Au lieu de ça, on fait les librairies par chez nous sans trouver la pièce et c'est à Vincennes que nous la dénichons ainsi que du pain et du fromage. D'abord ma mère feuillette fébrilement le « Larousse » pour en apprendre un peu plus sur Sophocle, puis plonge dans la pièce qu'elle lit à voix haute et que j'écoute sans rien y comprendre. Ma mère non plus d'ailleurs car elle fait une moue et conclut :

– *Je n'ai jamais rien lu d'aussi déprimant et d'aussi morbide, tout le monde y passe là-dedans, c'est une véritable hécatombe ! Je me demande bien ce que le jeune page vient faire ici ?*

Lorsque la tournée s'est achevée, nous n'avions pas compris davantage le sens de la pièce et nous n'avons pas cherché non plus à le comprendre. Ce n'est que beaucoup plus tard, au lycée, que j'ai découvert la trame philosophique et politique de la pièce qui avait été écrite comme un parallèle à l'Occupation allemande et à la Résistance française.

C'est au cours de cette tournée que Jean Davy, sociétaire de la Comédie-Française, a accepté de me parrainer pour que je devienne membre du syndicat des artistes.

Chapitre XXV

Madame Gaucher est en train de se pâmer bourgeoisement en apprenant la nouvelle, c'est-à-dire qu'elle s'évente un peu plus rapidement que d'habitude sans perdre le sourire.

– *Grand Dieu, la Comédie-Française ! Vous voyez ce que je vous avais dit !*

Elle qui voulait tant m'y voir, et bien elle est satisfaite. Pierre Dux m'a choisi pour le rôle de Dino del Moro dans la reprise d'une pièce de Henry de Montherlant « La Reine morte », j'ai même une doublure !

D'habitude, ce sont des filles du Conservatoire d'art dramatique qui interprètent les jeunes garçons au Théâtre-Français, alors ça crée un précédent.

Évidemment, c'est un privilège mais je me rends vite compte qu'il n'y a rien de comparable entre jouer un rôle d'adolescent au « Français » parce que la pièce le nécessite et le fait, en tant qu'adulte, de faire partie de la Comédie-Française qui est une institution nationale et qui réclame une formation au Conservatoire ce qui est la consécration du comédien. Il y a donc loin de la coupe aux lèvres et dame Gaucher se pâme un peu vite. Je suis à des années-lumière du Gérard Philipe qu'elle anticipe et je me contente pour l'instant d'ouvrir grands les yeux et les oreilles à tout ce qui se passe autour de moi.

Au « Français », on est bien loin des petites troupes familiales des autres scènes parisiennes. Le « Français », c'est une usine avec ses deux salles, celle du Palais-Royal et celle du Luxembourg. On rencontre partout des acteurs costumés et il faut être bien renseigné pour savoir ce qu'ils font là.

Henry de Montherlant assiste aux répétitions de *La Reine morte* la plupart du temps mais j'ai très peu de contacts avec lui, c'est plutôt ma doublure, le jeune Claude Bertin que j'allais voir tourner « aux studios de Saint-Maurice », qui le courtise et qui obtiendra par la suite le parrainage et l'appui du célèbre auteur pour ses études secondaires.

Ma mère pense que l'on répète la pièce tous les jours, mais c'est inexact, alors je prends la liberté d'assister aux répétitions d'autres pièces et ma mère signe les mots d'excuse pour l'école. Rattraper les cours que je manque est un cauchemar, pourtant je m'y efforce, mais ce que je suis en train de vivre maintenant au Théâtre-Français l'emporte sur la discipline des études.

Que ce soit dans la tragédie ou la comédie, l'école du théâtre classique est vraiment différente de celle des théâtres populaires. Je reste des heures à regarder travailler les comédiens et je découvre une multitude de choses nouvelles qui me fascinent. J'observe les détails de la mise en scène qui obéit à des lois rigoureuses de positionnement des comédiens en regard du public et je suis impressionné, particulièrement dans la comédie, par l'aisance corporelle des acteurs. On ne se déplace pas sur la scène du « Français » comme dans la rue. Ça tient de la danse et c'est dans le mollet que ça se passe. Les comédiens ne marchent pas, ils glissent souples, légers. Ils ne font pas de gestes, ils arrondissent les bras et les mains, aériens, gracieux et flottants. Certains comédiens sont d'ailleurs très légers et flottants par nature...

On ne parle pas au « Français », on déclame ! Il y a des trucs, je n'en reviens pas, la voix par exemple : particulièrement dans le style dramatique, elle est, comme ils disent, poussée par le ventre jusqu'au masque... C'est presque du chant. On ne me demande pas de faire ça, bien sûr, mais j'essaye quand même à la maison, histoire de commencer à m'entraîner. Je contracte le ventre et je pousse aussi fort que je peux pour sortir des « Oh » et des « Ah » bien placés dans le masque.

Ma voix ne s'améliore pas, ça me donne plutôt mal à la gorge, par contre je réussis par en bas des sonorités qui scandalisent ma mère.

– *Va faire ça dans les toilettes !* qu'elle me dit.

Du coup, j'ai affiché un écriteau sur la porte des W-C « *Conservatoire* ». Mais ma mère n'apprécie pas mon humour :

– *Enlève-moi ça tout de suite !*

– *Mais maman, ils disent que c'est pour ne pas fatiguer l'organe dans les grandes tirades !*

– *Oui, et bien tu n'en es pas encore là.*

L'organe des comédiens doit être très important parce qu'ils en parlent tout le temps, souvent à voix basse, quand je suis autour d'eux. Puis ils s'habituent à ma présence et finissent par en parler à voix haute. Cet organe-là, en revanche, j'ai l'impression qu'il ne fatigue jamais.

Les acteurs s'amusent bien de ma naïveté. Ils prennent un air convaincu de vouloir me rendre service et me disent :

– *Au théâtre, on n'articule pas les mots comme lorsqu'on s'adresse au guichet de la Poste. Par exemple, tu sais qu'il faut prononcer* « trâ » *sur scène pour que le public entende* « trop » *?*

Je dis « oui » pour ne pas avoir l'air ignorant.

– *C'est la même chose avec le son* « En » *qui doit osciller vers le* « On » *très nasal. Et puis les* « Un » *doivent être prononcés* « En », *tu saisis ?*

– *Oui... Oui...*

– *Tiens écoute, cette phrase. Dans la salle, on doit entendre* « C'est du camp Madame qu'il a fui comme un chien ! » *Mais sur scène tu dis* « C'est du con Madame qu'il a fui comme en chiant. » *T'as compris, alors répète !*

Puisqu'ils me le demandent !

Le côté aérien ne cadre pas tout à fait avec mon tempérament et j'éprouve des difficultés même en m'exerçant. Par exemple, lorsque ma mère m'envoie faire une course, si la rue est plus ou moins déserte, je cours et je glisse sur la pointe des pieds, léger… léger… tout dans le mollet. Puis ainsi que je l'ai vu faire par Scapin dans « Les Fourberies », je m'arrête brusquement, je penche le torse de côté, je porte agilement et gracieusement la main à mon oreille en faisant mine d'écouter, tandis que j'étire vers l'arrière l'autre bras, celui qui tient le filet à provisions. Je recommence plusieurs fois jusqu'à ce que j'aie l'impression que le mouvement soit réussi. Évidemment je ne me doute pas que ma mère m'observe derrière notre fenêtre et les voisins derrière la leur :

– *Ma parole, mais t'en as un grain ! Tu sais ce qu'on doit penser de toi ? Que t'es anormal, que le cinéma t'a rendu maboul !*

– *Tu m'as dit un jour que tu n'en avais rien à faire de ce que pensaient les gens.*

– *J'en ai à foutre oui ! S'ils prennent mon fils pour un détraqué, bon à enfermer, mais tu ne t'es pas vu ?*

Elle entreprend de m'imiter. Elle piétine lourdement, tend exagérément le postérieur, se gifle presque l'oreille en prenant l'air le plus idiot qui soit, la mâchoire pendante :

– *Voilà de quoi tu as l'air !*

Évidemment si c'est de ça que j'ai l'air, du coup, mon élan est coupé et j'interromps pour le moment les cours que je me donne.

Il arrive que les comédiens ne soient pas toujours tendres non plus à l'égard de leurs aînés. Je suis assis dans le somptueux foyer des artistes et j'entends deux acteurs connus parler du grand artiste Jean Yonnel, doyen des sociétaires de la Comédie-Française, dont l'âge affecte maintenant la mémoire.

Le premier remarque :

– *Tu te rends compte, après avoir joué Le Cid des centaines de fois, il se promène avec un petit classique et il consulte son texte avant d'entrer en scène, c'est triste.*

Le deuxième riposte en raillant ce que d'aucuns pourraient qualifier de « bon mot » :

– *Ça, c'était autrefois lorsqu'il lui restait un peu de mémoire, maintenant, c'est en quittant la scène qu'il sort son classique pour rayer les répliques.*

Selon la coutume du « Français », nous ne jouons pas tous les jours mais trois ou quatre fois par semaine en alternance avec d'autres pièces. Je ne tiens pas ma mère au courant du calendrier exact des représentations.

J'en profite, puisque les grands auteurs français ont sur moi l'attrait du nouveau, pour grignoter une soirée par-ci, par-là et apprendre mes classiques à partir des coulisses. Cependant la pédagogie peut être variable et j'assiste parfois, en chat gris autour des décors, à des scènes éducatives autres que celles auxquelles le public a droit dans la salle. Ainsi c'est monnaie courante de voir les figurants s'esbaudir et se mignarder dans les coins obscurs du plateau, mais il existe aussi des paradoxes éducatifs comme celui où je surprends Rodrigue, entre deux panneaux, étreignant hardiment Chimène en faisant la bête à deux dos alors qu'elle est à un doigt de s'élancer sur scène et de demander la tête de ce même Rodrigue au roi Don Fernand pour avoir occis son papa en duel.

Ce qui m'a vraiment soufflé, c'est de voir une fois par le biais des ouvertures du décor, dans « La mort de Pompée », un César un peu bedonnant, un peu grisonnant et fort libertin, en pleine scène, de dos au public, plonger la main dans la jupette d'un jeune et blond centurion… devant un millier de spectateurs ! Je veux bien que la scène n'ait été éclairée que par des torches, mais voilà un César qui avait la main mise sur ses soldats ! Il est vrai qu'il était général de tous les corps d'armée…

En revanche, d'autres sociétaires sont disons, plus sévères. Les nommer serait dénoncer les premiers et je ne voudrais pas que la Comédie-Française en souffrît dans ses traditions.

Puisque son fils joue à la Comédie-Française, ma mère invite au théâtre nos relations mondaines, c'est-à-dire pratiquement personne sauf le docteur Dollé, que nous ne fréquentons pas, le docteur Weber dans la thérapeutique duquel ma mère n'a pas toute confiance et la doctoresse Spriet, qui n'a jamais le temps, seules personnes dignes d'être tenues au courant de mes activités artistiques.

Les places gratuites sont aussi difficiles à obtenir au « Français » que des permissions pour un soldat de deuxième classe en temps de conflit. Il faut donc que ma mère mette la main au porte-monnaie pour inviter mais ces temps-ci, elle est dans sa crise extrême de fourmi économe, donc elle invite peu.

Le Théâtre-Français, c'est l'État. Lorsqu'une pièce y est montée, bonne ou mauvaise, on est assurés qu'elle tiendra l'affiche toute la saison.

Même si mon cachet n'est pas mirobolant, nous avons en retour la sécurité du fonctionnaire. Avec les radios, les synchros et ma mère qui en met un coup dans les fleurs artificielles tout en comptabilisant serré, j'ai l'impression que cet hiver, on est en train de se refaire des plumes.

La pièce roule et devient une routine. Malgré mes activités de comédien, j'arrive tant bien que mal à suivre à l'école. Je ne traîne plus si souvent dans les coulisses les jours où je ne suis pas « de service » et lorsque je joue, j'étudie mes leçons pendant que je ne suis pas sur scène. Le matin dans le métro, si je vais au studio, je révise et, même en studio, j'étudie si je le peux. Ma santé tient le coup.

Puis comme ça, sans que je m'y attende, au tournant du printemps, ma mère me demande de l'accompagner chez un administrateur adjoint de la Comédie-Française, Monsieur Mathis.

– Qu'est-ce qu'on va faire là ?

– Tu le verras bien.

Ma mère demande tout bonnement à l'administrateur de me libérer de mon engagement envers le « Français ». C'est un truc qui ne se fait pas sans histoire dans ce métier. Elle prétexte un état chronique de santé médiocre qui m'habite ainsi que mon grand retard à l'école, tout ceci étant inexact, et Monsieur Mathis n'est pas dupe.

– Allons, ne me racontez pas d'histoires, il se porte aussi bien que vous et moi. Soyez honnête, dites-moi plutôt que vous avez besoin de vous absenter de Paris, pour un film peut-être !

Ma mère s'enfonce :

– Je vous assure qu'il est très fatigué et qu'il a besoin de repos.

– Alors apportez-moi un certificat médical et nous le suspendrons jusqu'à ce qu'il se rétablisse. Mais réfléchissez ! Si nous apprenons qu'il a tourné ou joué quelque part entre-temps, je vous traduis en justice pour rupture frauduleuse de contrat. Ça va chercher des millions. Alors, il est toujours malade ?

Ma mère baisse le ton :

– Vous avez raison, c'est pour un film.

– Nous y voilà !

Ma mère plaide l'économiquement faible ce qui fait sourire Monsieur Mathis.

– Si vous aviez été franche, nous aurions peut-être pu nous arranger avec sa doublure. Dans les circonstances, vous prenez vos responsabilités. Votre fils est sous contrat avec la Comédie-Française, vous n'avez pas le choix, refusez !

Ma mère est mal :

– Nous avons déjà signé.

– Comment ça vous avez déjà signé ?

– Je vous en donne ma parole, nous avons signé.

Elle minimise :

– Pour un petit rôle, le cachet est maigre, mais c'est pour sa carrière au cinéma...

– Mais vous êtes inconsciente !

– Je ne pensais pas que ce serait si grave.

Monsieur Mathis l'interrompt furieux :

– Lorsque vous dites que vous ne pensez pas, arrêtez là, je vous en prie. Il est un fait, vous me semblez incapable de penser !

Ma mère est rouge pivoine, elle est en train de se faire corriger et elle vit un sale moment. Monsieur Mathis réfléchit quelque peu et prend sa décision :

– Très bien, je ne veux pas prendre avantage de votre situation. Je vous tiens quitte du dédit monétaire et je libère votre fils, c'est-à-dire que je le mets à la porte. De mon vivant, il ne remettra jamais les pieds au Français.

Il a dit cela sans colère et je le prends au sérieux. On sort du bureau et on traverse le foyer des artistes, l'oreille basse, rapidement, comme des indésirables, des dégradés, comme… enfin, comme des foutus dehors.

Dans la rue, ma mère ne cesse de répéter :

– *Quel sale con ce type, quel sale con !*

Ma mère vient de jouer dangereusement à la roulette russe car on n'a rien signé du tout pour aucun film. Elle a bluffé. Elle doit simplement me présenter à un metteur en scène pour une audition parmi d'autres jeunes acteurs.

Si Monsieur Mathis avait catégoriquement refusé de me libérer, elle aurait cédé en disant qu'elle allait s'arranger pour se dédire avec la production du film car elle n'était absolument pas prête à affronter un procès avec la Comédie-Française. Satisfaite, elle presse le pas :

– *Maintenant, ça vaut la peine qu'on se déplace pour l'audition. Et tu as intérêt à décrocher ce rôle ! Viens on y va tout de suite.*

Chapitre XXVI

À l'apogée de mes onze ans, dans un bureau des Champs-Élysées, le metteur en scène, Jean-Louis Bouquet, me fait lire quelques lignes d'un texte anglais auquel je ne comprends absolument rien. Il faut dire que ma mère m'envoyait épisodiquement chez une vieille lady anglaise qui hébergeait autant de petits chiens qu'eux-mêmes possédaient de puces et dont l'appartement embaumait le pipi de Yorkshire, de Pékinois et de Shih Tzu afin d'apprendre :

« One – two, buckle my shoe : Un - deux, lace ma chaussure,

Three – four, knock at the door : Trois – quatre, frappe à la porte,

Five – six, pick up sticks : Cinq – six, ramasse des baguettes,

Seven – eight, lay them straight : Sept – huit, pose-les droites,

Nine – ten, a good fat hen ! Neuf – dix, une bonne poule grasse ! »

Muni de ce vocabulaire combien cohérent, précieux et utile, ma mère avait jugé que je pouvais désormais affronter couramment une conversation avec n'importe quel représentant de la fière Albion et elle avait interrompu les cours. En ce moment même, elle s'en mord les doigts. Mais un petit démon veille sur moi et me sauve, Oh ! Combien à propos… En effet, Jean-Louis Bouquet trouve néanmoins que ma prononciation est très intelligible, que j'ai la silhouette acrobatique et l'expression malicieuse et ingénue qu'il recherche pour tenir le rôle principal dans son court-métrage de soixante minutes destiné au Canada et tourné en anglais : « Rhotomago », inspiré de la célèbre autobiographie psychotique de « Berbiguier de Terre-Neuve du Thym. »

Afin de discuter du contrat et de le signer, Jean-Louis Bouquet nous emmène en voiture rencontrer le producteur qui a son bureau dans les studios de la Fiat Films en banlieue de Paris.

Quelle n'est pas notre surprise de nous trouver devant un homme ventru au visage bouffi et vêtu… d'une soutane… car c'est un curé qui finance toute cette diablerie… ! L'ecclésiastique, même s'il essaye de réconcilier l'enfer et le paradis, est coriace en affaires, cependant ma mère a fait des progrès comme négociatrice :

– *Viens Gérard, on s'en va !*

Nous sortons du bureau et tout en nous dirigeant vers la voiture du metteur en scène pour l'y attendre, ma mère m'impose de marcher lentement :

– *Je compte jusqu'à dix,* dit-elle, *s'il ne nous a pas rappelés d'ici là, c'est foutu !*

J'en ai les larmes aux yeux.

Ma mère aurait eu le temps de compter jusqu'à cent lorsque Jean-Louis Bouquet nous rappelle :

– *Venez, c'est arrangé !*

Pour ce qui est de l'anglais, ma mère est convaincante, je connaîtrai le rôle par cœur. Ceci signifie en réalité qu'elle va me renvoyer chez lady-Pipi et que je devrai mâcher la souris qui grimpe dans la vieille horloge, « Tic tac toc, the mouth ran up the clock » pour compléter mes études dans la langue de Shakespeare…

Heureusement ça n'a pas duré longtemps et j'ai appris mon rôle autrement. Nous avons d'abord essayé Berlitz où il a été déterminé, à l'aide d'un interrogatoire subtil lors de l'entrevue, que mon aptitude à apprendre l'anglais dépendrait de la patience financière de ma mère qui a plaidé n'avoir ni l'une ni l'autre, ce qui n'a pas réglé le problème.

Finalement c'est Jean-Louis Bouquet qui trouve la solution en faisant engager par la production un jeune Américain en vadrouille à Paris. Le jeune homme s'assurera que tout ce que prononcent les comédiens, mais pas obligatoirement ce qu'ils saisissent, sera conforme à ce que devraient comprendre nos amis Canadiens.

Le personnage de Rhotomago est un farfadet, un diablotin qui a le pouvoir de détruire les récoltes, de susciter tempêtes et orages, de faire tomber la grêle, d'invertir l'ordre des saisons, de suborner les humains, de mettre la désunion dans les ménages, de provoquer des morts secrètes… mais dans cette mission particulière, il est envoyé sur Terre par Belzébuth, monarque des Enfers, pour troubler le repos public, semer désordre, discorde et cacardage dans la population conformiste. Il doit surtout… susciter l'agitation chez les jeunes filles innocentes lorsque descend la nuit…

Cependant, Rhotomago ne s'acquitte pas de sa tâche comme il le devrait et subit le courroux de Belzébuth qui le rappelle aux Enfers.

La dernière scène est impressionnante lorsque Rhotomago endure sa punition dans les entrailles de la Terre.

Lucifer, interprété par Marcel Lupovici, est d'une taille prodigieuse, noir comme un Maure, assis sur un trône immense et entouré de ses principaux dignitaires. Il porte deux grandes ailes de chauve-souris sur ses épaules, une queue de lion, des pattes de canard, tient un Trident dans le poing. Il a le front ceint d'un bandeau de feu, la poitrine gonflée, des yeux étincelants brûlant sous un sourcil élevé, des narines extrêmement larges, l'air menaçant.

Furieux contre le jeune Rhotomago, il vomit des flammes et hurle comme un loup.

Le tournage m'offre d'abord une agréable surprise : on va voyager. Les extérieurs auront lieu en Normandie et on sera logé dans une ferme, séjour inoubliable s'il en fut, où la gentillesse et la bonne humeur des fermiers n'ont eu d'égal que leur succulente table. La pénible surprise : le maquillage ou plutôt le grimage ! En intérieurs comme en extérieurs, avant le tournage, je demeure deux heures chaque jour sur une chaise, car c'est le temps que cela prend au maquilleur pour me grimer en Rhotomago.

Un diablotin n'a pas le visage de tous les mortels. Il faut d'abord me tailler les oreilles en pointe, me poser des griffes et m'allonger le nez de sept ou huit centimètres. C'est le nez qui pose un véritable problème. Au début, on a essayé un nez en carton. Ça ne va pas, ça ne fait pas naturel. Il faut que ce soit authentique.

On n'a jamais vu un diable avec un faux nez, sauf dans les bals masqués ! Alors tous les jours, mon maquilleur se transforme en sculpteur. Il m'enduit une partie du visage de colle forte qui me rend chaque jour un peu plus euphorique, je ne sais guère pourquoi, puis il applique une sorte de canevas et moule, à force de colle et de papier pâte sur mon nez, millimètre par millimètre, un nez allongé, pointu et légèrement relevé dont Cyrano de Bergerac lui-même aurait été envieux.

Au bout de quelques jours, je commence à réaliser que mon état légèrement extatique a un rapport avec la colle. Alors, je ne me gêne pas pour encourager le maquilleur à me faire un nez de plus en plus long et à prendre son temps, car j'ai tout le mien !

Puis, il faut que ça sèche et ensuite terminer le maquillage. Le tout est extrêmement fragile et ne me laisse que peu de liberté de mouvements. Il ne faut évidemment pas songer à se moucher ni à éternuer, sinon…

C'est arrivé une seule fois. À force de me faire chatouiller les narines, un éternuement a catapulté mon nez dans la houppette à poudre. Il a fallu tout recommencer mais je ne me suis pas plaint puisqu'il fallait recoller. Pendant le tournage, mon grimeur s'angoisse. Son front est perpétuellement barré d'un pli anxieux en m'observant. Avec la chaleur des projecteurs, il a peur que son nez, ou plutôt le mien, coule ou se déforme et il ne me lâche pas d'une semelle avec sa colle, son pinceau, sa pâte à modeler, ses éponges et son fond de teint. La script-girl lance des rappels à l'ordre :

– *Le nez de Rhotomago est de travers… ! Le nez de Rhotomago est en train de plonger… Le nez de Rhotomago est en tire-bouchon !!!*

Alors le pauvre homme arrive avec son attirail et se fait un peu enguirlander par le metteur en scène, mais il ne comprend pas pourquoi ce diable de nez se retrouve parfois en tire-bouchon.

Je ne peux pourtant pas lui expliquer que ma partenaire, la jeune fille que je dois dévergonder sans succès dans le film, Jocelyne Saturnin, est une charmante jeune fille blonde de treize ans, tout à fait dévergondable en dehors du plateau de tournage, et que je réussis à lui faire partager un ou deux « kisses » puisque parlant anglais, tandis que ma protubérance nasale en souffre à chaque fois. *Nez en moins,* il n'est pas facile de déjouer à la fois la surveillance du maquilleur, celle de ma mère et celle de la mère de Jocelyne qui n'est pas totalement naïve.

Lorsqu'elle nous déniche, elle me dit gaillardement :

– *Ah ! Je vous y prends tous les deux. Si tu continues à séduire ma fille, mon diable de Gérard, tu sais ce qui va t'arriver ? Je vais t'arracher le nez !*

Est-ce l'effet grisant de la colle qui réussit à Gérard là où échoue Rhotomago ou bien est-ce que je suis davantage mon personnage que lui-même ?

Madame Saturnin ne m'autorise peut-être guère à *diabloter* avec sa fille, mais grâce à elle, onze mois plus tard…

En attendant, Rhotomago ne sera pas vu en France ni ailleurs en Europe, mais en Amérique du Nord seulement. C'est le côté un peu décevant de ce vedettariat précoce et ignoré.

Chapitre XXVII

Voici que ma mère acquiert l'esprit d'entreprise. Un soir elle me sort :

– *Il y a des commandes dans la fleur artificielle avec l'Amérique ces temps-ci, c'est à peine croyable ! Ces cons-là foutent des fleurs artificielles partout. Dans les cimetières, les jardins, sur les tables, les chapeaux et les gâteaux d'anniversaire ! Ça me donne une idée.*

Je l'écoute :

– *J'ai bien envie de trouver des apprenties. Si je leur montre le métier, je n'ai pas à les payer cher et ça fera de la gratte sur les livraisons. Le plus d'apprenties, le plus de pognon !*

L'idée de voir des têtes nouvelles dans la maison ainsi que de l'activité ne me déplaît pas du tout :

– *Maman, t'es géniale. Chiche !*

Et la voilà qui transforme sa chambre à coucher en atelier, convertie également pour certaines occasions en salle à manger ! Le grand bureau inachevé d'Émile a pris le chemin de la cave et elle a fait fabriquer par un menuisier une immense planche démontable qu'elle assoit tous les jours sur des tréteaux. Ça prend toute la pièce. On pourrait presque jouer la comédie dessus comme dans les théâtres de saltimbanques.

Elle met des annonces chez les commerçants et, en un rien de temps, l'appartement bourdonne de voix jeunes qui n'osent quand même pas mener trop de tapage car, pour le peu de temps que je passe à la maison, je m'aperçois qu'avec ma mère ça ne rigole pas. Comme elle dit :

– *De mon temps les arpètes, ça ne bronchait pas !*

Parfois, elle les engueule jusqu'à ce qu'elles pleurent et elle les garde même en retenue, comme à l'école, si le travail n'est pas fait à son goût. Des fois, comme ça pour plaisanter, je lui dis :

– *Est-ce que c'est syndical de les garder après les heures ? Elles vont peut-être faire la grève !*

Ma mère est totalement ébaubie :

– *Elles ne peuvent pas faire la grève puisqu'elles ne sont pas salariées, mais où est-ce que tu as appris ces conneries-là ?*

– *Au théâtre on apprend beaucoup de choses.*

– *Si elles font la grève, je les fous dehors et j'en trouverai d'autres.*

Il n'y a pas à dire, ma mère c'est une vraie patronne. En tout cas, la patronne est de bonne humeur lorsque le dimanche soir, elle donne un coup de clef dans le placard secret et qu'elle étale les billets par paquets sur la grande planche. Parfois, elle range tout ça sans enthousiasme, se rassoit, fixe quelque chose dans le lointain. Elle a son tic et fait craquer ses cheveux sur son front.

– *Qu'est-ce qu'il y a?*

– *Je pense... Je pense à ce que tu deviendrais, s'il devait un jour m'arriver quelque chose. Tu es encore beaucoup trop jeune pour te défendre tout seul dans la vie. Qui est-ce qui t'élèverait? Où tu irais? Chez la tante Andrée? Chez la tante Germaine? Chez mon frère Léon? À l'Assistance publique? Personne ne te comprendrait! Tu serais malheureux partout. Tu vois, j'ai fait de toi sans m'en rendre compte un gosse à part, un marginal. Il y a des fois, je m'en veux. Maintenant c'est trop tard. Tu es déjà marqué. C'est pour ça que je voudrais que tu réussisses dans le cinéma et en même temps dans tes études. Pour les études, t'es un peu en retard à cause du théâtre, mais tu vas te rattraper. Il faut que tu n'aies besoin de rien ni de personne.*

Elle secoue la tète et son regard devient embué :

– *C'est idiot à dire, mais j'ai hâte de vieillir pour que tu grandisses.*

– *Maman, pourquoi veux-tu qu'il t'arrive quelque chose?*

– *Je ne sais pas, mais je pense souvent à mon père qui est décédé du cancer à quarante-neuf ans. Il paraît que je suis celle qui lui ressemble le plus, de caractère, physiquement et tout... Et puis souvent j'ai des malaises dans le métro, il faut que je descende et que je sorte, j'angoisse. Le docteur Dollé m'a dit que c'était vago-sympathique. Il m'a donné des médicaments, mais ça ne change rien. Des fois je suis prise de panique et c'est terrible ce que j'endure.*

Chapitre XXVIII

Je viens d'être admis au lycée Voltaire. Maigre et long poireau frisé de onze ans et demi, je me retrouve au milieu de mes camarades avec une tête de plus et un an de retard. Je ne suis qu'en septième ! Je viens à peine de retenir ma première déclinaison latine, qu'un samedi, aux environs de midi, par une belle journée d'automne…

Un jeune garçon sort du métro traînant son lourd sac d'école. Il rentre chez lui. Il s'apprête à traverser au passage clouté, une grande avenue : le Cours de Vincennes où la circulation est intense.

Un camion est stationné sur sa gauche, le long du trottoir contre le passage clouté. Des paquets de véhicules venant de la même direction circulent à vive allure et franchissent le passage clouté par pelotons.

À quelque distance sur la droite, un autobus se rapproche lentement, en sens inverse, de l'autre côté de l'avenue. Le garçonnet jette un coup d'œil sur sa gauche, derrière le camion, puis à droite. Il y a un trou. Il vise le trottoir d'en face, situé à la lisière du bois de Vincennes, il s'élance devant le camion arrêté… et tout s'efface instantanément de sa conscience. C'est le néant. Il vient d'être happé par une voiture qui lui était cachée par le camion. Il n'y a pas eu de coup de frein.

Il est arraché du sol de plein fouet, défonce le pare-brise, rebondit sur le toit de l'automobile et retombe à quelques mètres de là sur le pavé de la chaussée, inerte.

Visage écrasé, épaule fracturée, jambe droite déchiquetée, il gît dans une nappe de sang, les secondes sont précieuses.

Pendant que l'enfant est en train de se détacher du monde, Julien Klein, un agent de police, son service de nuit terminé quelque part dans la capitale, est accroché comme tous les flics de Paris à la plateforme de l'autobus complet qui le ramène chez lui. Il voit la scène, saute en marche, se précipite sur le blessé et lui fait un garrot à la cuisse. Il aperçoit deux motards qui accompagnent un fourgon de police de l'autre côté du boulevard et les siffle. Les motards font demi-tour et tout se passe très vite.

– *Trouvez-moi n'importe quoi pour le transporter. Si dans cinq minutes, il n'est pas à l'hôpital, il est perdu.*

– *On ne peut pas s'en occuper, on est en service commandé. On suit un car pour un transfert de détenu. Vous n'avez qu'à appeler l'ambulance…*

Julien Klein est lorrain, autoritaire et persuasif :

– On n'a pas le temps. Je vous dis qu'il est perdu. Il a le crâne en bouillie et une jambe coupée. Il pisse le sang de partout. Si vous me ramenez le car, il a peut-être une chance.

– C'est pas régulier.

– Régulier ou pas. Il est en train de se vider, Bon Dieu !

– Et le constat ?

– Je connais le gosse. Il habite au-dessus de chez moi. C'est un acteur de cinéma, je me démerderai.

– T'es en service ?

– Non je ne suis pas du quartier non plus.

– C'est vraiment pas régulier.

– Alors, on le laisse crever ?

– Bon, ça va, on rattrape le car et on te le ramène.

– Grouillez-vous bon sang, il va y passer !

– T'en fais pas.

Dans le car de police, pendant quelques instants, je reprends vaguement conscience. Je ne vois rien mais j'entends. Le « deux tons » et la voix inlassable qui répète :

– C'est moi, Julien Klein. Je suis ton voisin, j'habite au deuxième, tu me reconnais ?

Non, je ne le reconnais pas. J'essaye de comprendre ce qui se passe mais je n'y arrive pas.

– T'as eu un accident. T'en fais pas, je suis là. Il y a deux motards qui nous ouvrent la route, dans quelques minutes, on sera à l'hôpital... C'est moi, Julien Klein, je suis ton voisin. J'habite au deuxième, est-ce que tu me reconnais ? C'est moi, Julien Klein...

Et je replonge dans le vide.

À nouveau j'entends. Ce sont des voix différentes. « Il est dans le coma... rien dire pour le moment... rien promettre... dépend de sa résistance... La jambe m'inquiète plus que la tête... impossible d'envisager l'opération... beaucoup trop faible... Refaire surface... Reprendre des forces... Espérer... »

Les choses se précisent de plus en plus à ma conscience. « Je suis l'aumônier de l'hôpital. Ne le prenez pas comme un mauvais présage, Madame. Il faut prévoir, son état est grave. Il est catholique ? »

– Oui mon père.

– Ce n'est qu'une simple précaution de routine, rien d'autre, je vais lui donner l'onction. Allons du courage Madame, priez avec moi.

Je réalise que ce que j'entends est du latin. Et puis, j'ouvre les yeux. Tout devient net Les voix ont des visages. Je voix l'aumônier penché sur moi et marmonner. J'essaye de dire quelque chose, mais il m'est impossible de remuer les lèvres et ce ne sont que des sons à peine articulés que j'extrais lentement de ma gorge :

— *'osa, 'osa, 'osam, 'osae, 'osae, osa. 'renière déclinaison.*

— *C'est un miracle, appelez le médecin tout de suite ! Il revient à lui, il vient de réciter sa première déclinaison !*

Le chirurgien n'était pas loin. Il revient sur ses pas.

— *Qu'est-ce que vous racontez !*

— *Il vient de réciter sa première déclinaison.*

— *Vous en êtes sûr l'abbé ?*

— *Docteur, je connais quand même ma première déclinaison !*

L'homme en blanc et en calotte se penche sur moi :

— *Comment t'appelles-tu ?*

— *'érard 'érais*

— *Où habites-tu ?*

— *'treu-un-diite rue 'asteur, 'ontenay 'ou 'ouas.*

Il se redresse :

— *Il s'est raccroché. Maintenant que vous avez fait votre miracle l'abbé, c'est à mon tour. S'il progresse, je l'opère demain matin.*

Sur une chaise à côté de mon lit, il y a un gros Monsieur tout rouge à qui je suis relié par des tubes et des aiguilles. Un homme à barbiche, en blouse blanche, assis sur un tabouret, actionne lentement une sorte de seringue chromée avec laquelle il transfère de la vie du gros Monsieur rouge dans le petit navet amoché. Je découvre enfin à ma gauche le visage que je cherchais :

— *'an, 'an !*

— *Je suis là mon chéri.*

Le lendemain, matin, je suis sur la table d'opération parfaitement conscient. On attend le professeur Lecœur, le chirurgien que j'ai vu hier. L'anesthésie m'inquiète pour deux raisons : J'ai d'abord gardé un mauvais souvenir du masque qui m'étouffait lors de mon opération du sinus à six ans et puis j'ai entendu dire qu'il y avait des opérés qui ne s'étaient jamais réveillés à la suite de fautes commises par l'anesthésiste. Tout ça me travaille.

Et, lorsque je vois à l'envers ce visage de femme penché sur moi qui m'annonce qu'elle va m'endormir, je panique parce qu'elle louche ! Je ferme les yeux une seconde et je les ouvre à nouveau : elle louche toujours. Ça m'angoisse tellement que je lui dis :

— *Attendez !*

— *Oui ?*

Je fais un gros effort pour essayer d'articuler du mieux que je peux.

— *Vous me promettez de faire attention, parce qu'il y a des gens qui ne se réveillent jamais... Et puis le masque, si j'étouffe... vous pourrez l'enlever un peu ?*

– Je te promets de faire très attention. Je vais te faire une piqûre, tu ne sentiras rien du tout. Tu peux me faire confiance. Tu vas compter avec moi jusqu'à trois et tu vas dormir. On fait des progrès tu sais. Te voici rassuré ?

– Oui...

– Alors un... deux...

Quelques jours plus tard, cette doctoresse a avoué à ma mère que ma réflexion l'avait tellement frappée qu'elle s'était inquiétée :

– C'était plus fort que moi. Après ce qu'il m'avait dit, je ne me sentais pas tranquille. Il m'a fait faire du souci pendant toute l'intervention.

Le professeur Lecœur a réussi son miracle, car c'en fut un, attribuable à la compétence de ce médecin ! Non seulement j'ai gardé ma jambe, mais aucune ne sera plus courte que l'autre, pas même d'un millimètre, et je retrouverai mon vrai visage.

Pendant les deux semaines de mon séjour à l'hôpital Trousseau, la clavicule immobilisée par un bandage astucieux, j'attends sous un pont de lumières chauffantes au-dessus de mon lit que ma botte de plâtre sèche. De jour comme de nuit, je suis gâté par les infirmières et les médecins. Ma mère, impayable, apporte des photos pour que je les dédicace. Elle devient comme Madame Jamin avec sa Lucie, sauf que la petite orpheline de Madame Jamin est devenue le petit miraculé... « de la science », précise-t-elle parce que ça l'embarrasse de devoir quelque chose au Bon Dieu qu'elle ne fréquente guère.

À la maison, je suis alité en permanence. J'en ai pour environ trois mois jusqu'à ce que les deux os brisés de ma jambe se ressoudent.

Nous nous sommes beaucoup rapprochés de la famille Klein, celle de l'homme qui est à l'origine du miracle.

Lorsque les portes des deux chambres sont ouvertes et que le couloir d'entrée est dégagé, je peux voir et entendre ce qui se passe dans la chambre de ma mère où bourdonne la ruche atelière des fleurs artificielles.

Je ne m'ennuie pas. D'ailleurs, j'occupe beaucoup mon temps à étudier, aidé en cela par Renée Klein, la femme de Julien, qui a fait des études secondaires. Je reçois également des visites des sœurs et du frère de ma mère, Léon, qui viennent souper à la maison et se sont rapprochés, pour ne pas dire réconciliés, étant donné la circonstance.

Parfois, Léon, qui a été gazé en quatorze-dix-huit mais a quand même fait celle de trente-neuf quarante-cinq, boit un coup de trop et il devient sentimental. Il quitte la table à dîner, traverse le couloir et vient dans ma chambre, puis se met à pleurer à chaudes larmes sur mon sort. Ça me fait de la peine de le voir dans cet état, alors je le console et il repart en riant.

La visite quasiment journalière que j'attends toujours avec impatience, c'est celle de Julien Klein. N'ayant pas de père et lui pas de fils, mon sauveur me porte une attention particulièrement appréciée. Il a confectionné pour moi sur un coffret de bois, un poste à galène d'une remarquable solidité et d'une grande efficacité. Il me parle de mécanique, ce qui me passionne, et m'apprend sur papier comment fonctionne un moteur à quatre temps jusqu'à ce que je comprenne. Ce qui est le plus difficile à saisir c'est le mouvement du différentiel, alors il m'en a fait une maquette, une merveille de patience et de précision.

Ma mère, possessive et envahissante, a réussi à enjôler la jeune Renée Klein, épouse de Julien, afin qu'elle apprenne à faire des fleurs artificielles et vienne lui tenir compagnie dans son atelier tout au long de la journée car elle a découvert chez cette jeune femme réservée, des affinités artistiques et spirituelles qui ne lui déplaisent pas du tout…

Ceci fait que Renée qui a néanmoins trois filles en arrive presque à négliger les devoirs ménagers exigés des femmes par l'époque, ainsi que le nécessaire conjugal exigé des épouses par leur mari. Julien qui n'a pas toujours bon caractère a sorti une fois à ma mère :

— *Je préfère être cocu par un homme que par une femme !* Ce qui était une simple figure de style, car il n'y avait rien en la matière qui puisse justifier l'exactitude d'une telle remarque.

Mais Julien a un sens de l'humour très emprunté à l'argot et un peu plus rustique que sa femme ne le souhaiterait ; d'ailleurs, il avait ajouté avec une certaine philosophie :

— *Après tout, j'en n'ai rien à foutre, dès l'instant qu'elle ne se fasse pas faire une indéfrisable au trou du cul, du moment que je m'y retrouve.*

Une autre fois qu'il était en train de lacer son soulier, genou en terre, le visage proche du postérieur de sa femme qui cherchait un objet dans le placard de leur entrée exiguë, il l'avisa de sa voix grave :

— *Éternue pas, parce que je suis derjo !*

Chapitre XXIX

Trois mois plus tard, aux premiers rayons de soleil qui annoncent encore d'assez loin le printemps, le docteur Dollé vient me délivrer, avec une énorme paire de ciseaux, du bandage qui limitait ma respiration.

Mon épaule est guérie. Mais c'est à l'hôpital Trousseau, qu'à l'aide d'un burin et d'un marteau, on me sort de ma chrysalide de plâtre et, insecte à la patte fragile qui ne peut soutenir son corps, je tente mes premiers pas. Impossible ! Je suis désorienté, ma jambe, toute rouge, est devenue atrophiée, minuscule. Elle est complètement raide. J'ai perdu toute force musculaire, il va falloir que je réapprenne à marcher. Deux semaines plus tard, monter ou descendre un bout d'escalier, m'asseoir sur la lunette des W-C sont des entreprises pénibles et souvent douloureuses qui me prennent un temps fou. Mais je suis libre.

Avec le temps, je finis par me déplacer sans canne, en boitant fortement, mais le soir, ma cheville a doublé de volume. De temps à autre, j'essaye de faire un ou deux mouvements plus rapides que les autres dans l'espoir de réussir à courir quelques pas. Je n'y arrive pas. Je trébuche et parfois, je tombe. Ma jambe est trop raide, je ne réussis qu'à claudiquer maladroitement. L'impatience me fait penser que je vais rester infirme. Pourtant insensiblement, je progresse, au moins je marche, lentement, mais je marche. Petit à petit, je me déplace sur de plus longues distances et ma mère commence à parler de me renvoyer au lycée pour terminer le trimestre.

J'en suis là de mes efforts, lorsqu'un matin, le téléphone, qui lui aussi était resté dans le plâtre tout l'hiver, se réveille subitement. C'est Madame Saturnin, la mère de Jocelyne, ma blonde partenaire de « *Rhotomago* ».

Au début, on avait plus ou moins gardé le contact, mais c'est la première fois qu'on entend parler d'elle depuis des mois. Ma mère lui raconte d'abord que je me suis fait démolir par une voiture et que je reviens de loin. Puis, la conversation tourne vite. Je comprends que Madame Saturnin est en train d'essayer de convaincre ma mère de quelque chose au sujet d'un film en préparation. Je prends l'écouteur. Ma mère ne semble pas vouloir se laisser persuader :

— Tout ce qu'il réussit à faire en ce moment, c'est le tour du pâté de maison et encore avec difficultés, il ne peut même pas courir. Comment voulez-vous qu'il se présente dans cet état-là ?

Madame Saturnin a le timbre un peu rugueux et les manières directes des femmes que la vie a souvent placées dans les vertes et les pas mûres.

– *Mais, vous êtes dure à comprendre Simone ! Vous ne vous rendez pas compte ! Ils ont vu Jocelyne ce matin pour le rôle de la fille. Je ne sais pas ce que ça va donner pour elle, mais j'ai appris que c'est le garçon qui tient toute la vedette du film. Le môme qui décroche ça est lancé ! Le metteur en scène, c'est Henri Decoin et la production, c'est une des plus grosses de France. C'est le gros coup, c'est la fortune !*

– *Il doit avoir quel âge le garçon ?*

– *Dans les quatorze ou quinze ans, c'est pour jouer un télégraphiste.*

– *Gérard va seulement avoir douze ans, comment voulez-vous que ça marche !*

– *Mais il fait plus vieux que son âge, avec sa taille, il peut passer pour quatorze.*

Quelques mois d'inactivité nous ont rendus, ma mère et moi, un peu apathiques et l'expérience nous a aussi enseignés d'être sceptiques sur les « gros coups » au cinéma. Il est aussi peu probable de les décrocher que de gagner le gros lot à la Loterie Nationale. Ma mère affiche son pessimisme :

– *De toute façon, ils ont déjà dû trouver le garçon, il est sûrement trop tard.*

Madame Saturnin a la foi des gens qui changent le cours de l'histoire et elle n'y va pas de main morte :

– *Mais enfin Simone qu'est-ce qu'il vous prend ? Il n'est pas trop tard. Aujourd'hui, ils auditionnaient encore. Allez-y tout de suite !*

– *Bon...*

Ma mère a dit ça sur un ton qui signifie : « *Je vais voir ça, je vais y réfléchir.* »

– *C'est aux Champs-Élysées.*

Ma mère prend l'adresse et elle redit :

– *Bon...*

– *Alors quoi, bon... vous y allez ?*

– *Je pense que oui, on va sûrement y aller demain.*

– *C'est pas demain qu'il faut y aller, c'est aujourd'hui.*

Et à l'autre bout du fil, sort quelque chose que le destin souffle avec insistance à ma mère par la voix de Madame Saturnin, mais qui me fait craindre que ma mère ne lui raccroche au nez.

– *Mais vous êtes bouchée, merde ! Je vous dis qu'il a une chance, je le sens. Vous m'entendez, je le sens ! Si vous n'y allez pas maintenant, c'est que vous êtes vraiment conne !*

Jamais je n'ai encore entendu quelqu'un parler à ma mère sur ce ton-là sans qu'elle explose, pourtant elle encaisse. Il y a un silence embarrassant et la voix reprend :

– *Excusez-moi Simone, mais vraiment vous me foutez en rogne. Qu'est-ce que vous risquez ? Alors, vous y allez, oui ou non ?*

Ma mère n'est pas fâchée :

– Je ne vous en veux pas. Dans le fond c'est vrai, qu'est-ce qu'on risque à part le dérangement. Et puis comme vous dites, on ne sait jamais. D'accord, on va y aller.

– Aujourd'hui ?

– Aujourd'hui.

En raccrochant, ma mère a un petit retour de flammes bien à elle :

– Je suis peut-être bouchée, mais elle, elle est foutrement mal embouchée. Ce qu'il y a des gens qui peuvent être grossiers Nom de Dieu !

Elle a tergiversé toute la journée, puis elle a fini par s'apprêter sans enthousiasme. Elle est de mauvais poil. Elle essaye de se persuader d'y aller tout en trouvant des raisons qui justifieraient le contraire.

– Aller perdre son temps aux Champs-Élysées pour présenter un infirme alors que j'ai des fleurs à faire. Tu parles, il doit y avoir des centaines de mômes sur le coup. C'est bien par acquit de conscience... Enfin c'est direct, on n'aura pas à changer de métro.

En chemin, elle retrouve un peu du rêve, de l'espoir et aussi de l'ardeur combative qui la stimulait lorsqu'on allait se présenter à mes tous débuts.

– Ce serait quand même formidable si on arrivait un jour à décrocher un truc comme ça.

De biais je la sens qui m'examine, m'évalue, me jauge de son œil critique pour déterminer si je suis encore une marchandise négociable :

– Ta jambe, ça va ?

– Oui maman.

– Fais un effort, essaye de ne pas boiter quand on va entrer là-bas. Marche lentement, puis tiens-toi droit, sois dégagé, naturel !

Pendant tout le trajet, elle m'enivre de ses recommandations et j'ai hâte d'arriver.

– Oui maman, je sais !

– Je n'aime pas beaucoup ce ton-là ! Tu commences à me répondre, on dirait. Fais attention, tu es en train de dépasser les limites !

Elle a élevé la voix, les gens nous observent :

– T'as compris ce que je viens de te dire ?

Je fais retraite et je dis doucement :

– Oui maman, excuse-moi.

Dans le grand escalier tournant de cet immeuble imposant des Champs-Élysées, ma mère est très nerveuse.

Elle fait des commentaires négatifs sur la rampe sculptée en fer forgé, la largeur des marches, le tapis rouge maintenu par de grosses tringles de cuivre à chaque degré, l'ascenseur privé qu'on ne peut donc pas emprunter, la largeur des doubles portes et les plaques rutilantes qui annoncent la grosse finance, comme elle dit.

Tout cela l'impressionne, mais la déprime aussi, car elle ne croit pas à la Loterie Nationale. Elle pense même que tout est truqué. On atteint le deuxième palier pour lire sur l'unique porte d'entrée qui gouverne tout l'accès à cet étage : « Union Générale Cinématographique. U.G.C. » Et au moment de pousser la porte des luxueux bureaux de la production, elle fait un grand geste « Je-m'en-foutiste » accompagné d'une sortie verbale qui la libère de sa tension :

– *Et puis, on verra bien, hein ! Ils nous font tous chier !*

Il est tard. La salle d'attente est vide et la réceptionniste vient de nous dire de revenir le lendemain. Nous nous apprêtons à faire demi-tour au moment où la porte d'un bureau s'ouvre. Quatre personnes en sortent : trois hommes et une femme, leur manteau sur le dos. Messieurs Nathan le producteur, Spiegler le co-producteur, Madame Goulian directrice de production, et Henri Decoin le metteur en scène, comme nous l'apprendrons bien vite.

Nous leur barrons presque le passage et nous nous effaçons pour les laisser passer. Ils traversent la salle d'attente mais ne se rendent pas tous jusqu'à la porte de sortie. Une voix dit :

– *Attendez !*

C'est en boitant que je pénètre dans l'immense bureau d'Émile Nathan. Les premiers mots qui furent adressés à ma mère par Henri Decoin furent :

– *Mais il boite !*

– *Il a eu un grave accident, il recommence seulement à marcher.*

– *Ça ne me dérangerait pas, mon télégraphiste a un accident de voiture au début du film, donc il pourrait boiter. Au tout début on le voit surtout à bicyclette et d'ici la fin du tournage, peut-être qu'il marchera normalement et là on pourra tourner les scènes du début... Non, ce qui me gêne, c'est son âge, il est vraiment jeune.*

Tout le monde me dévisage, il y a un long silence.

Et c'est là que Madame Goulian, de sa petite voix douce et délicate, fait lourdement basculer le plateau de la balance en ma faveur :

– *Ce matin, j'ai reçu un télégramme, le télégraphiste n'était pas plus vieux que lui.*

Henri Decoin qui vient de trouver l'encouragement qui lui manquait ajoute :

– *Si on lui met un blouson avec des épaules un peu rembourrées, j'ai mon télégraphiste... J'espère que vous allez vous mettre d'accord.*

– *Est-ce qu'il a un impresario ?* demande Émile Nathan.

– *Non*, dit ma mère.

Les deux producteurs enlèvent chapeau et manteau, puis s'asseyent.

– *Je vous laisse discuter,* déclare Henri Decoin, *Bonsoir !*

– *Moi aussi* dit Madame Goulian.

L'offre a démarré à cent mille francs pour se terminer cinq fois plus haut avec des modalités de paiement qui ne regardent que les adultes. Ça avait pourtant mal débuté :

– *Madame, pensez à votre fils : La gloire s'inscrit dans l'histoire, l'argent s'oublie dans les tiroirs…*

Ma mère a fait :

– *Naturellement.*

Cependant, elle ne s'est pas démontée. Elle a fait preuve d'intuition et n'a pas cédé sur ce qu'elle s'était fixée instantanément en matière de cachet. En vérité, elle prenait un très gros risque. Comme elle me l'a expliqué plus tard, elle s'est fiée à la dernière phrase du metteur en scène qui avait dit avant de partir : « J'espère que vous allez vous mettre d'accord. » Pour elle, c'était un signal envoyé aux producteurs, signifiant qu'il tenait à moi. Peut-être avait-elle raison. Peut-être les circonstances étaient-elles tout simplement favorables…

Les termes de l'entente ayant été fixés, il fut convenu de se revoir le surlendemain pour donner à la secrétaire le temps de taper le contrat. C'était un fabuleux cachet. Ma mère ne ferma pas l'œil pendant quarante-huit heures, mais deux jours plus tard on sortait du bureau des Champs-Élysées avec une grande enveloppe difficile à contenir dans une poche, mais qui s'y trouvait néanmoins, puisque c'était le contrat et qu'il était, comme on dit…

Je serai donc Antoine Letourneur, télégraphiste, rôle principal, donc vedette du film *Trois télégrammes*.

Quel destin insolent a donc inspiré avec autant de conviction Madame Saturnin ? Et quelle étoile bienveillante a envoyé le matin même un jeune télégraphiste à Madame Goullian qui, avec son doux accent étranger, a convaincu Henri Decoin à qui je plaisais visiblement mais qui hésitait sur ma jeunesse ?

C'était moins une. Si je ne m'étais pas présenté, Henri Decoin, à bout de souffle, engageait, précisément le lendemain, un jeune homme déjà connu, âgé de vingt-huit ans, mais qui en paraissait dix-huit, Pierre Trabaud, qu'il gardait en réserve. Finalement Pierre Trabaud a hérité d'un petit rôle dans le film.

Le tournage va débuter un bon mois plus tard. J'ai le temps d'aller finir mon trimestre au lycée, ce qui a fait dire à la presse « bien informée » qu'Henri Decoin avait découvert sa nouvelle vedette au lycée Voltaire en attendant les élèves à la sortie !!!

Mes cours terminés, du jour au lendemain, je ne m'appartiens plus. Je suis pris en charge par les gens de la production et on me traîne partout du matin au soir.

Ça commence par les vêtements que je dois porter dans le film. Ça ne devrait pas être complexe puisqu'un télégraphiste, ça ne change pas d'habits comme une carte de mode, c'est tout juste si ça se lave. Le bobo c'est que même si je suis grand, je ne suis pas athlétique, et à l'écran, il n'y a pas d'histoires, il faut que j'aie la corpulence d'un môme de quatorze ans bien sonnés. On a beau faire les Champs-Élysées, le passage du Lido, le Printemps, Les Galeries Farfouillette ou les chiffonniers d'Emmaüs, tout ce que j'essaye pend sur mes épaules comme un torchon humide sur une bouteille d'eau Perrier.

De guerre lasse, Henri Decoin décide de me gonfler avec un gros pull à col roulé et un blouson rembourré de l'intérieur avec des épaulettes militaires Napoléon III. Ça change tout ! Je ressemble maintenant à un joueur de rugby américain. Puis à force de trafiquer entre les pulls, les blousons allongés, les épaulettes et le savoir-faire de la couturière, on arrive finalement au look télégraphiste pompé aux hormones de croissance, ça a pris huit jours. Il ne faut pas oublier les cheveux. Ma tignasse épaisse et bouclée, mais non crépue, fait l'envie des magazines de mode, notamment « Votre Beauté » où je me retrouve en première page. Elle fait aussi le ravissement d'un coiffeur du faubourg Saint-Honoré, où je me sens très honoré, puisqu'on me livre aux mains habiles de celui qui ébouriffe savamment les plus grandes stars.

Ensuite, c'est le tour du scénariste. On va le rencontrer pour plusieurs raisons. Il faut que je comprenne le scénario dans son ensemble et voir si je peux mâcher les dialogues sans difficulté, autrement, on doit changer des mots ou des phrases que je pourrais ne pas bien sentir en les jouant.

Par ailleurs, on pensait que j'arriverai à marcher presque normalement dans un laps de temps plus court mais je boite toujours fortement. Henri Decoin commence à penser que je ne pourrai pas marcher naturellement lorsque viendra le temps de faire les scènes du début, lorsque survient l'accident, même si ces dernières doivent être filmées en fin de tournage, ce qui donnerait encore un peu plus de temps pour ma récupération, ce dont tout le monde commence à douter. Alors il prévoit de modifier certaines scènes et de fabriquer du texte.

Et puis, c'est la parade des demoiselles. On me cherche une partenaire qui aille avec mon physique. Quelques demoiselles sont sélectionnées et on fait des bouts d'essai avec moi, joue contre joue. Ce n'est pas tout à fait comme en Chine avec les mariages organisés, parce qu'on me demande tout de même parfois mon avis, pour la forme…

Jocelyne Saturnin n'a malheureusement pas de chance. Elle fait trop massive à côté de moi. Tout ce que j'ai conservé d'elle, c'est une petite photo d'amateur prise dans un coin du plateau par sa mère, avec moi en télégraphiste qui la tient par l'épaule.

Finalement on m'appareille avec une petite brunette toute mignonne devant la caméra pour laquelle nous devons représenter l'éveil de l'amour adolescent, mais qui possède un caractère à étincelles dans les coulisses. Elle n'en a pas particulièrement après moi. Elle fronce sans cesse les sourcils et se met en colère pour le plaisir. Alors je ne me pose pas de questions, je me dis que les filles c'est comme ça, et elle et moi, on ne se met pas en ménage. De toute façon, notre entourage n'approuverait pas…

Il faut également en passer par les séances de photo. D'abord c'est Harcourt pour le standing, puis le photographe de plateau, Raymond Voinquel, qui fait de moi un véritable album dont une partie servira pour les affiches publicitaires.

À mesure qu'on s'approche du tournage, les journalistes se multiplient. La publicité dans les journaux est relativement modeste pour l'instant parce qu'il ne s'agit encore que de l'annonce de la réalisation du film et non de son lancement.

Mais je commence à reconnaître ma photo un peu partout dans les quotidiens ainsi que dans les magazines de cinéma. Les mots « vedette », « nouvelle vedette », « La plus jeune vedette du cinéma… », sont inscrits en gros titres au-dessus d'articles me concernant.

En vérité, cette notoriété me trouble moins que ma mère ou les gens du quartier, peut-être parce que je suis dans le bain et que je trouve cela naturel, et puisqu'aussi on essaye tellement de me le faire croire.

Enfin arrive le jour, comme il est dit dans le métier : du premier tour de manivelle. On commence par les intérieurs à Billancourt. La production se montre très complaisante à mon égard, mais je crois qu'Henri Decoin l'a fortement suggéré : elle envoie chez moi, à l'autre bout de Paris, une somptueuse limousine pour me conduire sur les lieux de tournage, et ça durera tout le temps du filmage.

Lorsque la voiture colle son capot à la double porte d'entrée du studio, j'aperçois à travers la vitre les visages tendus, anxieux ou curieux, de la grappe des figurants et je me dis que j'ai quand même du pot. Je ne voudrais pas être à leur place.

Le premier assistant du metteur en scène vient m'ouvrir la portière. Il n'y a pas de protocole dans ce geste. Il veut tout simplement me soustraire aux journalistes pour me conduire sans retard à la salle de maquillage.

Mon maquilleur est russe. C'est un homme âgé et distingué, un ami personnel de Madame Goulian, la co-productrice.

Il tient sa fine éponge repliée sur son index et me colore le visage par petites touches. J'ai déjà eu affaire à des brutes qui vous vadrouillent l'éponge sur le visage, comme une serpillière sur le carreau des Halles, ou qui vous la collent en plein visage comme on rafraîchit un boxeur ! Lui, c'est un artiste. Ses manières sont douces.

Il a fait du théâtre en Russie dans sa jeunesse. Il m'impressionne lorsque, le bras levé, et sa main en forme de fleur épanouie sous son index tendu, orné de l'éponge ambrée, il déclame « Don Quichotte » en russe.

Parfois il s'interrompt de me maquiller et se recule. Je le vois dans mon dos, par le truchement de la glace auréolée d'ampoules, balayer l'air d'un grand geste et j'admire sa voix qui résonne comme une cloche de bronze.

Les mots vibrent, s'allongent, déferlent dans une cascade de syllabes roulantes et chuintantes et l'histoire prend alors une intensité dramatique que je n'avais jamais soupçonnée en lisant l'œuvre de Cervantès. À la fin de ses tirades, mon maquilleur conclut toujours par ces mots : Cervantès disait « La plume est la langue de l'âme ! ». J'essaye en outre de lui arracher chaque jour quelques mots courants de la langue russe que je m'efforce de retenir. Ainsi pendant toute la durée du film je me suis constitué un petit vocabulaire que je n'aurais jamais pu arracher à ma mère puisqu'elle ne possède que le tempérament slave sans en appréhender l'idiome.

J'aime l'odeur du fond de teint, le lissage du pinceau sur mes lèvres et le contact de la pulpe du doigt qui passe sur mes paupières. Pendant que je suis figé dans mon fauteuil par une sorte d'apathie, Akim, troisième assistant, tente de me faire répéter mon texte des scènes de la journée :

– *Akim, mon texte, je le connais !*

Akim, tiré à quatre épingles, son scénario collé à son cœur comme un bréviaire collé à son curé, est tout petit, tout maigre, tout frisé, tout pied-noir et tout sympa. C'est mon garde du corps, mon copain, mon souffre-douleur et ma nourrice : « Akim, passe-moi cent balles… Akim, viens faire un baby-foot… Akim, va me chercher un sandwich… » Il ne dit jamais « Non ». Lorsque je lui fausse compagnie, il finit toujours par me retrouver sur le plateau voisin où Serge Reggiani tourne « Les anciens de Saint Loup ». Le plus souvent, je suis à la cantine où j'y retrouve Bernard Blier, Eddie Constantine, Jean Gabin, Jean-Claude Brialy ainsi que d'autres comédiens célèbres.

Je possède déjà une ardoise impressionnante en casse-croûte au saucisson sans que ma mère ne soit au courant. D'ailleurs ma mère qui ne m'accompagne jamais au studio ne l'a jamais su, car lorsque le temps est venu de payer la note, j'ai tellement pris un air de chien battu que la production a fermé les yeux et réglé l'addition.

Si Henri Decoin engueule Akim parce qu'on m'attend depuis vingt minutes sur le plateau, Akim ne m'engueule pas.

Je suis tellement heureux de remarcher, de revivre et d'entrer dans le métier par la grande porte que je laisse s'épanouir ma joie de façon indisciplinée, c'est-à-dire habituelle, sans m'en rendre compte, et certainement sans mal y penser.

Cependant un jour, je prends conscience de mon attitude quelque peu irresponsable à l'occasion d'un incident qui ne se termine pas précisément à mon avantage. Akim a attrapé une telle crève qu'il est au lit avec une fièvre de bourricot. Il en a pour une semaine. Pendant ce temps-là, c'est le régisseur qui joue au chien de chasse, toutefois il n'a pas la patience d'Akim. Aujourd'hui il m'a retrouvé à l'autre extrémité du studio en train de peindre une toile de décor avec des machinistes. Lorsqu'il me ramène sur le plateau, il laisse éclater sa mauvaise humeur devant le metteur en scène :

– *Il est chiant ce gosse à ne jamais être là quand on a besoin de lui ! Ma parole il se prend pour une vedette !*

La réflexion ne plaît pas au seul Maître à bord :

– *Il est peut-être chiant comme un gosse, mais il travaille comme un homme. Et pour la vedette, c'est celle de mon film. Il se prend pour ce qu'il est.*

Le régisseur tourne les talons. Par contre une fois seuls, Henri Decoin me prend à part et il explose.

– *Dis donc, tu sais à combien ça revient au producteur chaque fois que tu nous fais poiroter ? On perd en moyenne une heure par jour à te courir après. Non seulement une heure de location de plateau coûte une petite fortune, mais le tournage prend du retard. Nous sommes tous solidaires dans ce métier, tu fais partie d'une équipe pour tourner ce film et tu dois prendre tes responsabilités.*

Me faire engueuler par Henri Decoin que j'aime bien m'en fout un coup. Je ne trouve rien à répondre.

Henri Decoin prend une décision :

– *Allez, je crois que ça s'impose !*

Je le regarde sans comprendre. Il me fait faire volte-face par les épaules et il me met son pied au cul ! Gentiment peut-être, mais je l'ai quand même senti.

– *Je peux me permettre, tu es ma vedette...*

En agissant ainsi, je crois qu'il a non seulement exécuté ce que tout le monde se retenait de faire, mais il m'a aussi remis les idées en place. Je réalise brusquement que tout ceci n'est plus un jeu et que je suis peut-être en train de jouer mon futur dans ce film. Je commence par faire preuve d'humilité et je vais m'excuser auprès du régisseur. Puis c'est Akim, lorsqu'il revient, qui n'en revient pas justement.

Du jour au lendemain, je cesse de faire ma vedette et je prends mon travail très au sérieux, je me branche et plus rien d'autre n'existe. J'ai toujours été un peu comme ça. Tout ou rien. Je suis un déplorable « Toutouriéniste ». Je ne me fais plus fait attendre sur le plateau, même pas une demi-minute. Il faut croire qu'Henri Decoin avait la manière avec les vedettes, ainsi qu'une solide chaussure paternelle qui me faisait défaut. Pour ne pas qu'on s'y trompe, j'ajoute que Monsieur Decoin fut l'un des hommes les plus gentils, les plus tolérants parmi les metteurs en scène que j'ai aimés et respectés. Sa bonté n'avait d'égale que sa psychologie. En effet... :

Les extérieurs, c'est Paris la nuit, rue Mouffetard et ses environs. Donc on tourne de nuit. Cette fois, ma mère m'accompagne. De six heures du soir à six heures du matin, on se fait des glaçons dans les narines tellement il fait froid. Le quartier de la « Mouffe » est investi et clôturé par la police et c'est tout juste si les fêtards attardés ont le droit de rentrer chez eux. Il y a un petit bistrot qui reste ouvert toute la nuit, spécialement pour nous, et qui nous sert des boissons chaudes à base de rhum. Toutes les demi-heures, on y entre grelottant et on en ressort un peu groggy. Moi je grelotte souvent… Là, il n'y a aucun problème, on sait tout de suite où me trouver.

À n'importe quelle heure de la nuit et peu importe la température, il y a toujours derrière les cordeaux, des badauds attirés comme des papillons de nuit par les projecteurs. Ils dansent d'un pied sur l'autre, n'ont pas sommeil, les mains enfoncées dans les poches, la goutte au nez. Ils ne voient pas grand-chose, ils n'ont pas droit au bistrot, mais ils ne démordent pas, on se demande vraiment pourquoi ils endurent ça. En revanche, il y en a d'autres que notre activité nocturne et nos lumières empêchent de dormir et ennuient passablement, ce sont les locataires des immeubles qui surplombent notre lieu de prises de vues. Pourtant, ils devraient être contents ! Ils entendent tout, ils sont aux premières loges, au chaud, avec des milliers de watts de nos projecteurs pour éclabousser leurs plafonds gratis… Et il y en a pour un mois… C'est de la gâterie… Et bien non, il faut qu'ils râlent. C'est bien pour dire… C'est fou ce que les gens ont l'esprit de contradiction !

Une des premières scènes du film, c'est celle de l'accident où le télégraphiste, Antoine Letourneur, percute le camion. Il perd momentanément conscience et se retrouve chez le pharmacien avec une bosse au front et l'air un peu hagard pendant quelques instants. La roue avant de son vélo est en huit, et sa sacoche de télégraphiste s'est ouverte, libérant les trois télégrammes qui partent au vent.

Il n'est pas question de refuser le cascadeur qui va télescoper le camion à ma place. Les accidents, j'en ai eu ma part, et dans l'état où je suis, je ne refuserais même pas de me faire doubler pour descendre du lit. Tout est en place pour la scène :

– *Moteur !*

Je regarde. Le cascadeur s'élance sur mon vélo, gagne de la vitesse, brûle le feu rouge et fonce dans le camion comme un obus. Elle est bonne du premier coup, heureusement ! Dans le film, on me transporte à la pharmacie, mais lui, c'est à l'hôpital, il s'est fracturé un pied. La police, l'ambulance, le pin-pon, ce n'est plus du cinéma. Les badauds ne sont pas venus pour rien.

En Amérique on dit : « The show must go on », alors le spectacle continue. Ça m'a fait quelque chose de voir ce jeune homme se faire abîmer et je ne suis pas très chaud pour la scène suivante qui est un truquage en gros plan de l'accident.

Un machiniste hors caméra doit envoyer le vélo contre le camion et le faire tomber de la bonne façon. Moi, je m'écroule aussitôt par-dessus et je demeure inconscient.

Le truc, c'est qu'il faut d'abord que je me heurte la tête sur un angle de la carrosserie emboutie, que je fasse ensuite un demi-tour pour me laisser tomber mollement en travers du vélo, comme une nouille cuite, tout en vrillant le torse pour que mon visage soit de face à la caméra lorsque je suis dans les pommes.

Non ce n'est pas facile et ça ne va pas.

Je ne suis pas assez mou. Je tombe comme un manche à balai. Il faut dire que c'est dur d'être mou avec une jambe raide. Pourtant, je fais ce que je peux mais on doit recommencer plusieurs fois. Je n'ose pas dire une douzaine… mais pas loin. C'est déjà lassant pour une équipe de reprendre la même scène un si grand nombre de fois. Mais là, avec le froid qu'il fait, c'est pire. Tout le monde en a assez. Il va bientôt faire jour et on perd un temps précieux. Les techniciens s'énervent. Ils tournent sur eux-mêmes et se battent les flancs pour se réchauffer. Ils râlent et veulent arrêter pour la nuit.

Henri Decoin regarde sa montre :

– *Il nous reste encore vingt minutes avant de voir le jour, on a le temps de l'essayer encore deux fois.*

Quelqu'un lance :

– *Merde ! Y en a marre. On ferme boutique, on la fera demain.*

En écho tous reprennent :

– *Oui, oui, ça suffit, on plie bagages, on en a plein le dos, on fout le camp !*

C'est presque une rébellion. C'est là que Decoin montre qu'il est un chef. Il dénoue tranquillement son cache-nez, enlève son pardessus, ôte sa veste de tweed, se débarrasse de son pull à col roulé, de son maillot de corps et… torse nu, il s'assied dans son fauteuil. Il répète simplement :

– *On a le temps de la reprendre deux fois. Tout le monde en place !*

Il a beau avoir été champion de natation, à soixante ans, il faut le faire. Sans un mot tout est en place.

Avec son index, Henri Decoin me fait signe d'approcher. Il se penche à mon oreille :

– *Si tu me la rates cette fois-ci, à la deuxième, tu m'envoies à l'hôpital avec une pneumonie. Alors, à toi de jouer. Moteur !*

Je ne sais vraiment pas ce qui a fait la différence, mais je l'entends dire :

– *Celle-là, c'est la bonne ! On la garde ! Terminé.*

Cette anecdote a fait le tour des comédiens qui la racontent encore aujourd'hui, sauf ceux qui ne sont plus de ce monde bien entendu, comme aurait pu dire mon camarade Georges Brassens avec qui plus tard, à ses débuts, j'ai partagé la scène du Moulin de la Galette.

Ces derniers mois, j'ai vécu une vie de rêve, mais les projecteurs se sont éteints et le métro a repris ses droits sur la limousine. Les quelques milliers de mètres de pellicule sont en gestation au montage et le bébé sortira en grande première le 6 novembre 1950. Inutile de dire que j'ai hâte.

À la fin du tournage, « U.G.C, Les films modernes », offrent de me mettre sous contrat avec une promesse de trois films à des cachets fixés à l'avance.

Ma mère prend conseil auprès de Madame Jamin qu'elle estime peut-être de bon conseil, mais elle commet l'erreur monumentale de refuser de signer invoquant que si je reçois des propositions d'autres firmes, elle devra les refuser, ce qui est un mauvais calcul car U.G.C. les aurait négociées pour moi.

J'ai vu ainsi me passer sous le nez plusieurs rôles importants qui m'auraient servi de tremplin pour la suite de ma carrière.

Si c'était à refaire !

Chapitre XXX

On dit qu'il y a un Bon Dieu pour les ivrognes mais il doit y avoir un diable pour les ignorants. Comment est-ce que j'ai pu réussir mon examen d'entrée en sixième au lycée Voltaire en me classant par-dessus le marché dans les premiers ? Ça tient de la sorcellerie. Il devait me rester des séquelles de mon rôle de Rhotomago. Il n'y a que très peu de places au secondaire dans mon lycée mais, grâce aux notes aiguës de mon examen, on me garde dans le même orchestre, c'est-à-dire que j'ai l'honneur de continuer à Voltaire. Pas longtemps malheureusement…

Le lancement de « Trois télégrammes » a eu lieu au cinéma « Le Rex » : Cocktails de presse, interviews, le Tout-Paris…

La production n'a pas ménagé les efforts publicitaires ni en France ni à l'étranger. Dans les rues de Paris, je trouve mon image un peu partout sur des affiches bleues placardées sur les murs. Dans le métro, je suis en gros plan sur des affiches jaunes, immenses, plusieurs stations d'affilée et sur plusieurs lignes. Il n'y a pas un magazine dans les kiosques à journaux où je ne me vois pas comme dans un miroir.

Je m'étonne un jour de lire dans un article : « Gérard Gervais prend le métro comme tout le monde ». Bien sûr, ce qu'ils sont drôles, je ne me vois pas en train de faire la route à pied !

Je sèche des cours pour faire de la radio, de la synchro et le soir, je retrouve le théâtre des Mathurins où je passe l'hiver en perruque à cheveux roux et raides avec le rôle de « Basque » dans le Misanthrope interprété par Jacqueline Delubac et Jean Marchat.

Les soirs de relâche, je suis invité chez Francis Carco, Roland Dorgelès. Le Ministre des P.T.T., Charles Brune, m'honore pour mon interprétation dans le film en me remettant, lors d'une réception, un magnifique album de timbres anciens avec ces mots :

– *Si vous n'avez pas de collection, cet album vous permettra d'en commencer une, dans le cas contraire il vous permettra de la continuer.*

C'était la logique même et je n'ai eu aucune difficulté par la suite à suivre les discours politiques.

On rencontre aussi des gens influents au « Bœuf sur le toit », au « Lapin agile », « Chez Patachou ». Je fais des galas de charité, je prête mon concours à des spectacles et ma mère ne refuse jamais une invitation où je fais les frais de la curiosité.

Je commence également à recevoir des lettres d'admirateurs et… trices. Voilà qui me plaît ! Ça vient d'abord de Paris, puis de province, et surprise… d'Italie, d'Allemagne, de Belgique. Le facteur ne les apporte plus dans sa sacoche, mais il fait une sorte de colis qu'il dépose chez la concierge. Ce qui est nouveau, ce sont les jeunes hommes qui font « le trottoir » en face de chez nous en espérant m'apercevoir, sans oser m'aborder. Ils m'écrivent cela en me suppliant de leur répondre.

Ma mère remarque :

– *S'il y a des gens à qui le cinéma fait tourner la tête, ce ne sont pas toujours les acteurs !*

Même si j'essaye d'étudier sérieusement, je suis fatigué pendant les cours, je prends du retard et ma notoriété fait que ma présence dans les murs du lycée devient une nuisance pour la quiétude des études… en outre je dois l'avouer, même si j'apprécie les cours, les professeurs et ce que j'apprends, mon tempérament, formé à la bohème, ne cadre pas exactement avec les traditions du lycée Voltaire. Et pour ajouter la cerise sur le gâteau, ma mère ne m'accordant aucun argent de poche, j'emprunte à l'entourage estudiantin ce que je dépense à la fête foraine sur l'avenue de la République, argent que je ne rembourse pas et, bien sûr… ça se termine chez le proviseur. Au cœur de l'hiver, je passe en conseil de discipline et je suis mis à la porte. Le diable m'y fit entrer, le Diable m'en fait sortir. Ce jour-là à Voltaire, ma mère anéantie et moi pleurant, nous avons traversé la cour d'honneur, déshonorés, sous les regards des élèves qui ne m'enviaient plus.

Après avoir tenté de me faire réinscrire dans une demi-douzaine de lycées, ma mère parvient à me caser à Jacques Decour, ex-collège Rollin, près de Pigalle. Ce lycée est malheureusement à deux pas du studio de synchro de la M.G.M. (Métro Goldwyn Meyer) rue Condorcet. Je m'y rends à pied. Encore une fois, je suis plus souvent au studio qu'en classe. Jacques Decour est plus tolérant que Voltaire au sujet de mes « activités professionnelles », il me permet de m'instruire quand même un petit peu dans mes moments de loisirs…

Un dimanche, ma mère est en train de faire sa toilette dans la cuisine comme d'habitude :

– *Gérard !*

Je m'approche de la porte de cuisine dont la moitié supérieure est un verre dépoli qui ne laisse rien passer sauf un peu de lumière et de vagues ombres si on se rapproche de la vitre. Je tends l'oreille et je réponds :

– *Oui !*

– *Entre !*

C'est bien la première fois que ma mère me convoque dans la cuisine pendant qu'elle est en train de faire sa toilette et je me demande ce qu'elle peut me vouloir.

Elle s'est entourée le torse d'une serviette éponge dont la lisière du bas laisse apercevoir la naissance des poils du pubis. Je reste sur le pas de la porte à la considérer et je n'ose pas entrer.

– *Approche, il faut que tu fasses quelque chose pour moi. Un jour tu seras médecin et tu devras pouvoir observer la nature sans arrière-pensée. Alors voici une occasion de t'habituer dès maintenant.*

Je ne sais pas à quoi m'attendre, mais je l'écoute avec attention.

– *J'ai une grosse boudinette, mal placée, sur une grande lèvre, et je voudrais que tu m'aides à m'en débarrasser.*

Ce disant, elle s'assied sur le grand tabouret carré lequel autrefois servait à m'administrer des lavements mais aussi des fessées. Elle lève la jambe gauche, en la pliant très haut, et appuie son talon sur le bord du siège du tabouret, de telle sorte que la serviette ainsi remontée découvre sous mes yeux, le noir pubis que j'ai observé maintes fois, mais de loin, par le trou de la serrure de la porte de cuisine. Je prends une mine réfléchie, voire concentrée, enfin tout ce qui peut paraître sérieux, puisqu'elle m'accorde la distinction de « futur médecin », et c'est en hochant la tête, d'un air pénétré et entendu, fier de la confiance qu'elle me témoigne, que je constate d'un ton professionnel que perchée sur un monticule que je sais maintenant être une grande lèvre, légèrement de biais et nichée dans une abondance de poils, trône l'imposante boudinette.

– *Voilà ce que tu vas faire. Avec ce fil de soie blanc, tu vas faire un nœud à la racine de la boudinette pendant que je vais tirer dessus et tu vas serrer assez fort pour l'étrangler, mais pas trop parce qu'il ne faut pas l'entailler. Tu crois que tu peux faire ça ?*

Si ma mère me le demande, je peux faire n'importe quoi, y compris le chirurgien.

À genoux donc, entre ses jambes, tandis que d'une main elle écarte les poils et de l'autre elle tire sur l'excroissance, je noue, j'étrangle et je sclérose l'intruse avec dextérité, à la grande satisfaction de ma mère.

Dix jours plus tard, elle me mande encore une fois dans la cuisine et me fait constater dans le même et simple appareil vestimentaire que la boudinette a disparu, ne laissant qu'un petit point noir minuscule témoignant de l'agonie de la fâcheuse petite tumeur.

Cet incident s'est inscrit dans ma conscience de deux façons. L'image de la féminité intime de ma mère a remplacé, en tant que fantasme préféré, celui de l'image du pubis dénudé du livre des maladies de la femme et, tout en continuant d'accueillir la libéralité que ma mère affichait à mon égard depuis longtemps en ce qui la concernait, je me suis bien gardé de m'aventurer à en faire preuve moi-même vis-à-vis d'elle connaissant ses préjugés sur la sexualité masculine.

Ma mère a envoyé promener son atelier de fleurs artificielles. Je l'accompagne les week-ends chez les concessionnaires automobiles sur l'avenue des Champs-Élysées. Puis elle change d'avis et elle renonce aux voitures de luxe américaines neuves pour se tourner vers des parcs automobiles d'occasion plus modestes près du marché aux puces de la Porte de Montreuil ou de celui du Cours de Vincennes. Elle fait cette remarque pleine de bon sens :

– *À quoi ça me sert d'avoir un permis de conduire qui s'ennuie dans mon sac à main depuis deux ans si ce n'est pas pour conduire une voiture ?*

Je suis tout à fait d'accord avec elle. Mais après une quête infructueuse de l'automobile de ses rêves pour un prix utopique, elle change une nouvelle fois d'avis et pense que morceler notre capital déjà érodé par l'achat d'une voiture, serait moins sage que de placer ce qu'il en reste dans l'acquisition d'une maison. J'aurais préféré la voiture, tant pis. Nous visitons à présent de riches pavillons à l'orée du bois de Vincennes non loin de chez Dolly. Cependant, à chaque fois c'est la même chose : tout comme pour la voiture, ses ambitions luxueuses ne correspondent pas à la réalité de nos moyens : pas assez de capital. Trop de capital pour une voiture, pas assez pour une maison.

Ça enrage ma mère et le soir elle a son tic surtout depuis qu'on est tombé sur une immense propriété qui l'a laissée bouche bée devant la grille d'entrée, muette pendant la visite et déprimée à la sortie.

D'un coup, elle vient de prendre une décision. On passe à l'épicerie chercher une bouteille de champagne. Une fois rentrés, elle fait sauter le bouchon avec lequel elle essaye vainement de reboucher la bouteille en taillant le liège en biseau :

– *Non je préfère ne pas en prendre, je veux garder la tête froide.*

Comme elle pense que le bouchon ne tiendra pas et que le champagne va s'éventer, elle vide la bouteille dans l'évier.

Puis elle se met sur son trente-et-un, me recommande de ne quitter la maison sous aucun prétexte et me dit qu'elle va vérifier en me téléphonant dans la soirée, ce qu'elle n'a pas fait. Tard dans la nuit, tintamarre dans l'escalier, la porte d'entrée claque comme un coup de tonnerre. Ma mère est ivre.

Elle revient du Cercle de jeu des Champs-Élysées. Elle a de la difficulté à articuler, et tout en riant aux éclats :

– *J'ai tout foutu en l'air, tu m'entends ? Heureusement que je ne suis pas idiote, j'en avais mis de côté pour prendre un taxi. Hein, mon petit navet, je ne suis pas idiote ?*

Depuis quelque temps, ça lui prend de m'appeler « *Petit navet* » et j'ai horreur de ça, mais je ne lui dis pas pour ne pas la contrarier. Puis elle hurle :

– *Tout ! Petit navet ! Tout ! T'as compris ! J'ai tout perdu ! Un million deux cent mille balles, envolés !*

Elle se dirige vers sa chambre en s'appuyant contre le mur.

– Pourtant ça a failli, je l'avais, je l'avais. Merde ! J'aurais dû continuer la martingale, j'avais les reins assez solides. Quelle conne !

Puis, elle fait demi-tour, m'écarte de son passage pour aller aux W-C qu'elle n'atteint pas et ne finit pas non plus sa phrase :

– J'ai envie de dég...

Le lendemain matin, je la trouve en travers de son lit. Elle est encore tout habillée et elle ronfle. Je n'ose pas la réveiller. Lorsqu'en fin de matinée, elle sort de sa cuite, il me semble qu'elle a vieilli :

– Qu'est-ce que t'as à me regarder comme ça ?

Elle enjambe le vomi qui étoile le parquet de l'entrée depuis cette nuit et sort d'un ton maussade :

– Il va falloir nettoyer ça...

Chapitre XXXI

La chance nous sourit encore une fois. Je signe à la M.G.M., rue Condorcet, le plus gros contrat de synchronisation, que j'ai encore jamais vu. Pour un cachet substantiel de trois cent mille francs, je vais doubler à l'image, le jeune acteur principal du film « Kim » avec Errol Flynn. Cette réalisation est effectuée par Georges Devriès. Un mois de travail à plein-temps. Je vais manquer les quatre dernières semaines d'école. Je passe néanmoins en classe de cinquième pour la rentrée.

C'est en cours de doublage de ce film qu'un matin en arrivant au studio, on me remet, de la part d'une personne qui n'a pas voulu se nommer, un livre magnifique d'anaglyphes, c'est-à-dire de paysages qui peuvent apparaître en relief si on les regarde avec des lunettes spéciales.[*]

En ouvrant le livre, je découvre un quart de feuille sur lequel est dactylographié un court poème qui commence par : « C'est Éros en personne, déjà radieux il se donne… » et se termine par : « Que Gérard pardonne à ceux-là, s'il en est qui lui firent offense… »

Bien sûr, ce n'est pas signé mais je n'ai aucune difficulté à identifier son auteur, Monsieur MR. S'il était devant moi, je lui dirais que je le remercie pour son livre et qu'il y a longtemps, en ce qui me concerne, que je ne pense plus à cet incident.

Ma mère n'a pas demandé une seule avance pendant tout le temps du doublage et elle encaisse le montant au complet une fois la synchro terminée. Le soir même, elle m'annonce :

Je vais me refaire, cette fois ce sera la bonne, je le sens !

Et elle ajoute :

– *Va nous chercher une bouteille de champagne aux « Économats ». On ne l'ouvrira pas, ça m'a porté malheur la dernière fois. On va attendre demain et je te parie qu'on fera sauter le bouchon.*

---

[*] – Le procédé anaglyphe consiste à superposer deux images prises avec un écart de quelques centimètres, que l'on colore classiquement l'une en vert, l'autre en rouge pour les distinguer. Ensuite à l'aide de lunettes dotées de filtres, une couleur par œil, les yeux vont pouvoir différencier les couches et ainsi reconstituer l'image tridimensionnelle à l'aide d'une unique image unidimensionnelle.

Dans le milieu de la nuit, pas de tintamarre dans l'escalier, mais une fois la porte d'entrée refermée, c'est sans retenue qu'elle articule plus fort qu'il n'est nécessaire pour que je me réveille :

– *Petit navet, on débouche le champagne, je l'ai bien mérité !*

Il est cinq heures du matin. Elle étale près de un million de francs en éventail sur mon lit. À mi-bouteille, je connais en détail toutes les opérations de ses gains, ses calculs logiques, ses astuces imparables du tapis vert, et c'est avec une confiance inébranlable qu'elle affirme :

– *Demain soir, ou plutôt ce soir, je martingale et nous sommes riches !*

Puis, elle taille le bouchon de champagne et le rentre en le forçant dans le goulot :

– *On ne va quand même pas gâcher ce qui reste, on en aura besoin demain.*

Le lendemain soir, elle n'est pas rentrée tard. Elle m'a pris dans ses bras et elle a éclaté en sanglots :

– *Je te demande pardon mon petit navet, je ne recommencerai plus jamais, plus jamais…*

Ce moment privilégié où elle me serra contre son cœur avec tout l'amour que je ressentais venant d'elle valait bien cet autre million qu'elle avait perdu.

Chapitre XXXII

Ma mère s'est remise à ses fleurs en solo. Plus d'atelier, plus d'arpètes. Seule la grande planche en bois est encore là, couverte des outils et des matériaux qui serviront à confectionner des fleurs artificielles, cette fois à petite échelle.

Elle éprouve de plus en plus d'angoisses dans le métro pour aller livrer ses commandes. L'autre jour elle m'a raconté qu'elle avait été obligée de s'allonger sur un banc du quai d'une station tellement elle se sentait mal et que quelqu'un en avait profité pour lui voler son sac à main.

Suite à ça, le docteur Dollé lui a prescrit du Bellergal et du Phenergan qu'elle ne prend plus parce qu'au bout de deux jours, elle a eu de telles hallucinations qu'elle était totalement confuse et ne pouvait plus respirer. Puis elle est tombée dans une torpeur dont elle a mis plusieurs jours à se remettre. J'ai téléphoné au médecin qui m'a répondu d'une manière assez pontifiante que c'était normal et qu'elle cesse les médicaments, sans plus d'explications.

Lorsqu'elle a repris ses esprits, ma mère a dit que c'était un con et qu'on ne lui donnerait plus de places gratuites pour le théâtre. Elle faisait référence à la pièce dans laquelle j'allais jouer à la rentrée : « Les innocents » au théâtre Édouard VII.

Cette pièce a été mon Chant du Cygne.

D'abord nous avons reçu une convocation de la directrice du théâtre Édouard VII qui voulait s'entretenir avec nous de la possibilité que j'interprète le rôle principal de la pièce « Les Innocents » adaptée, par la Comtesse Paule de Beaumont et Gaston Bonheur, d'une pièce britannique que l'auteur William Archibald a tirée lui-même du « Tour d'écrou », une nouvelle de Henry James.

Cette pièce a une envergure freudienne dont la double question, posée à travers les rôles des deux enfants, respectivement âgés d'à peine treize et onze ans, demeure sans réponse à la tombée du rideau : les garçons et les filles de ces âges sont-ils « innocents » des actes que leur dicte leur imaginaire ?

Et les adultes peuvent-ils pénétrer dans le monde de l'enfance qui leur demeure fermé du jour où ils l'ont quitté, afin d'obtenir des révélations qui peuvent bouleverser les notions émotionnelles du bien et du mal chez l'enfant, sans fracturer son équilibre psychique ?

Non seulement le sujet est déjà lourd à traiter, mais il relève d'une dramaturgie plus chère aux Anglo-Saxons qu'à l'esprit latin.

La pièce est sombre, fantastique et tragique. Elle met en scène quatre personnages : Miles et Flora qui sont les deux jeunes, ainsi que Mademoiselle Giddens, la gouvernante, et Madame Gross, la nourrice.

En résumé, qui sont Miles et Flora, ce gentleman enfant, héritier d'un immense domaine et cette petite fille en robe de poupée, si grave et si cérémonieuse qu'elle a l'air d'avoir mille ans ?

Deux orphelins mais comblés, qu'un tuteur a abandonné à leurs jeux et à leurs songes dans un de ces vieux domaines de la province anglaise, où l'étang dort sous les saules et où le clair de lune peuple le parc de fées et de fantômes.

Dans ce domaine dont il est le roi et dont elle est la reine, Miles et Flora vivent dans le monde enchanté de l'enfance. Chaque arbre a son histoire, chaque lézard a son nom et la source ruisselle de confidences.

C'est dans ce cercle magique, interdit aux adultes, que va tenter de pénétrer Mademoiselle Giddens, la nouvelle gouvernante.

Cette fille de pasteur qui brûle d'un zèle évangélique, tombe mal. Miles vient d'être renvoyé de son collège pour un motif mystérieux mais fort grave. La lettre embarrassée du censeur laisse entendre que le jeune gentleman exerçait une influence pernicieuse sur ses camarades.

Mademoiselle Giddens s'alarme. Miles n'est-il donc pas l'enfant pur dont Madame Gross lui a fait le portrait ?

Miles paraît et l'inquiétude gagne Mademoiselle Giddens devant ce gentleman enfant, trop racé, trop séduisant dont la grâce et les jeux cachent on ne sait quel drame. Dès que Miles est là, la jeune Flora referme sur eux la porte de leur domaine. Miss Giddens est, tout à la fois, séduite et troublée par ces deux êtres innocents et diaboliques qui l'enserrent dans une sorte de ronde pleine d'élans, de tendresse, de mystification et de pièges.

Elle sent que ces deux adolescents la tiennent à l'écart de leur monde véritable, et c'est dans ce monde qu'elle insiste pour pénétrer afin d'en découvrir le secret. Mais plus elle s'avance, plus ils l'égarent et s'amusent à l'effrayer. Il semble que le domaine tout entier se fasse leur complice. Des fantômes apparaissent aux fenêtres lorsque Miles joue du clavecin. Des regards épient dans l'ombre. Est-ce Miles et Flora qui se moquent d'elle ? Ce spectre qui la terrifie, et que Miles, un soir, parodiant une scène d'Hamlet, provoque sur la terrasse en brandissant un flambeau, ne serait-ce pas cet ancien garde disparu, ce Peter que Madame Gross croit mort mais que les gens du village assurent avoir vu rôder dans le pays ?

Qui était ce Peter Quint ? « Quelqu'un de très mal et de méchant », avoue Madame Gross avec une sorte d'effroi. Un être sauvage, irrésistible, terrifiant qui a débauché l'ancienne gouvernante et a disparu une nuit d'hiver en laissant les traces de son sang sur la glace de l'étang.

Miles et Flora ne parlent jamais de Peter et le jour où Mademoiselle Giddens prononcera son nom, Flora hurlera de peur et Miles provoquera la gouvernante d'un regard menaçant.

Quel rôle cet homme, qui aux yeux de Mademoiselle Giddens incarne le démon, a-t-il joué dans la vie des enfants ?

Miles l'admirait. Ils ne se quittaient pas. Et Madame Gross avoue que l'amitié du jeune maître et du serviteur l'inquiétait. Pourquoi cette inquiétude ? Quoi de plus naturel que cette amitié d'un garçon pour un homme jeune dont la virtuosité de chasseur et de cavalier l'émerveillait. Il avait fait de lui son héros, rien de plus. Pourquoi voir partout le mal. Les enfants ignorent le mal, et ce sont souvent les adultes en le soupçonnant là où il n'est pas, qui le suggèrent.

C'est là tout le drame de la pièce. Poser une question dangereuse à un enfant, n'est-ce pas appeler une réponse plus dangereuse encore ou provoquer un silence, un repli qui ferme définitivement un être sur le secret dont il voulait se libérer ? Mademoiselle Giddens le sait. Elle se méfie de sa logique qui n'est pas celle de l'enfant, mais de sa propre imagination. Cependant, la lettre du censeur l'obsède et son doute devient une certitude. C'est ce démon de Peter qui s'est emparé de l'âme de Miles. Ce sont les propos que lui a tenus le garde que Miles a répétés à ses camarades, à ceux qui lui étaient le plus « cher » et qui l'on fait renvoyer du collège.

Miss Giddens multiplie les questions. Miles se débat. Les soupçons de la gouvernante lui font horreur. Il jure qu'il est innocent. Et à l'instant même, il se sent coupable, humilié, sali par les mots qu'elle prononce, par ceux qu'il prononce lui-même. Mots inexacts qui n'expriment jamais ce qu'on veut dire, qui en disent trop, qui donnent un poids accablant aux ombres.

Et lorsque la gouvernante arrache enfin son secret à Miles, désespéré, on se demande si ce mal qui le tue car il en meurt, ce n'est pas elle avec ses questions brutales qui l'a fait naître en lui.

La pièce est finie. Le débat commence dans le public. Est-il possible à des adultes de pénétrer dans le monde interdit de l'enfance ?

Curieusement, dans cette pièce que l'on m'explique jusqu'à ce que j'en saisisse les arcanes en profondeur, je me surprends à me questionner, à savoir si je n'ai pas vécu personnellement, et même si je ne suis pas encore en train de vivre avec ma mère, certains des aspects de ce thème ? Ne suis-je pas, jusqu'à un certain point, ce Miles vivant et ma mère n'est-elle pas Mademoiselle Giddens ?

Ma mère encore une fois tient mordicus à ce que j'interprète le morceau de musique en personne sur le clavecin de scène qui est bien réel, et bien sûr, c'est chez Madame Gaucher que je suis allé étudier cette pièce, qui dure plus d'une minute, en travaillant des figures de style avec les mains que je croise ou que j'élève avec grâce au-dessus du clavier, comme un petit marquis. Jusque-là ça va.

Mais les répétitions débutent, et avec elles, des problèmes qui vont aller en s'aggravant de jour en jour à cause de l'attitude de ma mère. D'abord, elle éprouve une antipathie viscérale, à la fois pour la directrice du théâtre, Élizabeth Hijar à qui elle reproche son snobisme et un parfum irrespirable, et pour le metteur en scène, Roland Piétri, qu'elle accuse d'avoir un faciès pointu de rat, d'être pète-sec, bourré de préjugés, plutôt chorégraphe que metteur en scène et de se montrer désagréable.

Enfin elle ne peut pas sentir, si j'ose dire, le jeune assistant metteur en scène, Gilbert Edard, dont l'arrogance et la stupidité n'ont d'égales, selon ses termes, que celles d'un étron fumant qui vient tout juste d'être chié ! Ceci crée, il faut bien le dire, une atmosphère *irrespirable* dès le départ.

Elle assiste aux répétitions du fond de la salle. Mais sa fine oreille vient de percevoir que Roland Piétri, positionné avec son assistant vers le milieu de l'orchestre, me dépeint à voix basse comme un lourdaud sans éducation parce que je tire ma chaise avec une main entre les cuisses, afin de me rapprocher d'un petit secrétaire, plutôt que de placer les mains de chaque côté de mon siège.

Du fond de la salle j'entends brusquement ma mère s'écrier :

– *La répétition est terminée, viens Gérard, on s'en va !*

L'intrusion intempestive est relevée aussitôt par Roland Piétri :

– *Non Madame, la répétition n'est pas terminée !*

J'hésite un court moment, perturbé et ne sachant trop que faire, mais la voix de ma mère reprend forte et péremptoire :

– *Gérard, rejoins-moi dehors, immédiatement !*

Je n'ai plus le choix. Dans la ruelle qui donne sur l'entrée des artistes, nous fuyons. La directrice, le metteur en scène et son assistant sont à nos trousses. Ma mère s'arrête brusquement et fait volte-face avec une violence verbale que moi seul lui connais bien. Puis Elizabeth Hijar me tire d'un bras pour me ramener au théâtre, tandis que ma mère me tire de l'autre pour m'emmener vers le métro. Ma mère a tiré plus fort et elle déclare que je ne reprendrai la répétition que le lendemain, lorsqu'elle aura retrouvé son calme et reçu des excuses du metteur en scène. Là-dessus la directrice interdit à ma mère d'assister aux répétitions et que, excuses ou non, si je ne suis pas là le lendemain, il y aura rupture de contrat et mise en justice. Dans le métro, je suis en pleurs avec un vide dans le cœur.

Durant toute la soirée, le téléphone est resté silencieux, il n'y a pas eu d'excuses, mais je finis par persuader ma mère que notre intérêt à tous points de vue est que je retourne au théâtre sans faire d'histoires. Elle en a finalement convenu et a accepté. Cependant, blessée dans son orgueil et rancunière, elle s'est promise de le faire payer un jour ou l'autre à tout ce beau monde.

Paradoxalement elle n'a que des mots tendres pour la comtesse de Beaumont avec qui elle s'entend à merveille. Nous avons été invités plusieurs fois à la villa Molitor à Auteuil et il a été admis que je coucherai chez les « de Beaumont », dont la résidence est à la fois plus proche du théâtre et de mon lycée, au lieu de rentrer à Fontenay le soir après les représentations. Je ne retournerai donc chez moi qu'après l'école pour dîner et revenir au théâtre ensuite. Lorsque cela se produira, j'occuperai à Auteuil la chambre de leur fils Marc de dix-sept ans qui étudie en Angleterre.

Il m'arrivera plus d'une fois, en rentrant du théâtre, de tirer un livre de la bibliothèque de Marc et de le lire jusqu'à deux heures du matin, heure à laquelle rentre Monique, leur fille âgée de vingt ans, qui fréquente le shah d'Iran. Si Monique voit de la lumière dans ma chambre, elle s'arrête un instant, s'assied sur le bord de mon lit et me raconte sa soirée, du moins en partie. Il m'arrive parfois de lire uniquement pour l'attendre tellement je la trouve douce et gentille. Le lendemain je manque l'école et je passe la journée à la villa jusqu'à l'heure du théâtre.

Une fois que j'avais encore manqué l'école, le comte Jean de Beaumont m'a emmené à la campagne dans une ferme où à midi, nous avons été servis, avec une foule d'invités, par des laquais en livrée et en perruque.

Je n'avais jamais vu de rince-doigts de ma vie et impatient de savoir à quoi ils pouvaient bien servir, puisque personne ne buvait dedans, je me suis renseigné sur leur usage auprès de ma voisine que cela a bien fait rire.

De ce côté-là, Roland Piétri a bien raison, je suis un peu plouc !

En attendant, ma mère n'assiste pas aux répétitions dans la salle. Elle m'attend dans ma loge en proie à l'humiliation et la frustration. Elle a affiché une grande photo de presse d'Élizabeth Hijar et de moi pris de face en la fixant au mur par une punaise plantée directement dans l'œil de la directrice. Ce geste est loin de passer inaperçu et j'en entends parler dans les coulisses.

Flora est interprétée par Claudine Longet qui va sur ses onze ans. Nous jouons les innocents et tout comme la question se pose dans la pièce, le sommes-nous vraiment ? En tout cas, ladite question ne nous préoccupe pas particulièrement car nous avons découvert le secret de nous introduire parfaitement dans la peau de nos personnages, avec ou sans innocence. En effet nous avons une scène en longue chemise de nuit et nous devons faire l'une de nos entrées par le haut du grand escalier qui donne sur scène. Pour accéder à cet escalier par les coulisses, il nous faut monter à l'échelle d'un praticable et attendre sur la plateforme, dans l'obscurité. Nous sommes invisibles car il fait sombre sur scène et noir en coulisse. Au début, nous nous asseyons sur la plate-forme face-à-face, une minute ou deux, attendant notre entrée. Mais à mesure que nous lions connaissance Claudine et moi, elle s'enhardit à me parler de ce qu'elle nomme « mon petit robinet » et nous ne tardons pas à entreprendre une exploration réciproque de notre anatomie jusqu'au point d'arriver chaque jour un peu plus en avance pour notre entrée, en ayant pris soin de ne plus porter de sous-vêtements sous la toile opaque de nos chemises de manière à avoir un accès facile et immédiat. Lorsque la pièce roule enfin, nous avons parfaitement découvert un merveilleux tranquillisant au stress de la vie de comédien et nous l'utilisons chaque soir avec réciprocité et satisfaction.

Il faut avouer que ma partenaire est très habile et que je suis un bon élève sous sa directive. Nous espérons que la pièce durera des mois, voire des années…

Les adultes s'étonnent de nous voir si bien nous entendre, pas nous. Or ma mère n'aime pas Claudine Longet. Elle lui trouve un regard noir, fixe et provocateur. Elle prononce un jour à son sujet cette phrase terrible et maléfique :

– *Elle a un regard de meurtrière.*

Cette déclaration anticipe un destin tragique en effet car vingt-cinq ans plus tard, soit le 21 mars 1976, la même Claudine est inculpée, suite au décès par arme à feu, à Aspen dans le Colorado, de son compagnon, le champion de ski alpin, Vladimir Sabich. Lors du procès, elle a affirmé que le coup de feu était parti accidentellement alors que Sabich lui expliquait le maniement de l'arme. Elle a été condamnée à trente jours de prison pour homicide involontaire, peine qu'elle a effectuée après des vacances passées avec son avocat, Ron Austin, qu'elle a épousé dix ans plus tard selon la presse.

Au bout de trois mois, « Les Innocents » n'ont pas acquis la solidité espérée et le critique Jean-Jacques Gautier nous fait beaucoup de tort. Il nous démolit en écrivant que les rôles sont épuisants, tant du côté scène que du côté salle, et sont injouables pour des enfants. Le public commence à déserter la salle mais la directrice veut tenir le coup et se montre bien décidée à maintenir l'affiche car elle en a les moyens personnels, étant soutenue financièrement par les chaussures Pillot. C'est ce moment que ma mère choisit pour exercer sa vengeance et étouffer du même coup ma carrière de l'époque.

Sans avertissement, elle obtient un certificat médical me déclarant trop épuisé pour continuer à interpréter mon rôle et un beau soir, sans prévenir à temps le théâtre, m'interdit de sortir de la maison.

Expertise et contre-expertise ne changeront rien car ma mère, intransigeante et menaçante, me donne l'ordre « d'être et de paraître » malade.

De larges bandes collantes rouges barrent désormais les affiches des « Innocents » dans Paris et moi je suis barré du milieu. Aucun studio ne m'appelle plus.

Je ne fais plus une seule radio, ni une seule synchro et les théâtres me sont fermés. En ce qui concerne le cinéma, je rate film sur film et je vois partir des rôles potentiels dans « Le Blé en herbe », « Premières armes » et plusieurs autres.

Coïncidence ou cabale, la réponse est toujours la même : trop grand, trop jeune, trop vieux, trop maigre, trop petit, trop ceci, trop cela…

CHAPITRE XXXIII

Pendant qu'on cherche un moyen de s'en sortir, je suis appelé à remplir un dernier devoir envers mes lauriers effrités.

Le film « Trois télégrammes » est présenté au ciné-club de la paroisse et le curé est venu nous demander si j'accepte de répondre aux questions du public après la projection.

– *C'est difficile,* dit ma mère, *d'envoyer un curé aussi séduisant se faire foutre !*

Et je vais faire ma corvée. C'est vrai, le curé est séduisant, mais plutôt séducteur. Afin de me remercier, après la séance, il m'invite dans son bureau pour me remettre en cadeau un livre avec une couverture rouge sang, intitulé « Mon calvaire en Chine ».

Je prends le livre et le curé me prend dans ses bras. Il me fait le coup de la passion ardente, les yeux dans les yeux, et il me déclare sa flamme spontanée :

– *Je t'aime !*

Nous y voilà. Je suis aguerri et je ne perds pas mon sang-froid. J'essaye de tourner ça en plaisanterie pour ne pas le vexer :

– *C'est un sentiment qui vous honore mon père, mais si vous continuer à me serrer comme ça, je vais tourner de l'œil et ce ne sera pas à cause de vos beaux yeux.*

On dirait qu'il n'a pas compris, il répète :

– *Je t'aime !*

Du coup, je n'ai plus envie de plaisanter et c'est sur un ton sec que je lui dis en le repoussant de toutes mes forces :

– *S'il vous plaît, lâchez-moi !*

Il me libère, recule d'un pas, saisit la croix qui ornait sa poitrine et avec beaucoup de dignité et de contrôle retrouvé, l'ecclésiastique se sort d'affaire en affirmant :

– *C'est le Christ que j'aime en toi !*

Il ne pouvait en être autrement bien sûr : avec la dure épine que je sentais dans sa soutane en folie pendant qu'il me serrait, c'était bien au Christ qu'il pensait, l'hypocrite. La confiance est donc rétablie.

Les commandes de fleurs artificielles ne sont pas nombreuses et ma mère s'est trouvé un travail additionnel de couture à domicile. Elle assemble, à la machine à coudre, des soutiens-gorge, des porte-jarretelles et des petites culottes à partir de tissus prédécoupés. Comme elle n'a pas affaire directement au manufacturier mais à une couturière dont elle hérite du surplus de travail, ce n'est pas très payant. Je commets l'erreur de m'intéresser au fonctionnement de la machine à coudre « *Singer* », nouvellement acquise d'occasion, qui ne fonctionne pas bien d'après ma mère. Elle n'arrive pas à régler le point et voue la machine à tous les diables. Curieux de nature à propos de ce qui touche la mécanique en général, je propose d'essayer de l'aider et j'entreprends de comprendre les principes de ce mécanisme qui semble nouer les fils si mystérieusement. Après une soirée d'acharnement, j'ai saisi le fonctionnement de la machine. Je sais l'enfiler, régler la tension du fil pour obtenir des points bien nets et variés, comment bobiner des canettes, comment faire des boutonnières, comment piquer en zigzag contre l'effilochage ou créer des motifs, comment aller « en avant en arrière » pour sécuriser le point, quels types d'aiguilles utiliser selon la nature du tissu et enfin régler le pied-de-biche selon l'épaisseur du matériel. J'explique tout ça à ma mère qui savait coudre mais qui était moins experte dans les réglages.

Vexée, elle me sort :

– *Je sais tout ça, je ne t'en demandais pas tant ! Alors qu'est-ce qui n'allait pas ?*

– *Elle était mal enfilée.*

– *Et bien c'était simple, tu n'avais qu'à le dire !*

Elle essaye la machine et ne peut faire autrement que de constater qu'elle est bien réglée.

– *Bon, puisque tu n'es pas si con pour un garçon, regarde-moi faire et dis-moi si tu pourrais en faire autant.*

Confectionner des ouvertures de petites culottes pour les cuisses, avec un ourlet cousu autour de l'élastique qui un coup doit se tendre librement, un autre doit former une fronce, en y cousant de la dentelle par-dessus, ce n'est pas évident, même pour une fille ! Idem pour les porte-jarretelles, sans compter les bonnets de soutiens-gorge. J'essaye, j'ai compris, je n'aurais jamais dû comprendre !

Quand je ne suis pas pris par les corvées de lessive ou du ménage, je pique à la machine, j'aide aux fleurs et si je trouve le temps, je fais mes devoirs d'école… Je suis réglé comme une machine à coudre !

Un samedi après-midi que ma mère était partie livrer ses fleurs, il m'arriva que la corne de Rhotomago me prit par surprise et je déposai l'expression de mes fantasmes dans un mouchoir que j'oubliai, en pure étourderie, sur la céramique du comptoir qui borde l'évier de la cuisine. Arrive la fin de l'après-midi. Occupé aux fleurs, à mettre les pétales à l'humide en attendant de les gaufrer à la pince chauffée sur le brûlot d'alcool comme je sais maintenant le faire, je ne prête pas trop attention aux allées et venues de ma mère qui vient de rentrer. C'est d'une voix inhabituellement douce qu'elle m'invite, un moment plus tard, à venir la rejoindre dans la cuisine. Le bras tendu dans ma direction, elle tient du bout des doigts, et avec un ostensible dégoût, le mouchoir froissé et collé par la semence qu'elle agite lentement d'avant en arrière. Puis elle le rapproche de son nez avec la pire grimace, le sent et l'éloigne à nouveau et recommence encore une fois le manège.

De la même voix blanche, douce et articulée dont elle m'a appelé, elle demande :

– *Qu'est-ce que c'est que ça ?*

Je suis pétrifié. Elle répète :

– *Qu'est-ce que c'est que ça ?*

Je sens le feu envahir mon visage, la sueur couler sous mes bras, mes pieds se tremper, je suis en train de me décomposer d'humiliation et de culpabilité, incapable de prononcer une parole. Je ne sais que river mes yeux au sol. Chez elle le ton est monté, elle s'embrase en une seconde :

– *Tu veux que je te le dise moi, ce que c'est que cette saleté, cette ordure infecte ?*

Elle crie :

– *C'est du sperme ! N'est-ce pas que c'est du sperme ! Avoue que c'est du sperme !*

Comme je ne réponds pas :

– *Dis-le, tu m'entends, dis-le ou je te...*

Laissant tomber le mouchoir par terre, elle saisit un couteau dans le tiroir de la table de cuisine, un couteau à cran d'arrêt qu'elle avait acheté pour se protéger lorsqu'elle allait au cercle de jeu, presse le bouton et fait jaillir une longue lame qui achève de me terroriser.

Elle lève son poing armé et je lis la folie dans ses yeux. Je la crois prête à me frapper.

– *Maman, je t'en supplie !*

Elle hurle :

– *Alors c'est du sperme oui ou non ?*

– *Oui maman... Oui maman...*

Elle abaisse l'arme lentement et me désigne de la pointe du couteau le mouchoir qui gît sur le carreau de la cuisine à ses pieds :

– *Ramasse !*

J'hésite une seconde car mon esprit s'égare, j'ai peur du pire. Heureusement qu'elle remet le couteau dans le tiroir de la table de cuisine, sinon je me serais enfui de crainte de me faire poignarder une fois baissé pour ramasser le mouchoir.

– *Mets-le aux ordures ! Pas ici, dans le vide-ordures !*

Je suis sur le palier où se trouve la porte du vide-ordures, je pourrais m'enfuir mais je ne m'y résous pas, peut-être par ce que je pense que le pire est passé. Non, c'est maintenant qu'il va se produire. Ma mère a retrouvé un semblant de calme et c'est avec la plus grande indifférence qu'elle m'assène cette parole terrible :

– *Maintenant que tu es devenu un homme, tu n'es plus mon fils.*

Elle ajoute :

– *Et ne t'approche plus jamais de moi.*

Je crois qu'elle a tenu parole car je n'ai pas souvenir qu'elle ne m'ait jamais vraiment embrassé ou tenu dans ses bras par la suite, même si de mon côté je lui ai manifesté de la tendresse.

Chapitre XXXIV

Pendant plusieurs jours, ma mère ne m'adresse pratiquement pas la parole, sauf pour le strict nécessaire. Elle mange seule et lorsqu'elle a terminé, elle m'appelle en faisant précéder ses commandements de sarcasmes :

– *Eh ! L'homme ! Viens manger, ensuite tu feras la vaisselle.*

Jusqu'au jour où, un dimanche du début de l'été, assise depuis longtemps en silence, un coude appuyé sur la grande table en train de faire craquer sa mèche de cheveux avec le plat de sa pince à fleurs tandis qu'elle feuillette un livre, elle m'interpelle. Je suis en train de piquer à la machine. Elle m'adresse la parole sans la faire précéder de « Eh l'homme ! », pour la première fois depuis longtemps :

– *Dis donc, je crois que j'ai une idée... une trouvaille...*

Je plante lentement l'aiguille dans l'élastique pour le maintenir en place à l'aide du volant de la machine et je lève la tête pour écouter.

– *Je crois que j'ai une idée et même une fichue bonne idée... pour trouver de l'argent !*

Il m'est encore permis, à tout juste quatorze ans, d'avoir des instants de naïveté et c'est en toute candeur que je demande :

– *Qu'est-ce que tu vas faire ?*

– *Ce n'est pas moi qui vais faire, c'est toi.*

Elle pousse le livre ouvert devant moi.

– *Tu vas apprendre tout de suite trois poèmes par cœur. Il faut que tu les saches sur le bout des ongles. Demain en fin d'après-midi, on ira dans un quartier où on n'est pas connus et tu les diras aux terrasses des cafés. Pendant que tu feras la quête, je sortirai mon violon et je jouerai une chanson. Si ça marche, on est sauvés, t'as compris ?*

Je regarde les poèmes : « Le petit cheval » de Paul Fort, « Course dans l'azur » d'Anna de Noailles, « Le curé de Langrune sur Mer » de Paul Fort. « La grasse matinée » de Jacques Prévert. Ça en fait quatre... Elle poursuit :

– *Il y a un danger, on peut se faire ramasser par la police. Si jamais ça devait arriver, tu jures que c'est la première fois, c'est la première journée. On ne l'a jamais fait avant ! Même si les flics te disent que j'ai avoué. Tu connais la musique, je te l'ai déjà expliquée il y a des années.*

J'acquiesce.

– *Et puis on va s'habiller sobrement, mais proprement, pour que les gens voient qu'on est des pauvres avec de la fierté.*

– *Qu'est-ce que je vais leur dire aux gens ? Est-ce que je vais me planter devant eux et commencer à réciter mes poèmes ? Ils vont croire que je suis marteau !*

– *Non, tu vas t'annoncer comme ça, bien fort. Tu vas leur crier :* « Mesdames et Messieurs, je vais me permettre de vous interpréter un poème d'Anna de Noailles « Course dans l'azur » » *Et tu attaques tout de suite, tu n'attends pas la réaction du patron du bistrot qui va sûrement essayer de nous chasser. Et tu ne le regardes pas non plus dans les yeux, autrement il se croit obligé de nous vider. Il faut le prendre de vitesse. Un coup parti, il n'osera peut-être pas t'interrompre. Autre chose, si on met un pied dans la terrasse, les flics n'ont pas le droit de nous arrêter. Mais si on est sur le trottoir, c'est le patron du bistrot qui n'a pas le droit de nous chasser. T'as compris ?*

Pour avoir compris, j'ai compris. Et ça ne m'enchante pas du tout. En outre, je viens tout juste de finir de muer et j'ai encore des déraillements désagréables vers les aigus. Mais comment refuser…

La première terrasse, je m'en souviendrai jusqu'à mon dernier souffle. C'est à la Porte Dorée, près du zoo de Vincennes. Il y a une vingtaine de clients attablés sous le soleil déclinant. La rue est calme, il n'y a pratiquement pas de circulation.

Ma mère a un tailleur noir et sa boîte à violon, moi ma vieille veste en velours bleu, trop grande il y a cinq ans mais qui est à ma taille à présent, et que ma mère, conservatrice, a ressorti pour l'occasion.

Dans une de mes poches qui sont larges, j'ai le couvercle en fer d'une boîte à bonbons pour faire la quête. Il a la taille d'une grande soucoupe. Ma mère l'a choisi de cette dimension avec beaucoup de réflexion. Elle dit que si le plateau est trop grand, les gens ont l'impression de ne pas donner assez, alors ils ne donnent rien, et si le plateau est trop petit, ils ont l'impression de ne trop donner, alors ils ne donnent rien non plus. Dans le fond, c'est un peu comme à la messe.

Ça fait trois fois qu'on passe et repasse comme les républiques devant la terrasse. À chaque fois je ralentis pour m'arrêter, mais je me dégonfle et je passe tout droit, ma mère à la traîne. Elle commence à m'engueuler :

– *Vas-y je te dis, vas-y ! On est en train de se faire remarquer inutilement. Allez, cette fois c'est la bonne tu t'arrêtes !*

Il faut l'avoir ressentie pour savoir ce qu'elle est, cette seconde où je m'arrête, où je sais que je ne reculerai plus, où je ne sais plus si je sais encore mes poèmes appris la veille, cette seconde où je m'adresse d'une voix décomposée par un trac angoissant à tous ces gens en train de discuter, de lire leur journal ou de nous observer, pour leur crier :

– Mesdames et Messieurs… !

Je démarre, j'ai l'impression que je ne tiendrai pas, que j'ai tout oublié. Les poèmes sont trop frais à ma mémoire. Je bafouille, je saute des vers, je me rattrape comme je peux et je m'aperçois que je claque des dents en déclamant. Ma jambe droite se met à trembler. Je suis incapable de la contrôler. Je suis obligé de porter tout mon poids sur ma jambe gauche tellement l'autre gigote et j'ai peur que ça se voit étant donné que je suis en culotte courte, exigence psychologique de ma mère. J'ai le souffle coupé, ma voix porte mal et pourtant… ils écoutent !

J'aperçois le patron dans la porte. Il me fixe bouche bée. Je ne croise pas son regard pour qu'il ne se sente pas obligé de prendre une décision. C'est le coup de l'autruche mais ça marche. Il se tient entre deux eaux pour voir comment réagissent ses clients. Et puis il faut dire qu'il est surpris comme tout le monde et qu'il n'ose peut-être pas.

J'ai terminé le premier poème.

– L'autre, l'autre, dit ma mère entre ses dents, *n'attends pas.*

Je débute le deuxième. Pendant ce temps-là, elle reste accroupie à fourgonner dans sa boîte à violon qu'elle a posé par terre pour ne pas avoir l'air du dompteur qui présente son petit chien savant. Je capitule pour le troisième poème. Quelque chose me dit que ça suffit, ils sont encore sous le coup de la surprise. Il ne faut pas qu'ils se ressaisissent et que je leur devienne indifférent. Je sors mon plateau et ça c'est nouveau pour moi. C'est une autre sorte de trac, j'ai honte. Je dois avoir l'air que j'ai souvent reproché à ma mère lorsque je l'ai vue solliciter quelque chose, cet air humble et soumis, cet air d'avoir l'air de s'excuser d'être au monde. Toutefois je regarde les gens droit dans les yeux et j'essaye de remercier avec dignité et courtoisie, comme elle me l'a conseillé.

Le plateau s'est rempli. Un seul a fait « non » de la tête en repiquant dans son journal. Dès que j'ai terminé ma quête, ma mère abrège sa chanson et range son violon en cinq sept.

Lorsque je quitte la terrasse, je suis éreinté. On dégage de la rue et on va s'asseoir sur un banc en bordure du bois. Je risque :

– On regarde combien on a fait ?

Elle a ses principes :

– Discrètement. Attends que ces deux-là soient passés. Il ne faut pas avoir l'air de mendigots qui comptent leurs sous. Avec le violon, les gens comprendraient tout de suite ce qu'on est en train de faire et ça la foutrait mal.

En piécettes de dix et vingt francs, on a fait deux cent cinquante francs.

– Et bien, tu vois, ça a marché ! Encore une autre comme ça et on pourra acheter de quoi manger pour une journée.

– Maman… J'ai pas envie de continuer. Tout à l'heure, j'ai cru que j'allais tomber dans les pommes.

Elle fait une sale tête :

– Comment ça, t'as pas envie de continuer ?

– C'est crevant.

– Et comment on va bouffer hein? Des fleurs, il y en a de moins en moins et la couture, non seulement c'est un crève-misère, mais ça va être bientôt terminé parce que la bonne femme a épuisé ses excès de commandes. Alors qu'est-ce qu'on va faire hein?

– Je ne sais pas.

– Tu ne sais pas! Tu trouves que c'est crevant! Écoute bien ce que je vais te dire. Pendant la guerre, quand t'avais six mois et qu'on n'avait rien à se foutre sous la dent, au lieu de t'étrangler et de te foutre dans une poubelle comme beaucoup de femmes seules l'ont fait, je me les suis tapées moi les terrasses de café, et plus d'une fois crois-moi, pour te ramener du lait. Et je te regardais bouffer parce que ça ne rapportait pas lourd, les terrasses et les cours, et qu'il n'y en n'avait pas assez pour deux! Pendant ce temps-là, je me décalcifiais et je perdais mes dents pour que les tiennes poussent. Et tu sais quoi, il n'y avait personne à la maison pour te garder. Quand je me faisais encabaner jusqu'au lendemain par les flics, ça me rendait folle! Folle de t'imaginer en train de gueuler de faim toute la nuit dans ta pisse et dans ta merde, et quand je tournais la clef dans la serrure en rentrant, mon cœur s'arrêtait à chaque fois. J'avais peur que tu te sois étouffé dans tes draps. Tu sais combien de temps ça a duré? Tous les jours pendant deux ans. Et tu viens me dire aujourd'hui que tu es crevé? Tu es un bel égoïste crois-moi!

Elle s'adosse au banc, droite, enfermée dans ses souvenirs, son violon serré sous le bras, et les larmes fuient silencieuses, sur son visage durci, vieilli, impassible. Deux sillons de tristesse insondable, de découragement, de solitude.

Elle en a bavé ma mère, toute sa vie, alors parfois je la comprends un peu d'être comme elle est. Quand elle me raconte des trucs comme maintenant, je me dis que je lui dois quelque chose. Je me dis aussi qu'elle a plus de tripes que moi. Après tout ce qu'elle a passé, avoir encore le courage de remettre ça aux terrasses. Moi il n'y a que mon orgueil de vedette en herbe qui soit froissé. Elle, c'est toute son existence qui a été piétinée. Elle a essayé de m'insuffler son idéal sans trop savoir comment s'y prendre, sans même peut-être savoir ce qu'il était vraiment. Elle a tellement espéré en moi qu'il ne lui reste rien pour elle. Je la sens désarmée. Alors je lui prends la main :

– Non maman, je ne suis pas égoïste. Je voulais simplement dire sur le coup que c'était dur, mais on va continuer, allez, viens!

– Va te faire foutre, j'en ai marre. Démerde-toi et laisse moi seule, j'en peux plus.

– Allez, viens je te dis, je suis prêt.

– Non.

– Maman…

Elle ne me répond plus.

– Alors, je vais y aller tout seul.

Je la laisse là, rivée à son banc et son amertume, et je pars sans me retourner. Je me mets résolument en quête d'une terrasse. J'en repère une dans une rue très passante. Elle est très grande, bourrée de monde. Il y a peut-être quarante ou cinquante personnes, même plus. Je porte en moi une espèce d'agressivité qui me fait m'arrêter du premier coup. Sans réfléchir, j'attaque d'une voix forte par-dessus le bruit des voitures :

– *Mesdames et Messieurs, je vais vous interpréter un poème de Jacques Prévert... La grasse matinée.*

Je viens de choisir celui que j'ai le mieux retenu et qui me plaît le plus. Ça bloque net les conversations. Ils me regardent tous, figés, et j'y vais : « Il est terrible le petit bruit de l'œuf dur cassé sur un comptoir d'étain, il est terrible ce bruit quand il remue dans la mémoire de l'homme qui a faim... »

Ce café devient un théâtre, cette terrasse devient le public, le trottoir devient la scène. Je sens mon poème, je le vis et je le dis farouchement sans plus trembler. Et je termine... « Café crime, arrosé sang ! Un homme très estimé dans son quartier a été assassiné. L'assassin, le vagabond, lui a volé deux francs, soit un café arrosé zéro franc soixante-dix, deux tartines beurrées et vingt-cinq centimes pour le pourboire du garçon... Il est terrible le petit bruit quand il remue dans la mémoire de l'homme qui a faim... »

Je salue par réflexe en inclinant légèrement la tête. Il se passe alors quelque chose d'inattendu. La terrasse applaudit !

À côté de moi je découvre ma mère accroupie fourgonnant dans sa boîte à violon. Elle est venue me rejoindre. Ça me fait chaud qu'elle soit là. Lorsque je prends mon plateau, je n'ai plus l'impression de faire la quête. C'est autre chose, je demande gentiment ma recette avec humilité mais en souriant, en regardant les gens bien en face et... sans honte.

Mon plateau s'emplit tellement vite que je suis obligé de le vider deux fois dans ma poche pendant que ma mère joue « Rose de Chine » et « Tango bleu ». En partant je dis tout fort : « Merci M'sieurs Dames ! » et les gens répondent par des petits signes amicaux tandis qu'on s'éloigne.

J'ose à peine y croire, on a fait deux mille francs à cette terrasse. Il y a plusieurs billets de cinquante et de cent francs. Je ne peux pas m'empêcher de remarquer que je viens de toucher plus que pour une émission d'une heure à la radio. Emporté par l'enthousiasme du succès et de la recette, je ne me retiens pas pour dire à ma mère qu'elle est géniale.

Cette expérience fait naître une aventure inouïe : je vais continuer ma carrière dans la rue. Avec ma mère, la manche va prendre une allure de mini-spectacle ambulant. Poèmes sur fond de violon lorsque c'est possible, mimes, imitations de comédiens de l'époque, histoires humoristiques avec accessoires simples et peu encombrants comme un chapeau, une moustache et une canne pour imiter Charlot, un faux nez pour la tirade de Cyrano de Bergerac. On est certainement les premiers, à notre époque, à avoir fait un truc pareil aux terrasses de Paris.

Pendant un certain temps, on se rode, tous les soirs, dans des quartiers de banlieue assez obscurs pour tâter le public. J'augmente de jour en jour mon répertoire et, en prenant de l'expérience, on arrive à « jouer à la carte », c'est-à-dire à présenter notre numéro selon le quartier, le genre de l'établissement, la circulation automobile, l'heure de la journée et la tête du public sur la théorie de « Qui se ressemble s'assemble ». Il y a des groupes de personnes qui s'ennuient tandis que d'autres s'amusent et qui se rassemblent pour le faire.

Tout varie, d'un café à l'autre, d'une rue à l'autre, d'un quartier à l'autre et les variations sont énormes d'un bout de Paris à l'autre.

En quelques semaines, en périphérie de Paris, on acquiert ce que ma mère appelle : « La psychologie du concert » en référence au poème de Jacques Prévert « Le concert n'a pas été réussi ».

Une règle importante : faire court. On a chronométré. Il faut que ça tourne entre six et huit minutes sans faute. Passé cette limite, on risque de perdre des gens à la terrasse ou de fatiguer leur attention. Et nous, on perd de l'argent et on se fait remarquer.

On a terminé les périphériques. On passe à la grande offensive : conquérir le cœur de Paris. On est prêts pour tous les genres : populaire, bourgeois, existentiel, haute société, cafés, brasseries, restaurants, ma mère est redevenue chef d'entreprise et… intransigeante.

Pas à pas, rue par rue, quartier par quartier, on ratisse et on ne laisse rien passer. Il n'y a pas un endroit où on ne soit pas bien accueilli. Le public parisien est une véritable nourrice. Que ce soit dans n'importe quel milieu, les gens sont sympas, ils apprécient, ils sont généreux et par-dessus le marché, ce sont eux qui nous remercient. C'est rare qu'ils n'applaudissent pas. S'ils ne le font pas, c'est que parfois, ils n'osent pas tout simplement, mais la recette est aussi bonne. Merci Paris !

Souvent, il y a des patrons qui nous encouragent à repasser tel soir ou tel jour en nous disant qu'il y aura plus de monde. Et si on n'y retourne que le lendemain ou un autre jour, ils nous engueulent. Il y en a certains qui voudraient nous avoir tous les jours. En vérité mon numéro crée des attroupements sur les trottoirs et souvent, les gens en profitent pour s'asseoir et remplir la terrasse du bistrotier où on s'est arrêtés, ce qui fait son affaire. En deux mois, on a atteint les grands boulevards. On opère en zigzag de la rive droite à la rive gauche avec pour objectif les Champs-Élysées et l'arc de triomphe, pourquoi pas…

La circulation est intense, bruyante, les trottoirs sont encombrés. Certaines terrasses sont immenses et contiennent au-delà de cent personnes, souvent plus encore. Au début on a quelque peu hésité mais ma mère, que plus rien n'arrête, m'aiguillonne :

– *Faut pas se dégonfler, on y va !*

Dans ces endroits surpeuplés, dès que j'attaque, en quelques secondes, il se forme un cercle de badauds qui grossit, devient rapidement un mur humain, une sorte d'amphithéâtre entourant la terrasse, débordant sur la rue, la bloquant, et créant des embouteillages. Les applaudissements craquent comme dans une salle de spectacle. Lorsque je passe le plateau, je commence toujours par l'amphithéâtre. Je vide et revide mon couvercle à bonbons dans mes poches qui s'alourdissent et gonflent sur mes hanches comme un bât sur le dos d'un mulet, au point que j'ai du mal à marcher, c'en est indécent. J'extrais les billets que je passe à ma mère. Lorsqu'elle entend le cliquetis sourd de la pesante monnaie, elle dit entre ses dents :

– *Ça tinn-tinn- nabulle ! Ça tinn-tinn- nabulle !*

Les billets de cent francs deviennent maintenant monnaie courante mais ça me coupe le souffle à chaque fois qu'une personne dont le cœur est plus que généreux, me dépose un billet de cinq cents et parfois de mille francs dans mon couvercle. Il n'est pas rare que les gens me reconnaissent en tant qu'acteur. Ils se souviennent de m'avoir vu dans un film ou sur la scène.

– *Il ne fait plus de cinéma ?*

Ma mère répond :

– *Pour l'instant, il est à l'âge ingrat : trop vieux ou trop jeune. On fait ça pour payer ses études.*

C'est une noble cause et les gens approuvent. Mes poches ne suffisent plus à contenir les recettes et on est obligés de rentrer à la maison pour y faire des dépôts. Ensuite fatigués ou non, on reprend le métro et on repart à l'assaut.

Nous sommes sur le boulevard Saint-Michel. Le Flore, les Deux Magots. Il y a peut-être encore plus de monde autour de nous que d'habitude. Ça fait deux fois que ma mère se racle la gorge. C'est le signal. Il signifie qu'il y a présence policière, c'est-à-dire danger imminent ! Je suis au beau milieu de ma représentation. En pivotant légèrement, je découvre plusieurs uniformes de police au premier rang de l'amphithéâtre. Par-delà les têtes j'aperçois le haut du car de police. M'arrêter signifierait que je me sais coupable. Ne sachant pas quoi faire, je continue. Ma mère insiste à voix basse.

– *Gérard, arrête !*

J'hésite mais l'auditoire est attentif et je suis lancé dans ce morceau difficile que sont « Les cloches » d'Edgar Allan Poe. Je me sens obligé de continuer, en vérité j'ai peur d'arrêter puisqu'on ne m'arrête pas. Et je termine. Tout le monde applaudit. C'est au moment de la quête que se produit un temps mort. Je ne sors pas mon couvercle. Les consommateurs semblent attendre quelque chose et gardent le silence et les agents ne bougent toujours pas. Ma mère est en train de plier bagage :

— *Viens, on s'en va, viens, je te dis !*

Ça me fait mal au cœur d'abandonner la quête.

Il faut avoir la foi de l'innocence pour oser le geste que je vais poser : je sors le plateau de ma poche et je le présente d'abord à deux ou trois badauds qui côtoient les policiers afin de ne pas ajouter l'arrogance à l'aplomb. Puis je m'arrête devant l'uniforme qui a des galons sur les manches et un képi différent des autres et lui tends mon couvercle.

— *S'il vous plaît.*

L'homme hoche la tête et me fixe. Je soutiens son regard en souriant gentiment.

— *Alors c'est toi l'accident ?*

— *L'accident ?*

— *On passait, on a cru qu'il y avait un accident. Enfin, je préfère ça. C'est ta mère ?*

— *Oui M'sieur.*

— *Vous savez que vous n'avez pas le droit de faire ça ?*

J'hésite une fraction de seconde, mais je suis inspiré de dire la vérité.

— *Oui M'sieur.*

— *À la bonne heure ! Au moins tu n'es pas menteur.*

Il répète sa question :

— *Alors pourquoi vous le faites si vous savez que c'est interdit.*

— *Parce qu'il faut que je retourne au lycée à la rentrée. Si on n'en met pas un peu de côté, on ne mangera pas cet hiver et je ne pourrai plus étudier.*

— *Et ton père ?*

— *J'en n'ai pas M'sieur.*

— *Et ta mère, elle ne peut pas travailler ?*

— *Elle est musicienne, avant elle jouait du violon dans les orchestres, mais elle a des rhumatismes, ses doigts ne peuvent plus fonctionner normalement. Elle fait bien des fleurs artificielles de temps en temps, mais il n'y a pas assez de commandes pour payer le loyer. Comme elle ne sait pas faire autre chose, on essaye de s'en sortir comme on peut.*

— *Est-ce que vous demandez la permission aux patrons des cafés ?*

— *Aux terrasses non, mais dans les restaurants oui. Ils nous laissent souvent jouer à l'intérieur.*

— *Qu'est-ce que tu veux faire plus tard ?*

— *Je voudrais être médecin.*

— *Moi aussi j'ai un fils qui fait des études, je ne voudrais pas le voir à ta place.*

Ma mère nous a rejoints. Le policier s'adresse à elle.

— *Vous devriez aller faire ça dans un quartier plus tranquille, Madame, ou vous contentez des restaurants qui vous acceptent. Ici vous prenez de gros risques. Vous gênez la circulation, vous vous faites remarquer et vous allez finir par vous faire embarquer. N'oubliez pas que si vous vous faites arrêter, il y a délit de mineur. C'est un conseil, faites-en ce que vous voulez.*

Il vient de froisser quelque chose dans sa main et me l'enfonce prestement et profondément dans la petite poche de ma veste :

– *Et toi, ce n'est pas d'être médecin ton avenir, mais avocat !*

Il se tourne vers ses collègues :

– *Allez, venez, on n'a rien vu.*

La force de l'ordre disparue, le mur humain se dissipe et j'hésite à aller quêter à la terrasse, j'ai perdu la conviction. J'y renonce. Peut-être par pudeur vis-à-vis de ce policier qui nous a fait grâce. On rentre tout droit à Fontenay et le retour est plutôt morose. On vient d'en prendre un coup.

Le papier froissé dans ma petite poche, c'était un billet de cinq mille, le seul qu'on n'ait jamais vu aux terrasses.

Les jours suivants, on est passablement freinés par les conseils de l'homme qui n'avait rien vu et on s'en tient aux restaurants. Mais bientôt devant ces terrasses baignées de soleil, devant ces grappes mûres aux grains serrés, devant ces vignes qui ne réclament que la vendange, ma mère ne résiste plus et nous… récidivons. Une chance impertinente nous favorise. Nous continuons à ne pas être inquiétés par la police. Il fait chaud sur Paris et il y a du monde dans les rues, tard la nuit, ce qui fait qu'on ne dérougit pas, souvent jusqu'à deux heures du matin avec des petites poses dans la journée pour les casse-croûte. Ma mère est en train de glisser tranquillement vers une fanatique avarice. Lorsqu'on termine, il n'y a plus de métro. Même si elle a parcouru autant de kilomètres que moi, je suis épuisé de m'être époumoné toute la journée. Sur les trente ou quarante mille francs que je transporte dans mes poches, on pourrait bien dépenser quelques centaines de francs pour un taxi. Et bien non, on rentre à pied, de Saint-Germain-des-Prés jusqu'à Fontenay. On arrive à la maison vers les cinq heures du matin. On dort six heures et on recommence. Une fois passe, mais ça commence à devenir une habitude. Il y a quelques jours, je suis tombé aphone en plein milieu d'un poème. Depuis, ça me reprend tous les jours et de plus en plus fréquemment durant la journée. Ma mère consent à ce qu'on s'arrête une dizaine de minutes, le temps d'avaler un lait chaud qui me restitue ma voix pendant un quart d'heure. Et puis d'un seul coup, les sons disparaissent et réapparaissent par intermittence. Ça agace ma mère de retourner au lait chaud. On perd du temps qu'elle dit.

– *Encore une… Encore une… La dernière, tu n'as qu'à forcer un peu.*

Un soir devant le comptoir en zinc où je casse la coquille d'un œuf dur, sur un comptoir d'étain comme dans le poème, en attendant mon verre de lait chaud, elle s'énerve :

– *Allez, dépêche-toi, on perd du temps.*

Je ne parviens qu'à sortir des sons entrecoupés :

– *Jch'p'… Pl… !*

– *Mais si, tu peux, encore une. C'est la dernière pour ce soir.*

Je suis devant cette dernière terrasse, j'y mets la meilleure volonté. J'ouvre la bouche mais le « Mesdames et Messieurs » reste dans la gorge. Alors ma mère ne se démonte pas :

– *Fais des mimes !*

J'en ai fait pendant quinze jours. J'attire l'attention de la terrasse par de grands gestes des bras comme on arrête une voiture au milieu de la route et je fais des mimes. Les consommateurs regardent par curiosité parce que je ne me débrouille pas trop mal, mais ça n'a rien à voir avec le choc que procurent les poèmes.

Parfois quelqu'un me pose une question à laquelle je réponds par des signes en désignant ma bouche. Les gens pensent que je suis muet, alors je joue les muets.

La recette est maigre. On fait retraite vers les quartiers de banlieue et j'en veux à ma mère parce qu'elle ne sait pas s'arrêter, parce qu'elle continue la course même avec un pneu crevé, parce qu'elle ne me concède pas un seul moment de grâce et parce que je me sens dévalorisé.

Ma voix est revenue :

– *Tu vois qu'on a bien fait de ne pas s'arrêter,* dit ma mère, *ça n'aurait rien changé.*

Depuis que j'ai retrouvé mon organe, comme on dit au théâtre, on a fait la place de l'Opéra, bifurqué sur les Champs-Élysées, on a remontés jusqu'à l'Arc de triomphe qui n'en est pas un véritable pour nous car le public de ces quartiers-là est plus touristique que gavroche, les tenanciers moins accueillants, et les recettes font carême. Néanmoins ma mère est satisfaite :

– *Lorsqu'on se fixe un but dans la vie, il faut aller jusqu'au bout.*

Et elle ajoute grandiloquente :

– *On mesure un homme à ses idées et au courage qu'il a de mourir pour elles !*

Ce soir-là aux Champs-Élysées, on est accostés par une grande limousine noire occupée par des personnes, hommes et femmes, en tenue de soirée. Ces gens ont un accent étranger et semblent fort sympathiques. Ils nous invitent, impromptu, à participer à une réception à l'hôtel George V où nous pourrions faire valoir nos talents, ma mère et moi, et recevoir une compensation. Ma mère accepte avec autant de simplicité que la proposition a été formulé cordialement et nous nous retrouvons finalement dans une suite privée de l'hôtel où nous faisons la connaissance d'une vingtaine de messieurs, pour la plupart des Iraniens, et d'autant de jeunes femmes, pour la plupart françaises, tout ce monde vêtu « haute couture ». Nous évidemment, on fait plus que miteux au milieu de toute cette société mondaine et on commence à se sentir mal à l'aise, mais comme dit ma mère, il y a la compensation et il faut tenir le coup. Champagne et petits fours circulent à satiété, jusqu'au moment où tout le monde s'assied en se faisant face, sur des chaises rassemblées en un cercle formant en son centre une sorte de piste de cirque.

– *Nous allons commencer le jeu,* annonce le meneur. *Ce soir nous allons jouer au « strip culture surprise ». Il s'agit pour chacun et chacune d'interpréter un poème, un chant, un morceau de musique, de raconter une histoire ou de faire quoi que ce soit qui devra être jugé recevable par l'auditoire, sinon l'interprète devra se dévêtir d'un élément de sa tenue. Lorsque l'interprète se trouve à court de culture, ce sera la dénudation intégrale et immédiate et... le gage !*

Devant la porte d'entrée ou de sortie, selon le sens dans lequel on la traverse, se tiennent deux malabars qui en interdisent l'accès. Ma mère commence à murmurer qu'on est tombés dans un guet-apens et qu'elle se demande comment on va s'en sortir. C'est justement elle qui est désignée pour ouvrir le jeu. Elle n'ose pas reculer et y va du Tango bleu au violon. L'auditoire accepte et, comme je suis assis à côté d'elle, c'est mon tour. Un court poème de Prévert et je suis sauvé avec applaudissements. Je me penche vers ma mère et je lui dis qu'au train où vont les choses, ils seront certainement tous à poil avant qu'on ait utilisé le quart de notre répertoire. Ma mère flambe entre ses dents.

– *C'est justement à quoi je ne veux pas arriver car j'imagine la suite. Il faut qu'on trouve un moyen de foutre le camp.*

C'est au tour de ma voisine qui avoue qu'elle est prise par surprise et ne connaît pas grand-chose sinon un petit quatrain appris au couvent... et elle entame :

– *Ah, ce que les chiens sont heureux,*
Dans leur humeur badine,
Ils se sucent la pine,
Et s'enculent entre eux...

L'enthousiasme est général et chacun essaye de retenir le petit quatrain coquin, ce qui crée une diversion que ma mère met à profit pour aller trouver le meneur. Je ne sais pas de quoi elle a pu le convaincre, mais les malabars s'effacent pour nous laisser sortir ou plutôt nous enfuir, car c'est au pas de course que ma mère sort du George V. Il n'y a pas eu de compensation. Moi aussi, j'ai retenu le petit quatrain et je me suis longtemps demandé ce que j'aurais pu apprendre d'autre qui aurait amélioré ma culture...

Fin septembre... On a mis trois mois pour conquérir Paris, y compris Neuilly. Il y a dans le placard secret plus que je n'aurais touché pour les trois films que je n'ai pas faits lorsque ma mère a refusé de signer l'option à UGC. On fait alors une pause inespérée.

Ma mère se décide cette fois à acheter une voiture. Pourquoi ? Parce qu'elle envisage d'aller faire les terrasses sur la Côte d'Azur l'été prochain ! Sitôt dit, sitôt fait, elle ne tergiverse pas. Elle acquiert une Simca 6 d'occasion, voiture un tout petit peu sport, un tout petit peu élégante et un tout petit peu trop petite pour que j'y sois à l'aise avec mes grandes jambes, surtout si je suis confiné sur l'espèce de petit coffre qui recouvre l'espace de la batterie, en arrière des sièges avant.

Là mes genoux bouchent mes narines, mais pas mes oreilles qui sont bien ouvertes pour entendre les recommandations de Julien Klein, mon sauveur, qui est en train de réapprendre à conduire à ma mère. Ces leçons de conduite qui ne me sont pas destinées, jointes à l'expérience que j'avais acquise en Suisse il y a quelques années, me permettent rapidement de prendre le volant illégalement à côté de ma mère qui n'est plus rassurée de conduire, depuis qu'elle a embouti la vitrine d'un magasin alors qu'elle n'était pas assurée.

Les dégâts qui se sont montés à plusieurs fois le prix de la voiture, qu'il a fallu en outre faire réparer, ont entamé légèrement nos économies qui sont devenues plus que substantielles.

Le plan de la ville de Paris est déployé sur la grande table aux fleurs. Ma mère entoure un petit espace de la rive droite au crayon et frappe trois fois de la pointe le centre du cercle, comme un chef d'état-major :

Demain nous irons là. C'est le seul quartier où nous n'avons jamais mis les pieds. Ce sera notre dernière sortie. Ensuite nous fermerons boutique. En faisant très attention avec ce que nous avons de côté et en continuant gentiment les fleurs pour ne pas voir fondre trop vite, nous passerons l'hiver et l'année prochaine qui sait, peut-être qu'on pourra envisager d'acheter une maison.

Je suis admis en quatrième et je suis bien content d'arrêter la manche. C'est la rentrée, il faut songer aux études.

Le lendemain, place de la République, à dix-neuf heures trente, nous sommes arrêtés sur le trottoir par deux inspecteurs en civil, après avoir fait notre première terrasse. Nous n'avons pas pris la voiture qui occupe désormais une place dans le garage de Dolly qui s'est séparée de sa vieille Renault tombée en ruine.

La Simca nous aurait plutôt gênés dans nos déplacements mais c'était aussi par mesure de prudence afin de ne pas se faire remarquer plus que nécessaire au cas où nous aurions un pépin. Bonne intuition et mauvais présage, nous avons un gros pépin.

Trois heures plus tard, suite à un interrogatoire interminable pendant lequel tout ce qui a lieu semble se dérouler au ralenti, où on a l'impression que l'horloge est complice de freiner le temps, alors que relativement l'angoisse de l'incertitude de notre destin accélère notre temps intérieur et transforme notre impatience en torture, nous sommes enfermés dans une cage grillagée, avec des prostituées et un trafiquant de devises étrangères, pour y passer la nuit. Nous sommes vendredi soir.

Dans mon plateau de cette unique recette, l'un des détectives a noté qu'il y avait un billet de cent francs. Il l'a dit et répété maintes fois à son collègue qui pensait lentement avec deux doigts sur sa machine à écrire afin qu'il n'oublie surtout pas de le consigner dans le rapport.

Ces deux inspecteurs devaient venir d'une province profonde et commune car ils avaient le même accent, non parisien assez difficile à décrypter. Ils devaient également bien se connaître car ils possédaient cette complicité d'acharnement méticuleux nécessaire à l'établissement des chefs d'accusation, prenant un air entendu en se poussant du coude et manifestant cette mutuelle satisfaction d'avoir effectué une bonne prise.

Nous pensions être libérés au petit matin, mais l'heure tourne, la cage est maintenant vide. Nous n'avons pas fermé l'œil de la nuit, même pas somnolé, et mon ventre crie famine.

Plus tard dans la matinée, ma mère et moi sommes séparés, transférés et écroués au dépôt du Palais de Justice, sous l'inculpation de mendicité déguisée, délinquance juvénile et ma mère en outre , détournement de mineur.

Photos, empreintes, nous sommes fichés, immatriculés, enfermés, en ce qui me concerne dans un cachot.

Une fois la porte d'acier plein refermée, je deviens brusquement conscient que le claquement des verrous matérialise la puissance inattaquable des contraintes de ma liberté.

Je distingue dans l'obscurité quatre grabats, étagés deux à deux, et une forme allongée à ma droite sur la couchette supérieure. Dans un coin, un trou à même le sol d'où s'échappent des odeurs d'urine et d'excréments. Pas d'eau, pas de papier, pas de lumière. La première question fuse :

– *Pourquoi t'es ici ?*

J'explique sans retenue. Puis je fais connaissance avec mon interlocuteur, un adolescent de deux ans mon aîné. IL n'est pas antipathique et je suis content de ne pas être totalement seul. Il est volubile et me raconte des histoires de milieux que j'ignore, ça m'occupe l'esprit, mais ce qui revient le plus souvent dans son monologue ce sont les femmes dont il me dépeint la féminité avec le vocabulaire le plus ordurier qu'il m'ait été donné d'entendre et avec un mépris froidement affiché pour l'utilité de la femme sur terre, à part ses formes et son bas-ventre. Un moment donné, je ne l'écoute plus. J'ai tellement faim que je m'endors à moitié sur ma couchette.

Je ne me souviens plus de ce qu'on a pu me donner à manger dans cette cellule et même, si on m'a jamais donné à manger.

La présence de ce type m'empêche de pleurer. La nuit a passé, puis la journée de dimanche s'achève. Je ne sais pas ce qui est arrivé à ma mère, je ne sais pas ce qui va m'arriver. Le troisième jour, on tire les verrous et c'est mon compagnon de cellule qu'on vient chercher. Je ne le reverrai pas.

J'essaye d'obtenir un peu d'attention du gardien mais la porte et le guichet se referment avec les mêmes bruits sinistres annonçant le silence que troublent parfois des pas dans le couloir. Je guette à chaque fois ces pas avec l'espoir qu'ils ralentiront près de ma porte. En vain. Lorsqu'ils s'éloignent, j'attends d'autres pas et j'espère jusqu'à la nuit. Seul, je commence à déprimer et je ne dors plus.

Le quatrième jour, soit le mardi matin, on tire les verrous brutalement et la porte s'ouvre tout grand. On vient me chercher.

– *Amène-toi !*

Le gardien me passe une menotte au poignet droit et ferme l'autre sur son poignet gauche.

Des portes, des serrures, encore des portes et des serrures. On débouche du sinistre labyrinthe par un petit accès en haut d'un escalier qui donne dans les couloirs du Palais de Justice. Je croise à nouveau la vie.

Les gens vont et viennent affairés. On s'assied sur un banc, mon gardien et moi, et on attend. Ma mère est déjà dans la salle d'audience. Au bout d'un moment, on m'y fait entrer. Je vois ma mère, de dos, dans le box des accusés, droite, les mains posées sur une sorte de petite rampe en bois. Je la rejoins.

La première chose qui me frappe en me rapprochant, c'est un filet de sang qui descend le long de son mollet nu. Elle a ses règles et rien pour les contenir.

Très loin, me semble-t-il, très haut, sous le buste de Marianne appendu au mur, trône le substitut du procureur en toque et rabat blanc. Lyrique et terrifiant, il chapitre ma mère :

– *C'est odieux, Madame, odieux ! Votre fils est mineur ! Il en train de suivre la route qui mène à la délinquance, de la délinquance à la maison de correction, de la maison de correction à la prison, de la prison au bagne et du bagne à la peine capitale ! Et c'est vous qui le conduisez ! Ce que vous lui faites faire est odieux ! Vous allez en faire un insoumis, un anarchiste ! Le comprenez-vous ?*

Ma mère fait signe que oui de la tête.

– *Je vous en donne ma parole Monsieur le juge…, je vous en donne ma parole… que jamais plus…, jamais plus…, je vous supplie de me croire…*

– *Si vous n'avez pas les moyens de faire faire des études à votre fils, mettez-le en apprentissage. Faites-lui apprendre un métier manuel. Au moins il sera utile à quelque chose !*

– *Oui Monsieur le juge.*

– *Vous avez de la chance qu'il soit inscrit à l'école, je vous accorde le bénéfice du doute ainsi que ma clémence. J'espère que vous avez l'intelligence de vous en rendre compte. Mais si jamais, vous m'entendez, si j'apprends qu'une seule fois vous avez récidivé, pour vous c'est la prison et pour lui la maison de redressement. Est-ce clair ?*

– *Oui Monsieur le juge.*

– *Vous êtes libres. Affaire suivante !*

– *Merci Monsieur le juge.*

On récupère ce qu'on nous avait confisqué. Moi mes lacets, ma ceinture et mon couvercle, ma mère son violon, le contenu de ses poches, mais pas la recette. On n'a pas un sou vaillant, même pas un ticket de métro. Il est onze heures. On fait quelques pas dehors et on s'assied sur un banc. Ma mère se sent mal. Elle n'a rien pu avaler depuis notre arrestation. Elle est livide, décomposée par l'angoisse de ces quatre jours, et elle saigne. Elle n'a même pas de mouchoir. Je lui donne le mien pour qu'elle s'essuie la jambe. On passe près d'une demi-heure sur le banc en silence, silence que je n'ose pas rompre. C'est elle qui se décide à parler :

– *Ça va un peu mieux maintenant. Si seulement je pouvais manger quelque chose. Et puis on ne peut pas rentrer à pied, pas dans l'état où je suis. Il faut que je me trouve des serviettes.*

– Maman, j'ai une idée. On va prendre un taxi et on le paiera à la maison.

La réponse est inattendue :

– *On n'a pas d'argent à gaspiller, encore moins aujourd'hui qu'avant. Ce qu'on a de côté, c'est pour cet hiver, tes études et manger, pas pour autre chose.*

– *Alors, je peux trouver deux tickets de métro, vite fait, tu sais ?*

– *Non et non, c'est de la mendicité. Et je n'ai pas la force de prendre le métro, encore moins comme je suis. Non, écoute bien...*

Devant le Palais de Justice, il y a un café : le café du Palais. Ma mère me le désigne du doigt :

– *Tu vois le café, là-bas, tu vas m'attendre pendant que je vais aller faire un peu de toilette. Attends-moi ici et ne viens surtout pas me rejoindre, sous aucun prétexte. Voici la clef de la maison. Si tu remarques qu'il se passe quelque chose d'anormal, rentre par tes propres moyens. Tu sauras te débrouiller tout seul.*

– *Mais t'es dingue maman, qu'est-ce que tu vas faire.*

– *Écoute Gérard, je suis fatiguée, Ne me fais pas parler pour rien et je ne te permets pas de me parler sur ce ton-là. Ne discute pas mes ordres, attends-moi ici.*

Elle s'éloigne son violon sous le bras. Elle entre dans le café et en ressort au bout de cinq minutes. Elle s'immobilise dans la terrasse, pose sa boîte par terre, sort son violon et se met à jouer... à trente mètres du Palais de Justice. Je ne peux pas le croire. Non, je ne peux pas le croire. Je scrute de tous côtés, m'attendant à n'importe quoi, tellement je suis encore sous le choc de ce que nous venons de vivre. Je suis soulagé lorsque je la vois retraverser la rue sans être inquiétée. Elle passe près de moi, me fait un petit signe discret m'invitant encore à l'attendre. Elle reparaît vingt minutes plus tard. Elle a gagné assez pour ses serviettes hygiéniques, un sandwich qu'on partage et les tickets de métro. Elle se met à rire :

– *Il y avait des avocats dans le café, peut-être même des juges, ils étaient en robe. Il y en a qui sont chouettes, ils n'ont pas été radins.*

CHAPITRE XXXV

Quelques semaines plus tard en rentrant du lycée, ma mère n'est pas à la maison. La nuit est tombée, je commençais à m'inquiéter lorsque la sonnerie familière du téléphone me dit que je vais être rassuré dans un instant :

– *Gérard, je vais rentrer un peu plus tard ce soir, je t'ai laissé de l'argent sur la table de cuisine, va te chercher à manger, fais tes devoirs et ne m'attends pas.*

– *Qu'est-ce que tu fais ?*

– *Ça ne te regarde pas. On se verra plus tard. Couche-toi de bonne heure.*

Et elle raccroche. Je vais m'acheter de quoi me faire un jambon fromage et je rentre songeur. Après mes devoirs qui m'absorbent, je me mets au lit mais je n'arrive pas à trouver le sommeil. Quelque chose me préoccupe mais je ne sais pas ce que c'est. Si, j'ai trouvé.

Je me lève, j'allume toutes les lumières et je vais droit à la chambre de ma mère chercher la clef du placard secret. Elle est dans ma main lorsque la sonnerie stridente du téléphone me fait sursauter.

– *Gérard, je te réveille ?*

Oui, enfin non, je n'arrivais pas à dormir.

– *Écoute, je ne devrais pas te dire ça mais je suis en veine ce soir, une chance pareille c'est inespéré, il faut que j'en profite. Alors ne t'inquiète pas si je rentre très tard.*

Elle ne me laisse pas le temps de répondre. Une fois le téléphone raccroché, j'ouvre le placard. L'argent n'y est plus et le revolver du théâtre du gymnase de Marseille a disparu. J'ai comme un vide soudain dans l'estomac. Il m'est impossible d'aller me recoucher et je passe la nuit à errer entre la cuisine et nos chambres. J'essaye d'écouter la radio, mais il n'y a pas d'émission de nuit. J'essaye de lire, mais je ne peux pas me concentrer. Je m'aperçois que je suis en colère. Je songe à appeler la police, puis j'y renonce.

Le lendemain matin, je ne vais pas au lycée.

J'ai guetté le téléphone une partie de la matinée. Il n'est pas loin de midi lorsqu'une voiture noire s'arrête devant la porte. Un homme en descend petit, chauve. Il contourne la voiture, ouvre la portière et je vois descendre ma mère, sur son trente-et-un comme elle dit. J'entends les double pas dans les escaliers et je n'attends pas pour ouvrir la porte d'entrée. Ma mère est surprise et son ton est réprobateur :

– *Tu n'es pas au lycée ?*

425

– Non, je t'attendais.

– Pourquoi donc Grand Dieu !

Elle joue faux et je me retiens de hurler que j'étais mort d'inquiétude et que c'est dégueulasse ce qu'elle fait.

– Je te présente Monsieur Pasquier qui a eu la gentillesse de me raccompagner. Il est croupier au cercle.

Monsieur Pasquier baisse les yeux et trouve un prétexte pour prendre congé. Il me tutoie :

– Je te la confie, prends bien soin d'elle.

Ma mère vient de découvrir sur la grande table, la clef du placard secret que j'ai oublié de remettre en place.

– T'as fouillé dans le placard ?

– Maman, pourquoi t'as pris le revolver ?

– Tu m'espionnes maintenant ?

– Pourquoi tu l'as pris ?

– Pour me défendre.

– Mais il n'y a pas de balles.

– D'abord on ne dit pas des balles mais des cartouches, c'est l'armurier qui me l'a dit.

– T'as été chez un armurier ? Il est chargé ?

– Je ne l'ai plus. Pasquier a fouillé dans mon sac à main quand j'étais chez lui, il me l'a pris, il a eu peur que je fasse une connerie.

– T'es allée chez lui ?

– Oui, et alors ? Heureusement qu'il était là, je ne savais plus où j'avais la tête.

– Maman, tu avais promis… que tu ne jouerais plus…

– Je sais, je sais… Mais je t'interdis de me juger Gérard. Tant que je suis vivante, je t'interdis de me juger !

Je n'ose pas lui demander si elle a tout perdu. Ça me paraît évident. C'est la quatrième fois que de « millionnaires », on replonge dans la misère. On en reste là. Je ne veux pas qu'elle perde la face et qu'elle se mette en rogne.

Elle a repris ses fleurs et elle a retrouvé de la couture. Elle ne m'oblige pas à l'aider à cause de la somme importante de mes devoirs. Elle ne me conserve que les corvées de lessive, de vaisselle et de grand ménage, les fins de semaine.

Dans mon costume beige en gabardine, j'essaye de présenter mes poèmes dans les cabarets. J'essaye aux Champs-Élysées, sur la rive gauche, à Montmartre.

S'il m'est permis dans mes randonnées nocturnes de rencontrer des célébrités connues ou à venir, l'intérêt que je suscite avec mes poèmes est médiocre. On m'essaye pour voir… par curiosité, mais on ne me propose pas de cachet ou rarement, un soir ou deux. L'auditoire des cabarets est blasé, il n'a rien à voir avec le public de matière brute des terrasses de café. J'abandonne.

A quelque temps de là, on est invité chez Dolly et on y rencontre Juliette que nous connaissons déjà.

Juliette est une lesbienne notoire, vieille amie de Dolly, passablement fripée du visage, d'humeur pas toujours avenante, mais férue de tarots dont elle ne se sépare jamais, et toujours en quête de dire la bonne aventure à quelqu'un. Cet après-midi-là, un simple petit défi proposé par Juliette, va être à l'origine d'une trouvaille de ma part qui va nous remettre en selle financièrement, ma mère et moi, et je crois avoir été le seul à avoir mis ça au point jusqu'à ce jour.

Juliette s'adresse à ma mère qu'elle vouvoie, et ça commence par un compliment :

– Simone, vous qui avez de la tête, êtes-vous capable de vous souvenir d'une série de vingt-deux mots et de leur chiffre correspondant, si je vous les lis lentement une seule fois et que je vous demande ensuite de me redonner le nom lorsque je vous donne le chiffre ou le chiffre si je vous donne le nom ?

Ma mère fait une moue, hausse les sourcils et dit :

– Je ne sais pas, on peut essayer.

Elle se concentre, réussit à mémoriser un certain nombre de mots mais n'arrive pas jusqu'au bout. Juliette, en revanche, y parvient apparemment sans trop d'efforts. Nous sommes passablement ébahis et pressons Juliette de connaître son secret ou truc, car truc il y a si on peut appeler ça comme ça. Juliette ne se fait pas prier pour nous dire qu'à chaque Tarot correspond un chiffre et un emblème qui sont nommés « arcanes majeurs » et qui sont couramment : 1- Le Bateleur, 2- La Papesse, 3- L'Impératrice, 4- L'Empereur, 5- Le Pape, 6- L'Amoureux, 7- Le Chariot, 8- La Justice, 9- L'Hermite, 10- La Roue de fortune, 11- La force, 12- Le Pendu, 13- La Mort et ainsi de suite jusqu'à vingt-deux.

Juliette qui a du vocabulaire nous dit que c'est un support mnémotechnique. Mais elle a agencé les arcanes de manière différente pour qu'ils s'impriment mieux dans la mémoire et deviennent des supports plus efficaces. Lorsqu'on associe le mot à retenir avec son support, on peut bâtir un petit scénario et le mot s'imprime plus facilement dans la mémoire.

Ainsi les supports de Juliette se limitent à vingt et sont les suivants : 1- la maison, 2- l'homme, 3- la femme, 4- l'enfant, 5- la table, 6- le banc, 7- le journal, 8- les fleurs, 9- le bureau, 10- le livre, 11- la rue, 12- la mer, 13- la mort, 14- le soleil, 15- la lune, 16- les étoiles, 17- le chariot, 18- le mât, 19- le pendu, 20- le diable.

Ce petit tour, néanmoins impressionnant, auquel je viens d'assister, me donne spontanément une idée qui commence à faire son chemin. Je n'écoute plus les conversations de ces dames attablées et, tout entier à ma réflexion, je me dis que si je multipliais par dix les supports techniques pour mémoriser au moins cent mots, est-ce que je pourrais les retenir et si oui, est-ce que je pourrais en faire une attraction que je pourrais présenter, peut-être dans les endroits où on donne des spectacles comme les cabarets.

Une idée faisant germer l'autre, j'imagine une sorte de damier chiffré de cent cases où les spectateurs pourraient prendre des paris de cent francs sur chaque mot qu'ils inscriraient et me donneraient à retenir, puis si je me trompais, je paierais dix fois la mise par exemple.

En ne me trompant pas, je pourrais empocher dix mille francs pour un damier rempli. Et me voilà parti dans les calculs pour savoir à combien d'erreurs j'aurais droit selon le nombre de mots pariés pour ne pas faire banqueroute. Si le damier est rempli j'ai droit à dix erreurs pour m'en tirer sans en être de ma poche. Il me reste à expérimenter si je peux ou non, retenir cent mots sans confusion.

J'arrive d'abord, au bout de deux jours, à retenir parfaitement cent supports. Après avoir appris mes supports ainsi que leurs chiffres, et les avoir répétés jusqu'à en rêver, c'est ma mère qui m'entraîne. Quinze jours plus tard, elle peut décliner les mots qu'elle a choisis à une vitesse assez cadencée et je peux tous les restituer sans me tromper. Il ne doit s'agir que de mots concrets connus et couramment utilisés. Pas de mots fabriqués ou étrangers, sinon j'ai le droit de refuser le mot.

Une fois ma mère m'a joué un tour en ne me mettant que des notes de musique accidentées : sol dièse, ré bémol, sol bémol, do dièse, etc. L'effort mental était terrible et à la fin je me suis trompé.

Ma mère m'a acheté un pantalon long pour que je fasse plus vieux et, paradoxalement, a tenu à me faire imprimer une carte de visite me présentant comme « Fanfan et son éléphant », pour faire allusion à un enfant qui a une mémoire d'éléphant…

Les cabarets pullulent dans Paris. Je frappe à de nombreuses portes. Certaines s'ouvrent et me donnent ma chance pour un essai ou deux, mais je me heurte à des difficultés. Les clients sont curieux mais pas aussi nombreux à parier que je l'espérais, ce qui fait que je me retrouve avec quelques centaines de francs pour un effort de concentration que je ne peux pas renouveler deux fois de suite dans la même soirée sans danger de confondre les associations. Il y a aussi un autre écueil auquel je n'avais pas songé. Les cabaretiers sont réticents parce qu'il s'agit de paris, un peu comme aux courses, et certains m'opposent que les cabarets n'étant pas des casinos, tout ceci n'est peut-être pas très légal et demanderait d'obtenir une autorisation.

Je ne me tiens pas pour battu et je me mets en quête de grands cabarets avec la foi que ça finira peut-être par marcher, Je ne sais pas trop comment.

Je me présente même au Lido, le plus grand cabaret du monde de l'époque et je rencontre son directeur.

Il me reçoit dans son vaste bureau, homme à la carrure imposante, aux cheveux plaqués, au nez rappelant celui des Bourbons, et il prononce, après m'avoir écouté, ces paroles qui me laissent sans réplique :

– *Je couche avec mes danseurs et mes danseuses, mais le travail c'est le travail ! Je ne veux pas dans mon cabaret de chanteurs boutonneux, comme cet Eddie Constantine qui est venu me demander du travail, ni de vieilles folles, toutes tordues comme toi, qui viennent me proposer des conneries. Tiens voilà dix mille balles et reviens me voir si tu en as envie...*

Je l'ai remercié. Je ne suis pas parti sans le billet de dix mille, mais je n'ai pas revu souvent son propriétaire.

C'est au « Bœuf sur le Toit » que mon projet se matérialise.

Je tombe sur un homme d'affaires qui dirige ce cabaret dont la salle est immense. Mon numéro l'intéresse, mais à ses conditions. Avec son associé, ils me font passer le troisième degré à propos de mes parents, ma vie scolaire et mon passé de comédien.

Puis ils me font une proposition astucieuse qui respecte la légalité et m'assure un revenu fixe. Il y aura un contrat cosigné par ma mère dont voici en gros les termes. « J'accorde l'exclusivité. Si je suis pris à faire le même numéro ailleurs, c'est la rupture, la porte et le dédit. L'animateur du spectacle me présentera comme une attraction unique et proposera à la clientèle attablée, une certaine marque de champagne à mille francs à ceux qui le désirent et sur laquelle j'ai compris que l'établissement fera huit cents francs de bénéfice, avec l'option de voir la bouteille remboursée au complet si, des cinq mots (objets concrets seulement) choisis par le client et inscrits sur le damier, j'en manque un seul ou son chiffre correspondant. Si l'animateur rassemble dix clients, je touche trois mille francs, et j'ai droit à deux erreurs en tout sur deux clients différents pour que chacun y trouve son bénéfice. Si l'animateur rassemble vingt personnes, je touche cinq mille francs et j'ai droit à six erreurs sur six clients différents. Il n'y a pas de nombre de clients intermédiaires entre zéro et dix, ou dix et vingt. Si l'animateur ne rassemble pas un minimum de dix personnes, je ne fais pas le numéro et je ne suis pas payé. Mon numéro dure dix-huit minutes très exactement. Les serveurs véhiculent le damier aux clients intéressés qui lèvent la main. Je passerai mon numéro une fois par soirée et deux fois par semaine seulement. »

L'ennui c'est l'heure tardive : entre onze heures et trois heures du matin selon la clientèle. Pendant toute la durée du contrat, soit cinq mois, je n'ai jamais fait une seule erreur et j'ai ramené fidèlement à la maison quarante mille francs par mois les trois premiers mois, puis c'est tombé à vingt mille l'avant-dernier mois, puis à quelques milliers de francs et enfin à rien du tout le dernier mois.

Le contrat n'a pas été renouvelé parce qu'un détail nous a échappé, autant au directeur qu'à moi. Les clients n'ont plus été intéressés à surpayer leur champagne pour prendre le risque de ne jamais se voir rembourser leur bouteille. Il aurait fallu les faire gagner périodiquement. Mauvaise psychologie. J'ai commis l'erreur de ne pas faire d'erreurs ! J'ai tué la poule aux œufs d'or.

Chapitre XXXVI

Au printemps, ma mère a une nouvelle idée d'entreprise. Après une longue réflexion qui a duré tout l'hiver, elle conclut qu'il n'y a de rentable que le commerce.

Avec l'argent mis de côté grâce à mon numéro de cabaret, elle achète une longue table pliante en aluminium, une clayette, un parasol, une chaise, un tapis de velours noir... et elle va au carreau du Temple se procurer en gros un énorme stock de bijouterie fantaisie qu'elle se propose de vendre sur les marchés. C'est le début de l'été de mes quinze ans. « Nous » faisons les marchés des environs, tous les dimanches, et comme ma mère l'avoue :

– *Il ne fait plus de cinéma pour le moment, vous savez l'âge ingrat...*

Je viens d'apprendre que je ne passerai pas en troisième. Je m'y attendais un peu, mais le choc est rude. Ma mère me conseille de continuer avec l'École Universelle, à laquelle effectivement je m'inscris, afin de suivre les cours par correspondance.

La Simca tombe souvent en panne et malgré la bonne volonté de Julien Klein, elle est têtue comme une Simca et il faut chaque fois aller chez le concessionnaire, ce qui coûte suffisamment pour mettre ma mère dans tous ses états et me reprocher d'être ignorant en mécanique, ce que je devrais savoir instinctivement puisque, comme elle dit : « je suis du sexe masculin ».

Dans la rue Dalayrac, à côté de chez nous, il y a un brave homme de mécanicien dont la petite fille chantait dans la troupe du théâtre du petit monde, si cher à Madame Gaucher. Je vais le solliciter pour apprendre la mécanique. Il hésite en me demandant si je veux en faire mon avenir avec le passé que j'ai. J'arrive à le convaincre que je suis très intéressé par la mécanique, ce qui est vrai. En trois mois, j'apprends chez lui, dix heures par jour, comment refaire un moteur à la manière traditionnelle, c'est-à-dire entièrement à la main, y compris le réalésage des cylindres, le montage à chaud des axes de pistons, la mise au point des bielles sur le vilebrequin, le rodage des soupapes, leur réglage, la mise au point des moteurs à l'oreille et j'en passe... Comme apprenti, je n'ai touché qu'un peu d'argent de poche et c'est moi qui aurais dû le rétribuer pour m'avoir transmis une bonne partie de sa compétence que je n'ai jamais oubliée.

431

Ma mère se débrouille bien avec les marchés. Maintenant elle installe son étalage trois, puis quatre et enfin cinq jours de la semaine en plus des dimanches à Fontenay, Vincennes et Montreuil. Elle a la bosse du commerce. Elle fait de bons petits bénéfices et elle se porte mieux. Elle a complètement lâché les fleurs et la couture. Je crois que les heures passées au grand air lui font du bien. Elle affirme cependant qu'elle a de moins en moins d'angoisses si elle respire de temps à autre les émanations d'un petit flacon d'alcool de menthe Ricqlès, vendu en pharmacie, ou qu'elle en verse quelques gouttes sur un sucre.

Depuis que ma mère fait les marchés, notre approvisionnement en sucre a doublé et nous passons fréquemment à la pharmacie. J'ai remis la voiture en état et elle démarre au quart de tour. Plus besoin de dégommer à la manivelle car la batterie est neuve. Puis je me suis enfin mis sérieusement aux cours dispensés selon la publicité « Si seulement j'avais connu l'École Universelle ! ».

Je demeure quand même de corvée ménagère les dimanches, sauf si j'accompagne ma mère pour lui donner un coup de main. Comme je trouve le temps long à poiroter derrière l'étalage, je m'emporte un livre à étudier et de temps à autre, j'observe les passants.

Dimanche dernier il était évident que ma mère s'était mise à me faire la tête durant la journée. À peine passés le seuil de la porte d'entrée, elle m'avertit sans ambages qu'elle a à me parler. On s'assied dans la cuisine. Elle me regarde fixement de la façon dont elle l'a toujours fait lorsqu'elle va me faire passer un mauvais quart d'heure.

Je n'ai rien à me reprocher que je sache, mais malgré moi, je ressens un malaise qui s'approfondit instantanément et qui est lié à la peur. Quelque part dans mon inconscient, elle me terrifie toujours. Elle détache les mots et débute doucement, comme elle l'a toujours fait.

– *Gérard, il faut que je te parle.*

Elle prend une longue inspiration :

– *Il va falloir que tu trouves du travail, je ne vais pas continuer à t'entretenir à ne rien faire.*

Je suis interloqué :

– *Mais maman, je prends mes études au sérieux, je ne fais pas « rien » !*

– *Je n'en suis pas si sûre et si tu veux faire des études, il va falloir que tu te les payes.*

– *Mais si je travaille, je n'ai plus le temps de rattraper tout ce que j'ai manqué ces dernières années ! Je n'y arriverai jamais...*

– *Tu as le temps de te retourner sur les filles, tu as donc le temps de travailler. C'est vrai que tu es un homme maintenant. Quand on a du poil aux couilles, on se prend pour un homme, et quand on est un homme, on travaille. On fonde une famille et on travaille !*

– *Mais maman, de quoi est-ce que tu parles... ?*

– Tu crois que je ne t'ai pas vu en train de reluquer cette petite pouffiasse blonde, cette petite morue qui est venue s'acheter des boucles d'oreilles avec son air de mijaurée ? Je te l'ai toujours dit, je n'ai pas envie de m'écorcher à te payer des études pour que t'ailles foutre mes sacrifices dans le cul d'une pétasse !

– Maman...

– Mon cher fils, si tu veux faire des études, tu vas apprendre la valeur de l'argent et tu vas te les payer. De plus, tu vas me payer une pension pour te loger et te nourrir.

Une chaleur m'envahit, me monte à la tête et me fait prendre une voie dans laquelle je sens que je ne pourrai plus faire demi-tour. Pour la première fois, j'élève le ton et je fais front :

– Apprendre la valeur de l'argent, mais maman, tu es injuste !

– Injuste ?

– Oui, injuste ! Tu crois que tu la connais toi, la valeur de l'argent à chaque fois que tu as perdu tout ce qu'on avait à la roulette !

La gifle est sèche, bien appliquée, mordante. Elle déclenche une montée de colère que je ne contrôle plus. Je m'engage sans retour possible et je m'emporte :

– C'est la dernière fois que tu me touches, tu m'entends ? Tu me terrorises depuis que je suis tout petit, avec tes trempes et tes menaces, et ton couteau ! Tu m'as obligé à mentir et mentir tellement que j'ai eu peur de toi, mais c'est fini ! Fini ! Fini !

J'ai ouvert le tiroir de la cuisine et saisi le solide et long couteau à cran d'arrêt dont je fais jaillir la lame.

– Regarde ce que j'en fais de ton couteau et de tes menaces... tu ne me fais plus peur !

Prenant la lame à pleine main droite et le manche dans l'autre, mes forces décuplées par la colère libérée, je casse net le couteau en deux et, dans l'élan, je m'enfonce sans le vouloir la pointe de la lame dans la cuisse. Je jette les deux morceaux du couteau désormais inoffensif et je défie ma mère du regard, aussi durement qu'elle l'a toujours fait, prêt à me défendre physiquement, prêt à affronter le pire.

Il est difficile de décrire l'expression de surprise, mêlée de terreur, qui se lit d'abord sur le visage livide de ma mère, puis scrutatrice de la faille qui me fera faiblir dans ma détermination, car ses yeux se sont rapetissés dans l'incertitude et les coins de sa bouche se sont abaissés.

Nous restons ce qui me semble une éternité à nous évaluer, mère et fils, dans un affrontement farouche et... monstrueux.

Soudain elle s'arrache de sa chaise, se rue dans l'entrée, ouvre toute grande la porte d'entrée et se met à hurler sur le palier :

– Au secours ! Mon fils veut m'assassiner !

Je la rejoins alors qu'elle commence à descendre les escaliers et c'est avec une énergie que je ne me connaissais pas que je la ramène de force dans la maison. Je l'oblige à s'asseoir tandis qu'elle se met à fondre en larmes et elle sanglote. J'ai compris que je viens de prendre l'ascendant sur elle. Elle a peur de moi, les rôles sont inversés.

Mes esprits retrouvés, je m'aperçois que j'ai du sang plein ma jambe de pantalon et je me fais un garrot. Puis je me trouve de la gaze pour me faire un pansement serré sous l'œil indifférent de ma mère. Je m'adresse à elle doucement, mais fermement, pour ne pas qu'elle pense que je suis en train de céder et revenir en arrière :

– *Maman, si tu veux que j'aille travailler, j'irai travailler et je te paierai une pension, mais je ne veux plus jamais, jamais qu'il y ait de violence, ni de menaces entre nous, ni mensonges, jamais plus...*

Elle me fait signe que oui de la tête mais elle ne m'adressera plus la parole pendant plusieurs semaines. De mon côté, j'installerai un verrou à la porte de ma chambre parce que je ne suis pas tranquille. Dans le fond de moi-même, j'appréhende qu'elle profite de mon sommeil pour se venger.

Dans le fond, rien n'a vraiment changé, elle me terrifie encore malgré moi. Dans un moment de délire, j'aurais voulu la tuer parce qu'elle me faisait peur, mais je n'aurais jamais pu lui faire de mal parce que je l'aime.

ÉPILOGUE

J'ai d'abord trouvé du travail dans un bureau, chez Dunois et fils à Vincennes comme commis pour coller des timbres sur des enveloppes et trier le courrier. Je n'ai pas résisté longtemps. Puis je me suis engagé comme manœuvre sur un chantier de construction. Trois jours plus tard en sautant d'un muret de briques je me suis enfoncé un clou qui m'a traversé le pied. À l'automne j'ai trouvé un job de débardeur de nuit à la Halle au poisson. Quelque temps après on m'a dit qu'on me remplaçait par un homme…

À la porte des studios de Boulogne-Billancourt, parmi la foule des gens pauvres, massés depuis l'aurore devant l'entrée bien gardée, il y a un adolescent de seize ans trop grand pour son âge et trop jeune de visage avec ses boucles brunes, enveloppé d'une redingote bleu marine achetée aux puces, qui attend qu'un régisseur en quête de figurants le choisisse pour faire le cachet qui lui permettra de survivre quelques jours. Il paraît qu'autrefois, il fut la plus jeune vedette du cinéma français. Vers onze heures, le régisseur se montre. Il sonde l'assistance et désigne d'un ton sec :

– *Vous ! Et vous, là-bas ! Au maquillage ! C'est tout pour aujourd'hui !*

L'adolescent insiste, s'accroche et tente en vain de se faire reconnaître de ce régisseur qu'il connaît bien et dont il est connu, mais la porte d'acier se referme hermétique, invincible. Il s'écarte de la foule qui se dilue le long des murs du studio, traverse la rue et s'assied dans l'herbe, sur la berge de la Seine.

Il songe, il songe au poème de Rudyard Kipling qu'il a si souvent déclamé aux terrasses des cafés : « Si tu peux rencontrer triomphe après défaite et recevoir ces deux menteurs d'un même front… ».

Un peu plus loin, il y a un homme âgé en costume noir et chapeau mou, à la Humphrey Bogart, qui est assis lui aussi sur la berge. L'adolescent l'interpelle :

– *Vous aussi, vous êtes frimant ?*

– *Vous n'êtes pas sympathique jeune homme !* répond le vieil homme. *Sachez que je ne suis pas un « frimant » comme vous dites, mais une ex et célèbre vedette du cinéma muet !*

– *Ah, je ne savais pas, excusez-moi…*

L'adolescent reste encore un moment à observer un chaland qui remonte lentement la Seine et il lui vient une idée. De retour chez lui, il s'adresse à sa mère :

– Dis maman, qu'est-ce que tu dirais si on partait en Amérique ? À Hollywood peut-être que je pourrais faire du cinéma ? Ils sont tous grands là-bas.

– Tu m'emmènerais avec toi ?

– Bien sûr !

– Si tu m'emmenais avec toi, je ne dis pas non. De toute manière, tu ne pourrais pas faire autrement. Tu es mineur et tu as besoin de mon autorisation, et… je ne te laisserais jamais partir tout seul…

FIN

REMERCIEMENTS

Je remercie Évelyne Toui-Kan, mon épouse.
Sans son instigation, ce livre n'aurait pas vu le jour.

Je remercie Andrée Laporte, ma première lectrice.

Ses encouragements ont contribué à ce que je mène à terme le récit de cette aventure mouvementée que furent mes années d'enfance et d'adolescence.

Je remercie Alain Stanké et Jean-Louis Morgan dont j'écris les noms côte à côte car ils sont amis soudés depuis leur jeunesse.

Ils m'ont fait croire que j'avais du talent.

Imprimé en France
ISBN : 978-2-35216-290-2
Dépôt légal : 1er trimestre 2009